핀란드 3학년 수학 교과서

_______ 초등학교 ____ 학년 ____ 반

이름 ______________

QR코드를 스캔하면 놀이 수학
동영상을 보실 수 있습니다.

핀란드 3학년 수학 교과서 3-1 1권

초판 3쇄 발행 2024년 1월 20일

지은이 파이비 키빌루오마, 킴모 뉘리넨, 피리타 페랄라, 페카 록카, 마리아 살미넨, 티모 타피아이넨
그린이 미리야미 만니넨 **옮긴이** 박문선 **감수** 이경희
펴낸이 정혜숙 **펴낸곳** 마음이음

책임편집 이금정 **디자인** 디자인서가
등록 2016년 4월 5일(제2018-000037호)
주소 03925 서울시 마포구 월드컵북로 402 9층 917A호(상암동 KGIT센터)
전화 070-7570-8869 **팩스** 0505-333-8869
전자우편 ieum2016@hanmail.net
블로그 https://blog.naver.com/ieum2018

ISBN 979-11-89010-88-1 64410
979-11-89010-87-4 (세트)

어린이제품안전특별법에 의한 제품표시
제조자명 마음이음 **제조국명** 대한민국 **사용연령** 9세 이상 어린이 제품
KC마크는 이 제품이 공통안전기준에 적합하였음을 의미합니다.

핀란드 3학년 수학 교과서 3-1

1권

글 파이비 키빌루오마, 킴모 뉘리넨, 피리타 페랄라,
페카 록카, 마리아 살미넨, 티모 타피아이넨
그림 미리야미 만니넨
옮김 박문선
감수 이경희(전 수학 교과서 집필진)

마음이음

핀란드 학생들이 수학을 잘하고 수학 흥미도도 높은 비결은?

우리나라 학생들이 수학 학업 성취도가 세계적으로 높은 것은 자랑거리이지만 수학을 공부하는 시간이 다른 나라에 비해 많은 데다, 사교육에 의존하고, 흥미도가 낮은 건 숨기고 싶은 불편한 진실입니다. 이러한 측면에서 사교육 없이 공교육만으로 국제학업성취도평가(PISA)에서 상위권을 놓치지 않는 핀란드의 교육 비결이 궁금하지 않을 수가 없습니다. 더군다나 핀란드에서는 숙제도, 순위를 매기는 시험도 없어 학교에서 배우는 수학 교과서 하나만으로 수학을 온전히 이해해야 하지요. 과연 어떤 점이 수학 교과서 하나만으로 수학 성적과 흥미도 두 마리 토끼를 잡게 한 걸까요?

– 핀란드 수학 교과서는 수학과 생활이 동떨어진 것이 아닌 친밀한 것으로 인식하게 합니다. 그래서 시간, 측정, 돈 등 학생들은 다양한 방식으로 수학을 사용하고 응용하면서 소비, 교통, 환경 등 자신의 생활과 관련지으며 수학을 어려워하지 않습니다.

– 교과서 국제 비교 연구에서도 교과서의 삽화가 학생들의 흥미도를 결정하는 데 중요한 역할을 한다고 했습니다. 핀란드 수학 교과서의 삽화는 수학적 개념과 문제를 직관적으로 쉽게 이해하도록 구성하여 학생들의 흥미를 자극하는 데 큰 역할을 하고 있습니다.

– 핀란드 수학 교과서는 또래 학습을 통해 서로 가르쳐 주고 배울 수 있도록 합니다. 교구를 활용한 놀이 수학, 조사하고 토론하는 탐구 과제는 수학적 의사소통 능력을 향상시키고 자기 주도적인 학습 능력을 길러 줍니다.

– 핀란드 수학 교과서는 창의성을 자극하는 문제를 풀게 합니다. 답이 여러 가지 형태로 나올 수 있는 문제, 스스로 문제 만들고 풀기를 통해 짧은 시간에 많은 문제를 푸는 것이 아닌 시간이 걸리더라도 사고하며 수학을 하도록 합니다.

– 핀란드 수학 교과서는 코딩 교육을 수학과 연계하여 컴퓨팅 사고와 문제 해결을 돕는 다양한 활동을 담고 있습니다. 코딩의 기초는 수학에서 가장 중요한 논리와 일맥상통하기 때문입니다.

핀란드는 국정 교과서가 아닌 자율 발행제로 학교마다 교과서를 자유롭게 선정합니다. 마음이음에서 출판한 『핀란드 수학 교과서』는 핀란드 초등학교 2190개 중 1320곳에서 채택하여 수학 교과서로 사용하고 있습니다. 또한 이웃한 나라 스웨덴에서도 출판되어 교과서 시장을 선도하고 있지요.

코로나로 인하여 온라인 수업과 재택 수업으로 학습 격차가 커지고 있습니다. 다행히 『핀란드 수학 교과서』는 우리나라 수학 교육 과정을 다 담고 있으며 부모님 가이드도 있어 가정 학습용으로 좋습니다. 자기 주도적인 학습이 가능한 『핀란드 수학 교과서』는 학업 성취와 흥미를 잡는 해결책이 될 수 있을 것으로 기대합니다.

이경희(전 수학 교과서 집필진)

수학은 흥미를 끄는 다양한 경험과 스스로 공부하려는 학습 동기가 있어야 좋은 결과를 얻을 수 있습니다. 국내에 많은 문제집이 있지만 대부분 유형을 익히고 숙달하는 데 초점을 두고 있으며, 세분화된 단계로 복잡하고 심화된 문제들을 다룹니다. 이는 학생들이 수학에 흥미나 성취감을 갖는 데 도움이 되지 않습니다.

공부에 대한 스트레스 없이도 국제학업성취도평가에서 높은 성과를 내는 핀란드의 교육 제도는 국제 사회에서 큰 주목을 받아 왔습니다. 이번에 국내에 소개되는 『핀란드 수학 교과서』는 스스로 공부하는 학생을 위한 최적의 학습서입니다. 다양한 실생활 소재와 풍부한 삽화, 배운 내용을 반복하여 충분히 익힐 수 있도록 구성되어 학생이 흥미를 갖고 스스로 탐구하며 수학에 대한 재미를 느낄 수 있을 것으로 기대합니다.

전국수학교사모임

수학 학습을 접하는 시기는 점점 어려지고, 학습의 양과 속도는 점점 많아지고 빨라지는 추세지만 학생들을 지도하는 현장에서 경험하는 아이들의 수학 문제 해결력은 점점 하향화되는 추세입니다. 이는 학생들이 흥미와 호기심을 유지하며 수학 개념을 주도적으로 익히고 사고하는 경험과 습관을 형성하여 수학적 문제 해결력과 사고력을 신장하여야 할 중요한 시기에, 빠른 진도와 학습량을 늘리기 위해 수동적으로 설명을 듣고 유형 중심의 반복적 문제 해결에만 집중한 결과라고 생각합니다.

『핀란드 수학 교과서』를 통해 흥미와 호기심을 유지하며 수학 개념을 스스로 즐겁게 내재화하고, 이를 창의적으로 적용하고 활용하는 수학 학습 태도와 습관이 형성된다면 학생들이 수학에 쏟는 노력과 시간이 높은 수준의 창의적 문제 해결력이라는 성취로 이어질 것입니다.

손재호(KAGE영재교육학술원 동탄본원장)

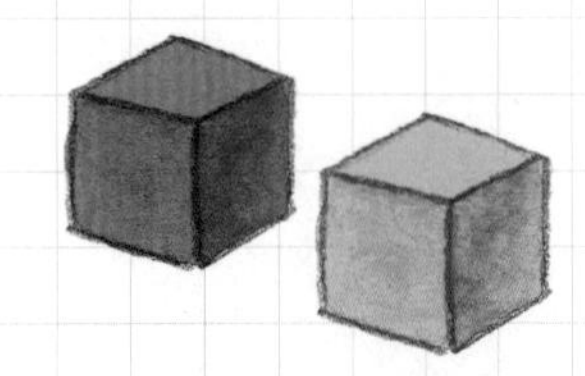

한국의 학생들에게

「핀란드 수학 교과서(Star Maths)」 시리즈를 펴낸 오타바(Otava) 출판사는 교재 전문 출판사로 120년이 넘는 역사를 지닌 명실상부한 핀란드의 대표 출판사입니다. 특히 「Star Maths」 시리즈는 핀란드 학교 현장의 수학 전문가들이 최신 핀란드 국립교육과정을 반영하여 함께 개발한 핀란드의 대표 수학 교과서입니다.

수 개념과 십진법을 이해하기 위한 탄탄한 기반을 제공하여 연산 능력을 키우고, 기본, 응용, 심화 문제 등 학생 개개인의 학습 차이를 다각도에서 고려하여 다양한 평가 문제를 실었습니다. 또한 친구 또는 부모님과 함께 놀이를 통해 문제 해결을 하며 수학적 즐거움을 발견하여 수학에 대한 긍정적인 태도를 갖도록 합니다.

한국의 학생들이 이 책과 함께 즐거운 수학 세계로 여행을 떠나길 바랍니다.

파이비 키빌루오마, 킴모 뉘리넨, 피리타 페랄라, 페카 록카,
마리아 살미넨, 티모 타피아이넨(STAR MATHS 공동 저자)

이 책의 구성

핀란드 수학 교과서, 왜 특별할까?

- 수학과 연계하여 컴퓨팅 사고와 문제 해결력을 키워 줘요.
- 교구를 활용한 놀이를 통해 수학 개념을 이해시켜요.

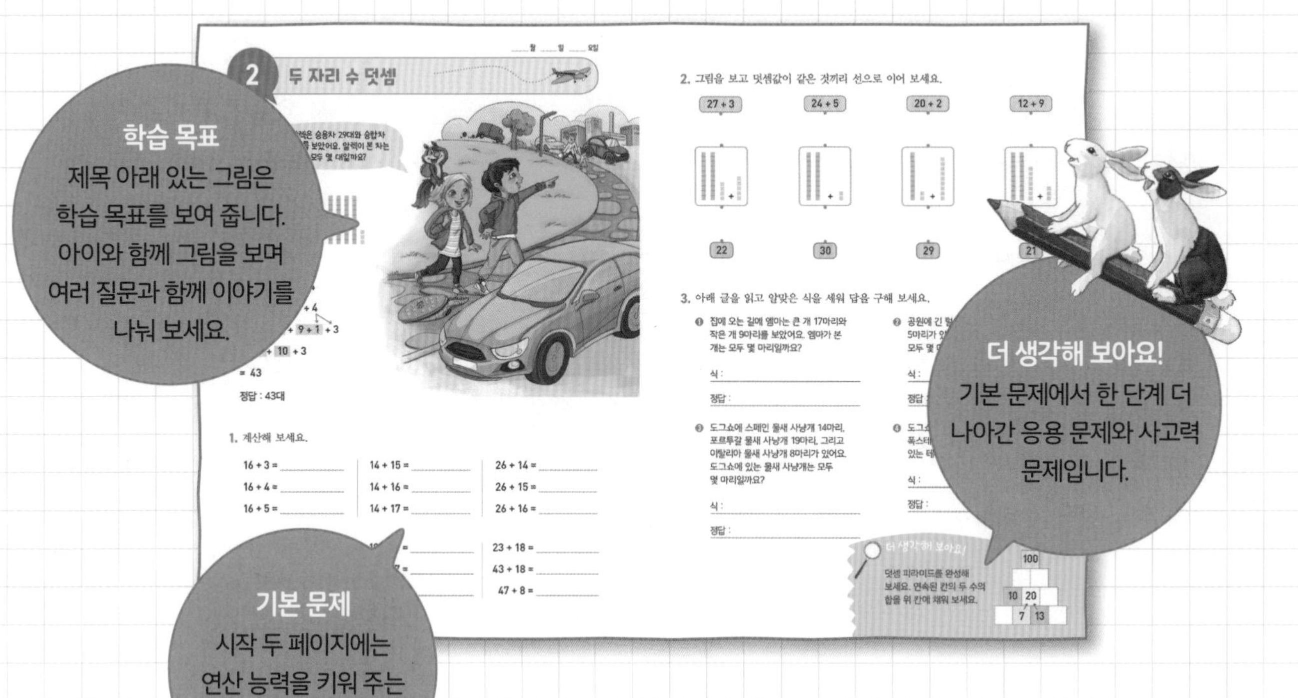

학습 목표
제목 아래 있는 그림은 학습 목표를 보여 줍니다. 아이와 함께 그림을 보며 여러 질문과 함께 이야기를 나눠 보세요.

더 생각해 보아요!
기본 문제에서 한 단계 더 나아간 응용 문제와 사고력 문제입니다.

기본 문제
시작 두 페이지에는 연산 능력을 키워 주는 기본 문제들이 있습니다.

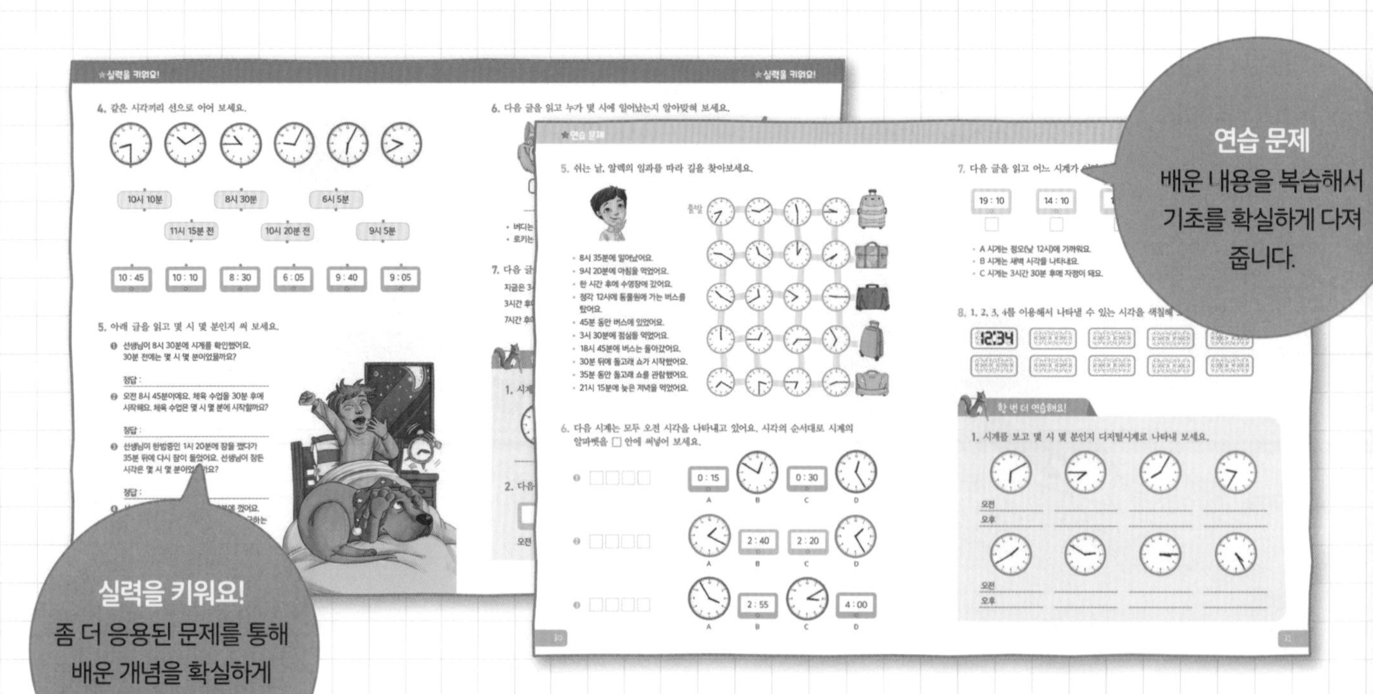

연습 문제
배운 내용을 복습해서 기초를 확실하게 다져 줍니다.

실력을 키워요!
좀 더 응용된 문제를 통해 배운 개념을 확실하게 익힐 수 있습니다.

- 수학적 이야기가 풍부한 그림으로 수학 학습에 영감을 불어넣어요.
- 수학적 구조를 발견하고 이해하게 하여 수학 공식을 암기할 필요가 없어요.
- 연산, 서술형, 응용과 심화, 사고력 문제가 한 권에 모두 들어 있어요.

단원 평가
도전! 심화 평가
단원 정리
평가 문제
개념과 원리를 잘 이해했는지 스스로 점검해 볼 수 있습니다.
심화 평가
기본 문제를 모두 이해한 아이가 도전해 볼 수 있는 난이도 있는 문제로 구성하였습니다.
단원 정리
꼭 알아야 할 핵심 내용을 정리하였습니다.

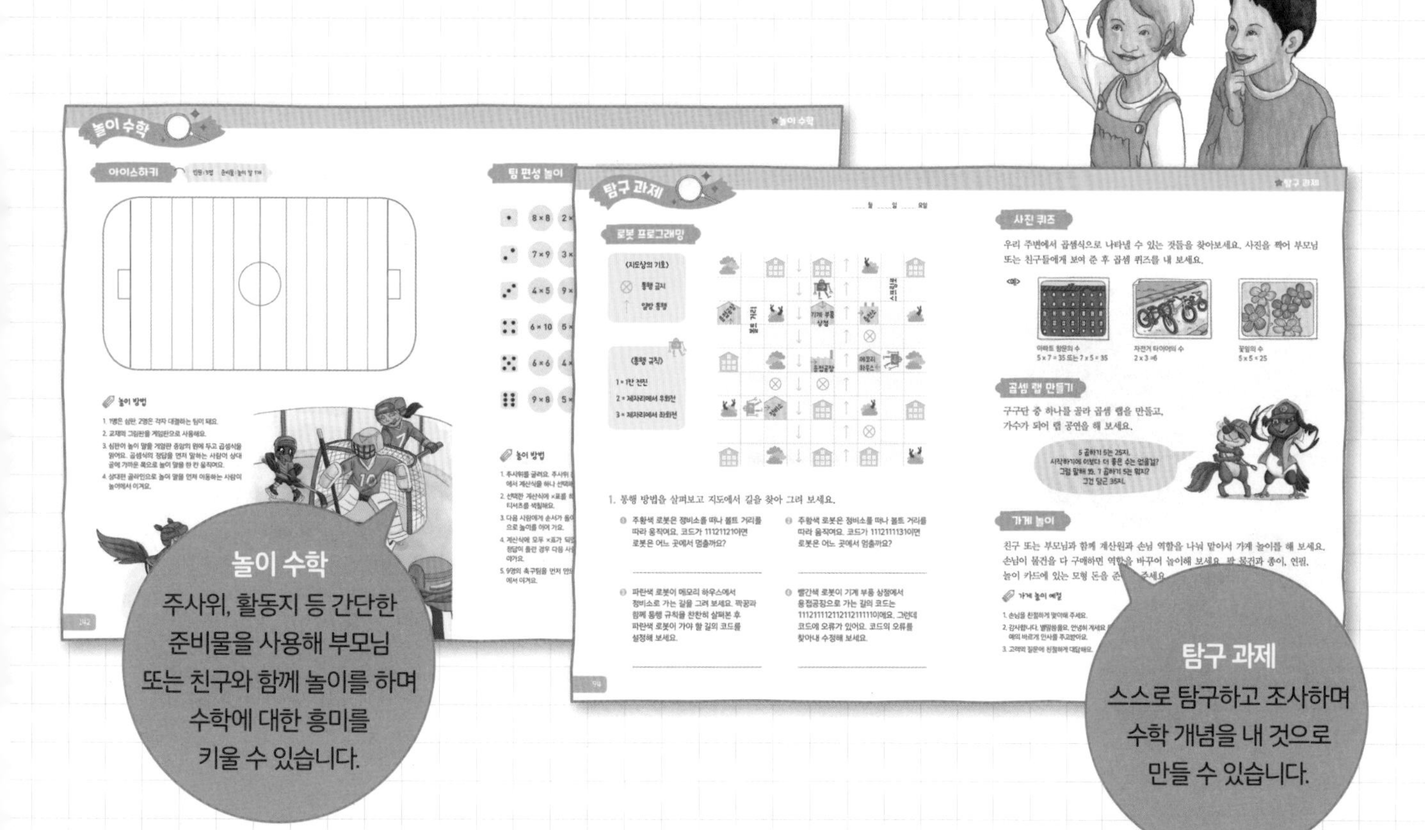

3 + 6 =
놀이 수학
탐구 과제
놀이 수학
주사위, 활동지 등 간단한 준비물을 사용해 부모님 또는 친구와 함께 놀이를 하며 수학에 대한 흥미를 키울 수 있습니다.
탐구 과제
스스로 탐구하고 조사하며 수학 개념을 내 것으로 만들 수 있습니다.

차례

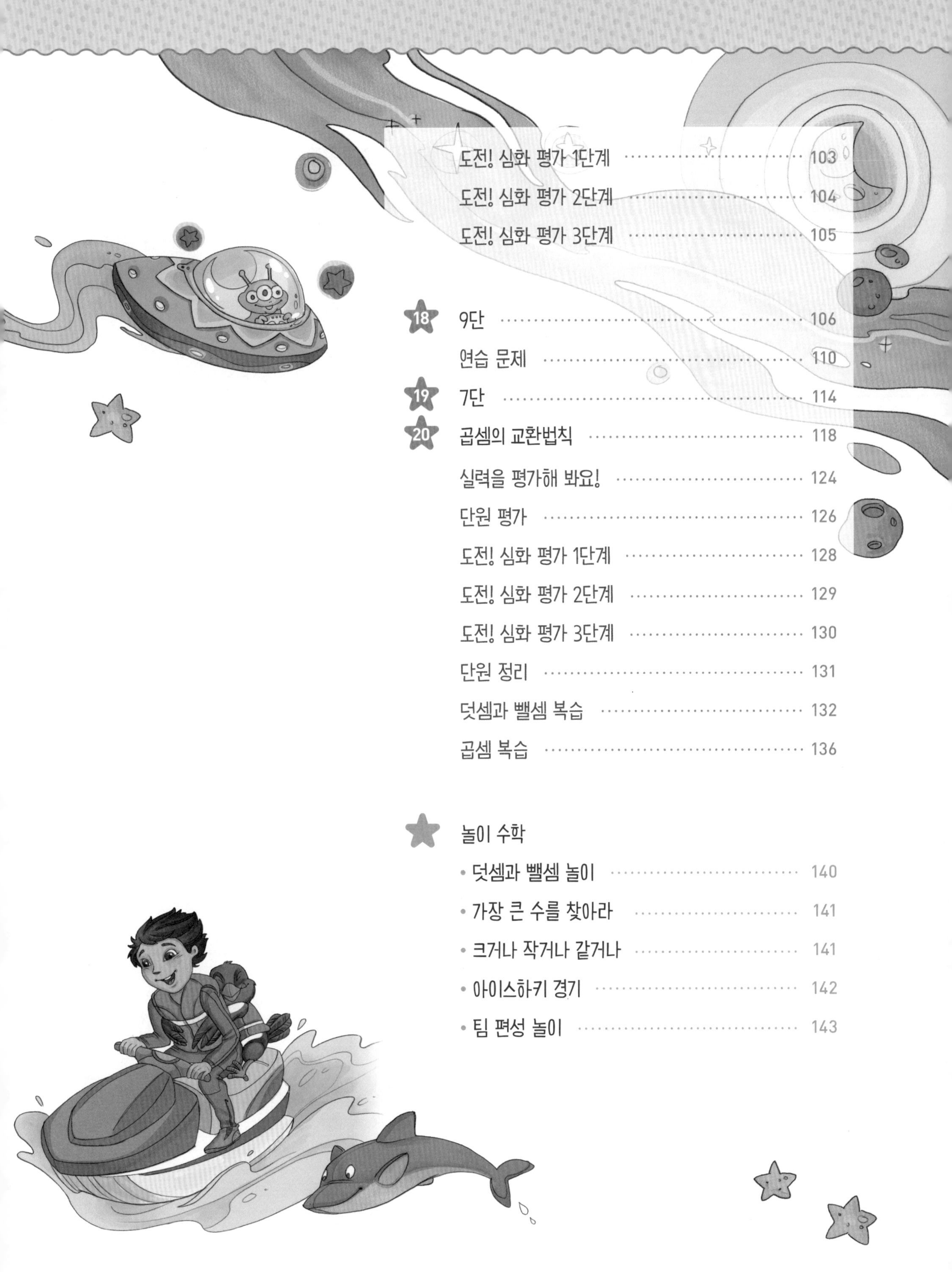

___월 ___일 ___요일

1 10을 만들어 덧셈과 뺄셈하기

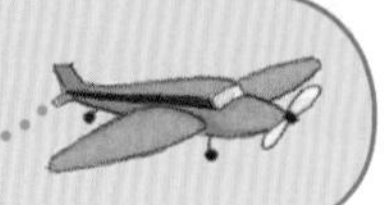

덧셈

더해지는 수 ↓, 더하는 수 ↙

$9 + 7$

$= \boxed{9 + 1} + 6$

$= \boxed{10} + 6$

$= 16$

- 먼저 9와 1을 더해서 10을 만들어 보세요.
- 그리고 남은 6을 더해 보세요.

덧셈의 결과를 **합**이라고 해요.

뺄셈

빼지는 수 ↓, 빼는 수 ↙

$16 - 7$

$= \boxed{16 - 6} - 1$

$= \boxed{10} - 1$

$= 9$

- 먼저 16에서 10이 되도록 6을 빼 보세요.
- 그리고 남은 1을 빼 보세요.

뺄셈의 결과를 **차**라고 해요.

책 뒤에 있는
놀이 카드를 이용하여
학습하세요.

1. 그림을 보고 계산해 보세요.

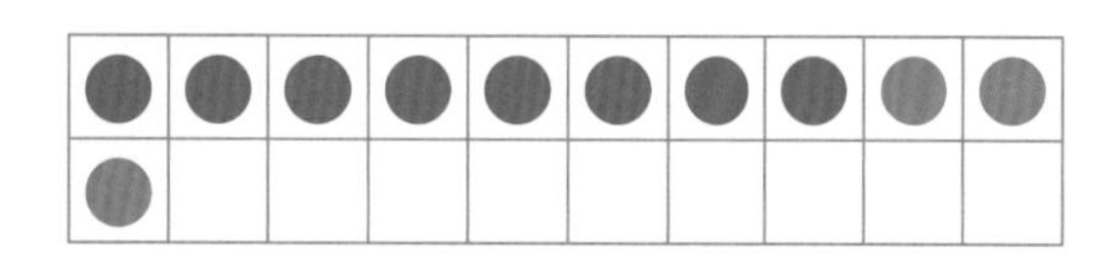

8 + 3 = ______　　11 − 3 = ______

3 + 8 = ______　　11 − 8 = ______

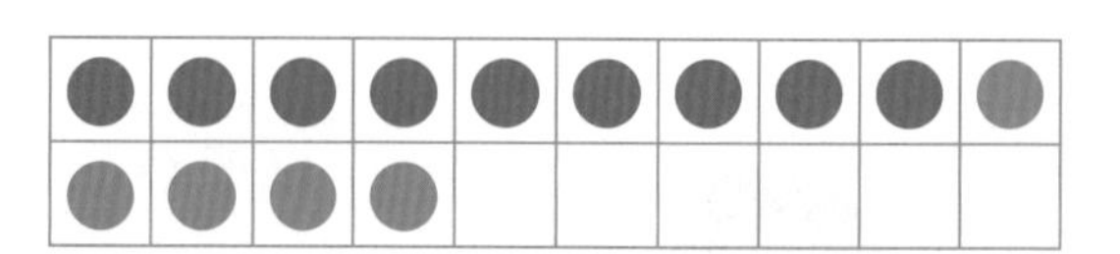

9 + 5 = ______　　14 − 5 = ______

5 + 9 = ______　　14 − 9 = ______

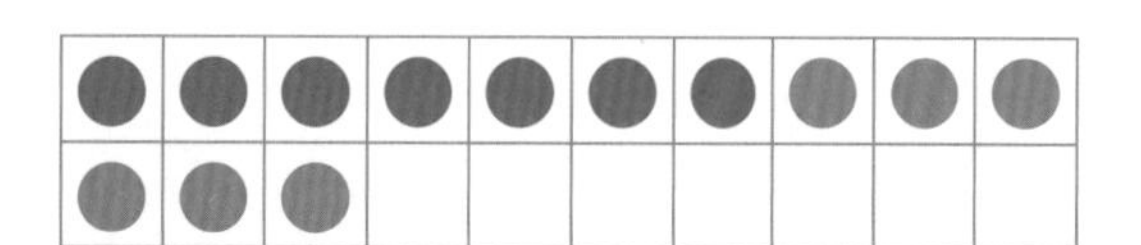

7 + 6 = ______　　13 − 6 = ______

6 + 7 = ______　　13 − 7 = ______

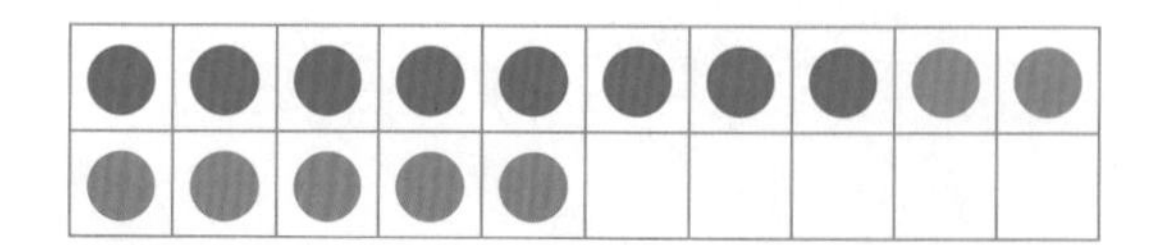

8 + 7 = ______　　15 − 7 = ______

7 + 8 = ______　　15 − 8 = ______

2. 더해서 10을 만들어 보세요.

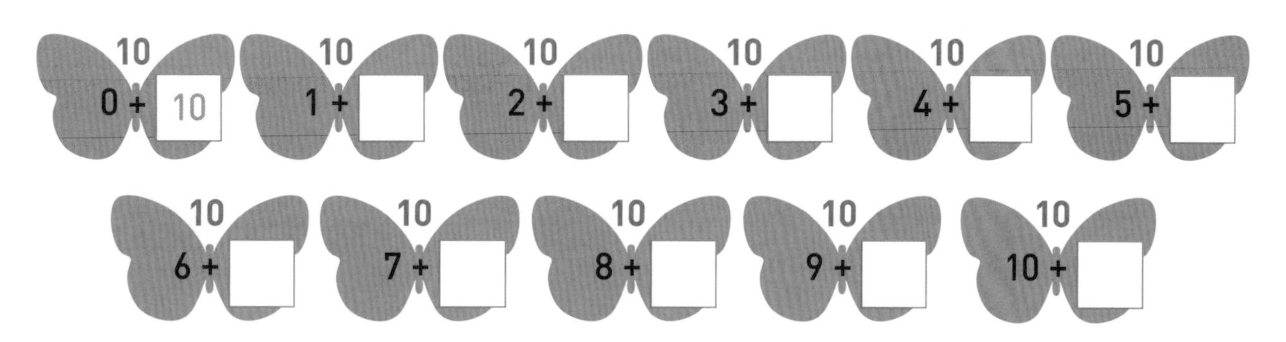

3. 아래 글을 읽고 알맞은 식을 세워 답을 구해 보세요.

❶ 5에 7을 더하면 얼마일까요?

식 : ____________________

정답 : ____________________

❷ 16에서 9를 빼면 얼마일까요?

식 : ____________________

정답 : ____________________

❸ 20과 18의 차는 얼마일까요?

식 : ____________________

정답 : ____________________

❹ 6과 14의 합은 얼마일까요?

식 : ____________________

정답 : ____________________

4. 아래 글을 읽고 알맞은 식을 세워 답을 구해 보세요.

❶ 알렉은 13유로짜리 학용품을 사려고 하는데 8유로를 가지고 있어요. 알렉이 학용품을 사려면 돈이 얼마 더 있어야 할까요?

식 : ____________________

정답 : ____________________

❷ 요나는 가방과 필통을 사려고 해요. 가방은 28유로이고, 필통은 8유로예요. 가방과 필통을 합해서 얼마일까요?

식 : ____________________

정답 : ____________________

더 생각해 보아요!

엠마는 집에 오는 길에 자동차 2대와 자전거 3대, 그리고 모터 자전거 1대를 보았어요. 엠마가 본 자동차와 자전거에는 모두 몇 개의 바퀴가 있을까요?

5. 덧셈과 뺄셈의 값이 같은 것끼리 선으로 이어 보세요.

6 + 4	15	15 − 5
5 + 3	7	19 − 4
9 + 6	8	10 − 3
4 + 3	10	12 − 4

6. 동그라미 안의 수가 되려면 어떤 수를 더해야 할까요?
빈칸을 채워 보세요.

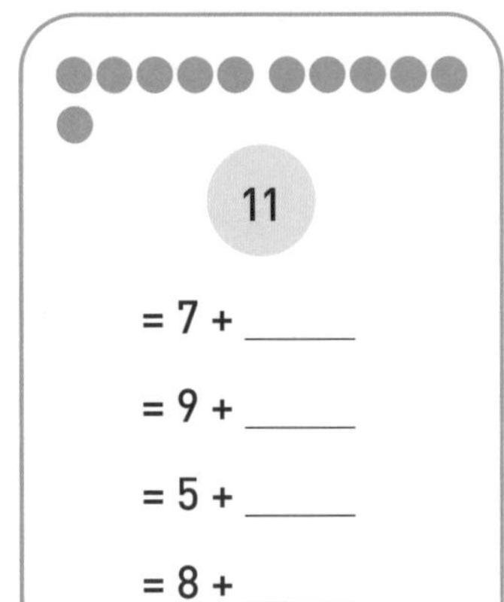

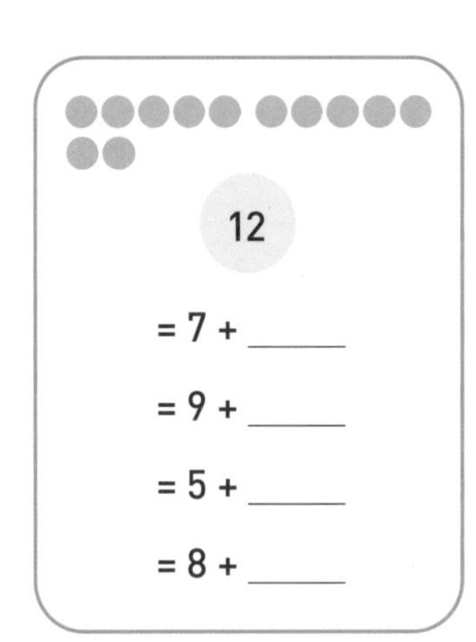

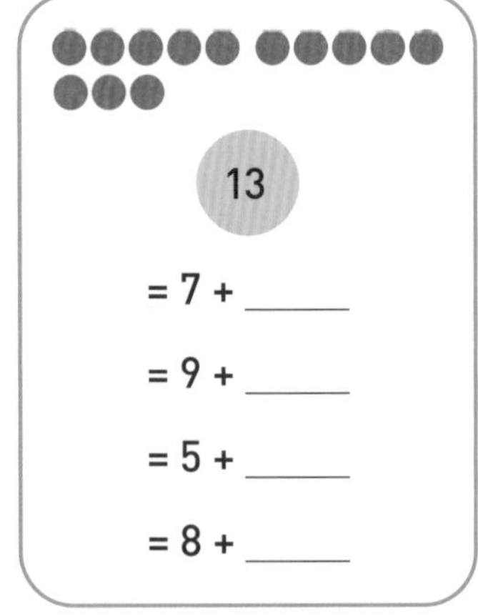

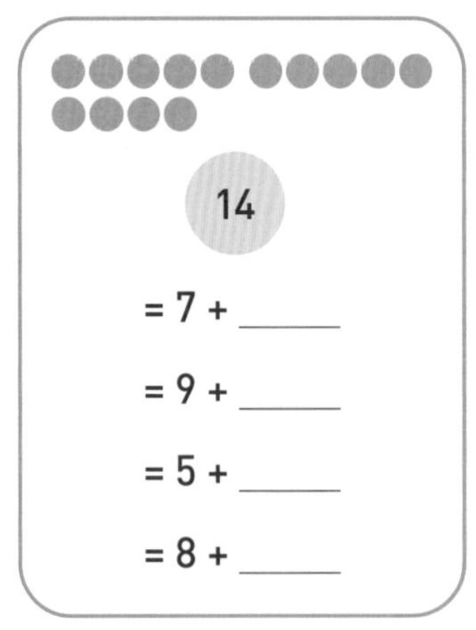

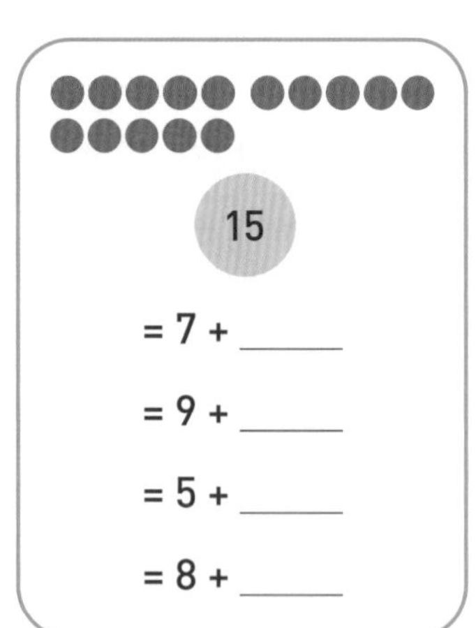

7. 규칙에 따라 빈칸에 알맞은 수를 넣어 보세요.

10	20	30				70

5	10	15				35

8. 그림이 들어간 식을 보고 그림의 값을 구해 보세요.

 + 5 = 11

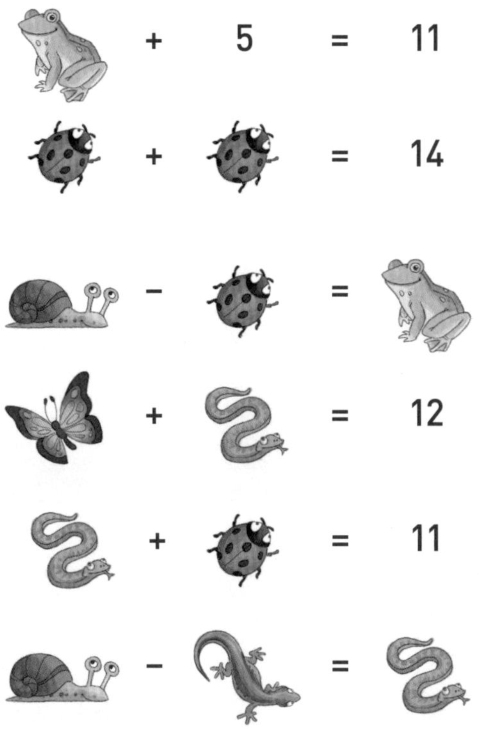

 + (무당벌레) = 14

 − (무당벌레) = 

 + (뱀) = 12

 + (무당벌레) = 11

 −  = (뱀)

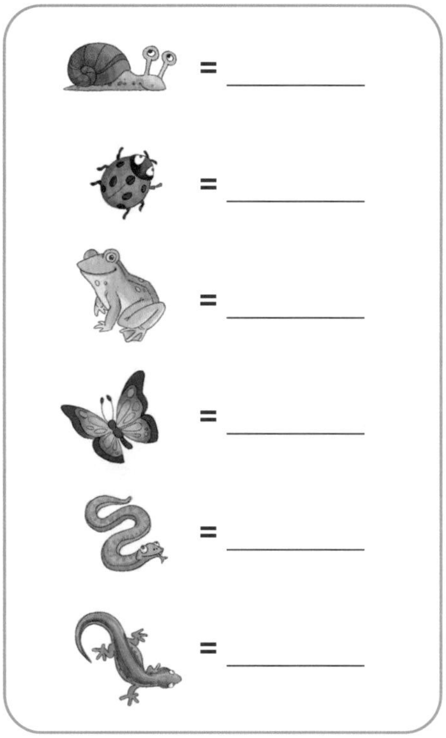

 = ______

 = ______

 = ______

 = ______

 = ______

 = ______

한 번 더 연습해요!

1. 계산해 보세요.

6 + 6 = ______	6 + 7 = ______	13 − 7 = ______
7 + 7 = ______	7 + 8 = ______	15 − 7 = ______
8 + 8 = ______	9 + 8 = ______	17 − 8 = ______
9 + 9 = ______	8 + 9 = ______	17 − 9 = ______

2. 아래 글을 읽고 알맞은 식을 세워 답을 구해 보세요.

❶ 9에 6을 더하면 얼마일까요?

식 : ______

정답 : ______

❷ 14에서 6을 빼면 얼마일까요?

식 : ______

정답 : ______

2 두 자리 수 덧셈

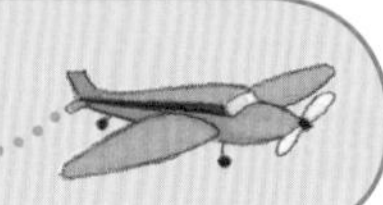

알렉은 승용차 29대와 승합차 14대를 보았어요. 알렉이 본 차는 모두 몇 대일까요?
책 뒤에 있는 놀이 카드를 이용하여 학습하세요.

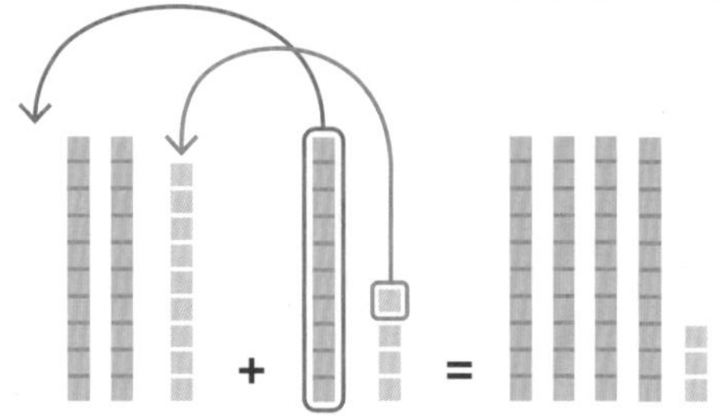

29 + 14

= 20 + 9 + 10 + 4

= 20 + 10 + 9 + 4

= 20 + 10 + 9 + 1 + 3

= 30 + 10 + 3

= 43

정답 : 43대

1. 계산해 보세요.

16 + 3 = ______________

16 + 4 = ______________

16 + 5 = ______________

14 + 15 = ______________

14 + 16 = ______________

14 + 17 = ______________

26 + 14 = ______________

26 + 15 = ______________

26 + 16 = ______________

17 + 27 = ______________

38 + 27 = ______________

59 + 27 = ______________

19 + 17 = ______________

49 + 17 = ______________

57 + 5 = ______________

23 + 18 = ______________

43 + 18 = ______________

47 + 8 = ______________

2. 그림을 보고 덧셈값이 같은 것끼리 선으로 이어 보세요.

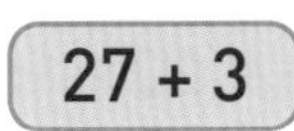

27 + 3 | 24 + 5 | 20 + 2 | 12 + 9

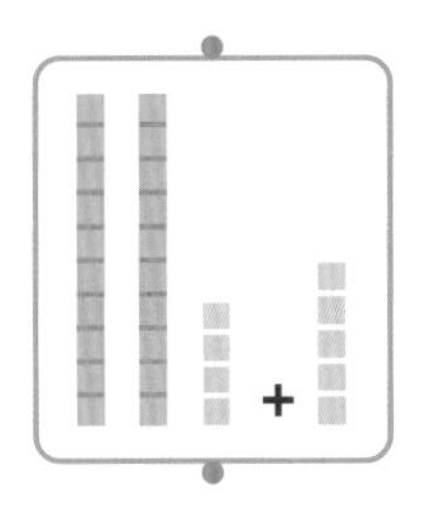

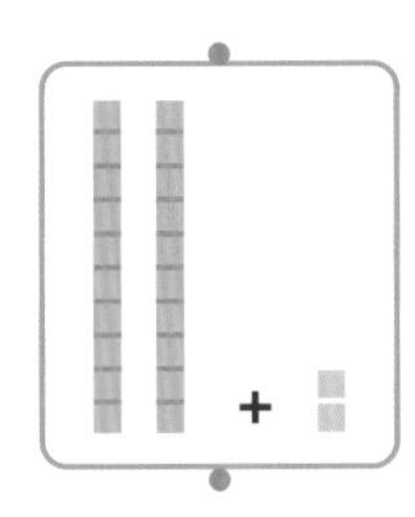

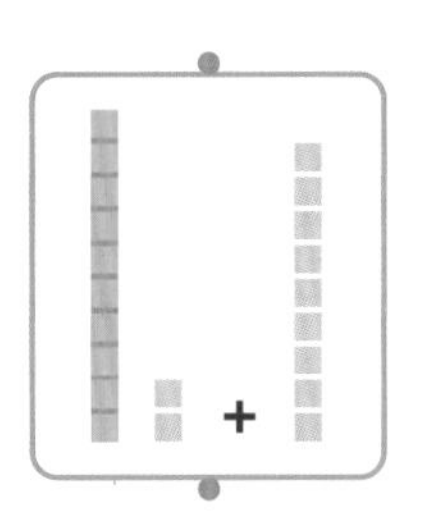

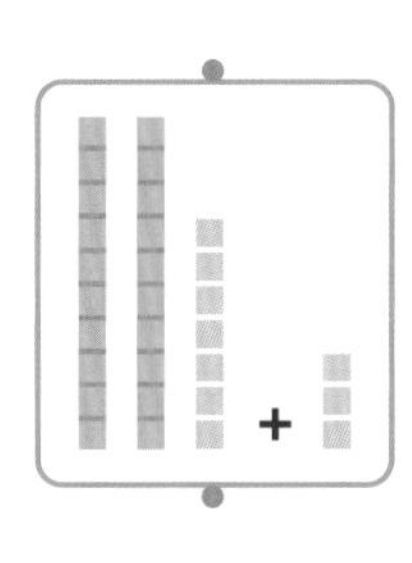

22 | 30 | 29 | 21

3. 아래 글을 읽고 알맞은 식을 세워 답을 구해 보세요.

❶ 집에 오는 길에 엠마는 큰 개 17마리와 작은 개 9마리를 보았어요. 엠마가 본 개는 모두 몇 마리일까요?

식 : ______________________

정답 : ______________________

❷ 공원에 긴 털 개 8마리와 짧은 털 개 5마리가 있어요. 공원에 있는 개는 모두 몇 마리일까요?

식 : ______________________

정답 : ______________________

❸ 도그쇼에 스페인 물새 사냥개 14마리, 포르투갈 물새 사냥개 19마리, 그리고 이탈리아 물새 사냥개 8마리가 있어요. 도그쇼에 있는 물새 사냥개는 모두 몇 마리일까요?

식 : ______________________

정답 : ______________________

❹ 도그쇼에 보스턴테리어 23마리와 폭스테리어 18마리가 있어요. 도그쇼에 있는 테리어는 모두 몇 마리일까요?

식 : ______________________

정답 : ______________________

더 생각해 보아요!

덧셈 피라미드를 완성해 보세요. 연속된 칸의 두 수의 합을 위 칸에 채워 보세요.

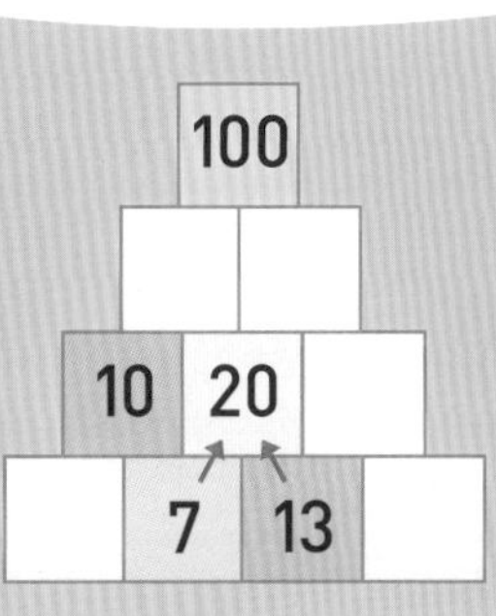

4. 조건에 맞게 선을 이어 보세요.

❶ 더해서 10이 되는 수

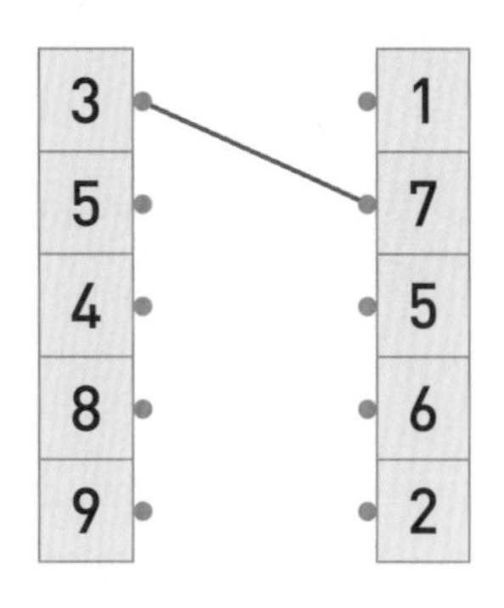

3	1
5	7
4	5
8	6
9	2

❷ 더해서 20이 되는 수

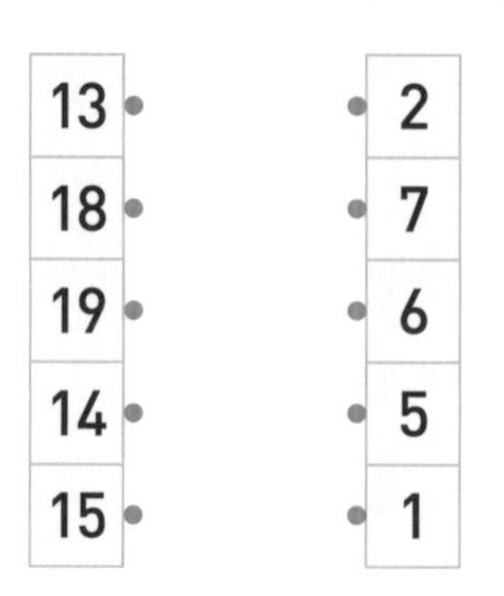

13	2
18	7
19	6
14	5
15	1

❸ 더해서 50이 되는 수

46	1
49	4
43	10
40	6
44	7

❹ 더해서 80이 되는 수

72	4
75	5
76	8
71	3
77	9

❺ 더해서 100이 되는 수

30	60
40	70
80	20
90	50
50	10

5. 가로, 세로 세 수의 합이 제시된 수가 되도록 빈칸에 알맞은 수를 넣어 보세요.

❶ 합이 15가 되도록 채워 보세요.

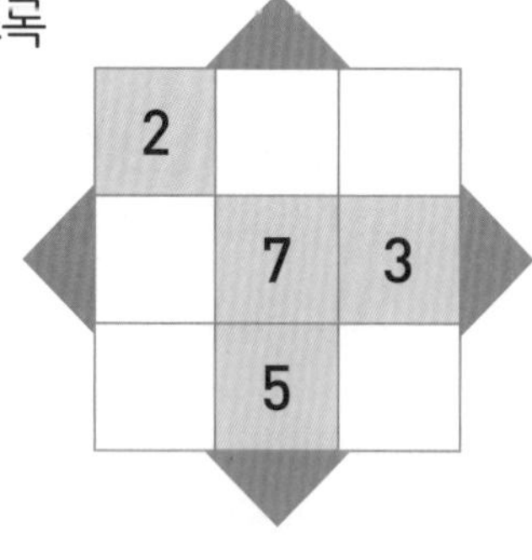

2		
	7	3
	5	

❷ 합이 30이 되도록 채워 보세요.

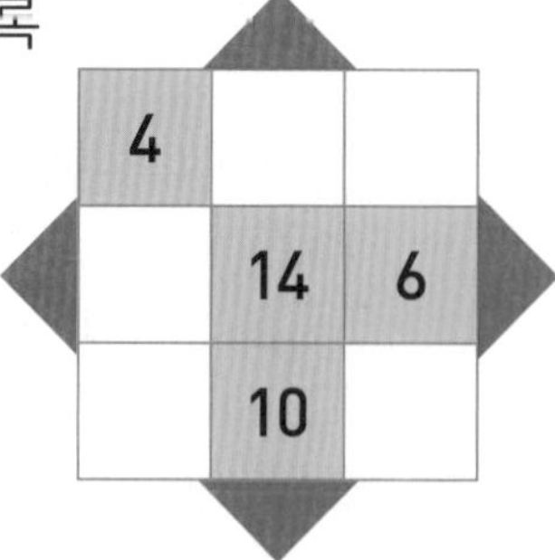

4		
	14	6
	10	

❸ 합이 60이 되도록 채워 보세요.

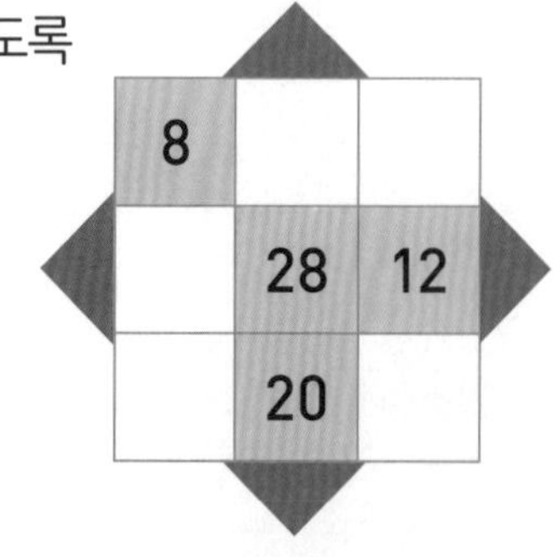

8		
	28	12
	20	

❹ 합이 90이 되도록 채워 보세요.

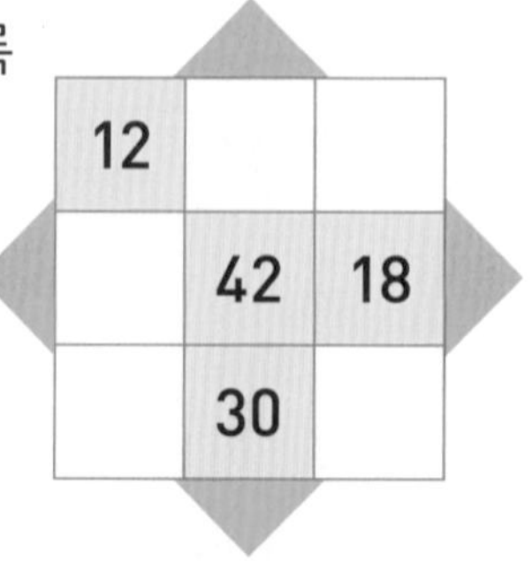

12		
	42	18
	30	

6. 그림이 들어간 식을 보고 그림의 값을 구해 보세요.

 + = 80

 = ______

 + = 48

 = ______

 +  +  + = 

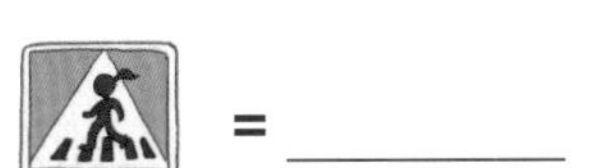

 - 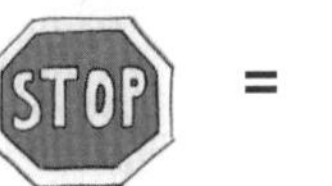 = 

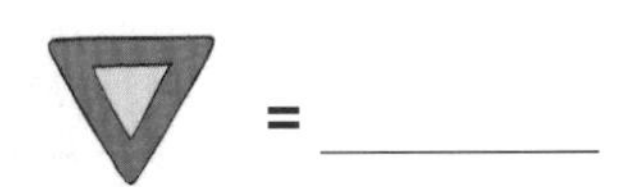

 + 1 = 

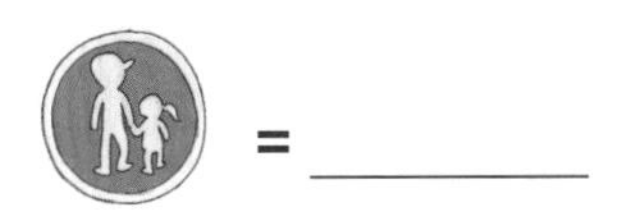

한 번 더 연습해요!

1. 계산해 보세요.

12 + 17 = ______

12 + 18 = ______

12 + 19 = ______

24 + 17 = ______

24 + 37 = ______

24 + 47 = ______

2. 아래 글을 읽고 알맞은 식을 세워 답을 구해 보세요.

❶ 도그쇼에 골든레트리버 9마리와 래브라도레트리버 8마리가 있어요. 도그쇼에 있는 레트리버는 모두 몇 마리일까요?

식 : ______

정답 : ______

❷ 도그쇼에 미니 푸들 25마리와 푸들 7마리가 있어요. 푸들은 모두 몇 마리일까요?

식 : ______

정답 : ______

3 두 자리 수 뺄셈

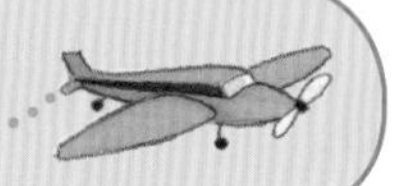

작년에 우리 반 학생 수가 23명이었는데,
여름 방학 동안 5명이 이사 갔어.
이제 우리 반에 학생이 몇 명 있을까?

학교에 3학년 학생이 43명 있어.
그중 18명이 여학생이라면 3학년
학생 중 남학생은 몇 명일까?

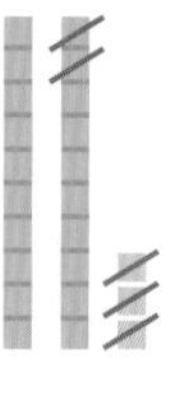

$23 - 5$

$= 23 - 3 - 2$

$= 20 - 2$

$= 18$

정답 : 18명

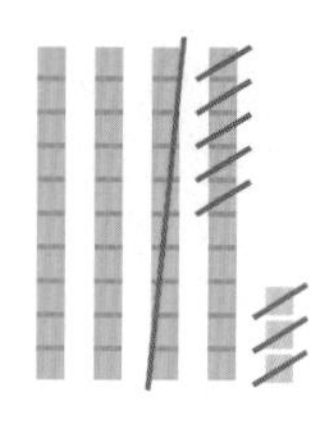

$43 - 18$

$= 43 - 10 - 8$

$= 33 - 3 - 5$

$= 30 - 5$

$= 25$

정답 : 25명

책 뒤에 있는 놀이 카드를 이용하여 학습하세요.

1. 계산해 보세요.

32 − 2 = ______	44 − 4 = ______	56 − 6 = ______
32 − 3 = ______	44 − 5 = ______	56 − 7 = ______
32 − 4 = ______	44 − 6 = ______	56 − 8 = ______

15 − 5 = ______	24 − 16 = ______	36 − 6 = ______
24 − 5 = ______	34 − 17 = ______	36 − 7 = ______
33 − 5 = ______	31 − 15 = ______	36 − 8 = ______

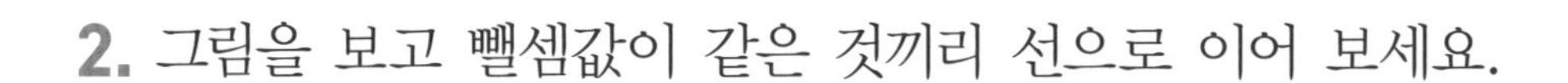

2. 그림을 보고 뺄셈값이 같은 것끼리 선으로 이어 보세요.

34 − 4	36 − 7	40 − 6	32 − 13

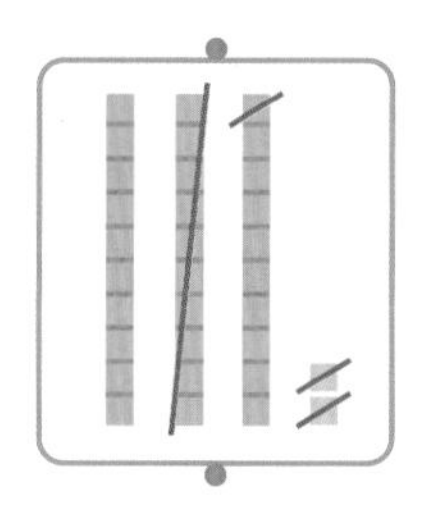
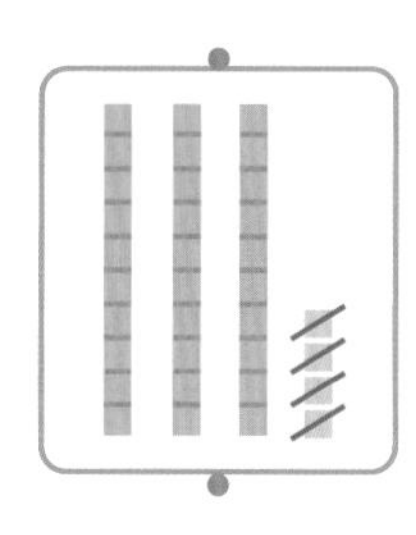
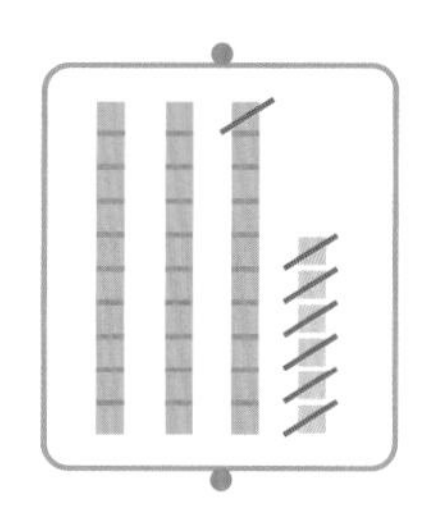
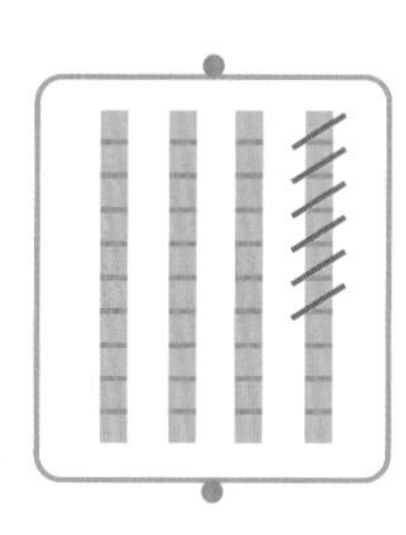

19	29	30	34

3. 아래 글을 읽고 알맞은 식을 세워 답을 구해 보세요.

❶ 3학년 2반 학생 수는 24명이에요. 이 가운데 5명이 결석했어요. 출석한 학생은 몇 명일까요?

식 :

정답 :

❷ 3학년 전체 학생 수는 45명이에요. 그중 27명이 남학생이라면 3학년 여학생 수는 몇 명일까요?

식 :

정답 :

❸ 56명의 학생 중 38명은 자전거를 타고 등교하고, 나머지는 걸어서 등교해요. 걸어서 등교하는 학생은 몇 명일까요?

식 :

정답 :

❹ 92명의 학생이 학교 운동회에 참가했어요. 7명은 측정을, 8명은 시간 기록을 담당했으며, 나머지는 선수로 참여했어요. 선수로 참여한 학생은 모두 몇 명일까요?

식 :

정답 :

더 생각해 보아요!

뺄셈 피라미드를 완성해 보세요. 왼쪽 수에서 오른쪽 수를 뺀 다음 그 차를 위 칸에 채워 보세요.

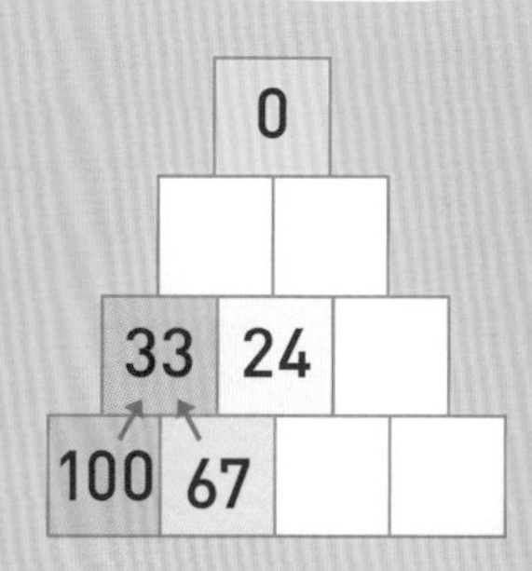

4. 규칙에 맞게 빈칸에 알맞은 수를 써넣어 보세요.

❶ 앞의 수에서 3을 빼는 규칙

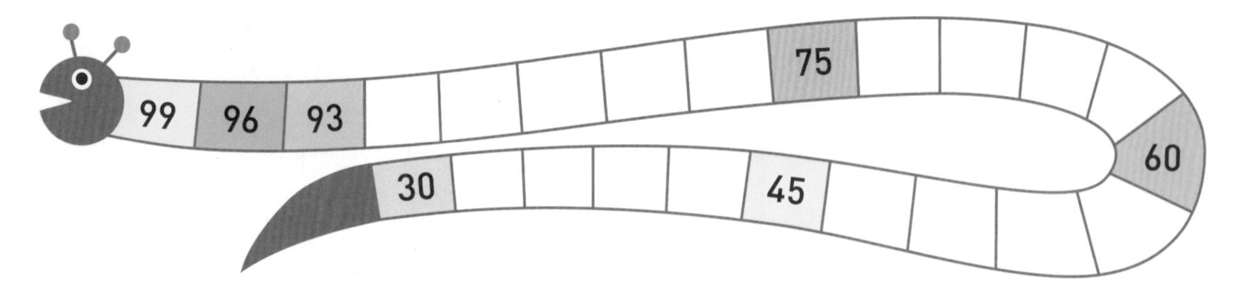

❷ 앞의 수에서 4를 빼는 규칙

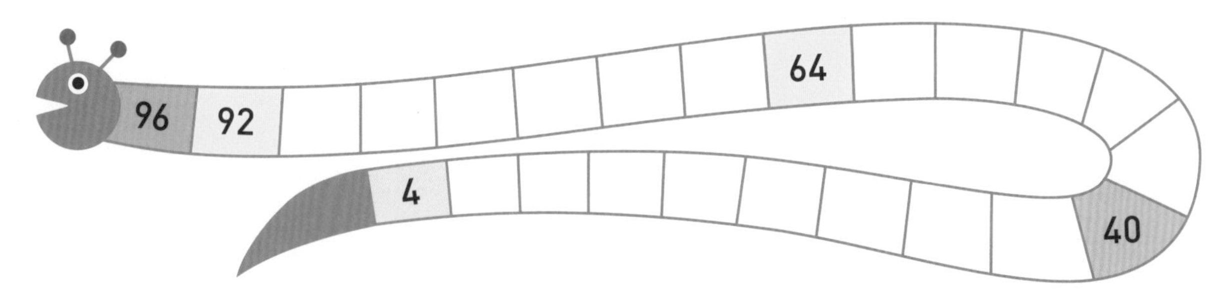

5. 누가 누구인지 알아맞혀 보세요. 친구들의 이름은 Pearl(펄), Philly(필리), Laura(로라), Emily(에밀리), Nadine(나딘), Amelie(아멜리)예요.

6. 그림이 들어간 식을 보고 그림의 값을 구해 보세요.

70 - = 50

\+ 13 =

\+ =

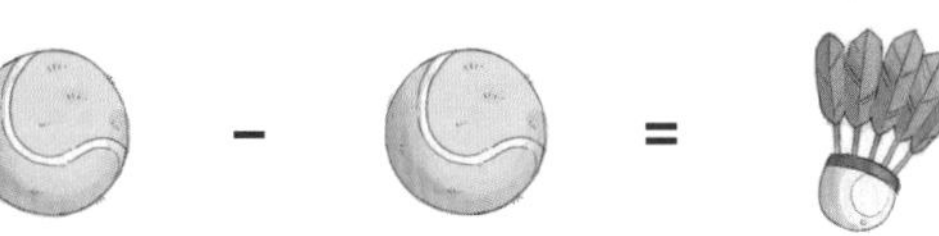

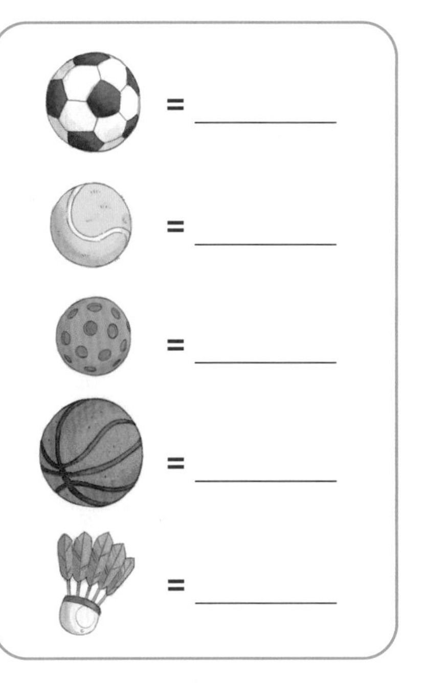

한 번 더 연습해요!

1. 계산해 보세요.

11 - 4 = ______

16 - 8 = ______

46 - 8 = ______

19 - 12 = ______

52 - 30 = ______

40 - 28 = ______

2. 아래 글을 읽고 알맞은 식을 세워 답을 구해 보세요.

❶ 교실에 학생이 32명 있어요. 그 가운데 4명이 건강 검진을 받으러 갔다면 교실에 남은 학생은 몇 명일까요?

식 : ______

정답 : ______

❷ 3학년 2반 학생 수는 27명이에요. 18명이 교실에 있다면 교실 밖에 있는 학생은 몇 명일까요?

식 : ______

정답 : ______

____ 월 ____ 일 ____ 요일

1. 그림을 보고 계산해 보세요.

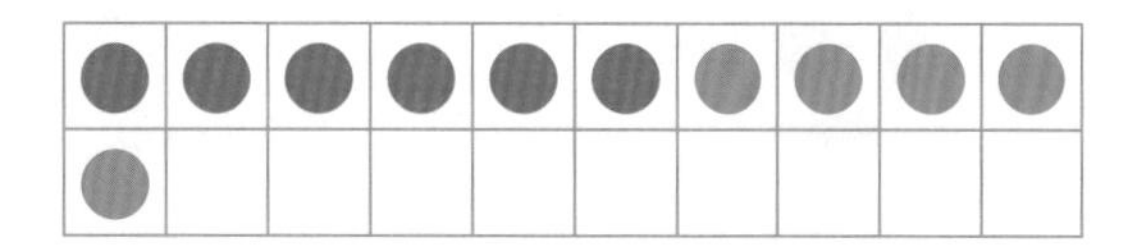

6 + 5 = ____ 5 + 6 = ____

11 − 5 = ____ 11 − 6 = ____

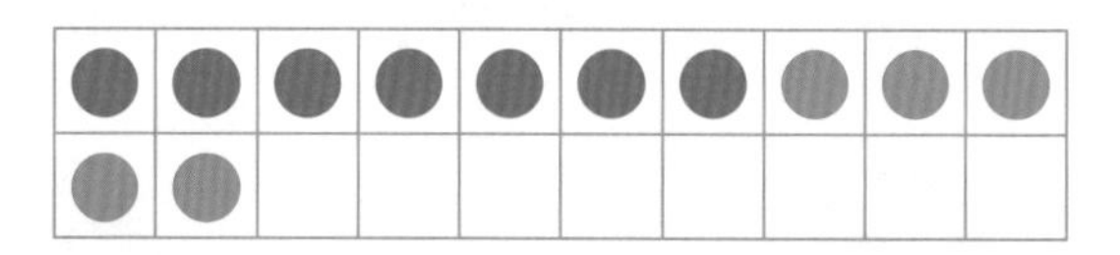

7 + 5 = ____ 5 + 7 = ____

12 − 5 = ____ 12 − 7 = ____

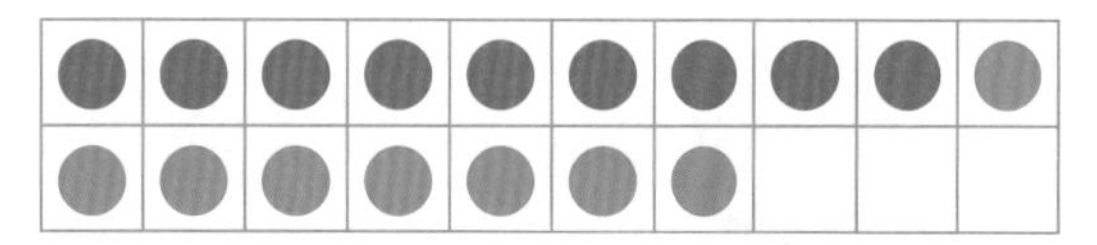

9 + 8 = ____ 8 + 9 = ____

17 − 8 = ____ 17 − 9 = ____

9 + 6 = ____ 6 + 9 = ____

15 − 6 = ____ 15 − 9 = ____

2. 계산한 후, 애벌레에서 답을 찾아 ○표 해 보세요.

7 + 3 = ____	8 + 8 = ____	10 − 6 = ____	14 − 7 = ____
27 + 3 = ____	48 + 8 = ____	60 − 6 = ____	54 − 7 = ____
47 + 3 = ____	78 + 8 = ____	90 − 6 = ____	84 − 7 = ____

4 7 10 16 24 30 47 50 54 56 77 79 84 86

3. 빈칸에 알맞은 수를 써넣어 보세요.

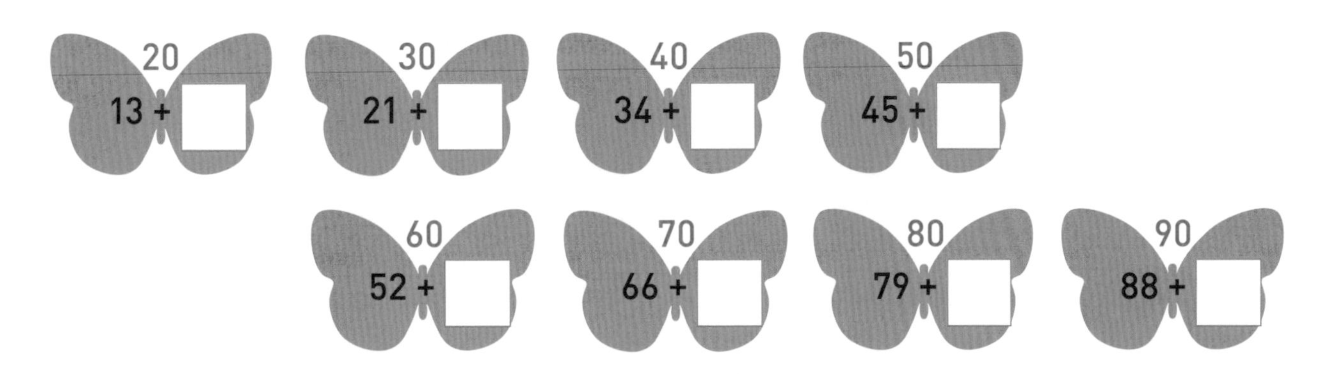

4. 아래 글을 읽고 알맞은 식을 세워 답을 구한 후, 애벌레에서 답을 찾아 ○표 해 보세요.

❶ 여학생 중 27명은 쉬는 시간에 줄넘기를 하고, 나머지 31명은 축구를 해요. 여학생은 모두 몇 명일까요?

식 : ______________________

정답 : ______________________

❷ 쉬는 시간이 끝나고 18명은 교실로 돌아왔고, 나머지 13명은 아직 복도에 있어요. 이 반의 학생은 총 몇 명일까요?

식 : ______________________

정답 : ______________________

❸ 한 반에 학생이 32명 있어요. 그중 9명은 식당에 있고, 나머지는 운동장에 있어요. 운동장에 있는 학생은 몇 명일까요?

식 : ______________________

정답 : ______________________

❹ 엠마는 1주일 동안 쉬는 시간이 15번 있어요. 2주일 동안에는 쉬는 시간이 몇 번 있을까요?

식 : ______________________

정답 : ______________________

규칙에 맞게 네 번째 칸에는 어떤 모양이 올지 그려 보세요.

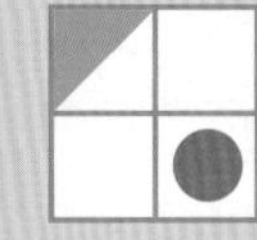
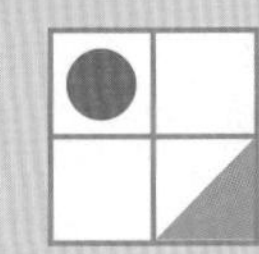
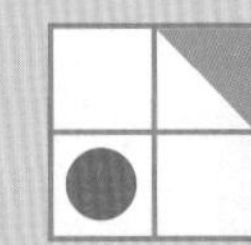
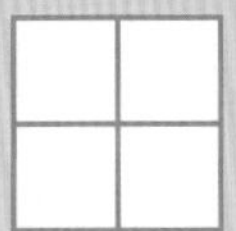

5. 알맞은 식이 되도록 선을 이은 후, 빈칸에 식을 쓰고 계산해 보세요.

더해지는 수	더하는 수	합	
38	13	43	38 + ____ = ____
17	6	21	____ + ____ = ____
15	5	30	____ + ____ = ____

빼지는 수	빼는 수	차	
36	7	34	____ – ____ = ____
41	26	19	____ – ____ = ____
28	9	10	____ – ____ = ____

6. 규칙에 맞게 빈칸에 알맞은 수를 써넣어 보세요.

❶ 앞의 수에 3을 더하는 규칙

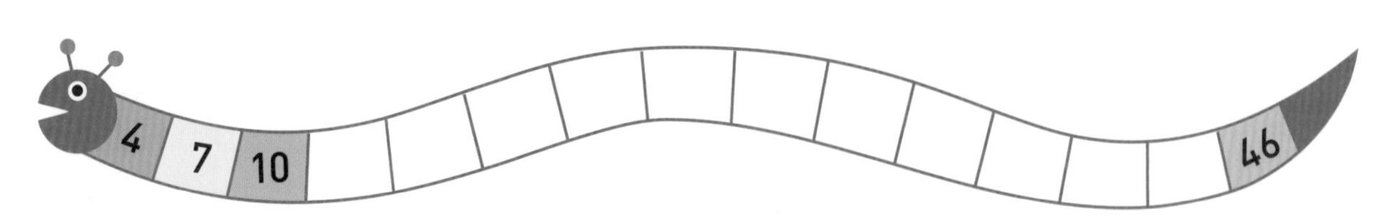

❷ 앞의 수에서 6을 빼는 규칙

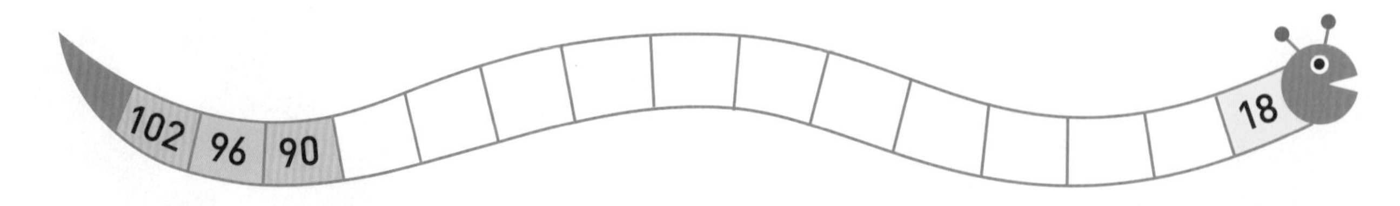

7. 가로, 세로 세 수의 합이 제시된 수가 되도록 빈칸에 알맞은 수를 써넣어 보세요.

❶ 합이 20이 되도록 채워 보세요.

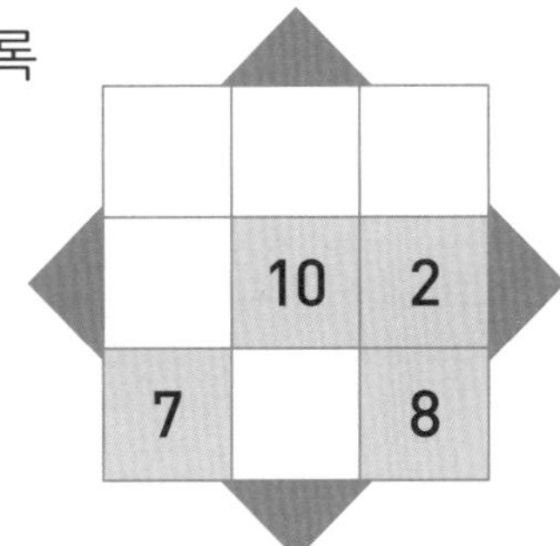

❷ 합이 50이 되도록 채워 보세요.

10		22
	20	20

❸ 합이 70이 되도록 채워 보세요.

		30
17	33	
	32	

❹ 합이 105가 되도록 채워 보세요.

32		25
58		2

한 번 더 연습해요!

1. 계산해 보세요.

13 + 7 = ______　　24 − 3 = ______　　32 + 30 = ______

45 + 5 = ______　　24 − 5 = ______　　21 + 48 = ______

2. 아래 글을 읽고 알맞은 식을 세워 답을 구해 보세요.

❶ 엠마는 축구 대회에서 봄에는 36골을, 가을에는 12골을 기록했어요. 엠마가 기록한 골은 모두 몇 골일까요?

식 : ______

정답 : ______

❷ 주차장에 자전거가 62대 있어요. 그중 23대는 주행 거리계가 있어요. 주행 거리계가 없는 자전거는 모두 몇 대일까요?

식 : ______

정답 : ______

4 세 자리 수

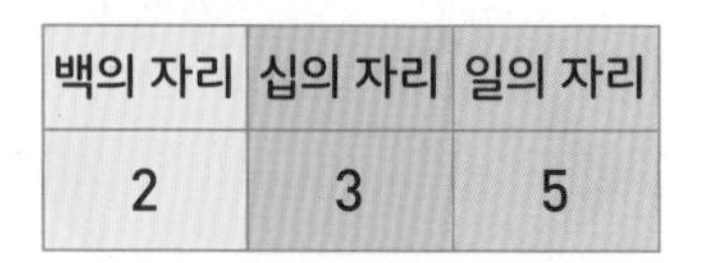

백의 자리	십의 자리	일의 자리
2	3	5

	백의 자리		십의 자리		일의 자리
=	200	+	30	+	5
=	2 × 100	+	3 × 10	+	5 × 1

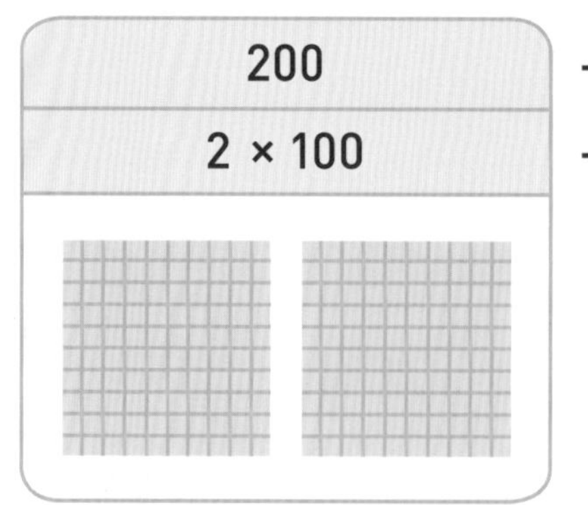

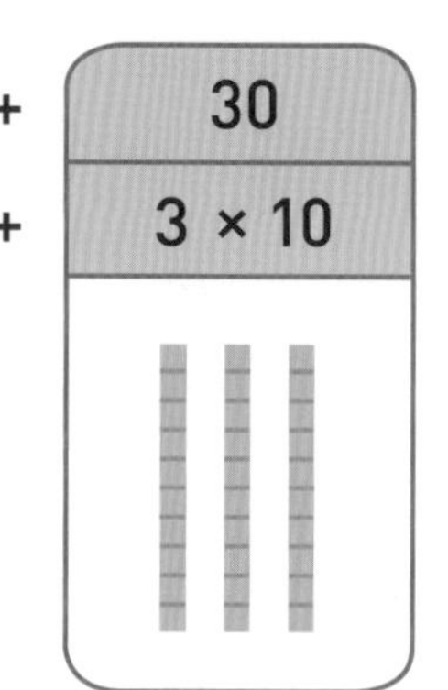

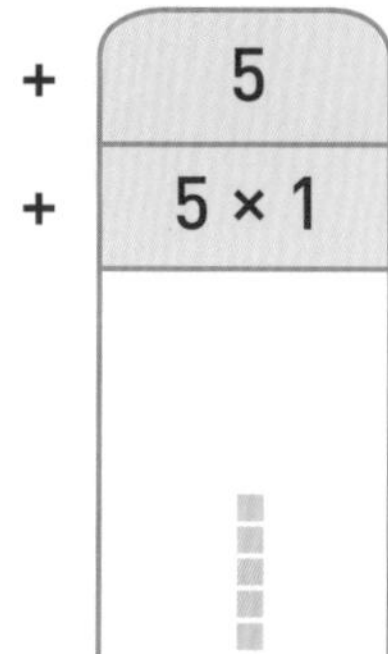

235는
이백삼십오라고
읽어요.

- 5는 일의 자리, 3은 십의 자리, 2는 백의 자리 수예요.
- 1이 10개가 되면 10이 돼요.
- 10이 10개가 되면 100이 돼요.

책 뒤에 있는
놀이 카드를 이용하여
학습하세요.

1. 자리 수에 맞게 빈칸에 알맞은 수를 써 보세요.

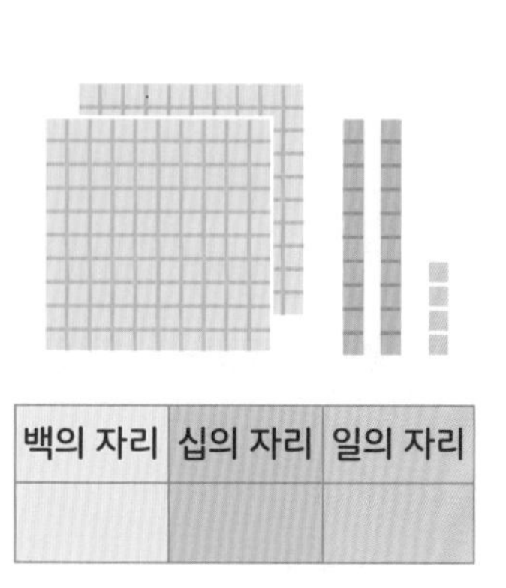

백의 자리	십의 자리	일의 자리

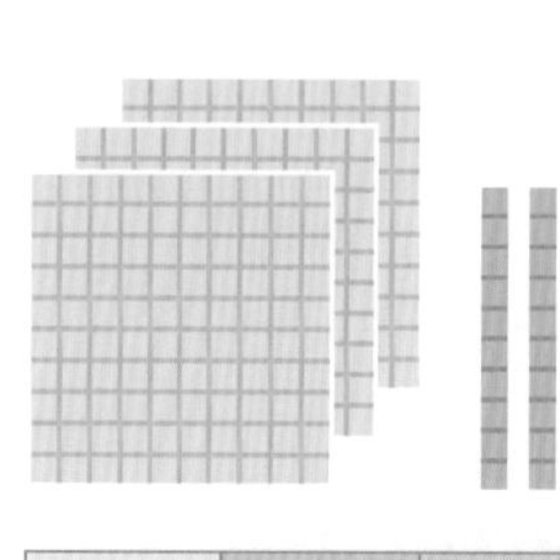

백의 자리	십의 자리	일의 자리

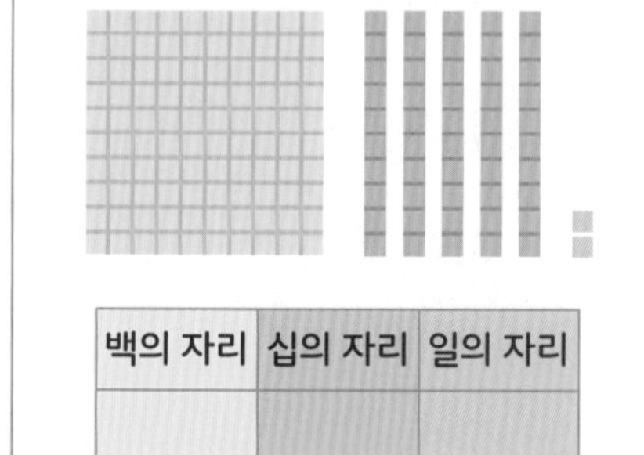

백의 자리	십의 자리	일의 자리

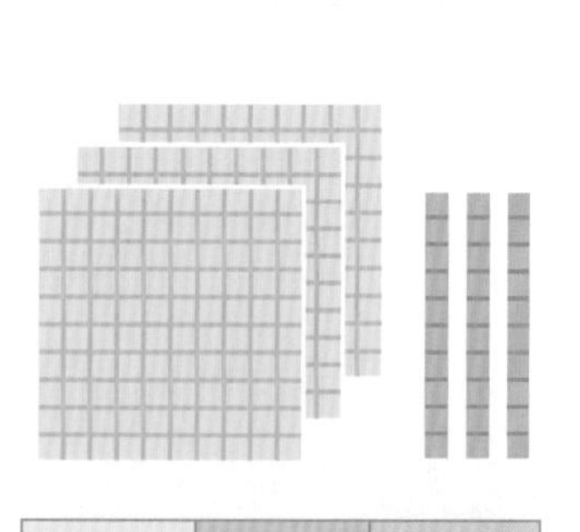

백의 자리	십의 자리	일의 자리

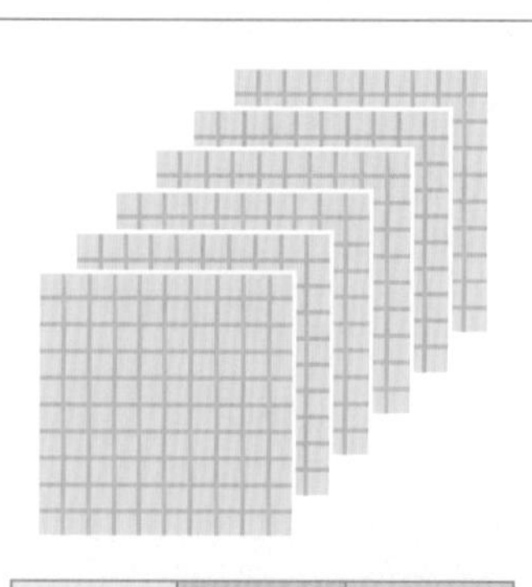

백의 자리	십의 자리	일의 자리

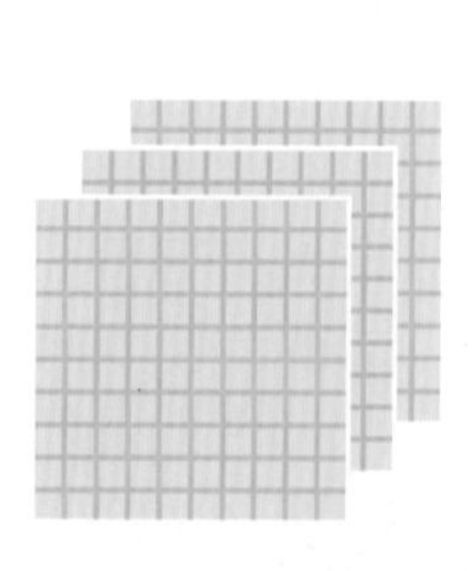

백의 자리	십의 자리	일의 자리

2. 백의 자리, 십의 자리, 일의 자리에 해당하는 수를 〈보기〉와 같이 써 보세요.

백의 자리 / 십의 자리 / 일의 자리

5 4 8 = 500 + 40 + 8

4 9 3 = ____________________

1 2 0 = ____________________

9 0 7 = ____________________

3 8 5 = ____________________

3. 다음 수를 읽어 보세요.

87 ____________________

132 ____________________

207 ____________________

4. 아래 글을 읽고 알맞은 식을 세워 답을 구해 보세요.

❶ 지갑에 1000원짜리 지폐 2장, 500원짜리 동전 1개, 100원짜리 동전 5개가 있어요. 지갑에 있는 돈은 모두 얼마일까요?

식 : ____________________

정답 : ____________________

❷ 지갑에 1000원짜리 지폐 3장, 100원짜리 동전 7개, 10원짜리 동전 10개가 있어요. 지갑에 있는 돈은 모두 얼마일까요?

식 : ____________________

정답 : ____________________

❸ 지갑에 5000원짜리 지폐 1장, 500원짜리 동전 2개, 100원짜리 동전 3개가 있어요. 지갑에 있는 돈은 모두 얼마일까요?

식 : ____________________

정답 : ____________________

❹ 지갑에 5000원짜리 지폐 2장, 500원짜리 동전 3개, 10원짜리 동전 2개가 있어요. 지갑에 있는 돈은 모두 얼마일까요?

식 : ____________________

정답 : ____________________

5. 규칙에 맞게 빈칸에 알맞은 수를 써넣어 보세요.

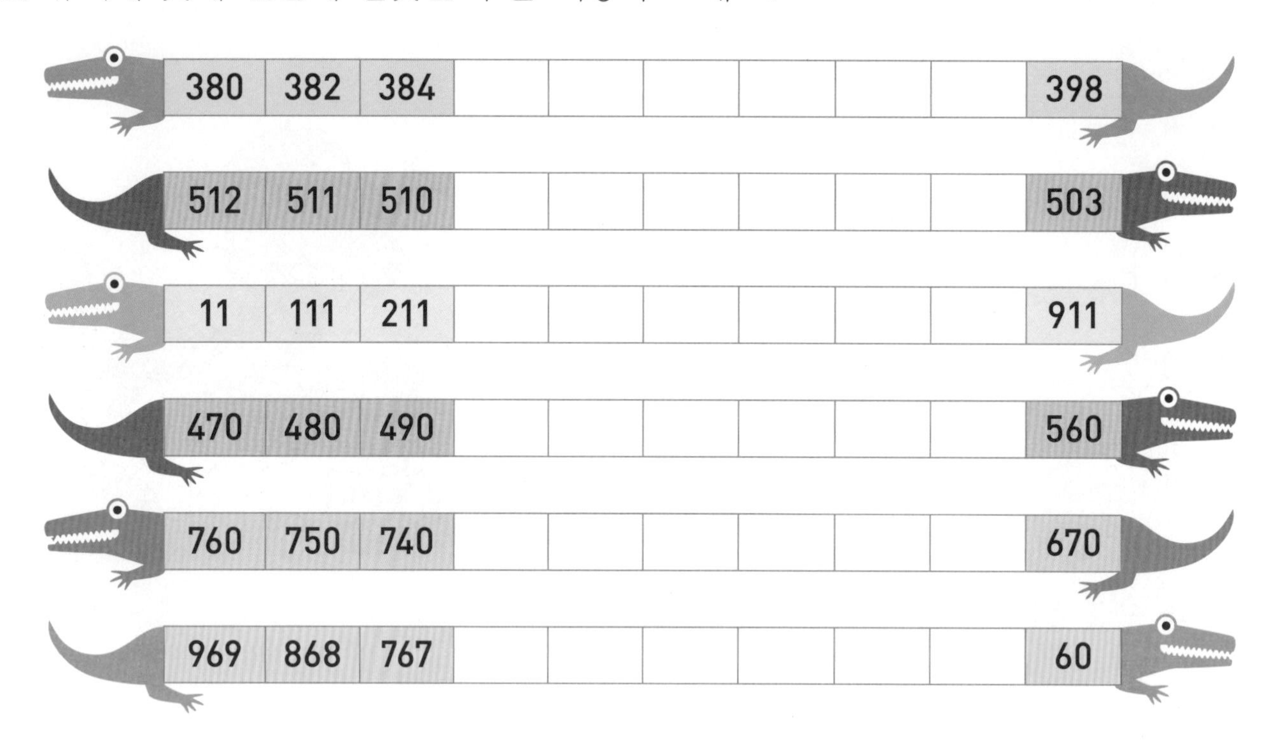

6. 계산해 보세요.

100 + 20 + 5 = ______
300 + 50 + 8 = ______
800 + 90 + 1 = ______
900 + 10 + 8 = ______

200 + 40 + 6 = ______
300 + 30 + 3 = ______
400 + 90 + 9 = ______
700 + 20 + 1 = ______

200 + 40 = ______
400 + 60 = ______
700 + 6 = ______
900 + 1 = ______

7. 아래 글을 읽고 알맞은 식을 세워 답을 구해 보세요. 각 문항의 빈칸에 1, 2, 3, 4, 5, 6을 한 번씩만 쓸 수 있어요.

❶ 합이 가장 큰 식을 세워 보세요.

□□□ + □□□

❷ 합이 가장 작은 식을 세워 보세요.

❸ 차가 가장 큰 식을 세워 보세요.

□□□ − □□□

8. 친구들이 가진 돈을 세어 보세요.

나는 1000원짜리 지폐가 5장, 100원짜리 동전이 5개 있어.

나는 1000원짜리 지폐가 10장, 500원짜리 동전이 3개 있어.

엠마 : ____________

알렉 : ____________

나는 5000원짜리 지폐가 2장, 100원짜리 동전이 12개 있어.

나는 5000원짜리 지폐가 3장, 500원짜리 동전이 2개 있어.

네아 : ____________

샘 : ____________

한 번 더 연습해요!

1. 각 자리의 숫자가 얼마를 나타내는지 써 보세요.

243 = ____________

480 = ____________

561 = ____________

309 = ____________

2. 아래 글을 읽고 알맞은 식을 세워 답을 구해 보세요.

❶ 지갑에 1000원짜리 지폐 4장, 500원짜리 동전 5개, 100원짜리 동전 5개가 있어요. 지갑에 있는 돈은 모두 얼마일까요?

식 : ____________

정답 : ____________

❷ 지갑에 5000원짜리 지폐 2장, 500원짜리 동전 3개, 100원짜리 동전 3개가 있어요. 지갑에 있는 돈은 모두 얼마일까요?

식 : ____________

정답 : ____________

5 수의 크기 비교하기

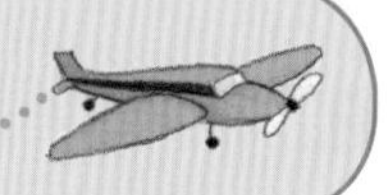

131은 136보다 작습니다.

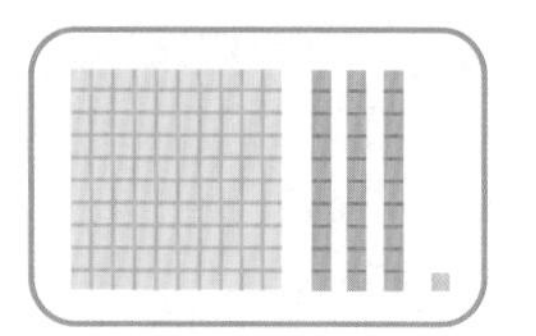

<

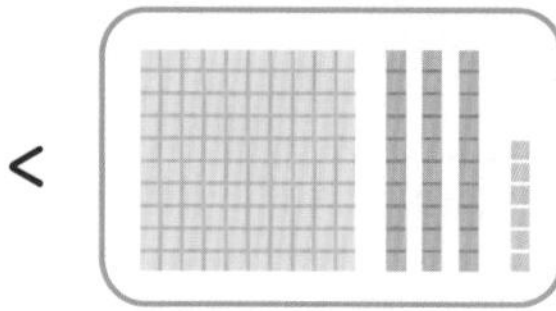

136은 136과 같습니다.

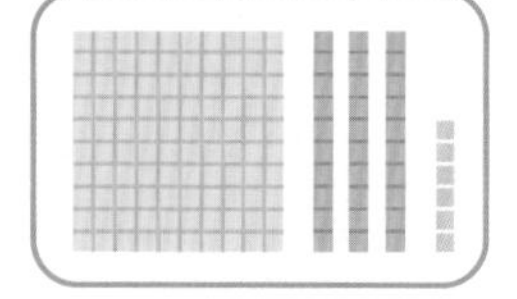 = 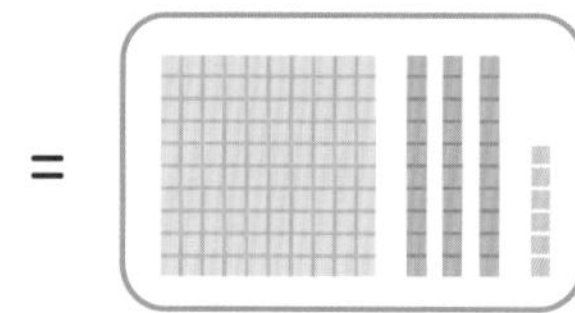

136은 131보다 큽니다.

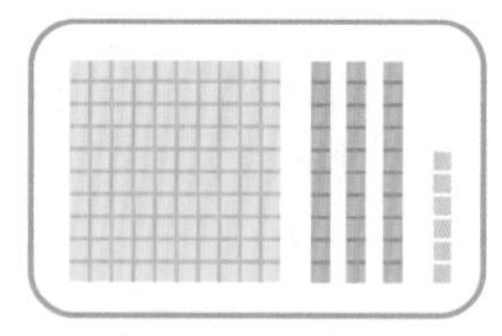

>

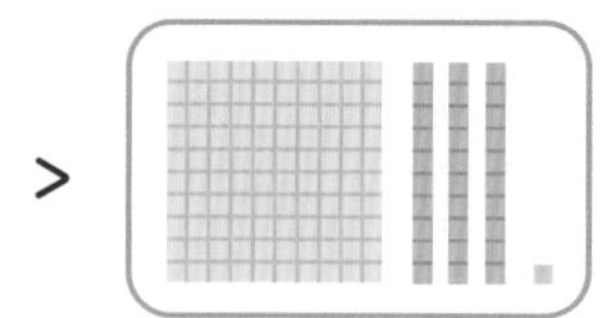

- 먼저 백의 자리를 비교해 보세요.
- 백의 자리 수가 같다면 십의 자리 수를 비교해 보세요.
- 십의 자리 수가 같다면 일의 자리 수를 비교해 보세요.

1. 그림을 보고 알맞은 수를 빈칸에 써넣은 후, >, =, <를 이용하여 크기를 비교해 보세요.

335 ☐ 153

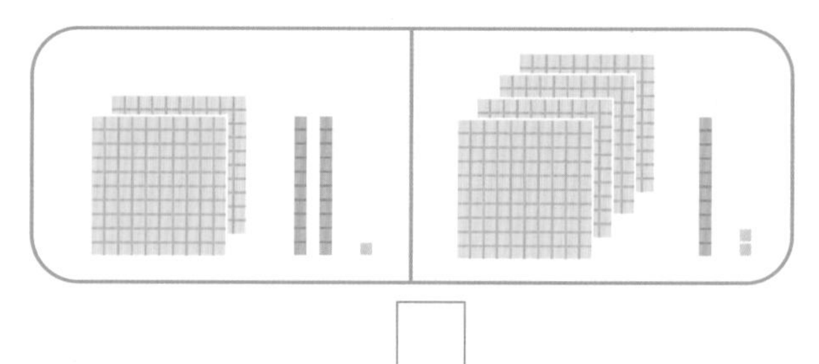

____ ☐ ____

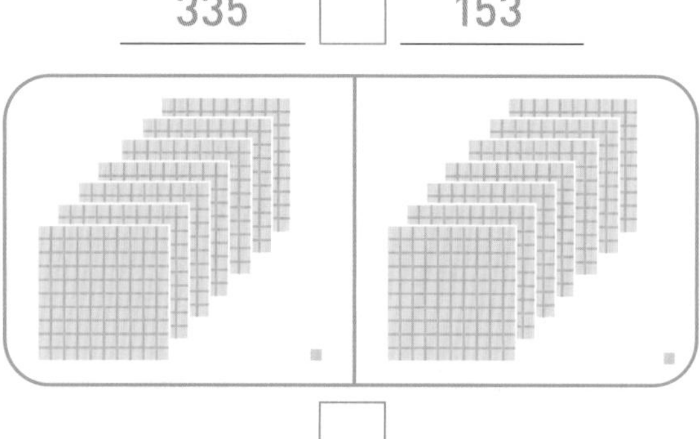

____ ☐ ____

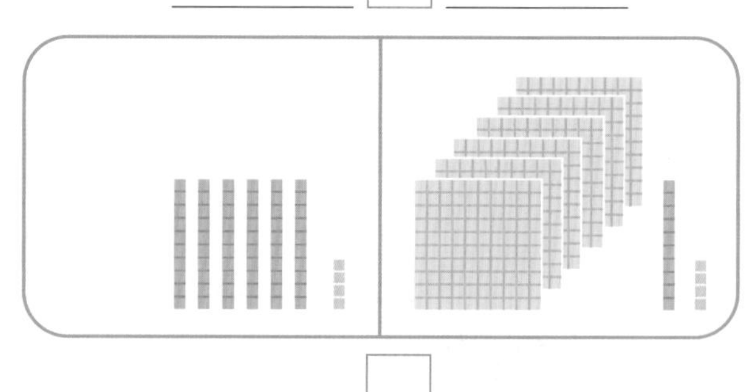

____ ☐ ____

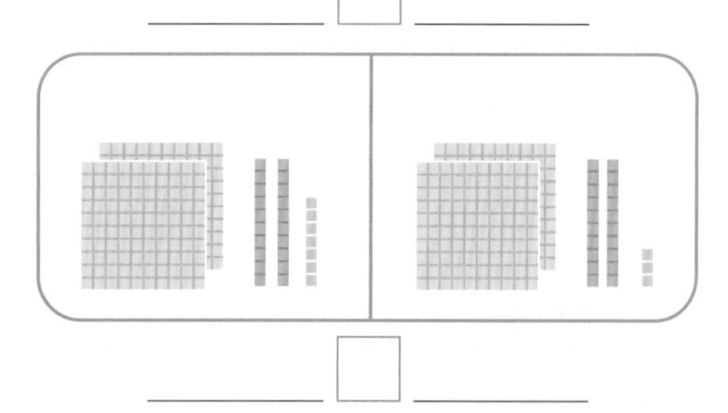

____ ☐ ____

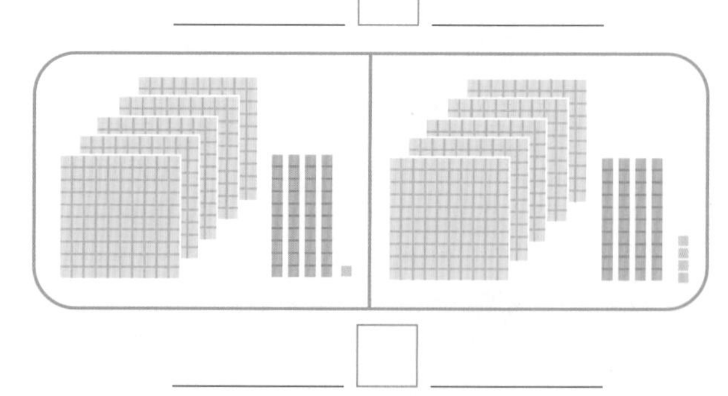

____ ☐ ____

2. □ 안에 >, =, <를 알맞게 써넣어 보세요.

320	□	230	501	□	52	150	□	100 + 60
651	□	615	299	□	30	220	□	200 + 20
422	□	428	75	□	158	341	□	300 + 20

3. 빈칸 안에 알맞은 수를 주머니 안에서 찾아 써넣어 보세요.

❶ 점점 더 큰 수의 순서로

□ < □ < □ < □ < □ < □

35
53 89 21
98 6

❷ 점점 더 큰 수의 순서로

□ < □ < □ < □ < □ < □

136 864
361 901
991 891

❸ 점점 더 작은 수의 순서로

□ > □ > □ > □ > □ > □

8 83
830 701
710 71

4. 문제를 읽고 알맞은 답에 V표 해 보세요.

선생님은 200유로를 가지고 있어요. 선생님은 다음
물건 중 어떤 것을 살 수 있을까요? 100센트는 1유로와 같아요.

102유로 85센트

99유로 30센트

96유로 65센트

101유로 45센트

97유로 25센트

❶ 운동화와 등산복을 살 수 있을까요?

네 □ 아니오 □

❷ 배낭과 운동화를 살 수 있을까요?

네 □ 아니오 □

❸ 고무보트와 텐트를 살 수 있을까요?

네 □ 아니오 □

❹ 등산복과 고무보트를 살 수 있을까요?

네 □ 아니오 □

5. 캐시는 갈림길에서 항상 더 큰 수를 따라가요. 캐시가 찾는 길을 따라가 보세요.

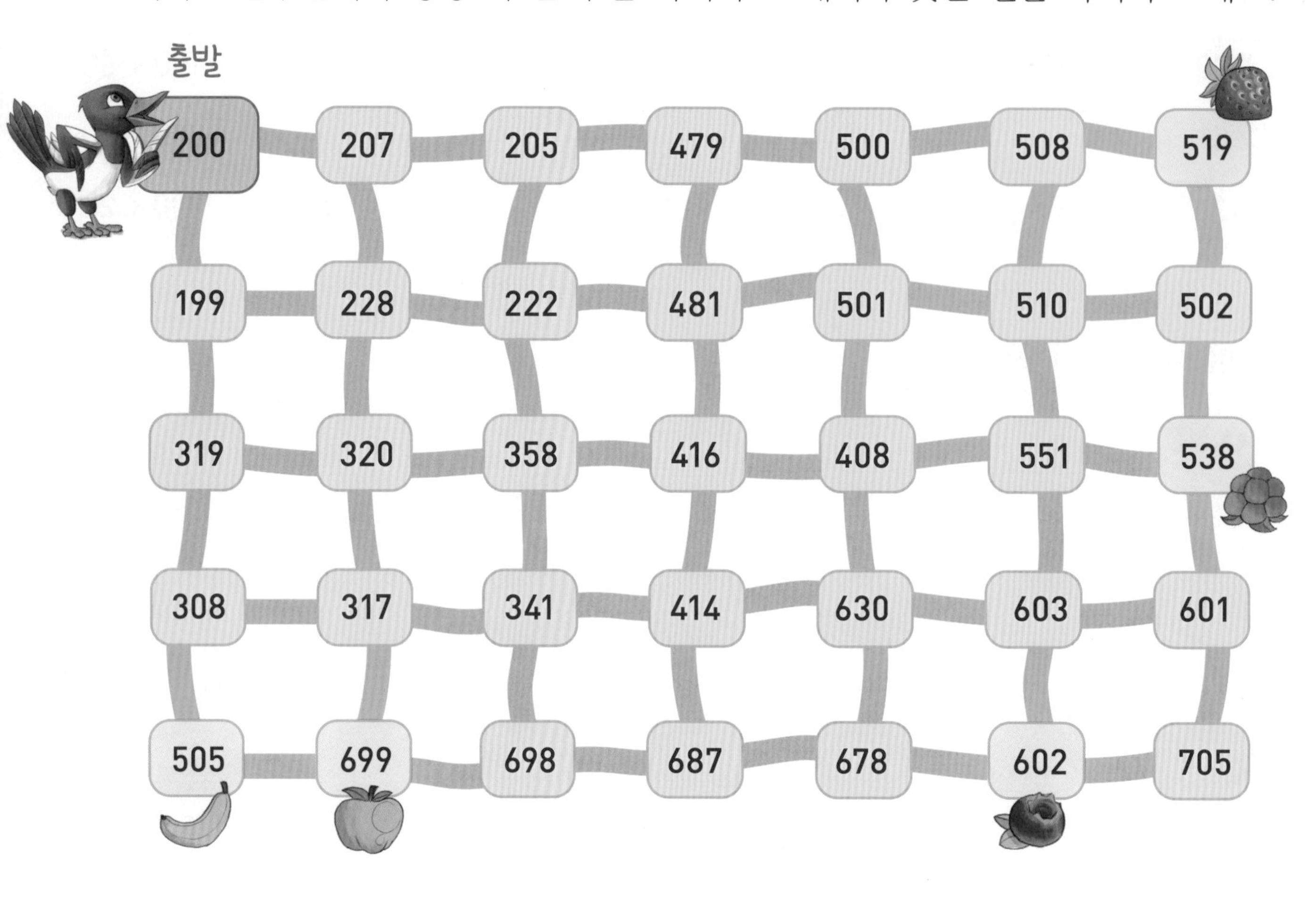

6. 알맞은 색을 칠해 보세요.

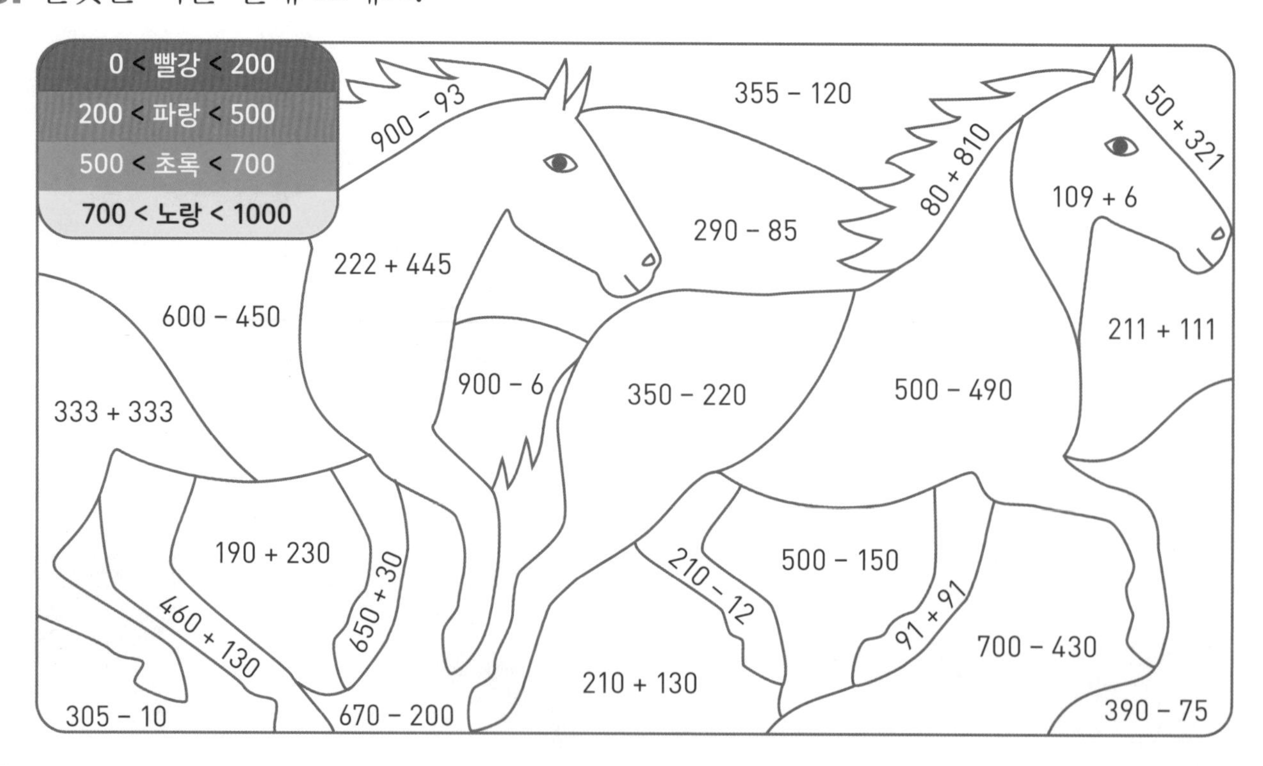

7. 나는 어떤 수일까요? 4개의 수를 써 보세요.

나는 세 자리 수이고, 십의 자리 수가 0이에요.
그리고 각 자리 수의 수를 모두 더하면 15예요.

8. 누구의 지갑일까요?

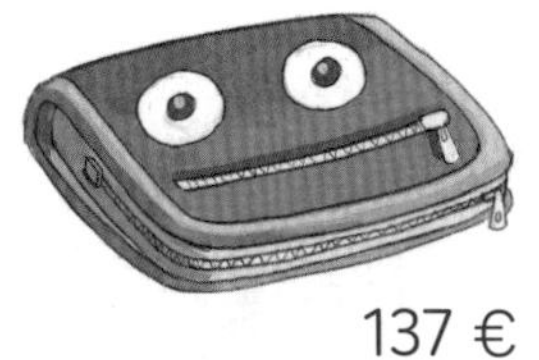

137 €

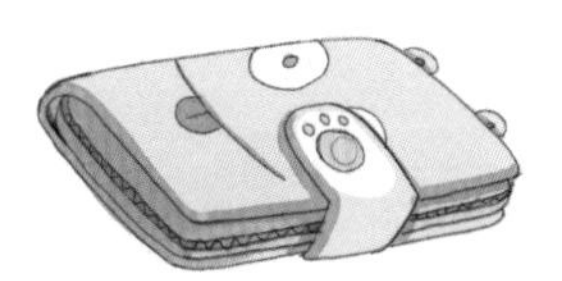
117 €

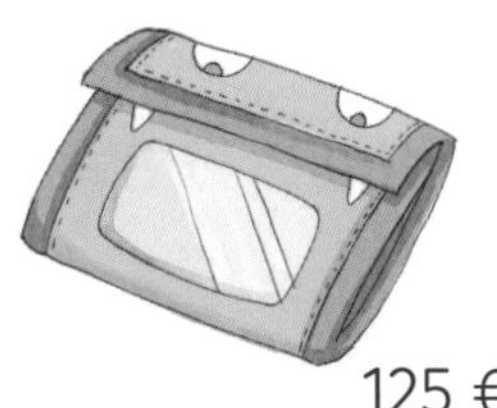

125 €

157 €

_______________ _______________ _______________ _______________

- 스카티는 앤보다 돈을 더 많이 가지고 있어요.
- 베르나는 닉보다 20유로를 더 많이 가지고 있어요.
- 닉이 앤에게 10유로를 주면 닉과 앤은 같은 금액을 가지게 돼요.
- 닉은 두 번째로 돈을 많이 가지고 있어요.

한 번 더 연습해요!

1. 빈칸 안에 알맞은 수를 주머니 안에서 찾아 써넣어 보세요.

❶ 점점 더 큰 수의 순서로

☐ < ☐ < ☐ < ☐ < ☐ < ☐

761
701 76 617
670 176

❷ 점점 더 작은 수의 순서로

☐ > ☐ > ☐ > ☐ > ☐ > ☐

900
190 109 690
960 69

2. ☐ 안에 >, =, <를 알맞게 써넣어 보세요.

753 ☐ 853	768 ☐ 786	701 + 70 ☐ 771
695 ☐ 675	352 ☐ 332	450 + 50 ☐ 490

9. 계산한 후, 정답에 해당하는 알파벳을 애벌레에서 찾아 써넣으세요.

20 − 4 = ______ ☐　　12 − 7 = ______ ☐

9 + 6 = ______ ☐　　6 + 6 = ______ ☐

16 − 8 = ______ ☐　　20 − 8 = ______ ☐

7 + 8 = ______ ☐　　5 + 6 = ______ ☐

16 − 10 = ______ ☐　　8 + 6 = ______ ☐

9 + 9 = ______ ☐　　9 + 8 = ______ ☐

12 − 3 = ______ ☐

20 − 13 = ______ ☐

9 + 8 = ______ ☐

5	6	7	8	9	11	12	14	15	16	17	18
P	A	R	N	U	D	O	L	I	M	E	T

10. 서로 다른 모양이 되도록 빈칸을 색칠해 보세요.

❶ 2칸은 노란색, 2칸은 초록색으로 색칠해야 해요.

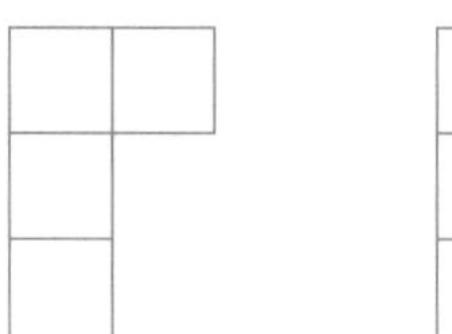
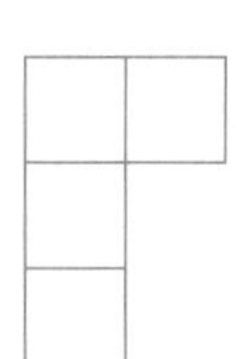
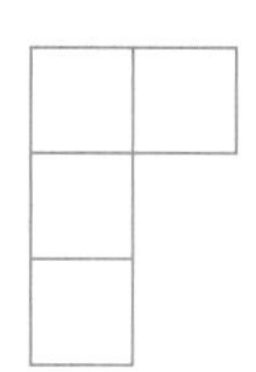
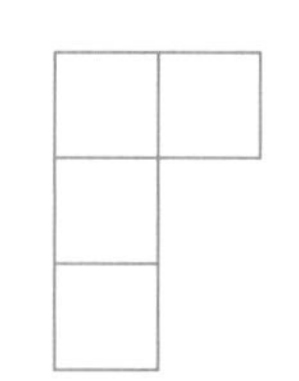
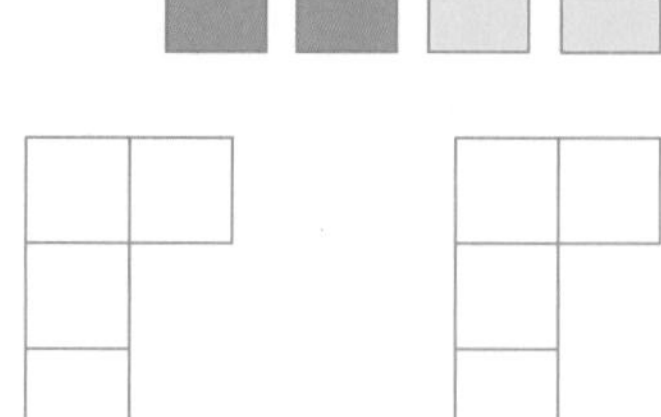

❷ 2칸은 초록색, 노란색과 파란색은 각각 1칸씩 색칠해야 해요.

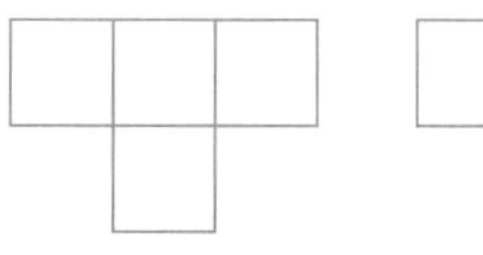
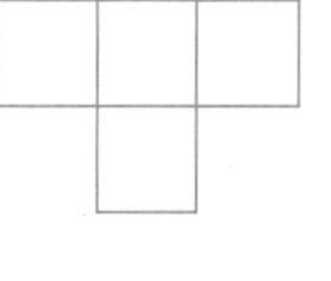
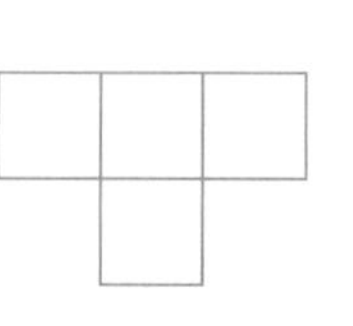
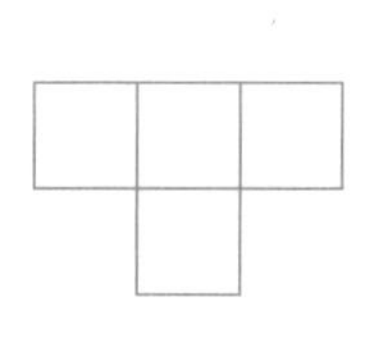
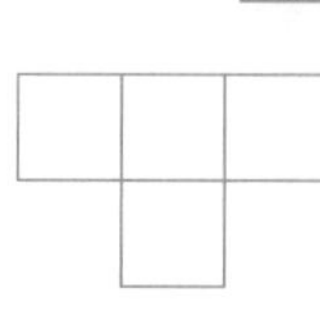
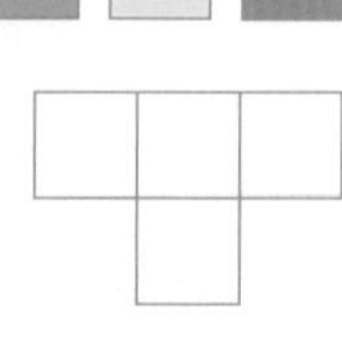

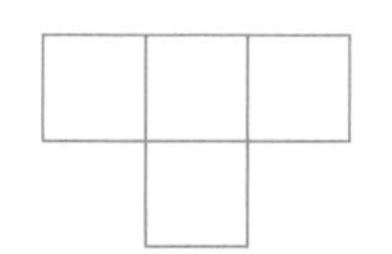
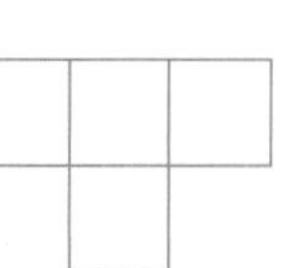

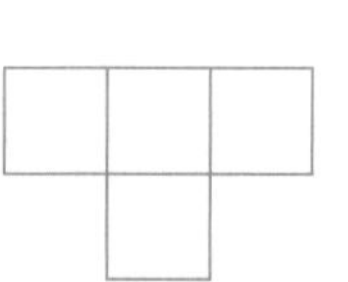
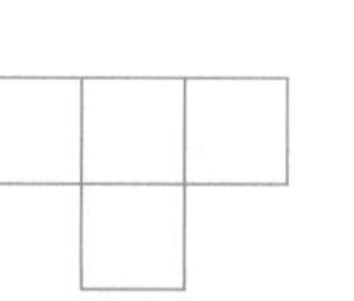
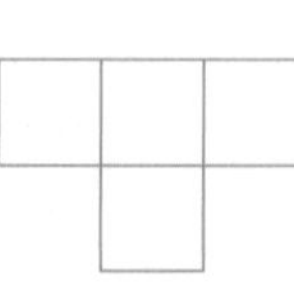

11. 아래 표를 살펴보고 각각의 규칙을 찾아 파란색, 빨간색, 노란색으로 색칠해 보세요.

262	761	165	265	861	162	368	867	568
664	401	425	431	969	330	220	340	369
563	493	767	456	761	540	861	869	963
362	456	435	471	863	610	720	780	564
564	444	763	484	365	710	962	750	964
565	416	408	496	961	280	790	830	367
666	963	563	169	266	562	767	664	966

백의 자리, 십의 자리,
일의 자리의 수를
살펴보세요.

한 번 더 연습해요!

1. □ 안에 >, =, <를 알맞게 써넣어 보세요.

450 □ 540
390 □ 290
640 □ 460

361 □ 371
212 □ 112
425 □ 435

230 + 50 □ 320
370 + 25 □ 305
195 + 15 □ 210

2. 아래 글을 읽고 알맞은 식을 세워 답을 구해 보세요.

❶ 알렉은 5000원짜리 지폐 1장, 500원짜리 동전 1개, 100원짜리 동전 5개가 있어요. 알렉이 가진 돈은 모두 얼마일까요?

식 : ______________________

정답 : ______________________

❷ 엠마는 5000원짜리 지폐 1장, 1000원짜리 지폐 3장, 500원짜리 동전 3개가 있어요. 엠마가 가진 돈은 모두 얼마일까요?

식 : ______________________

정답 : ______________________

6 세로셈으로 덧셈하기

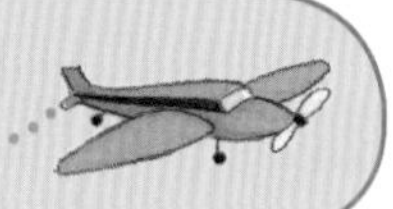

백의 자리 십의 자리 일의 자리 십의 자리 일의 자리

2 6 3 + 3 2

	2	6	3
+		3	2
	2	9	5

정답 : 295

- 백의 자리, 십의 자리, 일의 자리 수에 맞게 수를 써요.
- 일의 자리 수끼리 더한 값(3+2=5)을 일의 자리 맨 아래 칸에 써요.
- 십의 자리 수끼리 더한 값(6+3=9)을 십의 자리 맨 아래 칸에 써요.
- 마지막으로 백의 자리 수를 백의 자리 맨 아래 칸에 써요.

십의 자리 일의 자리 십의 자리 일의 자리

4 7 + 2 5

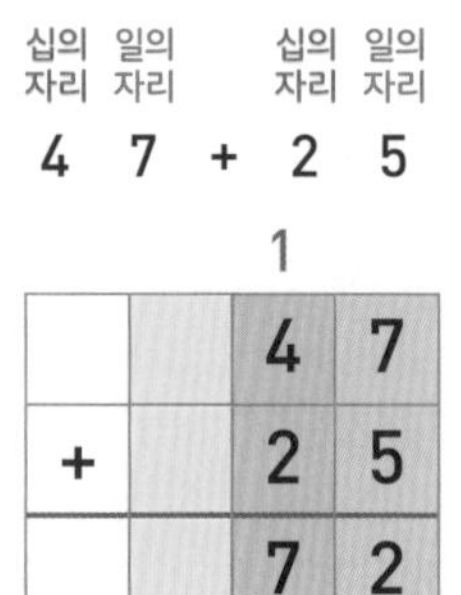

1

		4	7
+		2	5
		7	2

정답 : 72

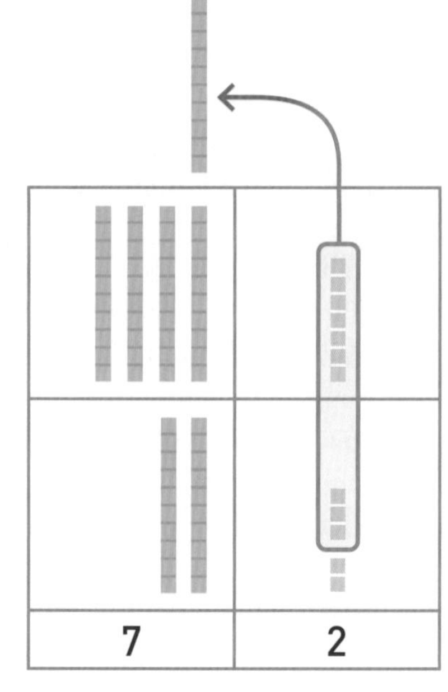

- 일의 자리 수끼리 더해요.(7+5=12) 더한 값 12에서 10을 십의 자리로 올리고, 2는 일의 자리 맨 아래 칸에 써요.
- 십의 자리 수끼리 더해요. 이때 일의 자리에서 받아 올림한 수도 함께 더해요. (1+4+2=7) 더한 값 7을 십의 자리 맨 아래 칸에 써요.

1. 세로셈으로 계산한 후, 애벌레에서 답을 찾아 ◯표 해 보세요.

41 + 25

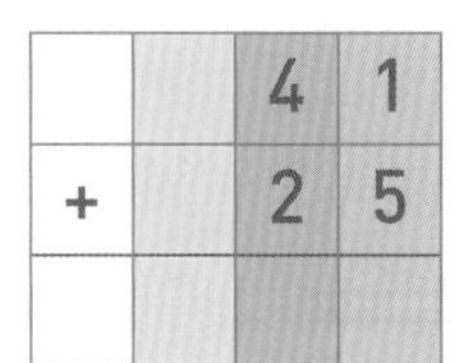

		4	1
+		2	5

63 + 34

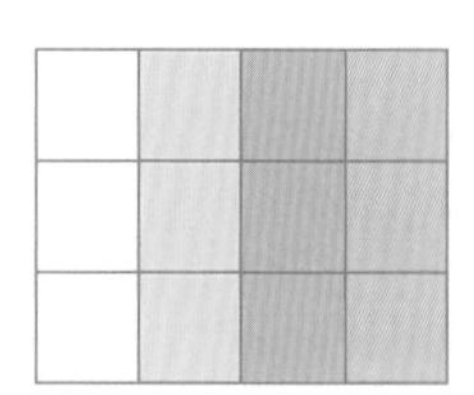

123 + 56

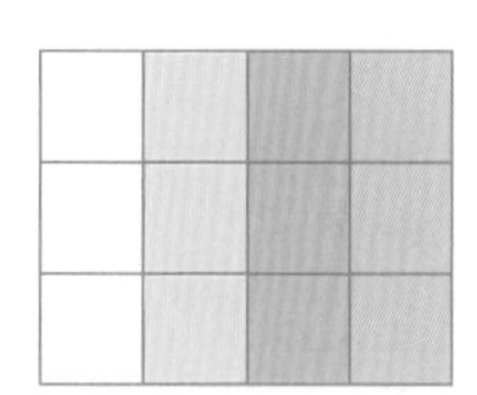

92 + 204

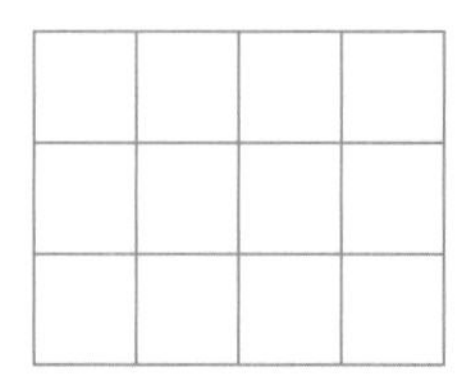

142 + 137

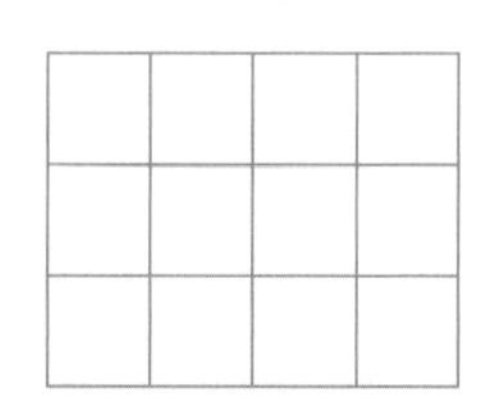

128 + 271

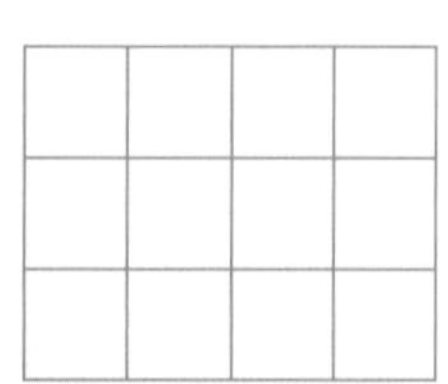

66 97 179 184 279 296 379 399

2. 세로셈으로 계산한 후, 애벌레에서 답을 찾아 ◯표 해 보세요.

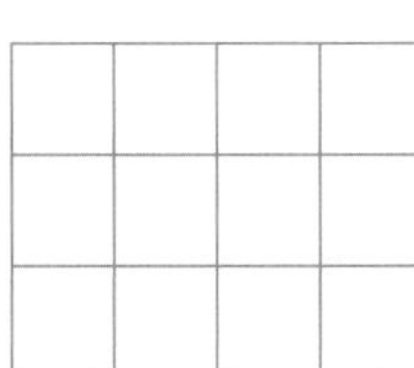

62 + 28

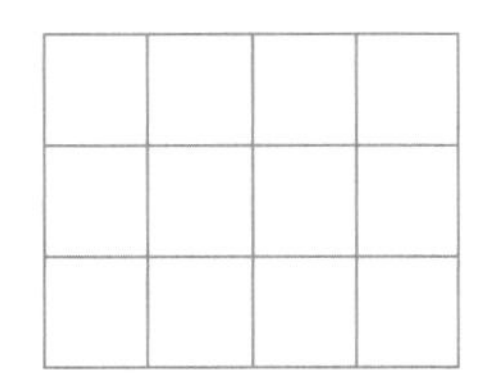

119 + 132

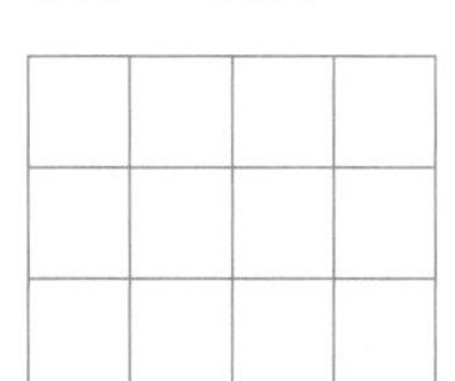

3. 세로셈으로 계산한 후, 애벌레에서 답을 찾아 ◯표 해 보세요.

❶ 교실 책장에 책이 78권 있어요. 선생님께서 새로운 책을 15권 더 가져다 놓으셨어요. 책장에 있는 책은 모두 몇 권일까요?

식 : ______

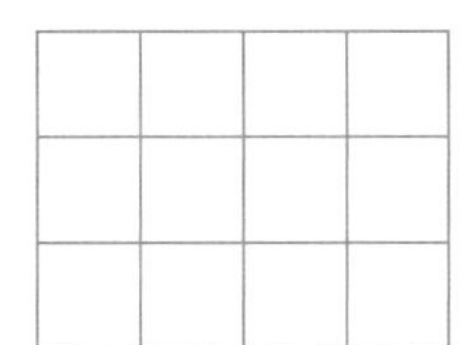

정답 : ______

❷ 학교 식당에 물컵이 239개 있어요. 새 컵이 47개 더 생겼어요. 식당에 있는 물컵은 모두 몇 개일까요?

식 : ______

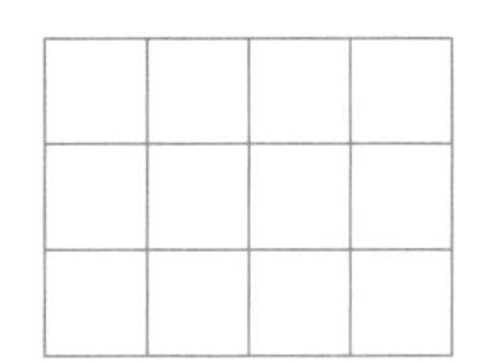

정답 : ______

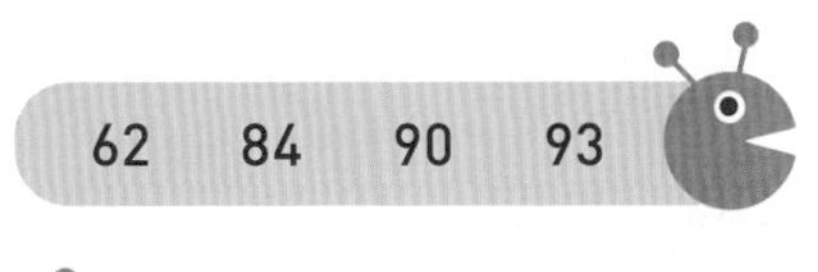

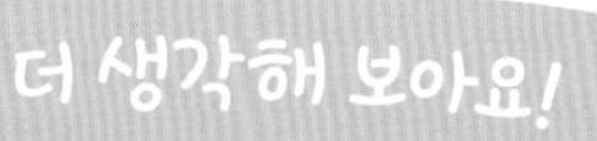

나를 2번 더하면 628이 됩니다.
나는 어떤 수일까요?

______

4. 엠마의 엄마가 딴 버섯 개수가 바구니에 쓰여 있어요. 다음 글을 읽고 버섯의 개수를 구하면서 길을 찾아보세요.

- 엠마의 엄마는 새송이버섯 12개를 바구니에 담았어요.
- 그리고 깔때기 모양 살구버섯 23개를 발견해 담았어요.
- 또 전나무 아래에서 검은 살구버섯 20개를 땄어요.
- 숲길을 걷다가 새송이버섯 16개를 발견했지만 그중 2개는 상태가 좋지 않아서 따지 않았어요.
- 가는 길에 꾀꼬리버섯 8개를 담았고, 전나무 아래에서 전나무버섯 12개를 땄어요.
- 길을 걷다가 꾀꼬리버섯 7개를 발견해 담았어요.
- 엠마의 엄마는 식용 무당버섯 8개를 발견해서 그중 절반을 바구니에 담았어요.
- 한참 걷다가 버섯 서식지를 발견하고는 그곳에서 깔때기 모양 살구버섯 47개를 땄어요.
- 마지막으로 엠마의 엄마는 새송이버섯 22개를 담았어요.

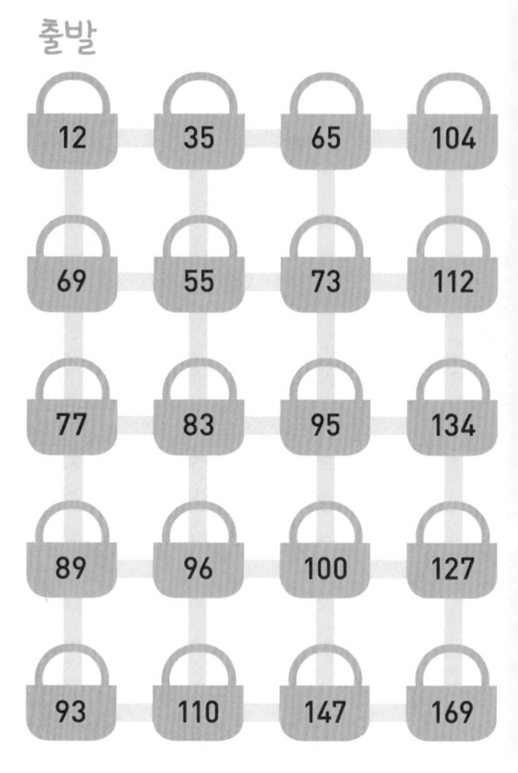

5. 아래 글을 읽고 인형의 이름, 만든 나라, 그리고 주인을 알아맞혀 보세요.

이름	______	______	______	______
만든 나라	______	______	______	______
주인	______	______	______	______

- 넬리는 고보와 테디 사이에 있어요.
- 월터의 인형은 빨간 인형 옆에 있어요.
- 커들스는 흰색이고 맨 끝에 있어요.
- 노르웨이에서 만든 인형은 핀란드에서 만든 인형 옆에 있어요.
- 안드레아의 인형은 독일에서 만들었어요.
- 넬리는 피터의 인형이에요.
- 소냐의 인형은 테디 옆에 있어요.
- 빨간 인형은 러시아에서 만들었어요.
- 테디는 노르웨이에서 만들었어요.
- 고보는 독일에서 만들었어요.

6. 서로 다른 모양이 되도록 빈칸을 색칠해 보세요.

❶ 빨간색 또는 파란색으로 빈칸을 색칠하세요.

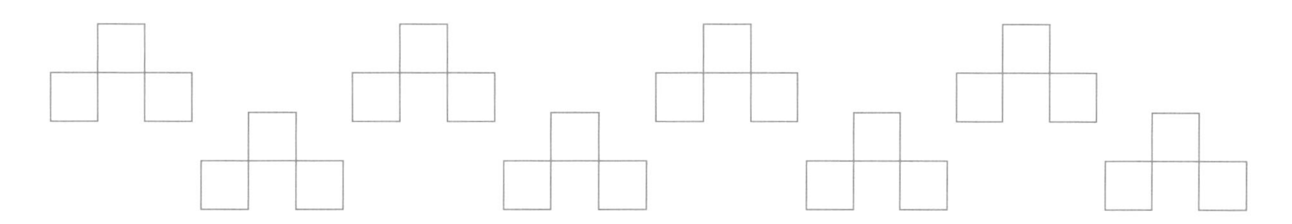

❷ 빨간색 또는 파란색으로 색칠하되, 세 칸을 같은 색으로 색칠해야 해요.

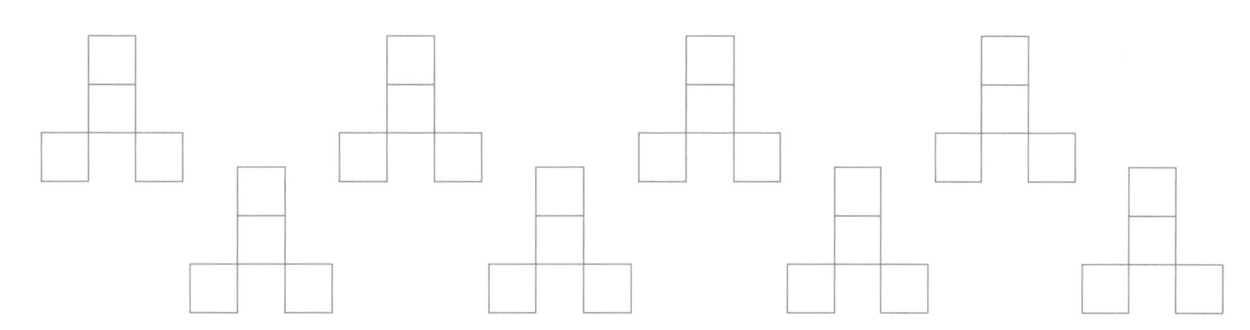

한 번 더 연습해요!

1. 세로셈으로 계산해 보세요.

142 + 46

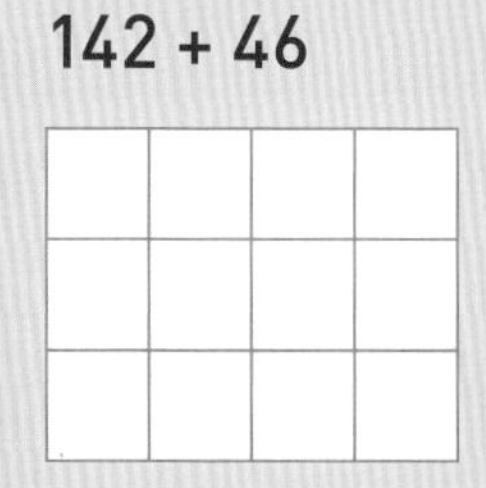

105 + 67

138 + 159

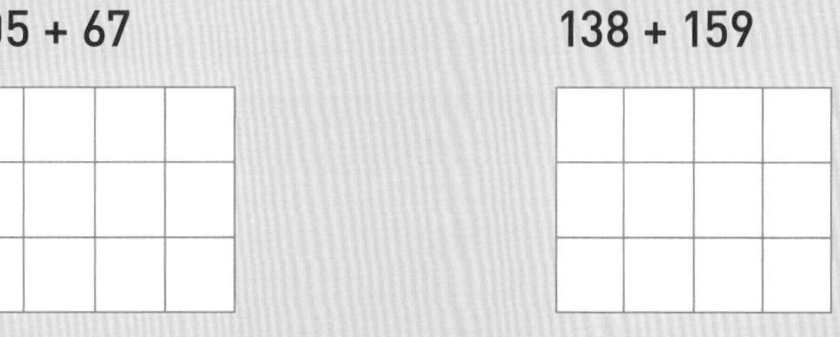

2. 아래 글을 읽고 알맞은 식을 세워 답을 구해 보세요.

❶ 선생님은 모눈 공책 28권과 줄 공책 37권을 가지고 있어요. 선생님이 가지고 있는 공책은 모두 몇 권일까요?

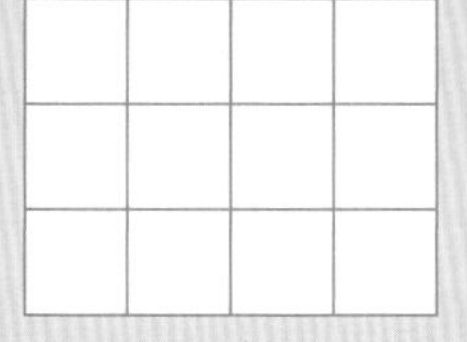

정답 :

❷ 마트에 모눈 공책 231권과 줄 공책 129권이 있어요. 마트에 있는 공책은 모두 몇 권일까요?

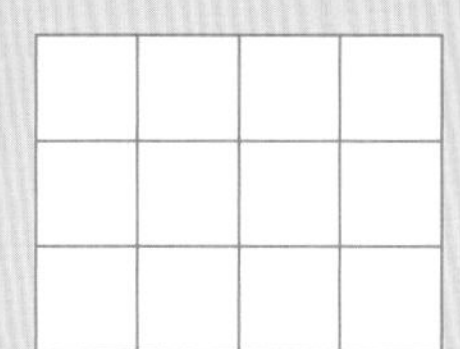

정답 :

____월 ____일 ____요일

7 세로셈에서 받아 올림하기

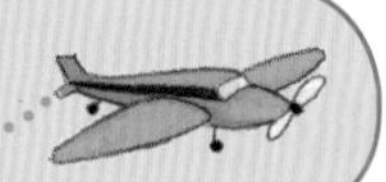

백의 자리	십의 자리	일의 자리		백의 자리	십의 자리	일의 자리
1	5	8	+	1	6	5

	1	1	
	1	5	8
+	1	6	5
	3	2	3

정답 : 323

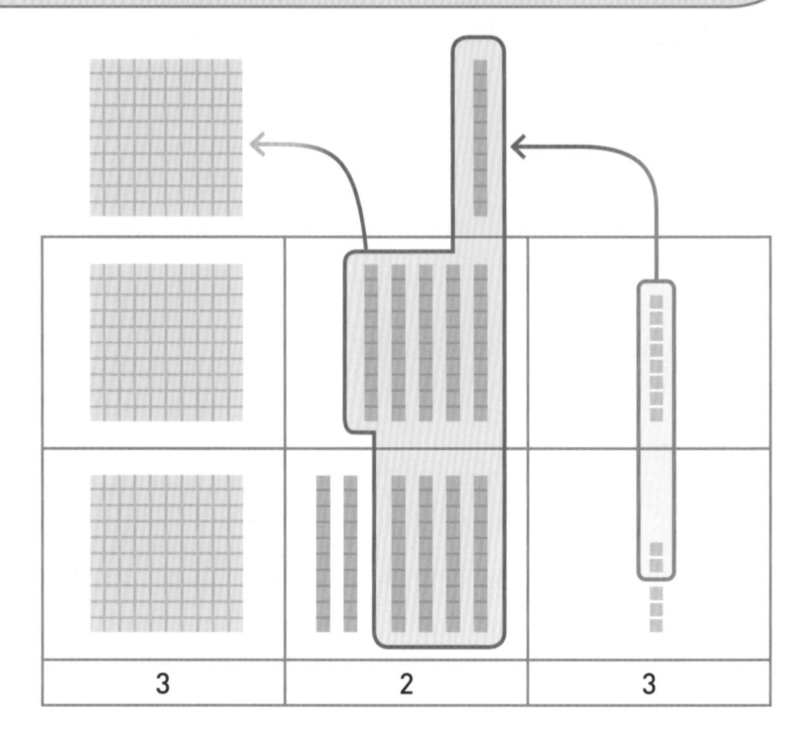

- 일의 자리 수끼리 먼저 더해요.(8+5=13) 더한 값 13 중 3을 일의 자리에 쓰고, 1은 십의 자리로 받아 올림을 해요. 이때 십의 자리 위에 받아 올림한 수 1을 써요.
- 십의 자리 수끼리 모두 더해요.(1+5+6=12) 더한 값 12 중 2를 십의 자리에 쓰고, 1은 백의 자리로 받아 올림을 해요. 이때 백의 자리 위에 받아 올림한 수 1을 써요.
- 백의 자리 수를 모두 더하세요.(1+1+1=3)

1. 세로셈으로 계산하고 애벌레에서 답을 찾아 ◯표 해 보세요.

25 + 56

		2	5
+		5	6

49 + 19

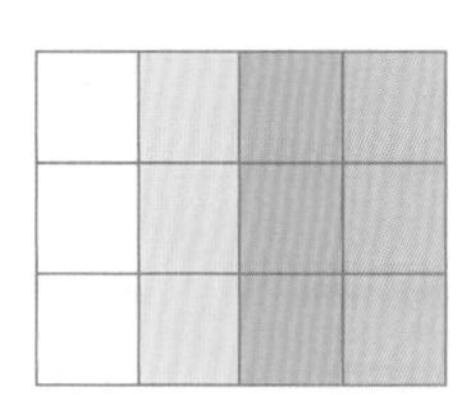

37 + 52

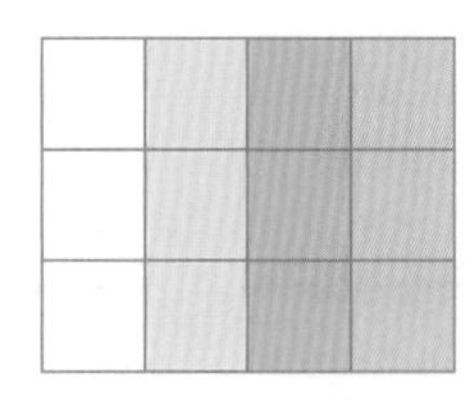

107 + 345

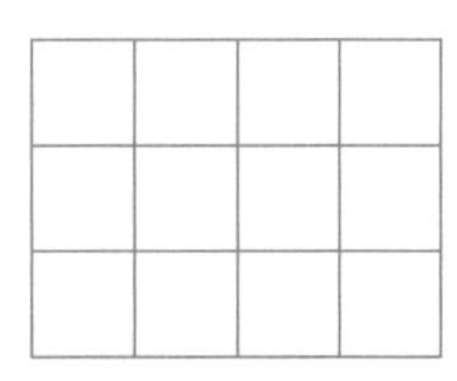

187 + 290

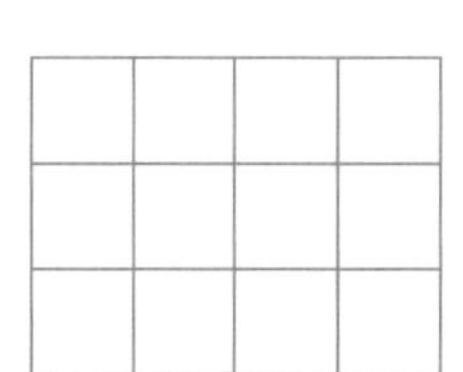

253 + 158

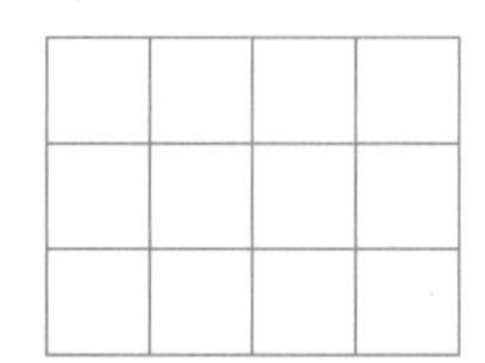

68 75 81 89 125 411 452 477

2. 세로셈으로 계산하고 애벌레에서 답을 찾아 ◯표 해 보세요.

456 + 65

	4	5	6
+		6	5

186 + 179

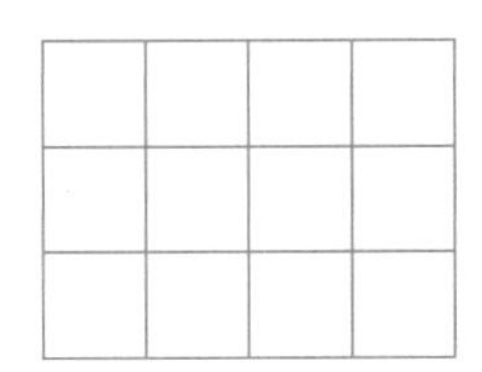

158 + 262

3. 아래 글을 읽고 식을 세운 후, 세로셈으로 계산하여 답을 구해 보세요.

❶ 엘리의 학교에는 학생이 116명 있고,
팀의 학교에는 학생이 246명 있어요.
두 학교에는 모두 몇 명의
학생이 있을까요?

식 : ______________________

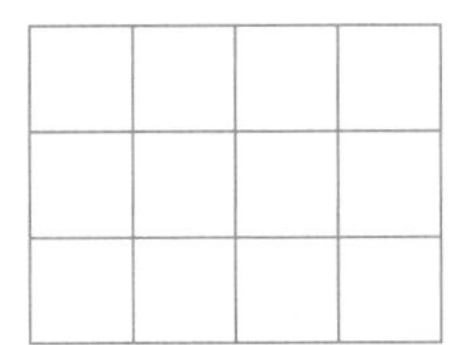

정답 : ______________________

❷ 점심시간에 1차로 학생 367명이 식당에서
식사를 했고, 2차로 학생 375명이 식사를
했어요. 식당에서 식사를 한 학생은 모두
몇 명일까요?

식 : ______________________

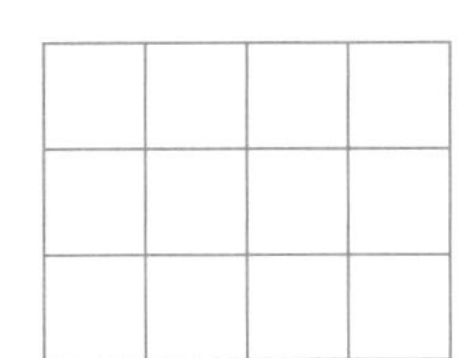

정답 : ______________________

362 365 420 521 624 633 742

더 생각해 보아요!

1, 2, 3, 4, 5, 6을 한 번씩만 사용해서 식을
2개 완성해 보세요.

 +  = 390

+  = 390

4. 대칭이 되게 색칠해 보세요.

5. 규칙에 따라 빈칸에 알맞은 수를 넣어 보세요.

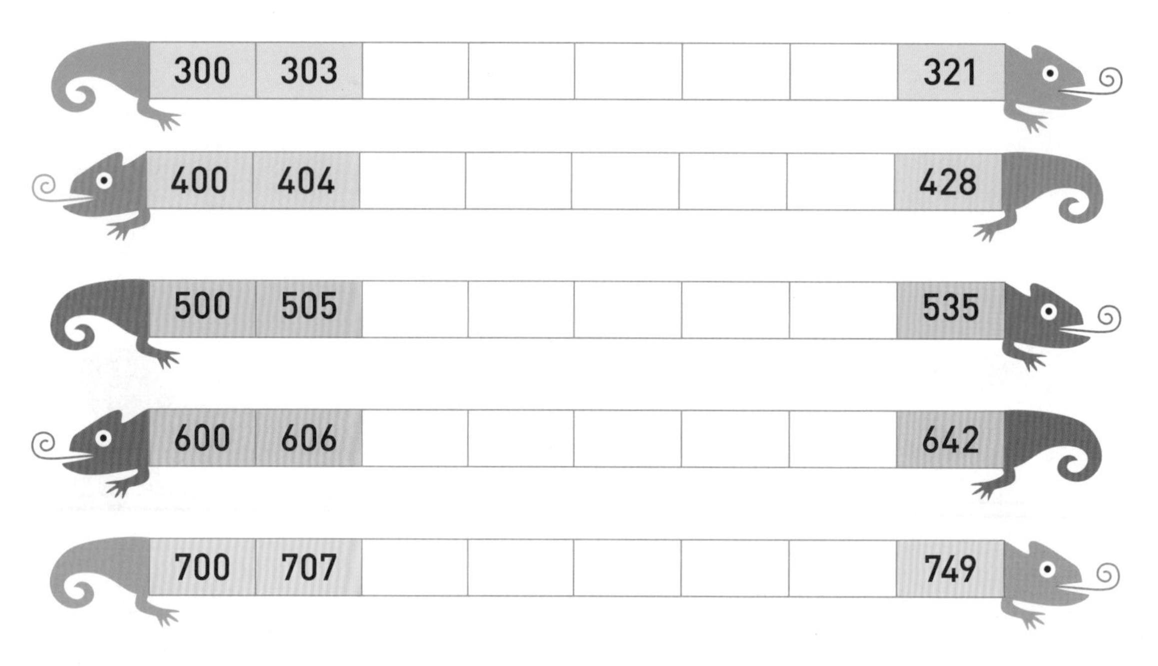

6. 나는 어떤 수일까요? 5가지를 찾아보세요.

나는 세 자리 수이고 백의 자리와 일의 자리 숫자가 같아요. 각 자리 수의 수를 모두 더하면 10이에요.

________ ________ ________ ________ ________

7. 그림이 들어간 식을 보고 그림의 값을 구해 보세요.

❶

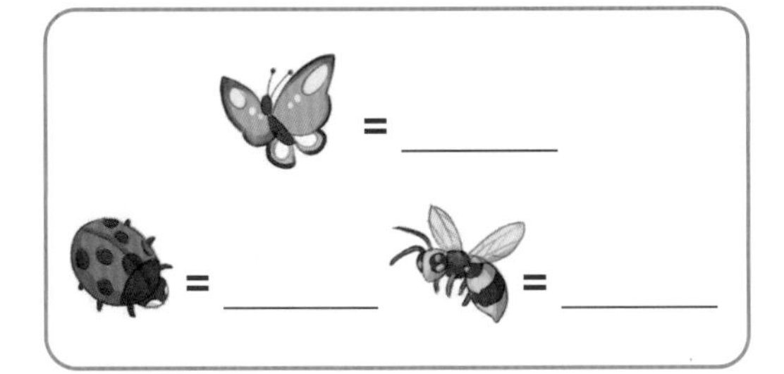

❷

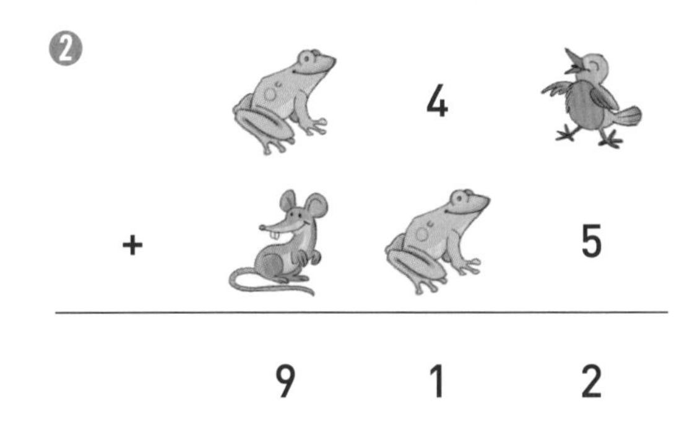

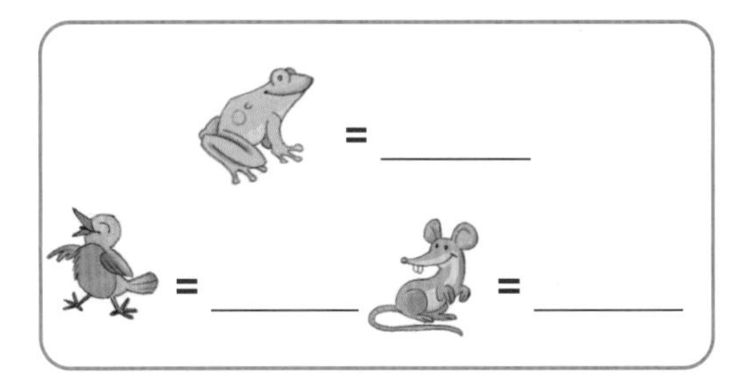

한 번 더 연습해요!

1. 세로셈으로 계산해 보세요.

134 + 25

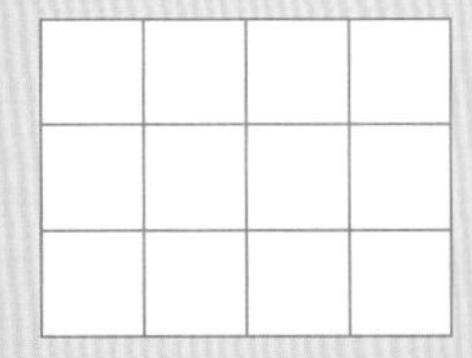

716 + 64

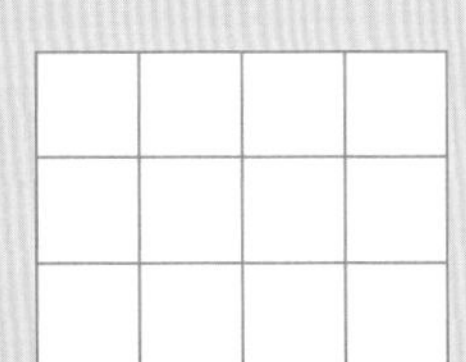

198 + 198

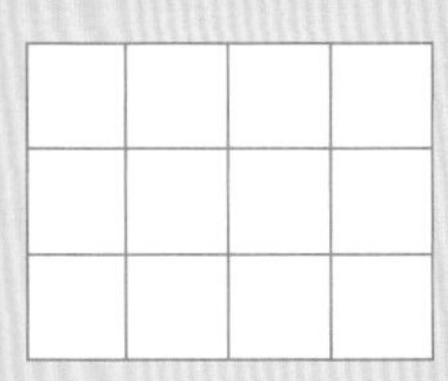

2. 아래 글을 읽고 알맞은 식을 세워 답을 구해 보세요.

❶ 식당에 남학생 208명과 여학생 76명이 있어요. 식당에 있는 학생은 모두 몇 명일까요?

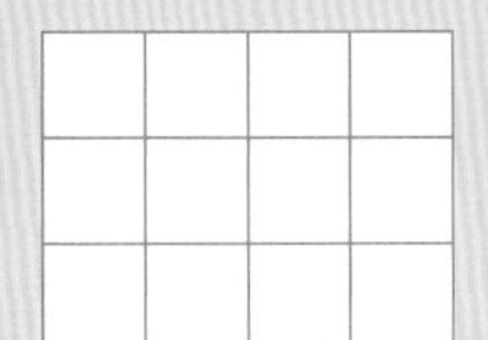

정답 : ______________________

❷ 학교 체험학습에 여학생 148명과 남학생 86명이 참여했어요. 체험학습에 참여한 학생은 모두 몇 명일까요?

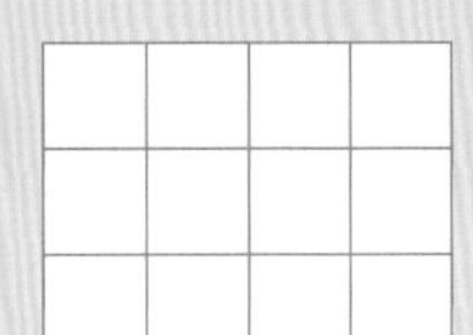

정답 : ______________________

____ 월 ____ 일 ____ 요일

8 세로셈으로 뺄셈하기

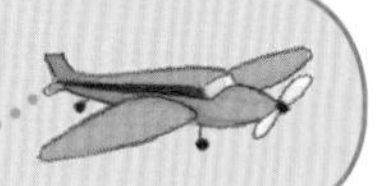

백의 자리	십의 자리	일의 자리		십의 자리	일의 자리
1	5	5	−	3	2

	1	5	5
−		3	2
	1	2	3

정답 : 123

먼저 일의 자리 수끼리 빼요.(5-2=3)
그다음 십의 자리 수끼리 빼요.(5-3=2)
그 결과 답은 123이 나와요.

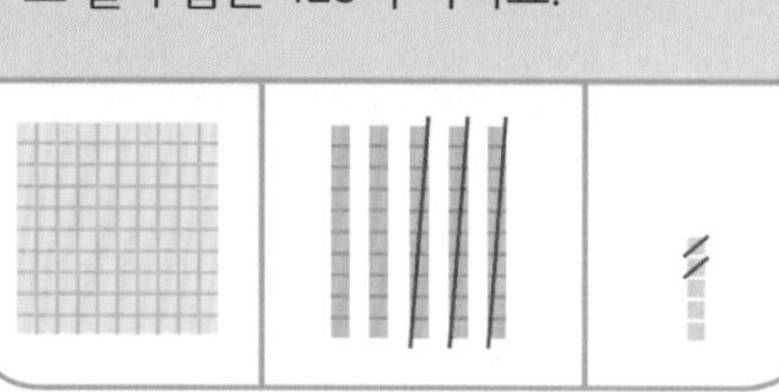

받아 내림하는
수에 선을 긋고 1을
뺀 수를 위에 적어.

백의 자리	십의 자리	일의 자리		백의 자리	십의 자리	일의 자리
3	3	1	−	1	1	5

		2	10
	3	~~3~~	1
−	1	1	5
	2	1	6

정답 : 216

먼저 일의 자리 수끼리 빼요. 일 모형끼리 뺄 수 없으면 십의 자리에서 10을 받아 내림해요.(십 모형 1개를 일 모형 10개로 바꿀 수 있어요.)

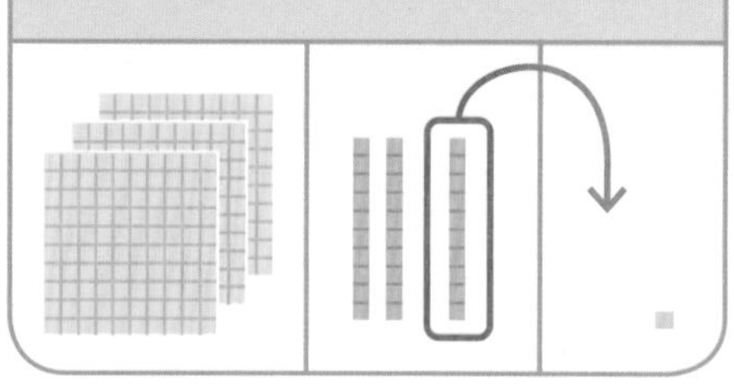

받아 내림하여 온 10을 일의 자리 수 1에 더해서 뺄셈을 해요.(11-5=6) 그러고서 십의 자리 수끼리 빼고,(2-1=1, 10을 일의 자리로 받아 내림하였기 때문에 3이 아니라 2) 백의 자리 수끼리 빼요.(3-1=2)

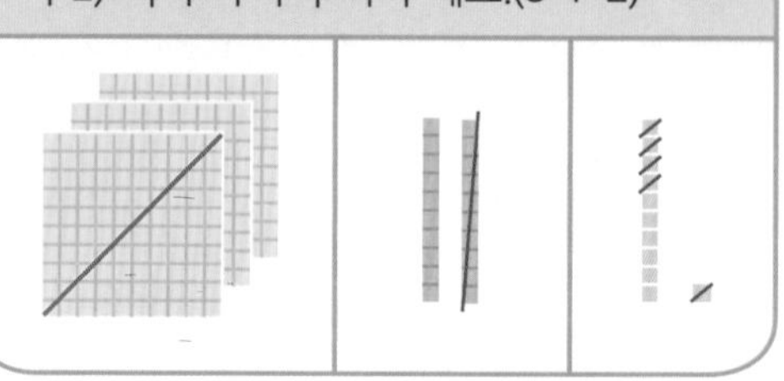

1. 세로셈으로 계산하고, 애벌레에서 답을 찾아 ◯표 해 보세요.

67 − 25

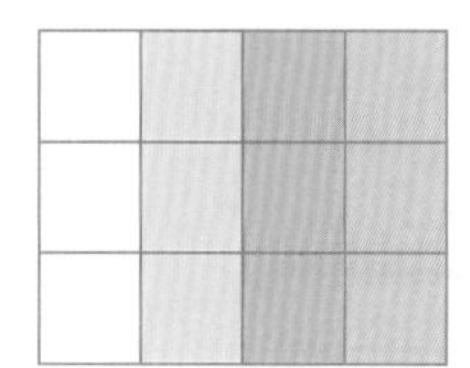

84 − 31

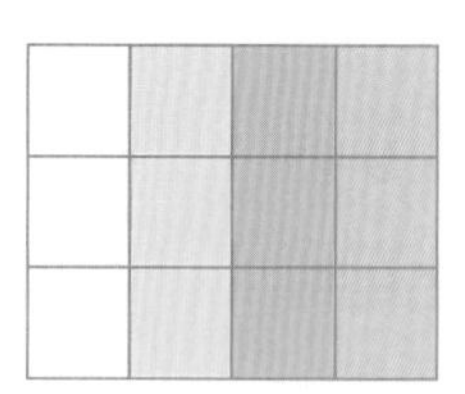

52 − 18

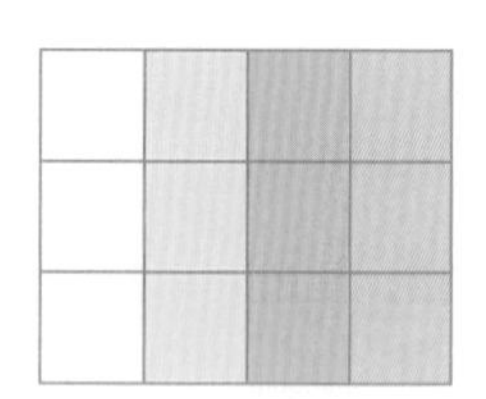

64 − 36

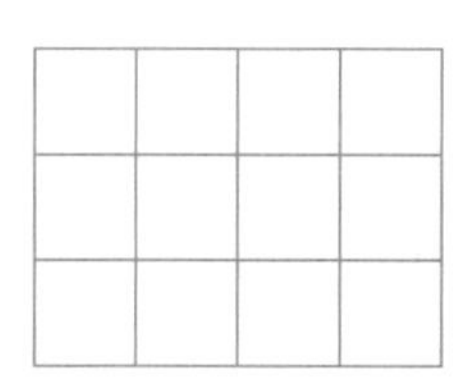

145 − 127

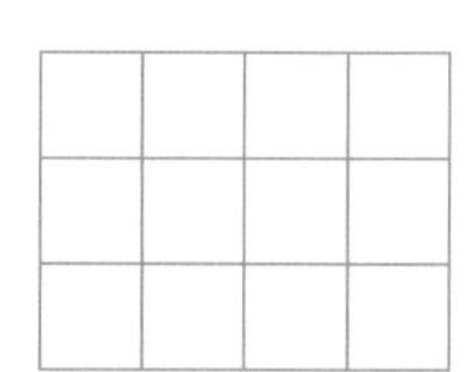

227 − 34

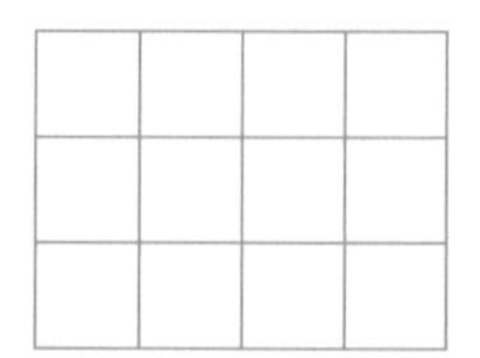

18 28 34 38 42 53 182 193

2. 아래 글을 읽고 식을 세워 세로셈으로 계산한 후, 애벌레에서 답을 찾아 ◯표 해 보세요.

❶ 선생님은 연필 78자루를 가지고 있어요. 그런데 24자루를 학생들에게 나누어 주었어요. 선생님에게 남은 연필은 몇 자루일까요?

식 :

정답 :

❷ 캐비닛에 공책이 85권 있어요. 그런데 선생님이 17권을 학생들에게 나누어 주었어요. 캐비닛에 남은 공책은 몇 권일까요?

식 :

정답 :

❸ 학교에 학생이 147명 있어요. 이 가운데 여학생이 76명이라면 남학생은 모두 몇 명일까요?

식 :

정답 :

❹ 학교 창고에 수업 교재가 252권 있어요. 그중 160권을 학생들에게 나누어 주었어요. 창고에 남은 교재는 몇 권일까요?

식 :

정답 :

54 62 68 71 85 92

더 생각해 보아요!

2, 3, 4, 5, 6을 한 번씩만 적어서 파란 선으로 이어진 □와 빨간 선으로 이어진 □의 합이 각각 12가 되도록 만들어 보세요.

3. 앤이 가진 돈의 합계가 지갑에 쓰여 있어요. 아래 글을 읽고 지갑에 남은 돈의 합계를 구하여 길을 찾아보세요.

- 앤은 처음에 87유로를 가지고 있었어요.
- 앤은 10유로짜리 블라우스를 샀어요.
- 앤은 공원으로 가는 버스를 타고 2유로를 냈어요.
- 앤은 15유로짜리 팔찌를 샀어요.
- 앤은 2유로짜리 초코바를 2개 샀어요.
- 앤은 아이비에게 6유로를 빌려주었어요.
- 앤은 버스를 타고 집에 돌아왔어요. 교통비는 갈 때와 같아요.
- 앤은 할아버지께 용돈으로 20유로를 받았어요.
- 앤은 30유로짜리 바지 한 벌을 샀어요.
- 앤은 영화관에 갔어요. 영화표는 8유로였어요.
- 아이비가 빌린 돈을 앤에게 갚았어요.

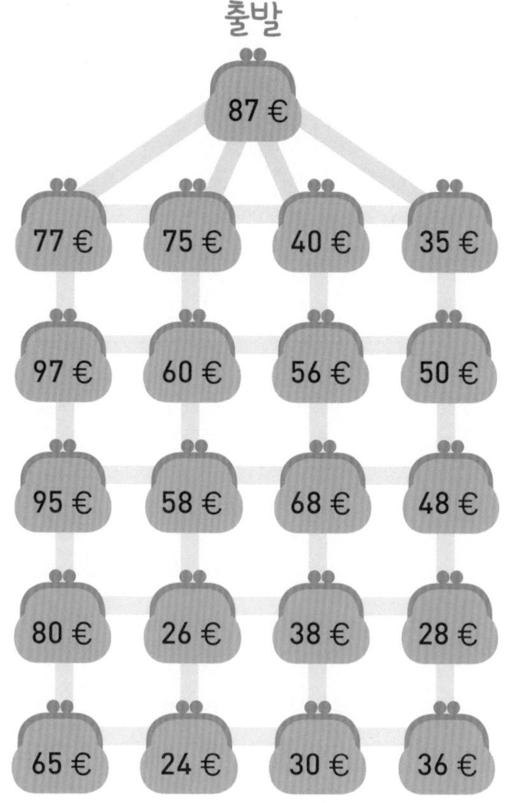

4. 그림을 보고 식에 맞게 동그라미 안에 알맞은 답을 써넣어 보세요.

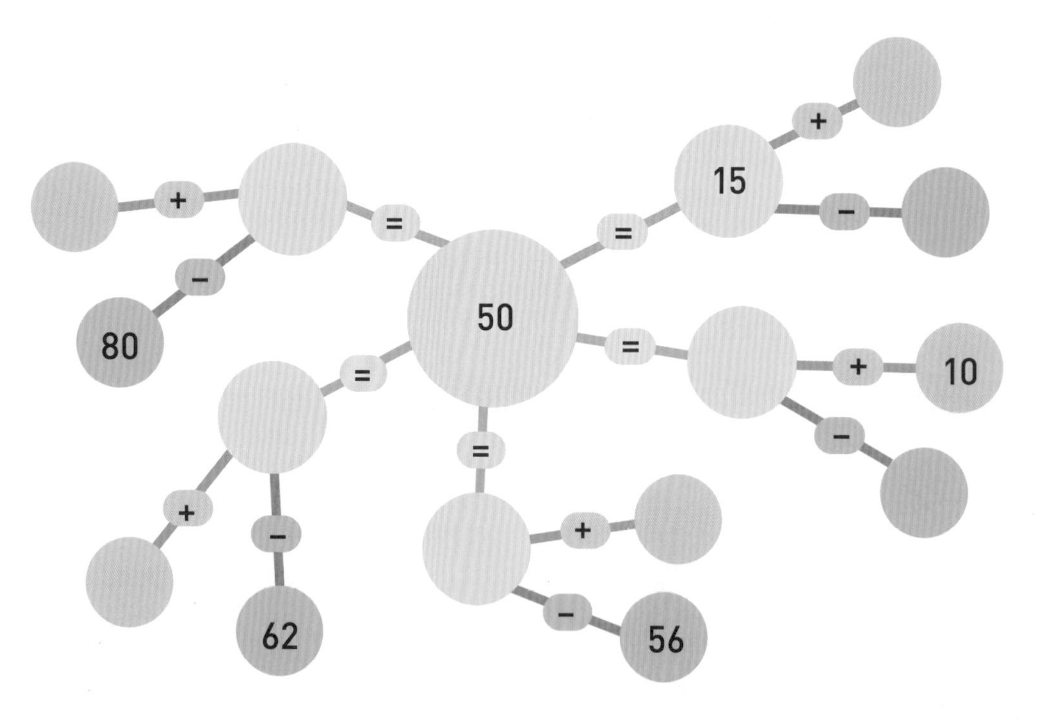

짝을 이룬 파란색, 빨간색 동그라미 안의 두 수를 더해 보세요. 무엇을 알 수 있나요?

5. 〈보기〉의 그림을 거울에 비추었을 때 나타나는 모양을 찾아보세요.

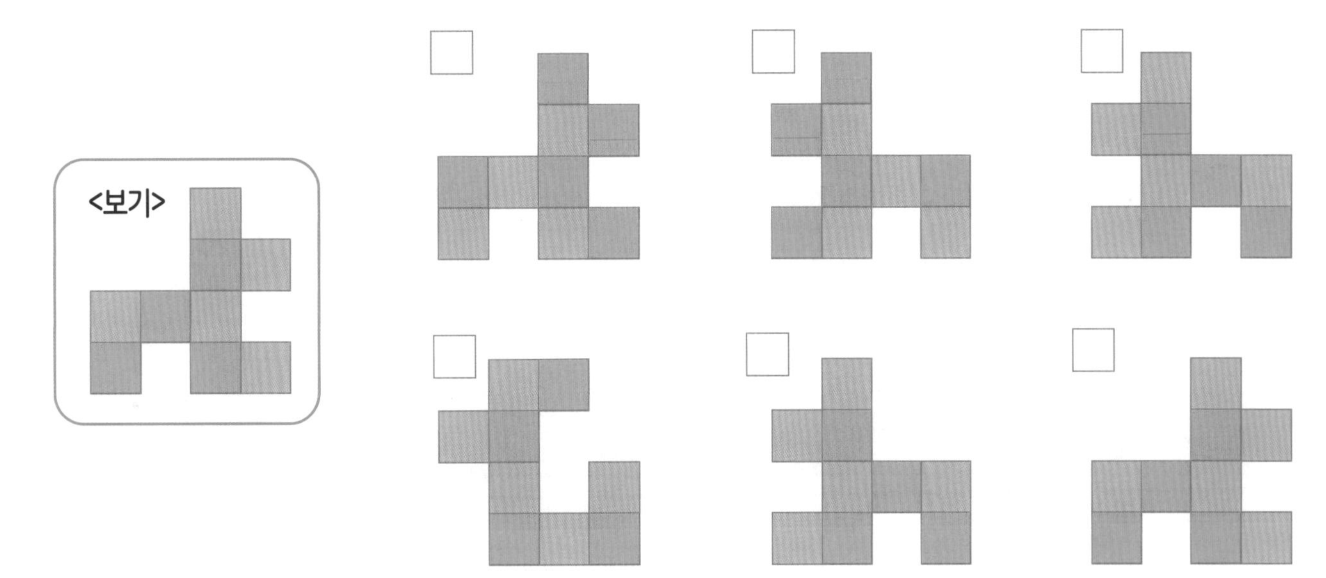

한 번 더 연습해요!

1. 세로셈으로 계산해 보세요.

93 − 42

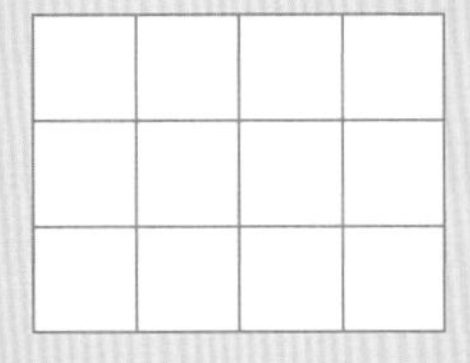

161 − 54

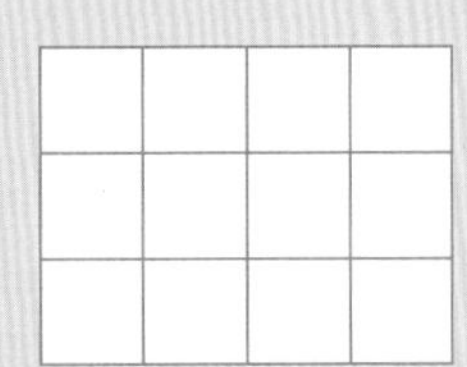

338 − 164

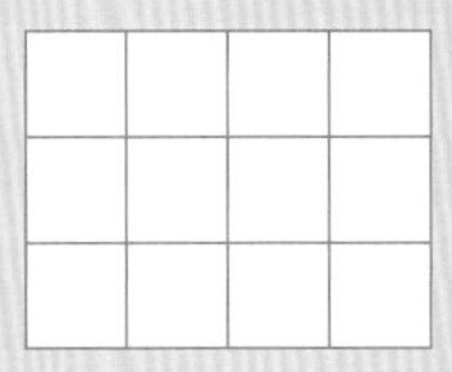

2. 아래 글을 읽고 알맞은 식을 세운 후, 세로셈으로 계산해 보세요.

❶ 3학년 학생은 모두 87명이에요. 그중 45명은 여학생이에요. 3학년 남학생은 모두 몇 명일까요?

식 :

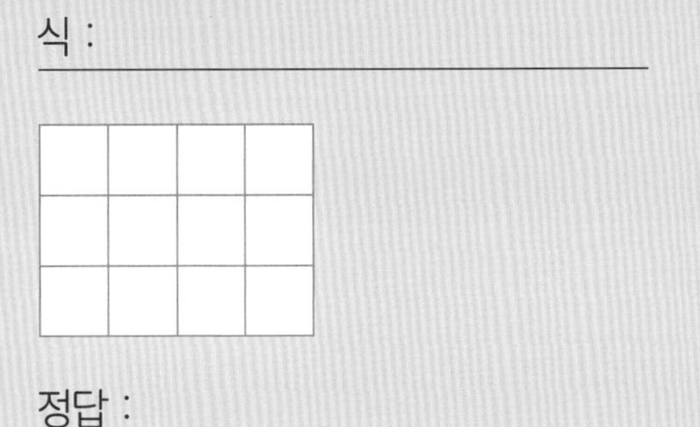

정답 :

❷ 학교 창고에 지우개가 357개 있었는데, 273개를 학생들에게 나누어 주었어요. 창고에 남은 지우개는 모두 몇 개일까요?

식 :

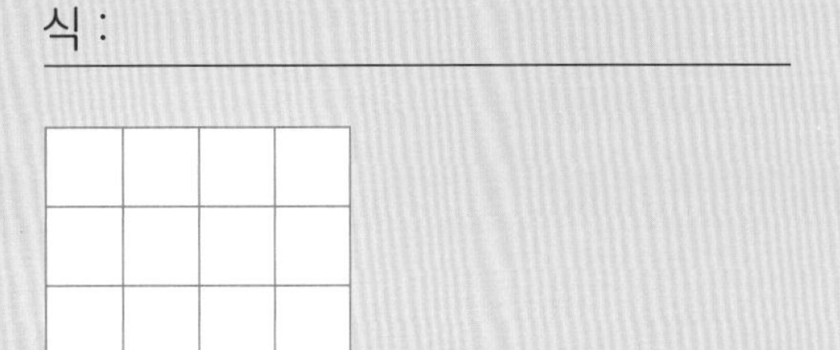

정답 :

9 세로셈에서 받아 내림하기

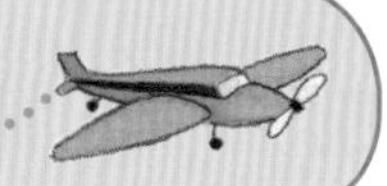

백의 자리	십의 자리	일의 자리		백의 자리	십의 자리	일의 자리
3	2	5	−	1	3	6

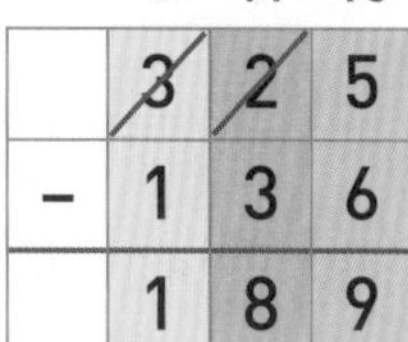

	2	11	10
	~~3~~	~~2~~	5
−	1	3	6
	1	8	9

정답 : 189

받아 내림하는 수에 선을 긋고 1을 뺀 수를 위에 적어.

먼저 일의 자리 수끼리 빼요. 일 모형끼리 뺄 수 없으면 십의 자리에서 10을 받아 내림해요.(십 모형 1개를 일 모형 10개로 바꿀 수 있어요.)

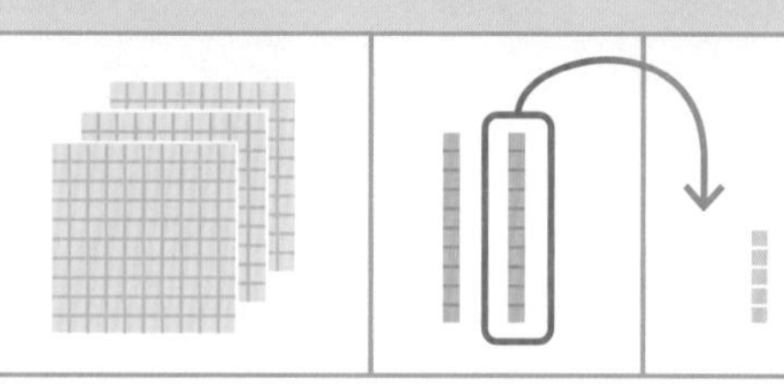

빌려 온 10을 일의 자리 수에 더한 후 뺄셈을 해요.(15-6=9)

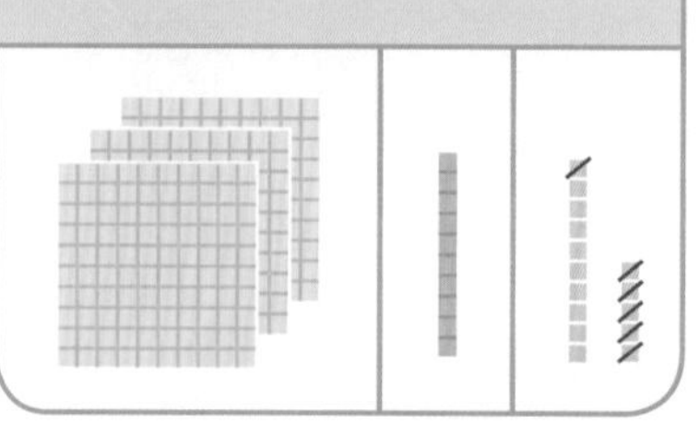

십의 자리 수끼리 빼요. 십 모형끼리 뺄 수 없으면 백의 자리에서 100을 받아 내림해요.(백 모형 1개를 십 모형 10개로 바꿀 수 있어요.)

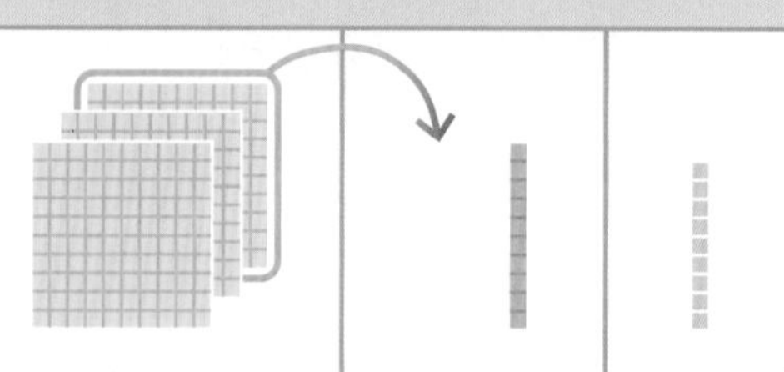

받아 내림해 온 100을 십의 자리 수에 더한 후 뺄셈을 해요.(11-3=8). 마지막으로 백의 자리 수끼리 빼요.(2-1=1) 그 결과 답이 189가 나와요.

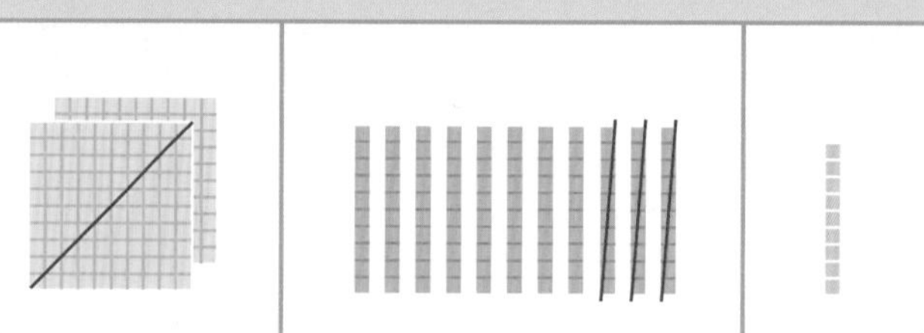

1. 세로셈으로 계산하고 애벌레에서 답을 찾아 ◯표 해 보세요.

84 − 56

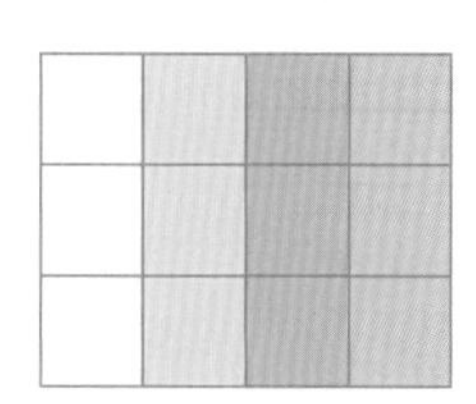

351 − 29

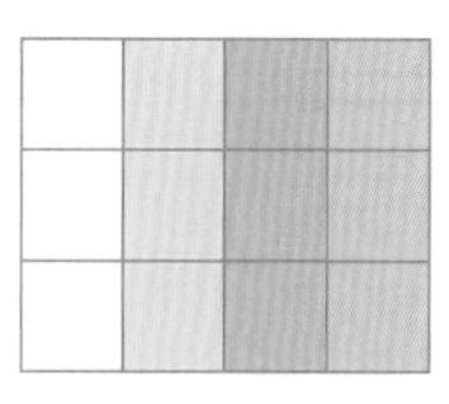

231 − 107

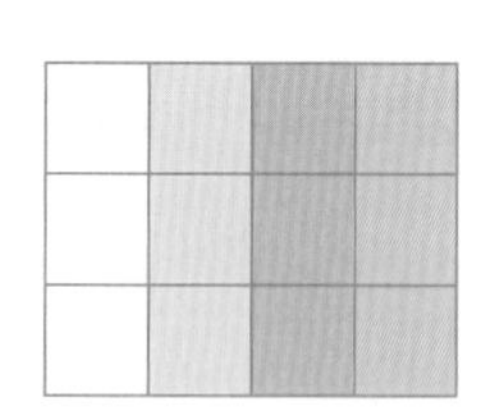

381 − 178

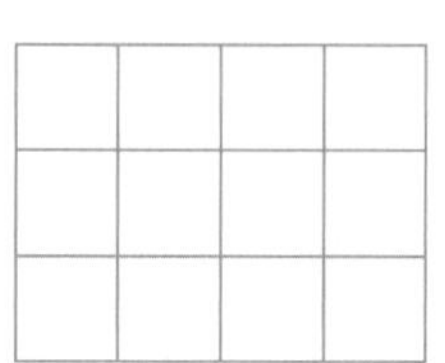

413 − 70

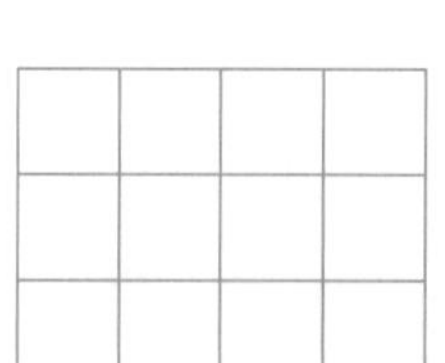

314 − 122

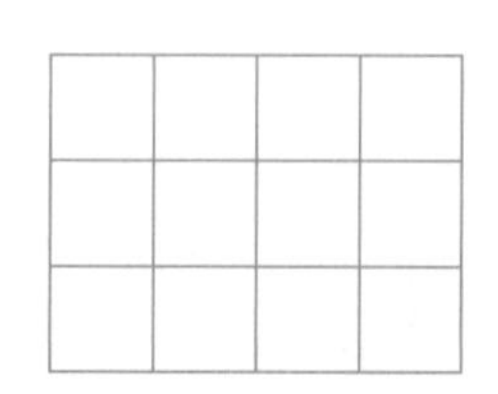

28
39
124
192
200
203
322
343

2. 아래 글을 읽고 세로셈으로 계산한 후, 애벌레에서 답을 찾아 ◯표 해 보세요.

❶ 엠마는 지갑에 116유로를 가지고 있었는데 24유로짜리 여가용 놀이 세트를 샀어요. 엠마에게 남은 돈은 얼마일까요?

식 :

정답 :

❷ 스코티는 은행 계좌에 845유로가 있었는데 154유로짜리 그림 용품을 샀어요. 스코티의 계좌에 남은 돈은 얼마일까요?

식 :

정답 :

❸ 한나는 215유로를 모았는데 109유로짜리 수채화 물감을 샀어요. 한나에게 남은 돈은 얼마일까요?

식 :

정답 :

❹ 알렉은 127유로를 저축했는데 88유로짜리 이젤을 샀어요. 알렉이 가진 돈은 얼마일까요?

식 :

정답 :

37 € 39 € 92 € 106 € 665 € 691 €

더 생각해 보아요!

1, 2, 3, 4, 5, 6을 한 번씩만 사용해서 다음 식을 완성해 보세요.

☐☐☐ – ☐☐☐ = 122

☐☐☐ – ☐☐☐ = 122

3. 규칙에 맞게 빈칸에 알맞은 수를 써넣어 보세요.

❶ 앞의 수에서 5를 빼는 규칙

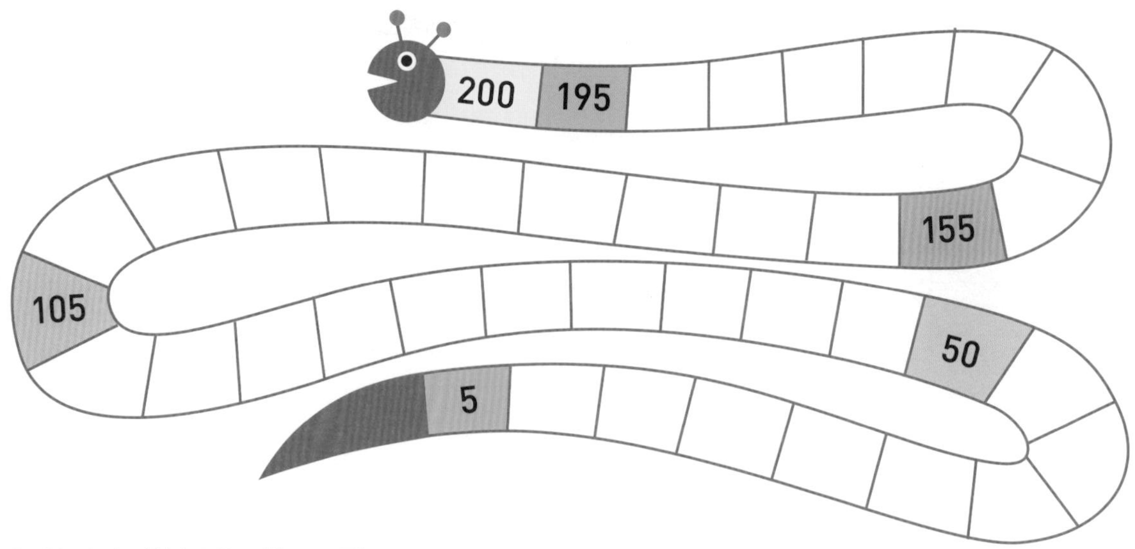

❷ 앞의 수에서 3을 빼는 규칙

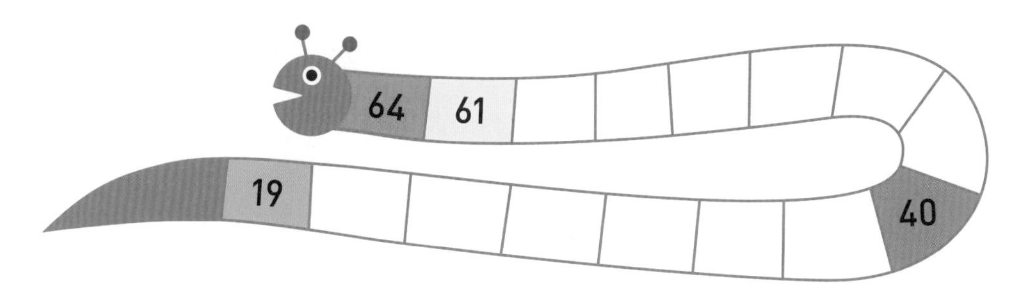

4. 캐시가 칩에게 갈 수 있도록 길을 찾아 주세요.

5. 나는 어떤 수일까요? 2개의 수를 찾아보세요.

나는 세 자리 수예요. 일의 자리와 백의 자리 수가 같아요. 모든 자리의 수는 짝수이고, 각 자리의 수를 합하면 20이에요.

[   ] [   ]

6. 그림이 들어간 식을 보고 그림의 값을 구해 보세요.

❶

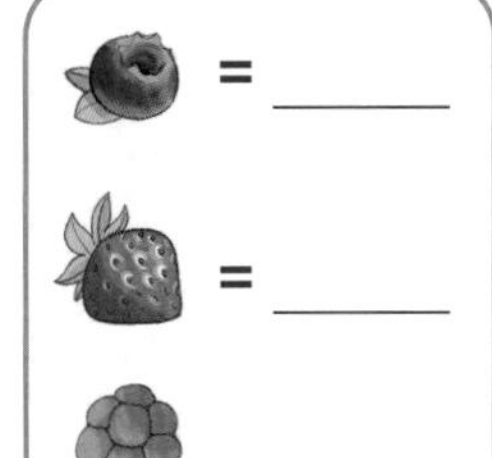

❷

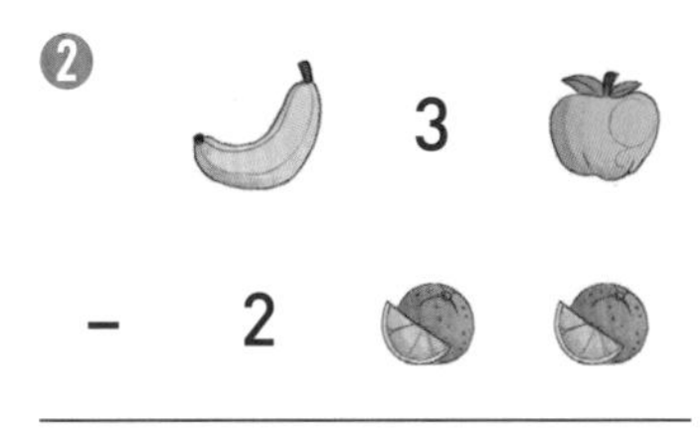

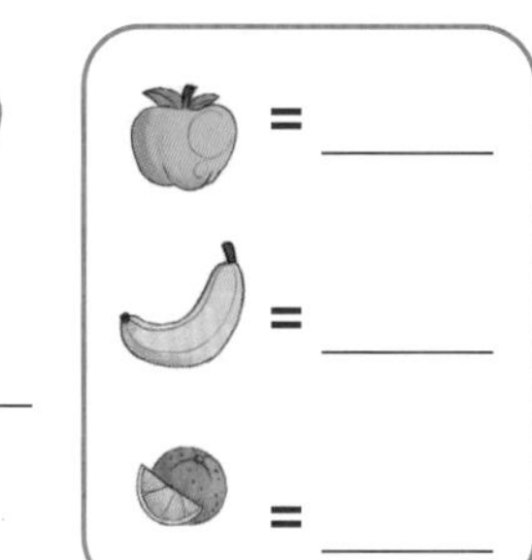

한 번 더 연습해요!

1. 세로셈으로 계산해 보세요.

89 − 35

869 − 174

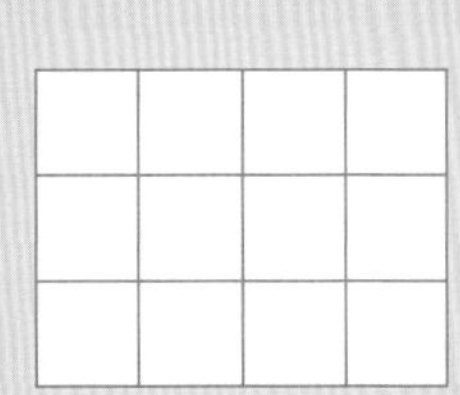

591 − 292

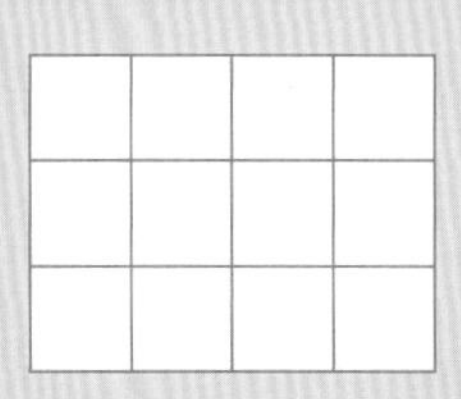

2. 아래 글을 읽고 알맞은 식을 세운 후, 세로셈으로 계산해 보세요.

❶ 엠마의 아빠는 254유로를 가지고 있었는데 65유로짜리 바지를 한 벌 샀어요. 엠마 아빠에게 남은 돈은 얼마일까요?

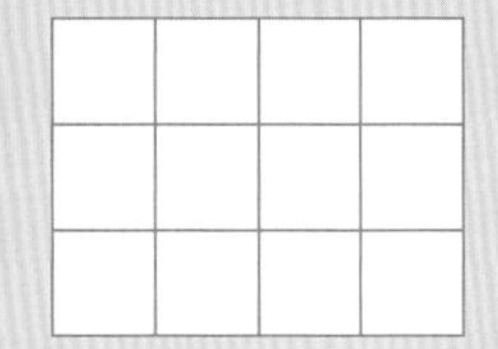

정답 :

❷ 알렉의 엄마는 134유로를 가지고 있었는데 48유로짜리 블라우스를 한 벌 샀어요. 알렉 엄마에게 남은 돈은 얼마일까요?

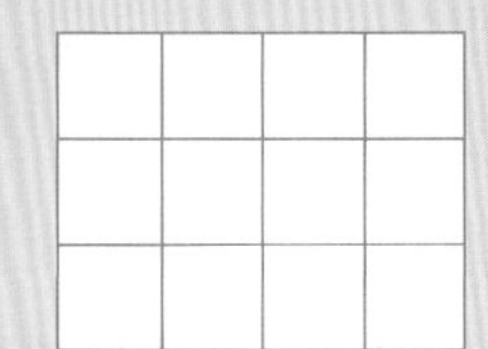

정답 :

10 0이 있을 때 받아 내림하기

백의 자리	십의 자리	일의 자리		백의 자리	십의 자리	일의 자리
3	0	1	−	1	5	4

	2	9 (10)	10
	~~3~~	~~0~~	1
−	1	5	4
	1	4	7

정답 : 147

먼저 일의 자리 수끼리 빼요. 빼는 수가 빼지는 수보다 크면 십의 자리에서 10을 받아 내림해요. 이때 십의 자리가 0이면 백의 자리에서 100을 받아 내림해요.

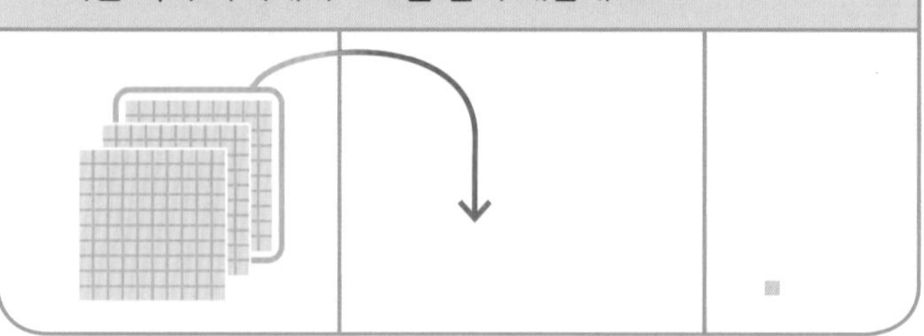

백 모형 1개를 십 모형 10개로 바꾼 후, 그중 십 모형 1개를 일의 자리로 받아 내림해요. 받아 내림해 온 10을 일의 자리 수에 더해서 빼요.(11-4=7)

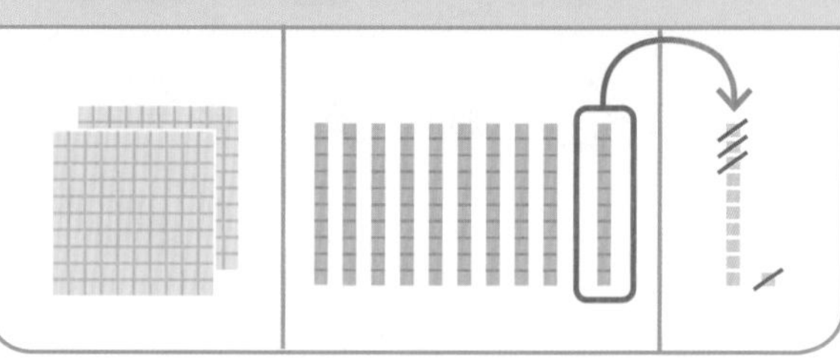

남은 십 모형 9개를 가지고 십의 자리 수끼리 빼요. (9-5=4)

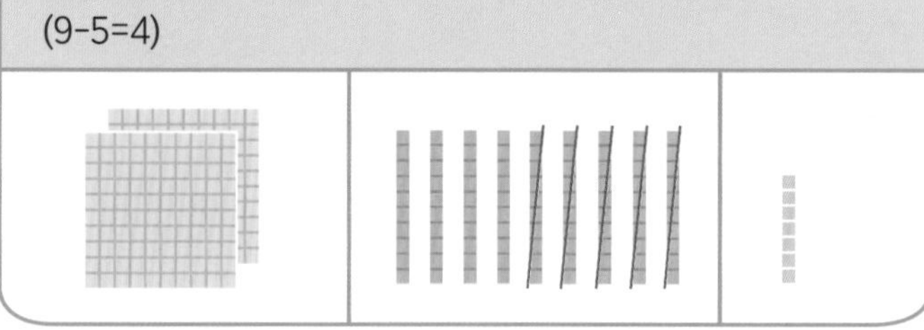

남은 백 모형 2개를 가지고 백의 자리 수끼리 빼요.(2-1=1)

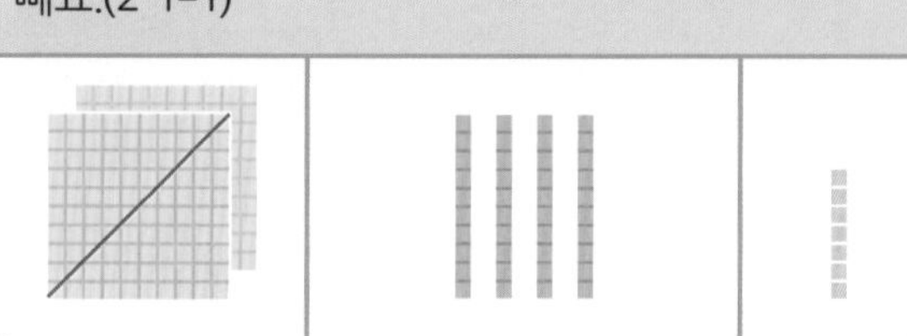

1. 세로셈으로 계산한 후, 애벌레에서 답을 찾아 ◯표 해 보세요.

201 − 153

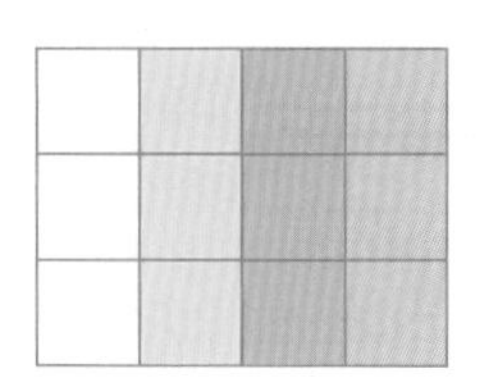

306 − 139

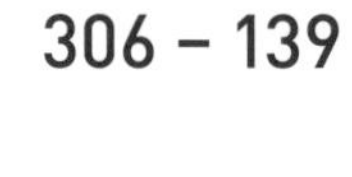

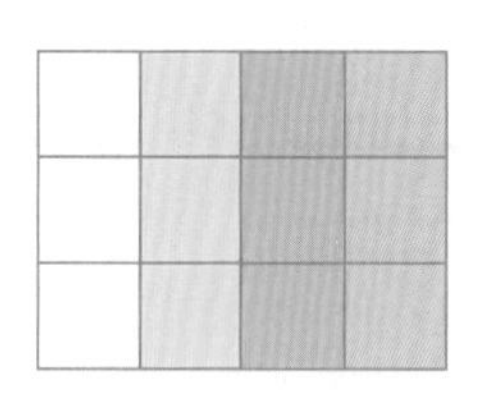

330 − 183

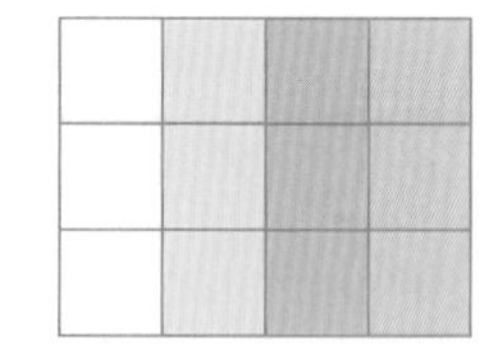

300 − 162

208 − 119

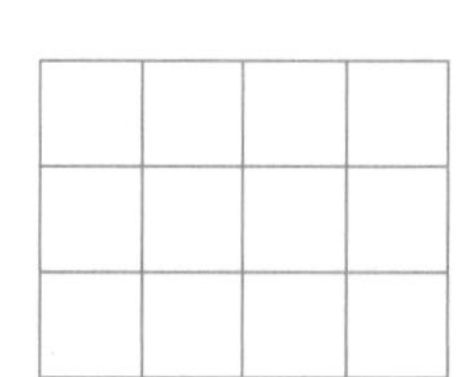

2. 아래 그림을 보고 돈이 얼마나 남았는지 알아맞혀 보세요. 세로셈으로 계산한 후, 애벌레에서 답을 찾아 ◯표 해 보세요.

205 € – 92 €

	2	0	5
–		9	2

정답 :

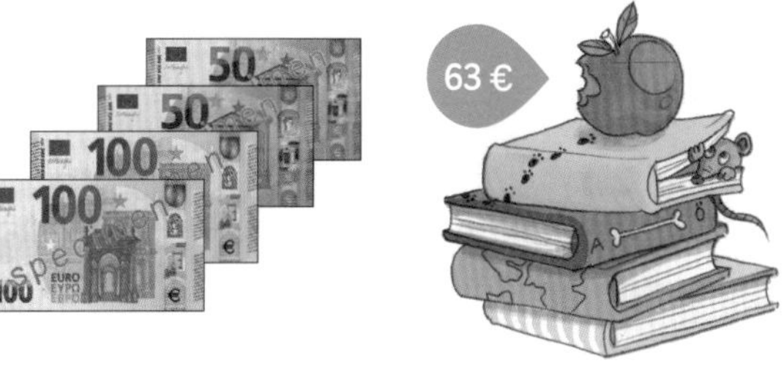

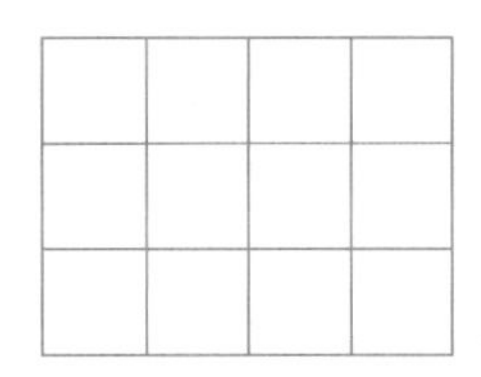

정답 :

정답 :

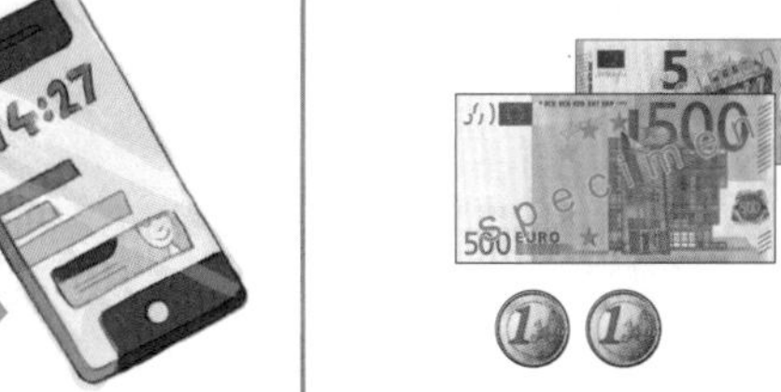

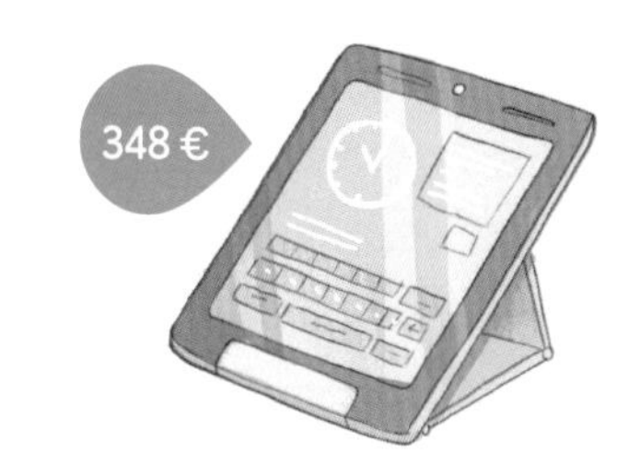

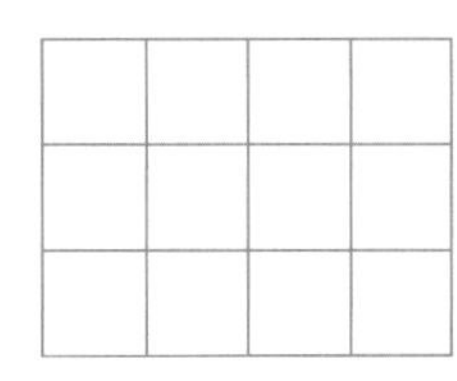

정답 :

113 € 159 € 182 €

237 € 418 € 479 €

더 생각해 보아요!

빈칸에 들어갈 알맞은 수를 구해 보세요.
연속되는 세 수이며, 더하면 24가 돼요.

 + 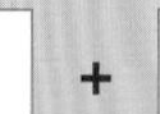 + 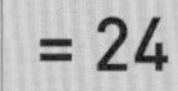 = 24

3. 계산한 후 정답에 해당하는 알파벳을 찾아 □ 안에 써넣어 보세요.

$34 + 56 =$ ______ □

$90 - 11 =$ ______ □

$61 - 10 =$ ______ □

$35 - 6 =$ ______ □

$55 - 12 =$ ______ □

$72 + 18 =$ ______ □

$51 - 22 =$ ______ □

$26 - 13 =$ ______ □

$40 - 16 =$ ______ □

$29 + 22 =$ ______ □

$38 + 13 =$ ______ □

13	24	29	43	51	79	90
H	R	T	W	E	N	O

4. 아래 글을 읽고 각 선물의 내용, 가격, 선물한 사람, 그리고 받은 사람을 알아맞혀 보세요.

내용			
가격			
선물한 사람			
받은 사람			

- 루이스는 파란색 선물을 주었어요.
- 앨리스는 엄마에게 선물을 주었어요.
- 엘리는 50유로를 주고 선물을 샀어요.
- 할머니는 보석이 달린 장신구를 선물로 받았어요.
- 루이스는 100유로짜리 선물을 샀어요.
- 할머니는 빨간색 선물을 받았어요.
- 할아버지는 카메라를 선물로 받았어요.
- 블라우스는 30유로예요.

5. □ 안에 알맞은 수를 넣어 가로와 세로 모두 식을 완성해 보세요.

❶

□	−	65	=	30
−		−		
□	−	□	=	55
=		=		
25		50		

❷

□	−	12	=	60
−		−		
□	−	□	=	0
=		=		
65		5		

한 번 더 연습해요!

1. 세로셈으로 계산해 보세요.

901 − 465

801 − 533

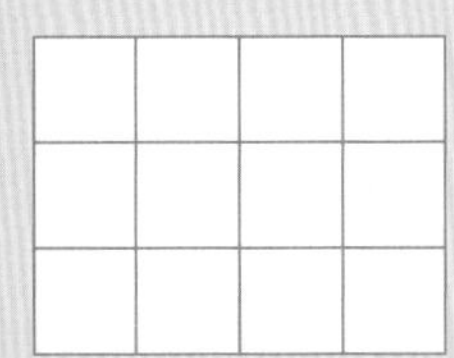

200 − 87

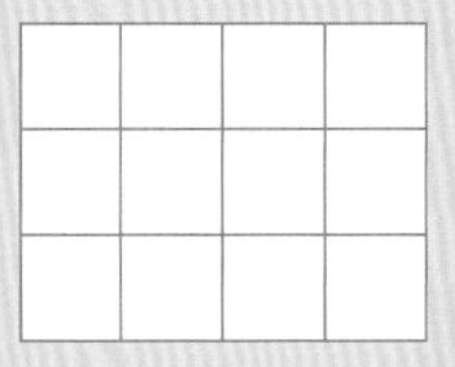

2. 아래 글을 읽고 답을 구해 보세요.

❶ 올리버는 생일날 아빠에게 5유로를 받았어요. 올리버는 엄마에게 꽃을 8유로어치 사 드렸더니 10유로가 남았어요. 올리버가 맨 처음에 가진 돈은 얼마였을까요?

식 :

정답 :

❷ 앤은 16유로, 아트는 10유로를 가지고 있어요. 앤은 아트에게 8유로를 주었고, 미아로부터 12유로를 받았어요. 앤과 아트가 가진 돈이 같아지려면 앤은 아트에게 얼마를 주어야 할까요?

식 :

정답 :

_____월 _____일 _____요일

1. 아래 글을 읽고 식을 세워 세로셈으로 계산한 후, 애벌레에서 답을 찾아 ◯표 해 보세요.

❶ 학교 운동장에 3학년 학생이 60명 있어요. 그중 18명은 축구를 하고, 나머지는 술래잡기를 해요. 술래잡기하는 학생은 모두 몇 명일까요?

식 : ______________________

정답 : ______________

❷ 여학생 23명과 남학생 58명이 급식을 먹고 있어요. 급식을 먹는 학생은 모두 몇 명일까요?

식 : ______________________

정답 : ______________

❸ 학교에 저학년은 316명이고, 고학년은 308명이에요. 학교에는 학생이 모두 몇 명 있을까요?

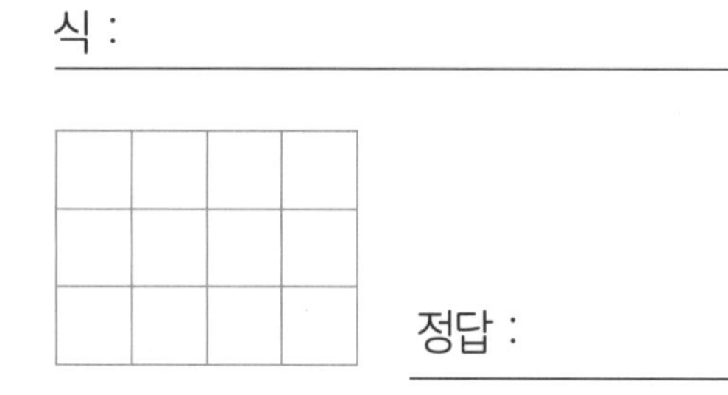

식 : ______________________

정답 : ______________

❹ 학생 762명 가운데 558명은 자전거를 타고 등교해요. 자전거를 타지 않고 등교하는 학생은 몇 명일까요?

식 : ______________________

정답 : ______________

2. 계산한 후, 정답에 해당하는 알파벳을 찾아 □ 안에 써넣어 보세요.

13 + 6 = ______ □
30 − 15 = ______ □
30 − 9 = ______ □
40 − 8 = ______ □

19 + 4 = ______ □
16 − 8 = ______ □
26 + 6 = ______ □
26 − 8 = ______ □
19 − 10 = ______ □

7 + 8 = ______ □
25 − 15 = ______ □

23 − 5 = ______ □
18 + 5 = ______ □
9 + 4 = ______ □
30 − 24 = ______ □
12 + 8 = ______ □

27 − 7 = ______ □
6 + 7 = ______ □

45 − 35 = ______ □
10 + 10 = ______ □
9 + 9 = ______ □
16 − 8 = ______ □
50 − 30 = ______ □

6	8	9	10	13	15	18	19	20	21	23	32
U	R	K	S	O	I	A	N	T	C	B	E

더 생각해 보아요!

다트를 3개 던져서 모두 과녁에 맞혔어요. 과녁에 맞힌 점수를 알아맞혀 보세요.

❶ 총점 14가 되는 다트 점수 ______, ______, ______

❷ 총점 15가 되는 다트 점수 ______, ______, ______

❸ 총점 16이 되는 다트 점수 ______, ______, ______

❹ 총점 21이 되는 다트 점수 ______, ______, ______

3. □ 안에 알맞은 수를 넣어 가로와 세로 모두 식을 완성해 보세요.

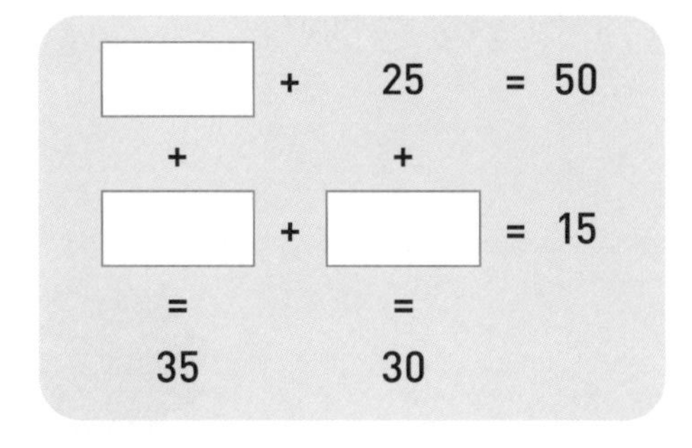

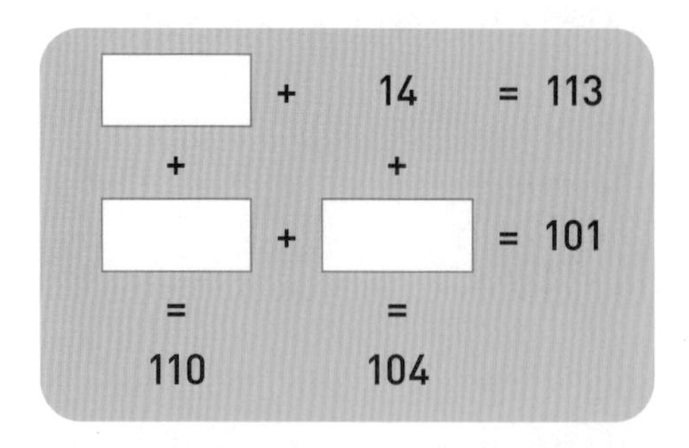

40	−	□	=	25
−		−		
□	−	□	=	30
=		=		
5		10		

87	−	□	=	69
−		−		
□	−	□	=	66
=		=		
7		4		

4. 규칙을 읽고 아래 네모 칸을 한 번에 하나씩, 번호순으로 색칠해 보세요.

<규칙>

- 빨간색과 만나지 않으면 빨간색으로 색칠하세요.
- 빨간색과 만나고, 초록색과 만나지 않으면 초록색으로 색칠하세요.
- 초록색과 만나고, 파란색과 만나지 않으면 파란색으로 색칠하세요.
- 파란색, 초록색, 빨간색과 모두 만나면 노란색으로 색칠하세요.

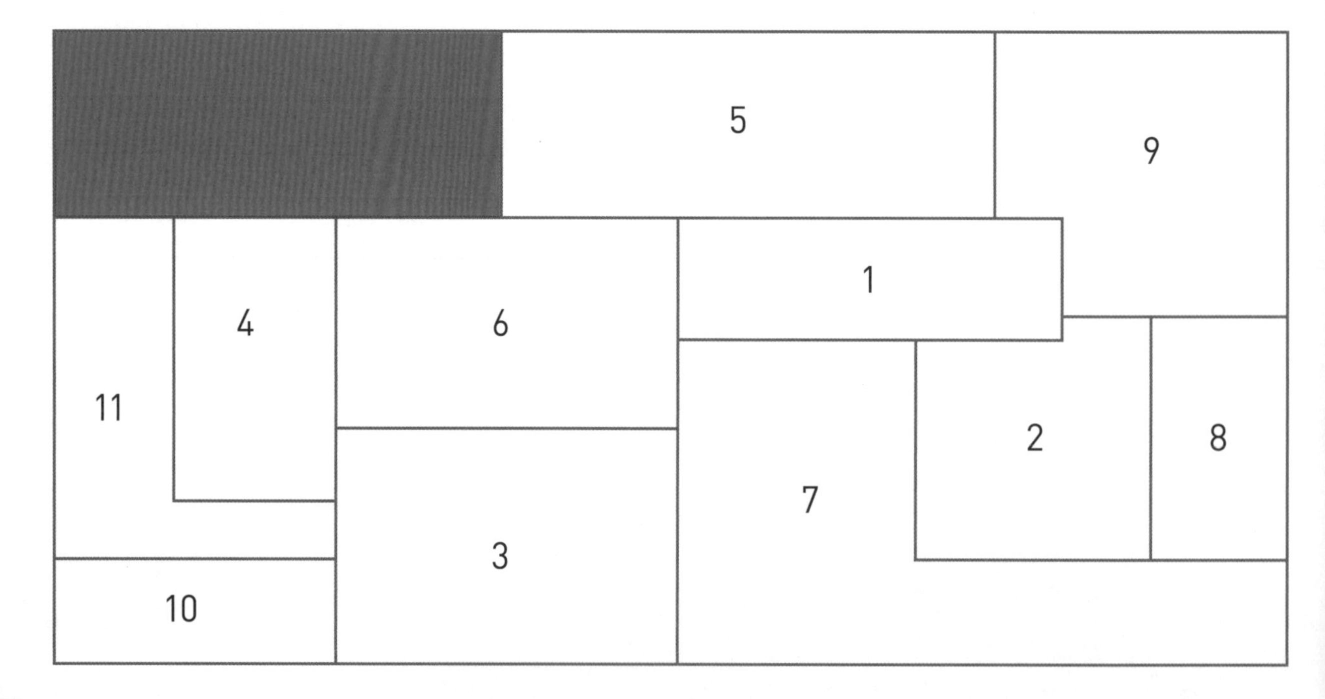

5. 아래 글을 읽고 각 자동차의 운전자, 차 안에 있는 반려동물, 그리고 목적지를 알아맞혀 보세요.

운전자	______	______	______	______	______
반려동물	______	______	______	______	______
목적지	______	______	______	______	______

- 검정색 차 안에 개가 있어요.
- 킴은 기니피그와 같이 있어요.
- 고양이는 전시회에 가고 있어요.
- 레오는 공원에 가고 있어요.
- 킴은 오두막집으로 가고 있어요.
- 제이미의 차에 토끼는 없어요.
- 회색 차는 은행으로 가고 있어요.
- 노란색 차는 집으로 가고 있어요.
- 햄스터는 은행으로 가고 있어요.
- 메이는 집으로 가고 있어요.
- 베르나는 빨간색 차를 운전해요.
- 레오가 운전하는 차를 뒤따라오는 차 안에 토끼가 있어요.

한 번 더 연습해요!

1. 세로셈으로 계산해 보세요.

348 + 539

653 − 276

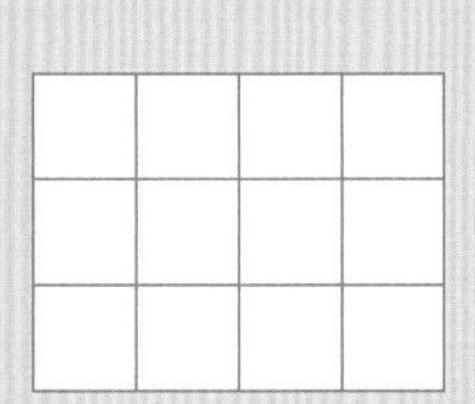

803 − 546

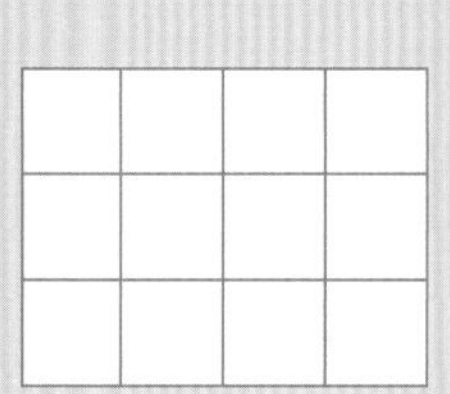

2. 아래 글을 읽고 알맞은 식을 세운 후, 세로셈으로 계산해 보세요.

학생 518명 중 497명이 교통안전 반사경을 사용해요. 반사경을 사용하지 않는 학생은 몇 명일까요?

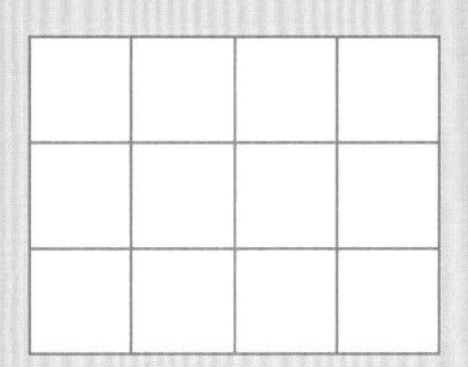

식 : ______________________

정답 : ______________________

11 세 수의 계산

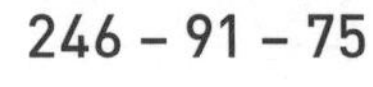

246 – 91 – 75

	1	10	
	2̸	4	6
–		9	1
	1	5	5

	0	10	
	1̸	5	5
–		7	5
		8	0

정답 : 80

98 + 106 – 37

	1	1	
		9	8
+	1	0	6
	2	0	4

	1	9 / 1̸0̸	10
	2̸	0	4
–		3	7
	1	6	7

정답 : 167

왼쪽에서 오른쪽으로 순서대로 계산해 보세요.

1. 세로셈으로 계산한 후, 애벌레에서 답을 찾아 ◯표 해 보세요.

765 – 543 – 121

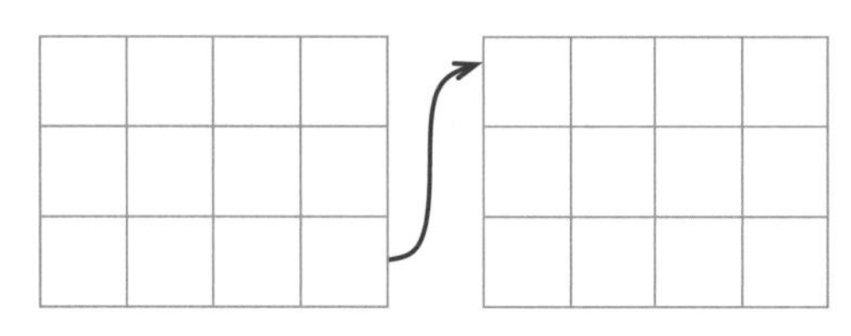

정답 :

882 – 225 – 33

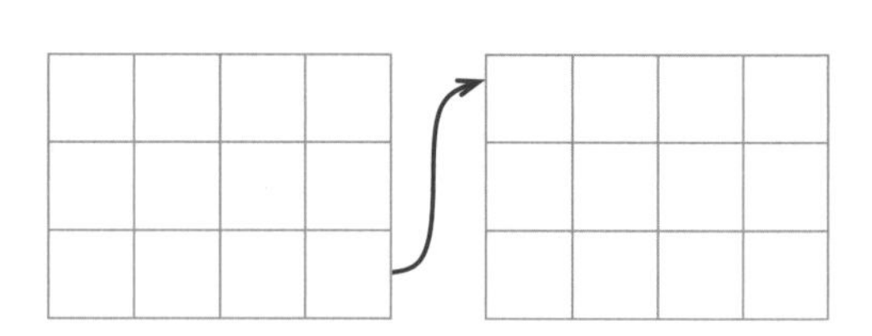

정답 :

376 + 112 – 288

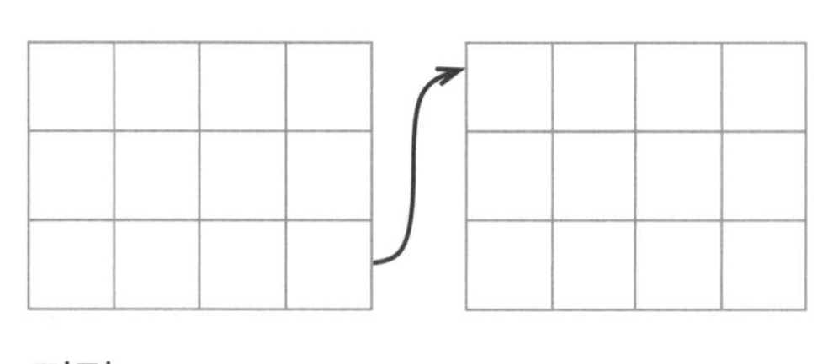

정답 :

790 – 438 + 126

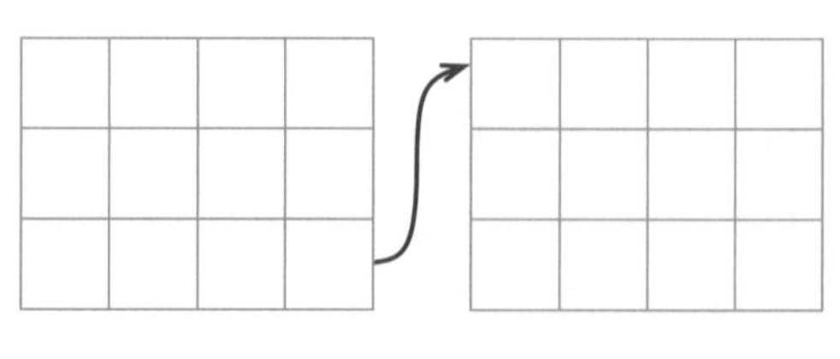

정답 :

2. 아래 글을 읽고 식을 세워 세로셈으로 계산한 후, 애벌레에서 답을 찾아 ◯표 해 보세요.

❶ 학교 식당에 빵이 657개 있었어요. 월요일에 학생들이 275개를 먹었고, 화요일에 280개를 먹었어요. 식당에 남은 빵은 모두 몇 개일까요?

식 : ______________________

정답 : ______________________

65 98 102 212 244

❷ 식당에서 150인분 완두콩 수프를 만들었어요. 점심시간에 1차로 학생들이 38인분을 먹었고, 2차로 47인분을 먹었어요. 남은 수프는 몇 인분일까요?

식 : ______________________

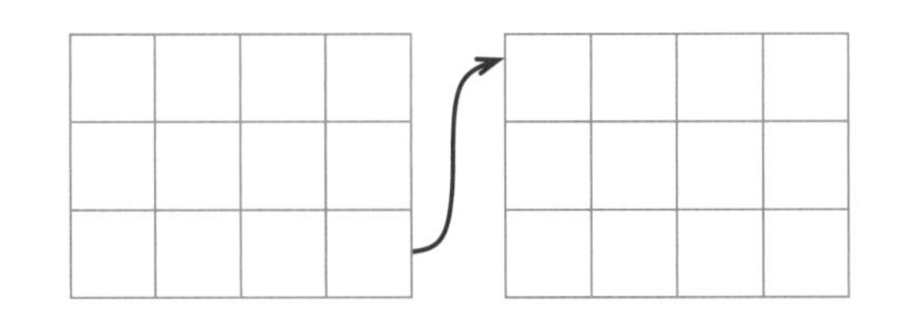

정답 : ______________________

❸ 식당에 327개의 깨끗한 접시가 있었어요. 그중 158개를 사용했고, 새 접시가 75개 더 왔어요. 식당에서 사용할 수 있는 깨끗한 접시는 모두 몇 개일까요?

식 : ______________________

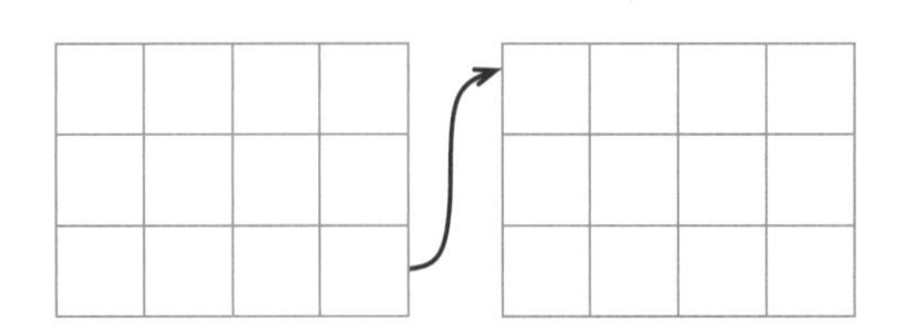

정답 : ______________________

더 생각해 보아요!

다트를 3개 던져서 모두 과녁에 맞혔어요. 과녁에 맞힌 점수를 알아맞혀 보세요.

❶ 총점 15가 되는 다트 점수 _____, _____, _____

❷ 총점 8이 되는 다트 점수 _____, _____, _____

❸ 총점 18이 되는 다트 점수 _____, _____, _____

❹ 총점 14가 되는 다트 점수 _____, _____, _____

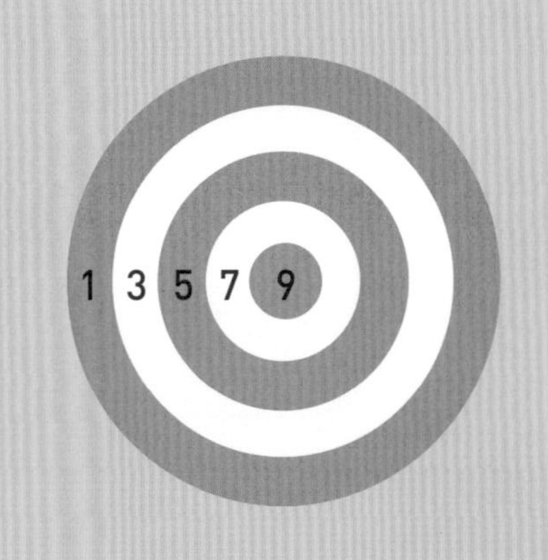

3. 그림이 들어간 식을 보고 그림의 값을 구해 보세요.

❶

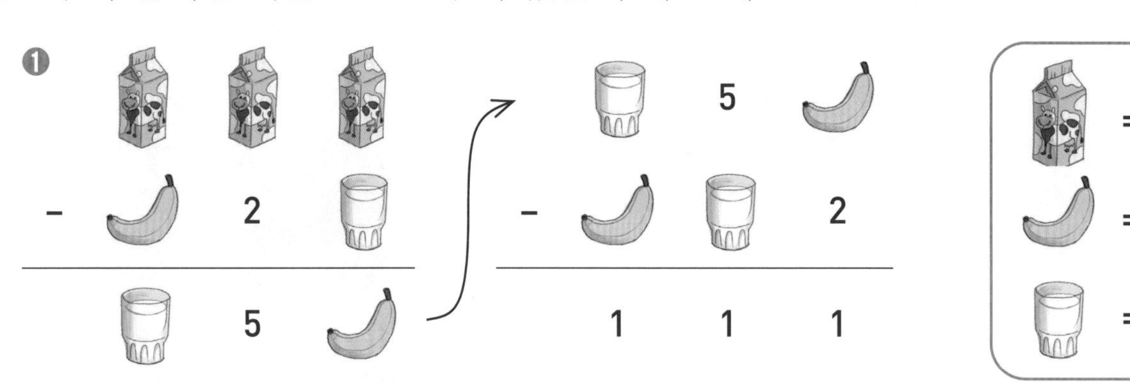

❷

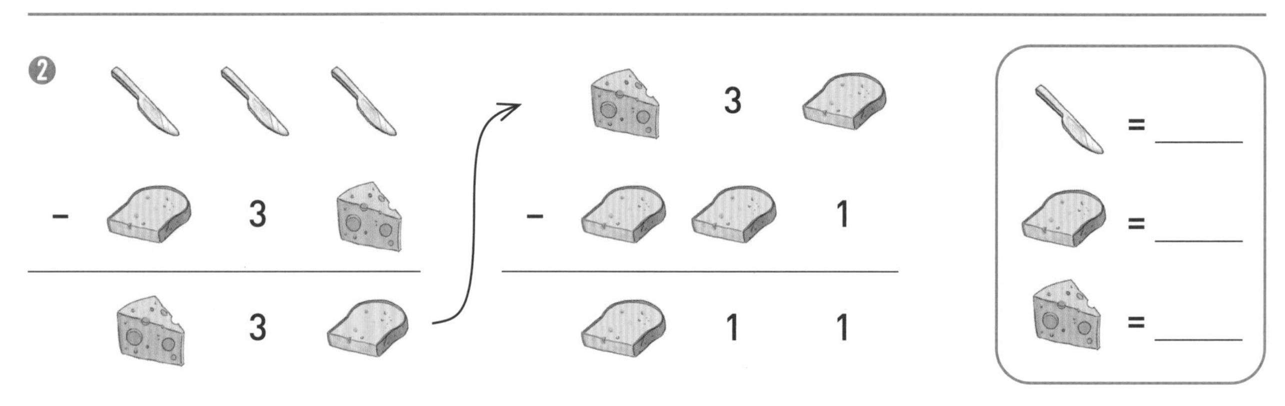

4. 아래 글을 읽고 답을 구해 보세요.

❶ 알렉이 아래 2개의 비닐봉지에서 파프리카를 하나씩 동시에 고르려고 해요. 알렉이 고를 수 있는 파프리카의 조합을 모두 그려 보세요.

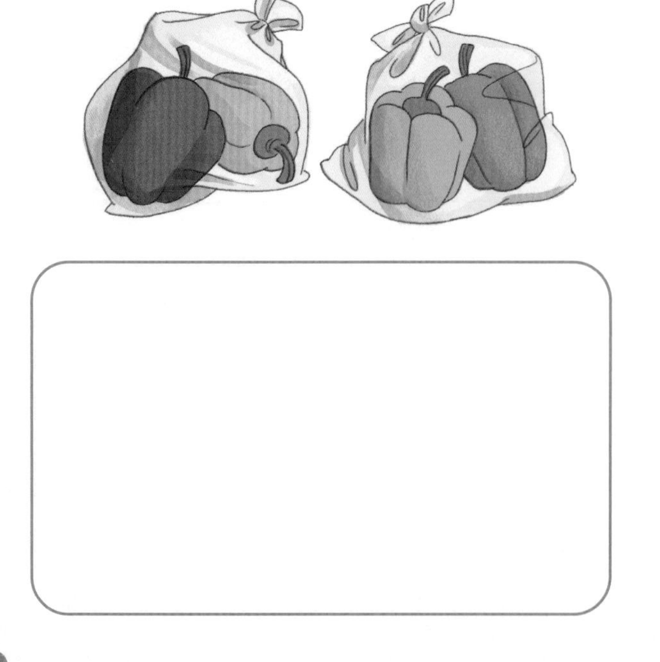

❷ 알렉이 아래 비닐봉지에서 파프리카 2개를 고르려고 해요. 알렉이 고를 수 있는 파프리카의 조합을 모두 그려 보세요.

5. 암산으로 계산해 보세요.

528 + 389 − 389 = ________　　　675 − 385 − 15 = ________

879 − 635 + 634 = ________　　　365 − 200 − 65 = ________

6. 1, 2, 3, 4, 5, 6, 7을 네모 칸에 배열해 보세요. 단, 꼭짓점이나 모서리가 접하는 칸에 연속되는 숫자가 있으면 안 돼요.

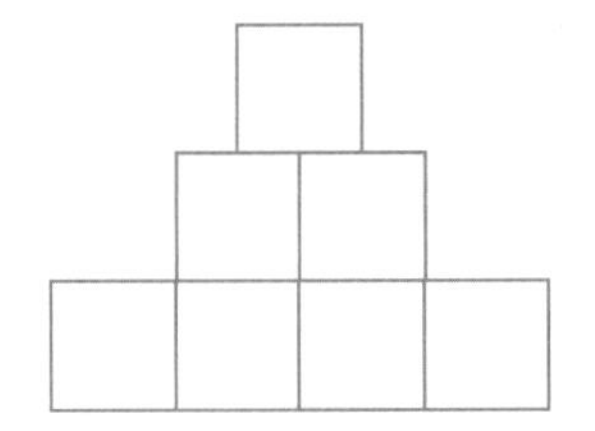 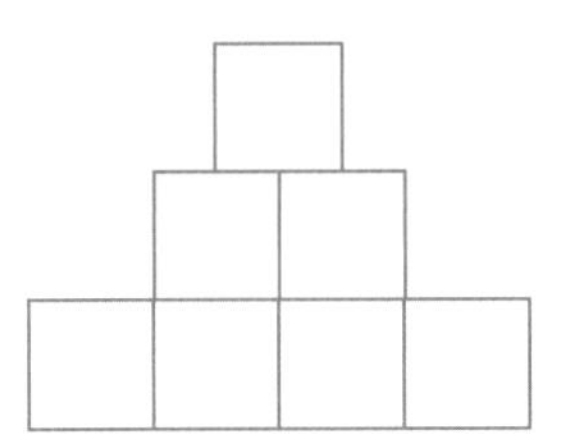 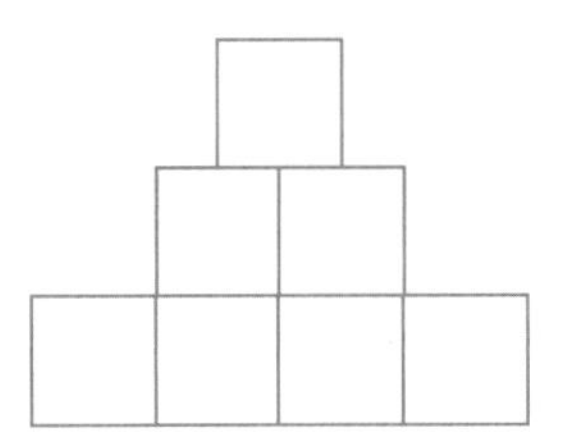 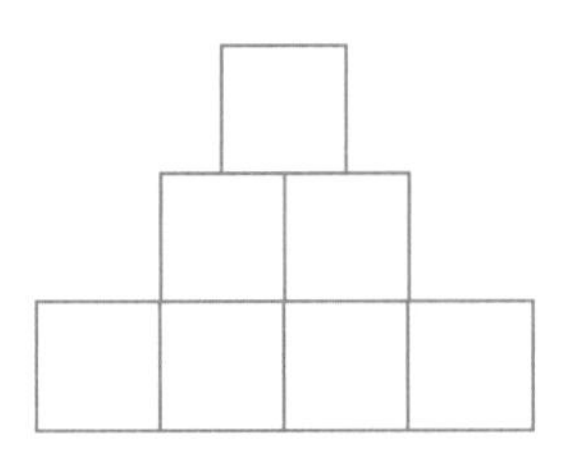

한 번 더 연습해요!

1. 세로셈으로 계산해 보세요.

448 + 229 − 326

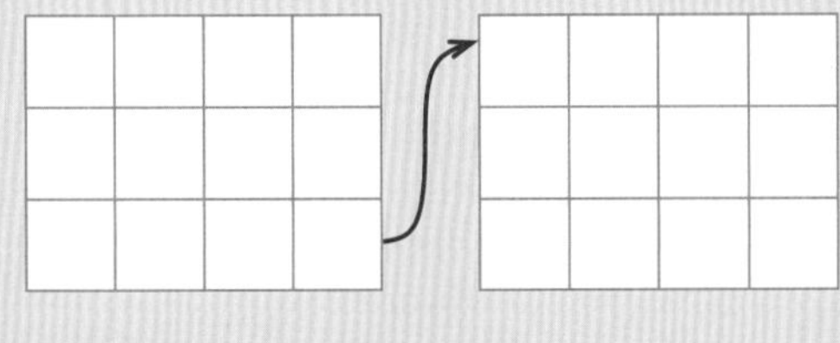

정답 : ________

548 − 246 − 53

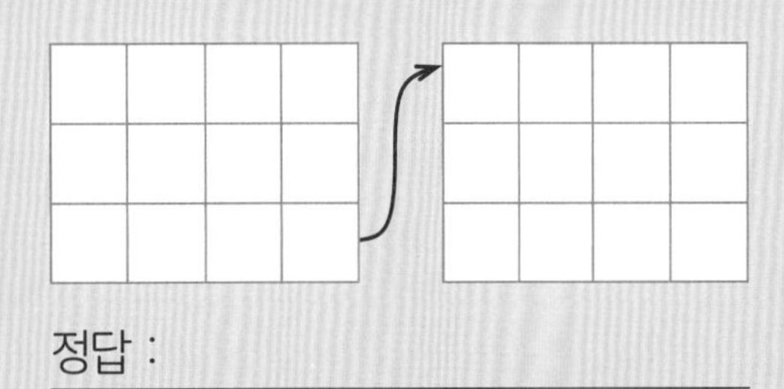

정답 : ________

2. 아래 글을 읽고 알맞은 식을 세운 후, 세로셈으로 계산해 보세요.

식당에 학생이 324명 있어요. 그중 89명은 밖으로 나갔고, 142명은 교실로 돌아갔어요. 식당에 남은 학생은 모두 몇 명일까요?

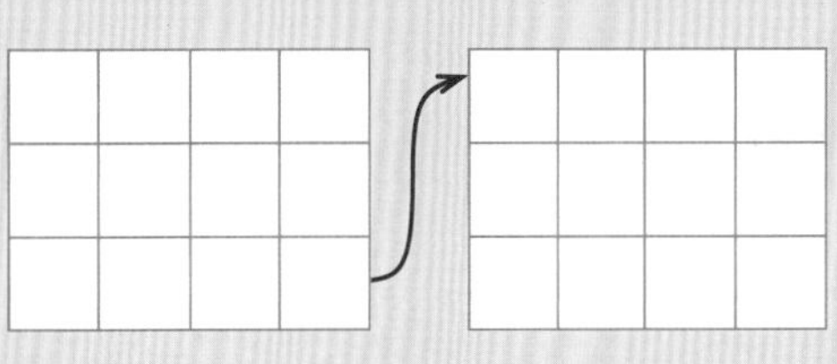

식 : ________

정답 : ________

실력을 평가해 봐요!

____월 ____일 ____요일

1. 계산해 보세요.

8 + 5 = ______	60 - 4 = ______	26 - 12 = ______
6 + 7 = ______	76 - 8 = ______	33 - 15 = ______
72 + 26 = ______	90 + 7 = ______	99 - 63 = ______
39 + 14 = ______	46 + 8 = ______	85 - 26 = ______

2. 다음 수를 백의 자리, 십의 자리, 일의 자리를 구분하여 써 보세요.

152 = ______________________

390 = ______________________

207 = ______________________

3. □ 안에 >, =, <를 알맞게 써넣어 보세요.

598 □ 589	789 □ 89	845 □ 800 + 45
174 □ 147	67 □ 667	488 □ 500 - 12

4. 세로셈으로 계산해 보세요.

456 + 423

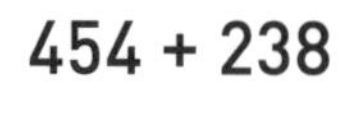

454 + 238

368 + 475

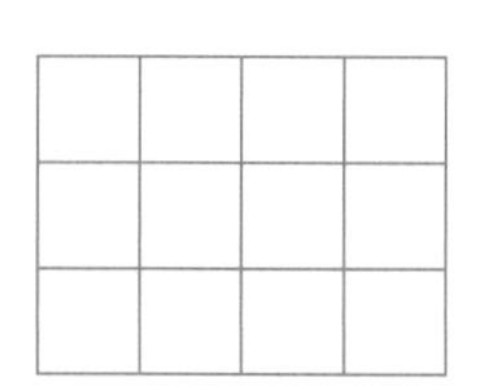

5. 세로셈으로 계산해 보세요.

685 − 55

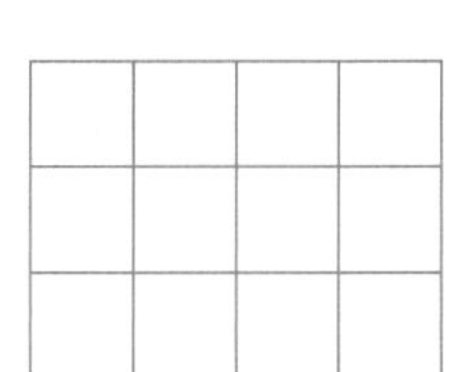

732 − 437

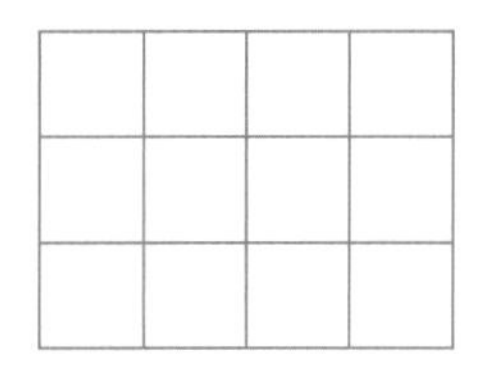

600 − 175

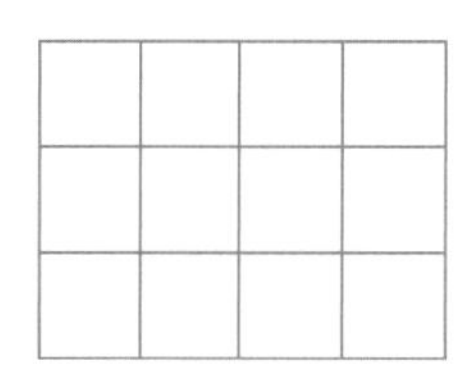

6. 세로셈으로 계산해 보세요.

575 + 77 − 94

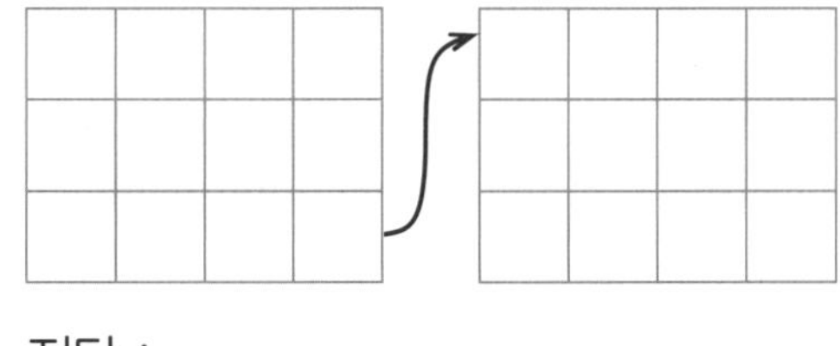

정답 : ______________________

858 − 356 − 164

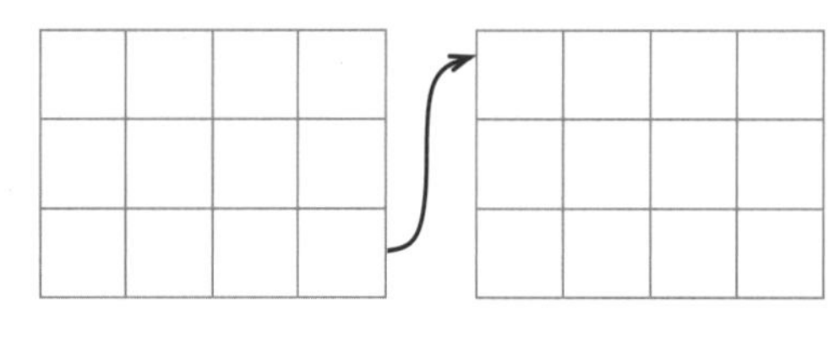

정답 : ______________________

7. 아래 글을 읽고 알맞은 식을 세워 답을 구해 보세요.

❶ 조세핀은 축구 카드를 66장 모았어요. 루이스는 조세핀보다 축구 카드를 24장 더 적게 가지고 있어요. 루이스가 가진 축구 카드는 몇 장일까요?

식 : ______________________

정답 : ______________________

❷ 샌디는 전화기에 148장의 사진을 저장하고 있는데 18장을 더 찍었어요. 샌디의 전화기에 사진이 모두 몇 장 있을까요?

식 : ______________________

정답 : ______________________

실력이 자란 만큼 별을 색칠하세요.

★★★ 정말 잘했어요.
★★☆ 꽤 잘했어요.
★☆☆ 앞으로 더 노력할게요.

단원 평가

1 계산해 보세요.

15 + 9 = ______

13 + 7 = ______

18 + 7 = ______

17 + 4 = ______

16 + 6 = ______

14 + 8 = ______

17 + 9 = ______

19 + 9 = ______

2 규칙에 따라 빈칸에 알맞은 수를 써넣어 보세요.

742	741					736

600	595					570

스스로 규칙을 정하고 그 규칙에 맞게 알맞은 수를 써넣어 보세요.

______

3 빈칸에 알맞은 수를 써넣어 보세요.

90 + 100 = ______

210 + 130 = ______

150 − 75 = ______

310 − 65 = ______

______ + 80 = 140

100 + ______ = 239

230 − ______ = 180

______ − 120 = 60

4

>, =, <중 알맞은 것을 빈칸에 써넣어 보세요.

540 □ 450

303 □ 330

500 □ 55

110 □ 101

150 □ 100 + 50

235 □ 250 − 15

5

세로셈으로 계산해 보세요.

429 + 257

530 − 418

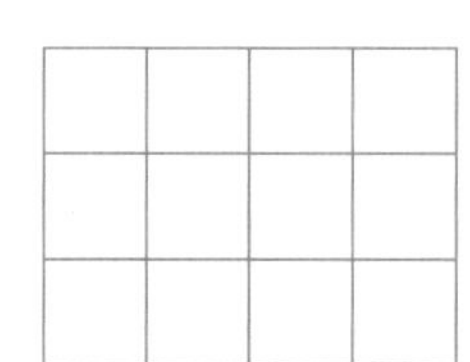

306 − 217

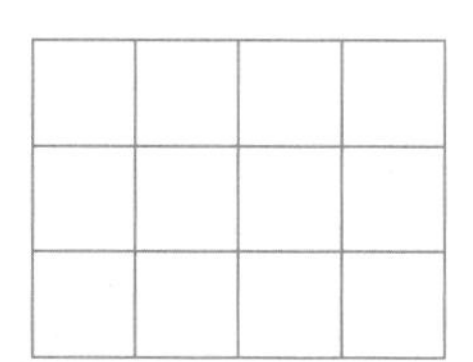

500 − 147

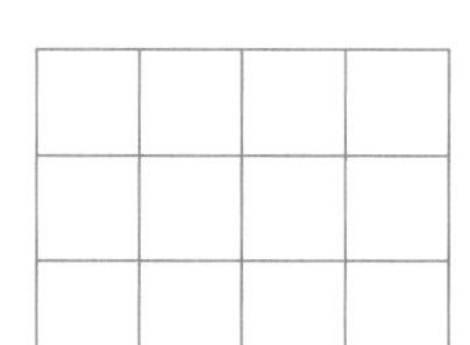

6

계산해 보세요.

500 + 10 + 4 = ______

300 + 70 + 2 = ______

800 + 1 = ______

600 + 40 = ______

7

그림을 보고 점수를 계산해 보세요. 몇 점일까요?

5점

14점

______ 점

도전! 심화 평가
1단계

____월 ____일 ____요일

1. 계산해 보세요.

9 + 3 = ________　　14 − 6 = ________　　8 + 5 − 3 = ________

6 + 7 = ________　　18 − 9 = ________　　12 − 6 + 4 = ________

2. 다음 수를 백의 자리, 십의 자리, 일의 자리를 구분하여 써 보세요.

176 = ______________________________

260 = ______________________________

3. □ 안에 >, =, <를 알맞게 써넣어 보세요.

520 □ 250　　325 □ 344　　120 □ 90 + 30

430 □ 340　　228 □ 238　　190 □ 250 − 70

4. 세로셈으로 계산해 보세요.

147 + 235

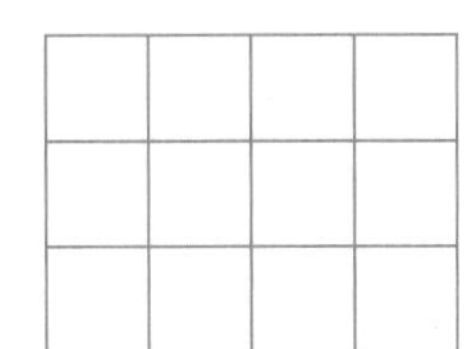

432 − 215

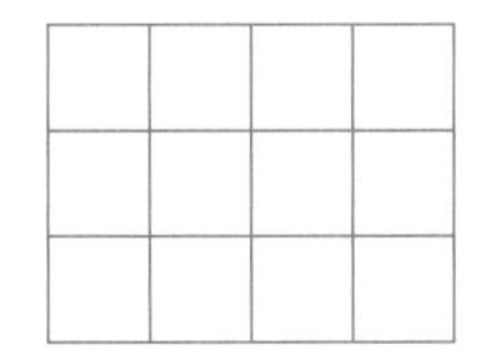

235 − 142

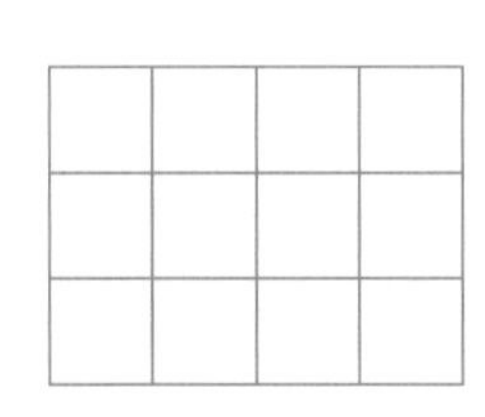

5. 세로셈으로 계산해 보세요.

77 + 16 − 28

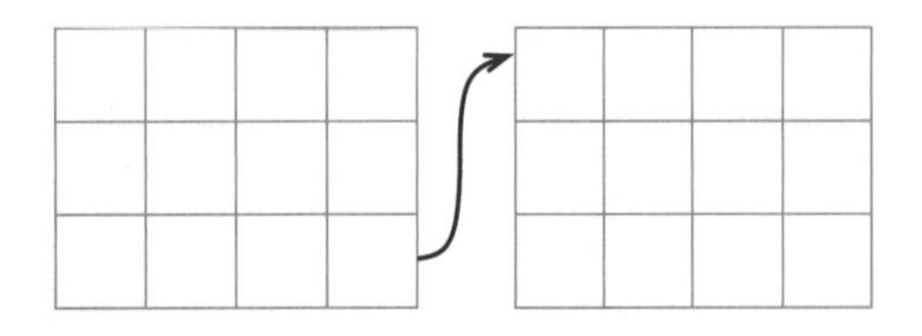

정답 : ________________

230 − 85 + 101

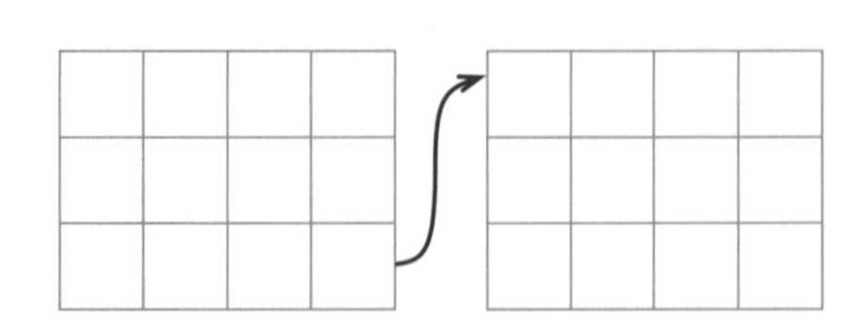

정답 : ________________

도전! 심화 평가
2단계

____ 월 ____ 일 ____ 요일

1. 계산해 보세요.

37 + 6 = ________ 35 − 7 = ________ 17 + 15 + 28 = ________

28 + 14 = ________ 62 − 24 = ________ 42 − 12 + 17 = ________

2. 세로셈으로 계산해 보세요.

285 + 327 405 − 116

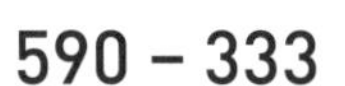

590 − 333

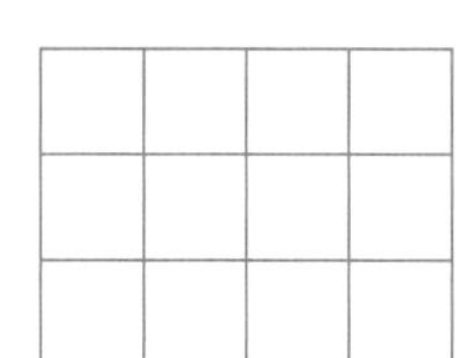

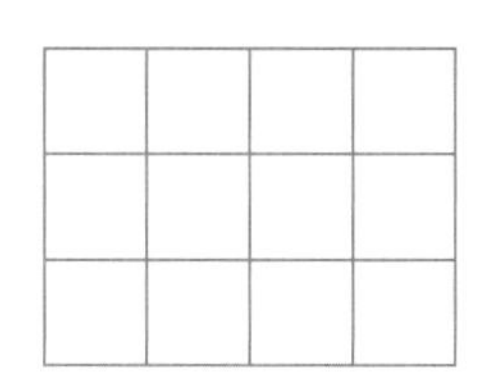

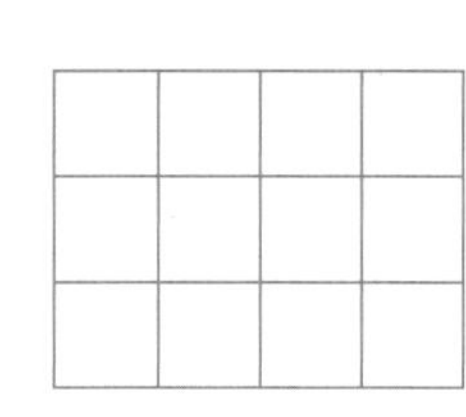

3. 세로셈으로 계산해 보세요.

800 − 196 − 268

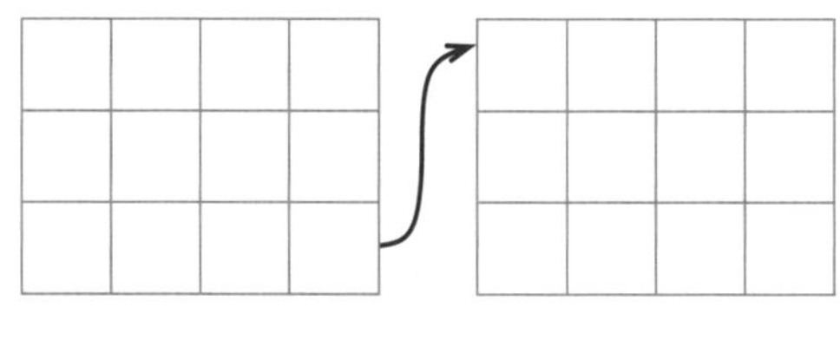

정답 : ________

239 + 325 − 219

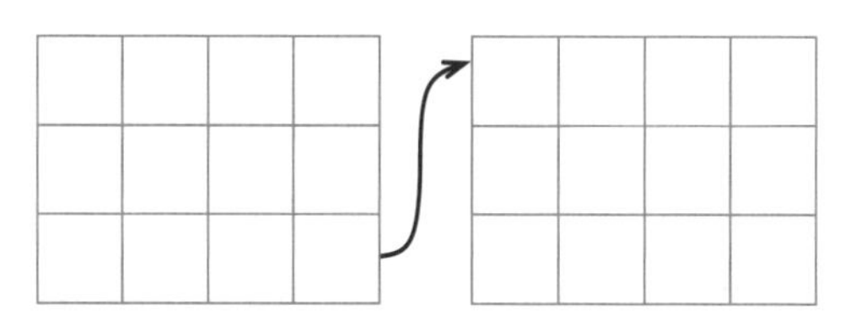

정답 : ________

4. 아래 글을 읽고 알맞은 식을 세워 답을 구해 보세요.

❶ 엄마는 장을 보는 데 화요일에는 58유로를 쓰고, 목요일에는 33유로를 썼어요. 모두 얼마를 썼을까요?

식 : ________

정답 : ________

❷ 알렉은 95유로가 있었는데 학용품과 책을 사는 데 모두 42유로를 썼어요. 알렉에게 남은 돈은 얼마일까요?

식 : ________

정답 : ________

도전! 심화 평가

3단계

1. 세로셈으로 계산해 보세요.

563 + 178 − 262

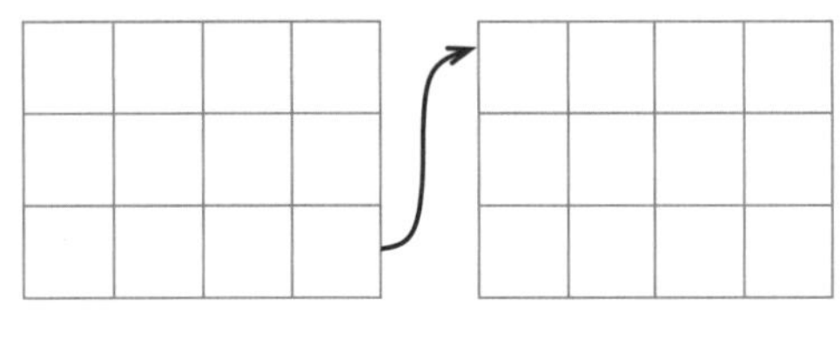

정답 : ______

907 − 259 − 189

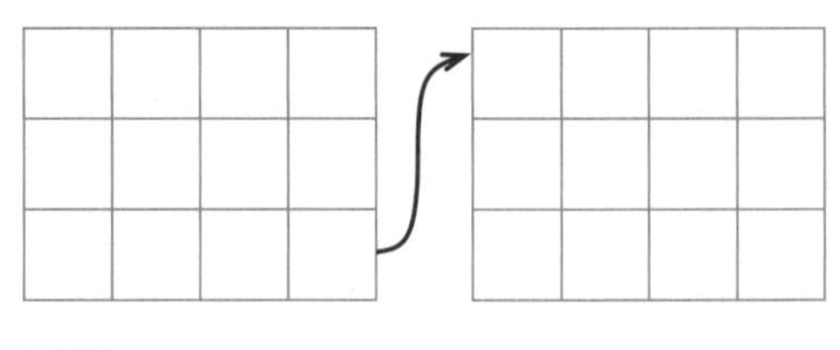

정답 : ______

2. 빈칸에 알맞은 수를 써넣어 보세요.

32 + ______ = 50

127 − ______ = 58

______ + 264 = 406

______ − 323 = 518

3. □ 안에 >, =, <를 알맞게 써넣어 보세요.

301 − 91 □ 201

277 + 34 □ 310

147 − 57 □ 90

4. 아래 글을 읽고 알맞은 식을 세워 답을 구해 보세요.

❶ 알렉은 109유로를 가지고 있어요. 스케이트보드는 127유로이고, 헬멧은 89유로예요. 스케이트보드와 헬멧을 모두 사려면 얼마를 더 모아야 할까요?

식 : ______

정답 : ______

❷ 엠마는 57유로를 주고 자전거 헬멧을 샀어요. 그리고 68유로짜리 부츠와 82유로짜리 안전 조끼도 샀어요. 엠마가 산 물건은 모두 얼마일까요?

식 : ______

정답 : ______

5. 덧셈과 뺄셈식이 모두 성립할 수 있는 두 수를 찾아 써넣어 보세요.

______ + ______ = 10
______ − ______ = 2

______ + ______ = 34
______ − ______ = 2

______ + ______ = 10
______ − ______ = 10

____월 ____일 ____요일

★ 덧셈

5 + 3 = 8 ← 합

더해지는 수 (5), 더하는 수 (3)

★ 뺄셈

13 − 6 = 7 ← 차

빼지는 수 (13), 빼는 수 (6)

★ 각 자리의 숫자가 나타내는 수

백의 자리, 십의 자리, 일의 자리에 맞게
수를 나타낼 수 있어요.

126 = 100 + 20 + 6

백의 자리	십의 자리	일의 자리
1	2	6

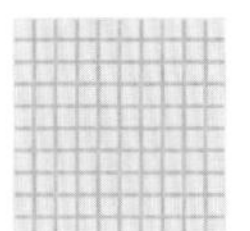

★ 수의 크기 비교하기

- 먼저 백의 자리 수를 비교해 보세요.
- 백의 자리 수가 같다면 십의 자리 수를 비교해 보세요.
- 십의 자리 수도 같다면 일의 자리 수를 비교해 보세요.

< ~보다 작다
= ~와 같다
> ~보다 크다

135 < 228　　341 > 316　　544 > 541　　242 = 242

★ 세로셈으로 덧셈하기

백의 자리	십의 자리	일의 자리		백의 자리	십의 자리	일의 자리
3	3	7	+	1	8	4

받아올림: 1 1

	3	3	7
+	1	8	4
	5	2	1

★ 세로셈으로 뺄셈하기

백의 자리	십의 자리	일의 자리		백의 자리	십의 자리	일의 자리
4	0	4	−	2	7	7

받아내림: 3, 10 → 9, 10

	4 (→3)	0 (→10→9)	4 (→14)
−	2	7	7
	1	2	7

★ 세 수의 계산

421 − 207 + 116

받아내림: 1 10

	4	2 (→1)	1
−	2	0	7
	2	1	4

받아올림: 1

	2	1	4
+	1	1	6
	3	3	0

정답 : 330

13 덧셈과 곱셈의 관계

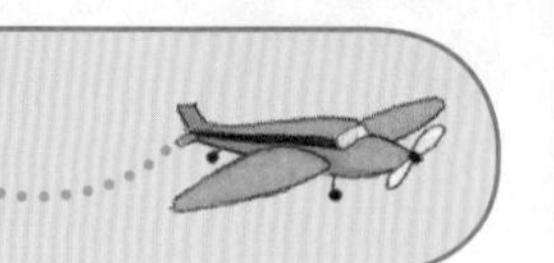

1. 주사위 눈을 보고 덧셈식과 곱셈식으로 나타내 계산해 보세요.

5 + 5 + 5 = ____

5 × 3 = ____

____ + ____ + ____ = ____

____ × ____ = ____

____ + ____ + ____ = ____

____ × ____ = ____

____ + ____ + ____ + ____ = ____

____ × ____ = ____

____ + ____ + ____ + ____ + ____ = ____

____ × ____ = ____

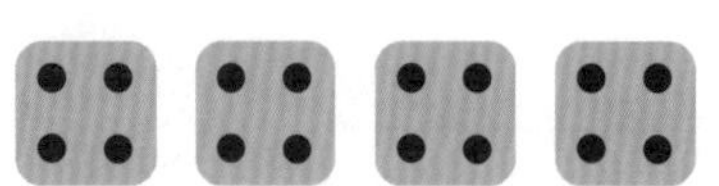

____ + ____ + ____ + ____ = ____

____ × ____ = ____

2. 덧셈식을 곱셈식으로 나타내고 답을 구해 보세요.

2 + 2 + 2 = ______________

5 + 5 + 5 + 5 + 5 + 5 = ______________

4 + 4 + 4 + 4 + 4 = ______________

3. 곱셈식을 덧셈식으로 나타내고 답을 구해 보세요.

10 × 3 = ______________________________

2 × 6 = ______________________________

1 × 4 = ______________________________

4. 아래 글을 읽고 주사위 눈을 그려 보세요. 그리고 덧셈식과 곱셈식으로 나타내 계산해 보세요.

❶ 3개의 주사위에 눈이 각각 4개 있어요.

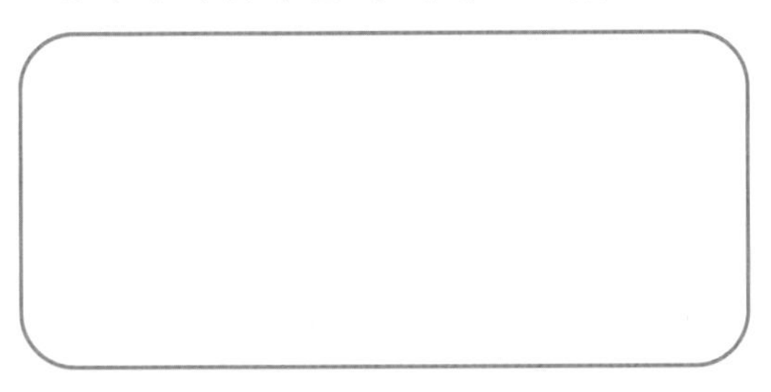

4 + 4 + 4 = ______________

4 × 3 = ______________

❷ 4개의 주사위에 눈이 각각 2개 있어요.

____

____

❸ 5개의 주사위에 눈이 각각 2개 있어요.

____

____

더 생각해 보아요!

가로, 세로 칸끼리 더해서 14가 되도록 빈칸을 채워 보세요.

6		
	3	9
	7	

		5
4		2
3		

5. 곱셈식과 덧셈식, 계산값을 바르게 연결해 보세요.

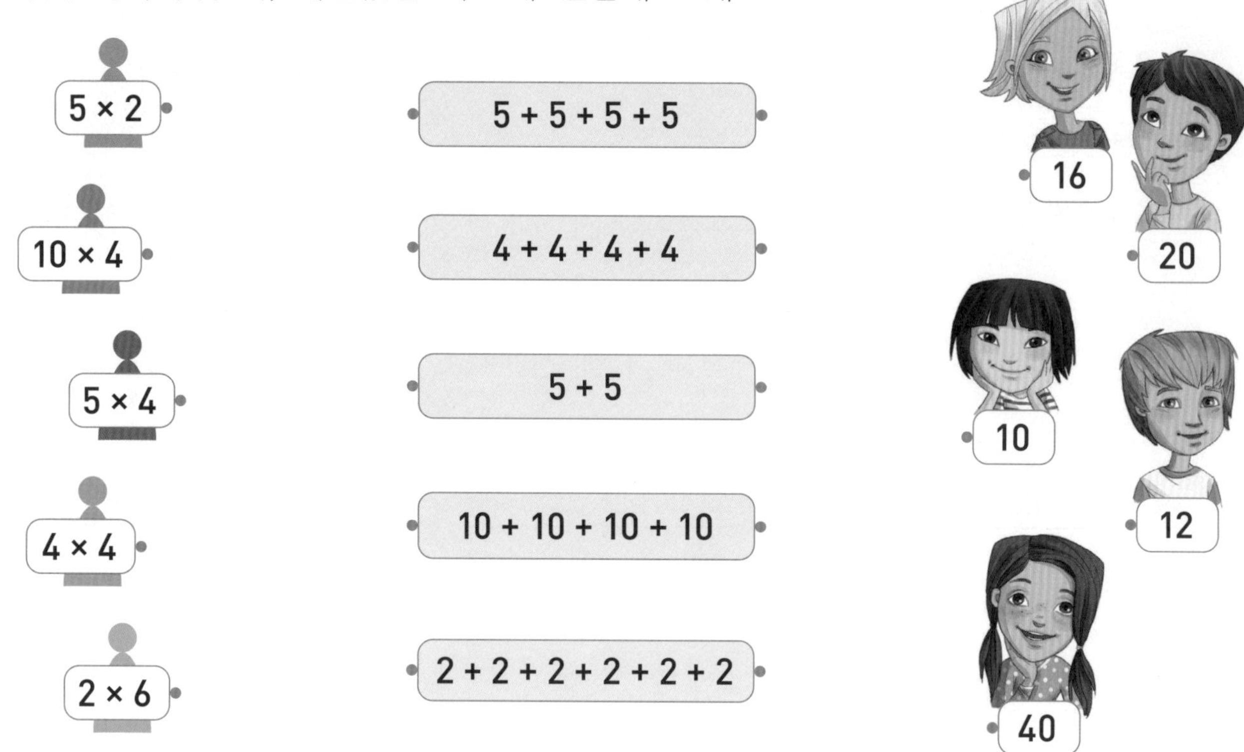

6. 규칙에 따라 빈칸에 알맞은 수를 써넣어 보세요.

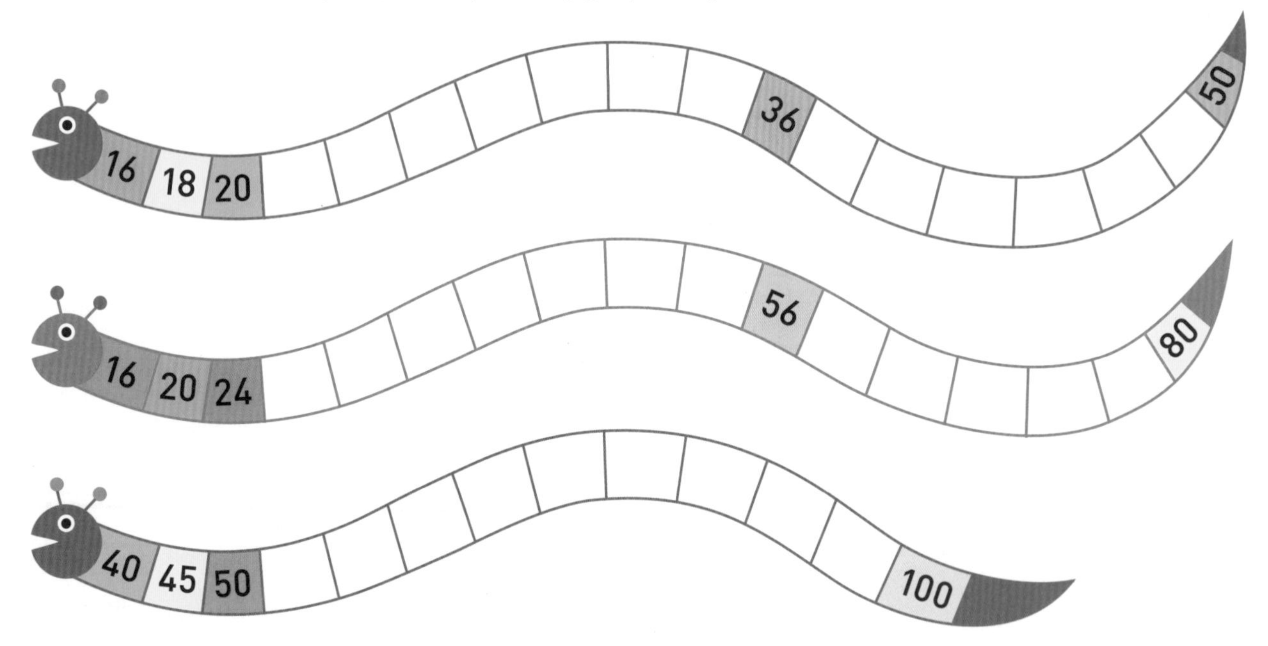

7. 빈칸에 알맞은 수를 써넣어 보세요.

6 × 3 = ____ + ____ + ____

2 × 4 = ____ + ____ + ____ + ____

6 + 6 + 6 + 6 = ____ × 4

5 + 5 + 5 + 5 = 5 × ____

8. 나는 어떤 수일까요? 아래 글을 읽고 찾아보세요.

❶ 나는 15보다 크지만 20보다 작아요. 나는 같은 수를 곱한 수예요. ____________

❷ 나는 20보다 크지만 30보다 작아요. 나는 같은 수를 곱한 수예요. ____________

❸ 나를 3번 더하면 12가 돼요. ____________

❹ 나를 5번 더하면 40이 돼요. ____________

9. 그림이 들어간 식을 보고 그림의 값을 구해 보세요.

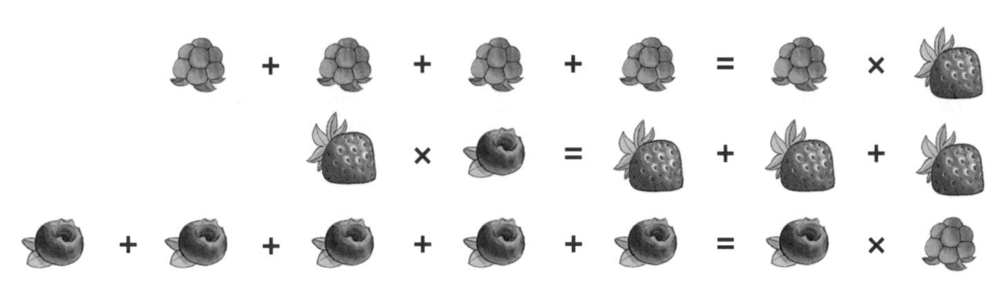

한 번 더 연습해요!

1. 덧셈식을 곱셈식으로 나타내고 계산해 보세요.

2 + 2 + 2 + 2 + 2 = ____________　　5 + 5 + 5 + 5 + 5 + 5 = ____________

4 + 4 + 4 = ____________　　10 + 10 + 10 + 10 = ____________

2. 아래 글을 읽고 주사위 눈을 그려 보세요. 그리고 덧셈식과 곱셈식으로 나타내 계산해 보세요.

❶ 2개의 주사위에 눈이 각각 5개씩 있어요.　❷ 3개의 주사위에 눈이 각각 2개씩 있어요.

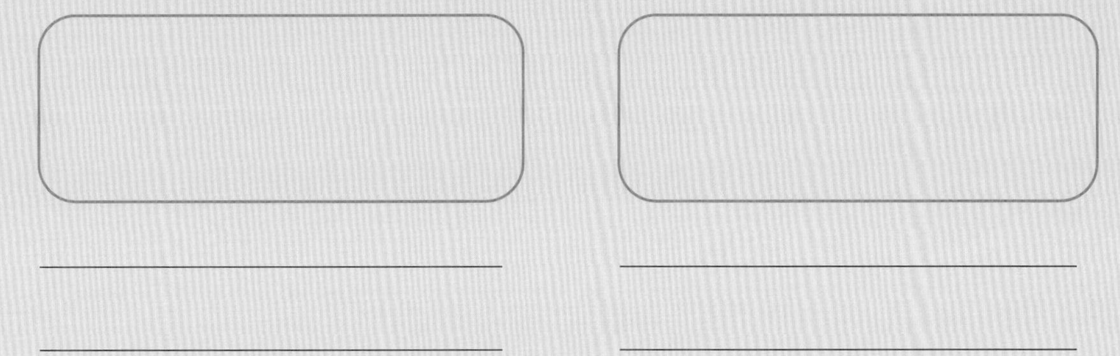

14 5단과 10단

5단	10단
5 × 0 = 0	10 × 0 = 0
5 × 1 = 5	10 × 1 = 10
5 × 2 = 10	10 × 2 = 20
5 × 3 = 15	10 × 3 = 30
5 × 4 = 20	10 × 4 = 40
5 × 5 = 25	10 × 5 = 50
5 × 6 = 30	10 × 6 = 60
5 × 7 = 35	10 × 7 = 70
5 × 8 = 40	10 × 8 = 80
5 × 9 = 45	10 × 9 = 90
5 × 10 = 50	10 ×10 = 100

5단은 일의 자리가 0이나 5로 끝나요.

10단은 일의 자리가 0으로 끝나요.

1. 캐시가 5칸씩 뛰어가기를 해요. □ 안에 알맞은 수를 써넣어 보세요.

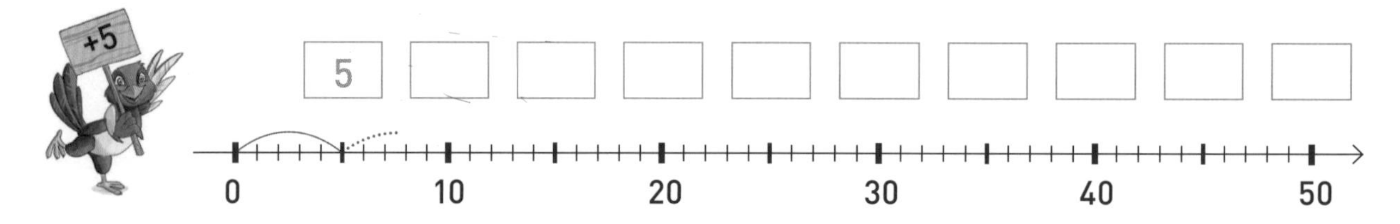

2. 계산해 보세요.

5 × 2 = ______　　5 × 3 = ______　　5 × 4 = ______　　5 × 5 = ______

5 × 4 = ______　　5 × 6 = ______　　5 × 8 = ______　　5 × 10 = ______

3. 캐시가 10칸씩 뛰어가기를 해요. □ 안에 알맞은 수를 써넣어 보세요.

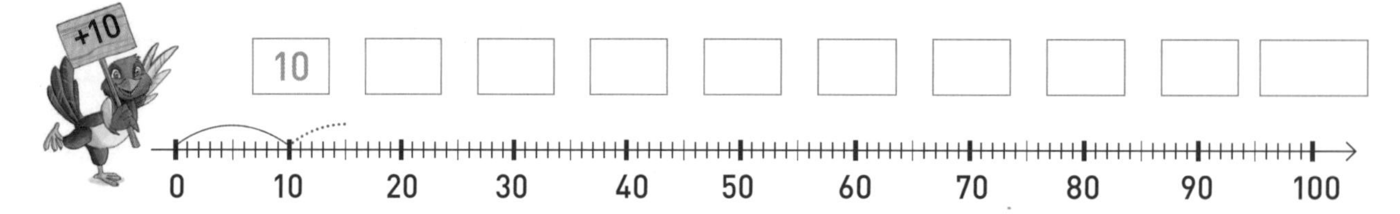

4. 계산해 보세요.

10 × 2 = ______　　10 × 3 = ______　　10 × 4 = ______　　10 × 5 = ______

10 × 4 = ______　　10 × 6 = ______　　10 × 8 = ______　　10 × 10 = ______

5. 아래 그림을 보고 알맞은 곱셈식을 세워 답을 구해 보세요.

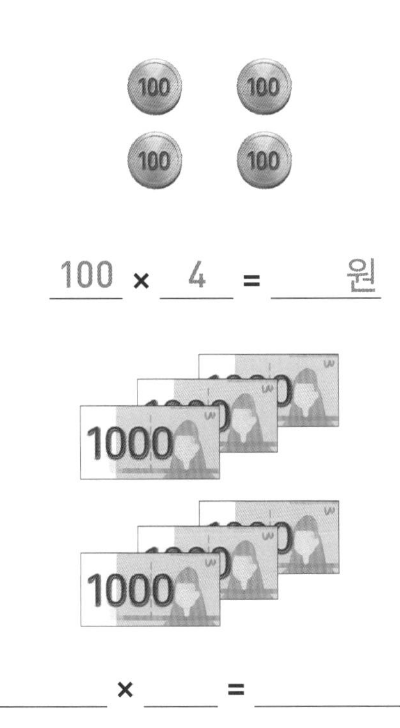

100 × 4 = ______ 원

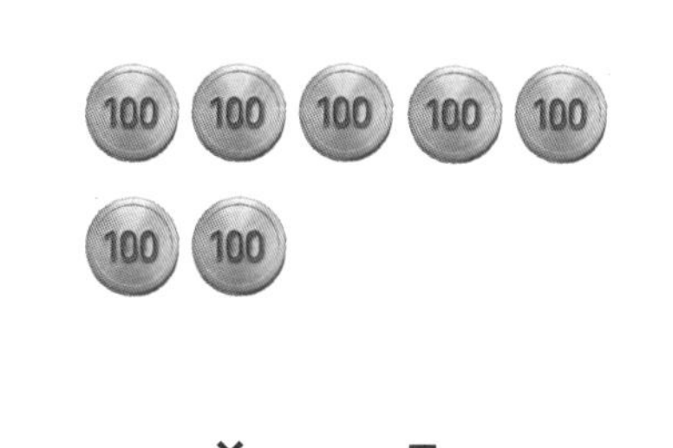

______ × ______ = ______

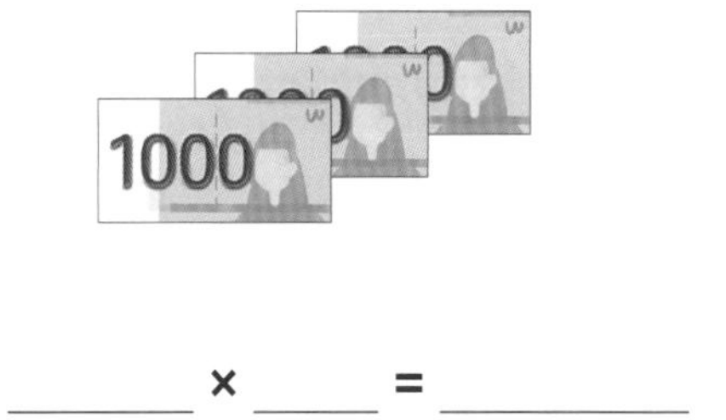

______ × ______ = ______

______ × ______ = ______

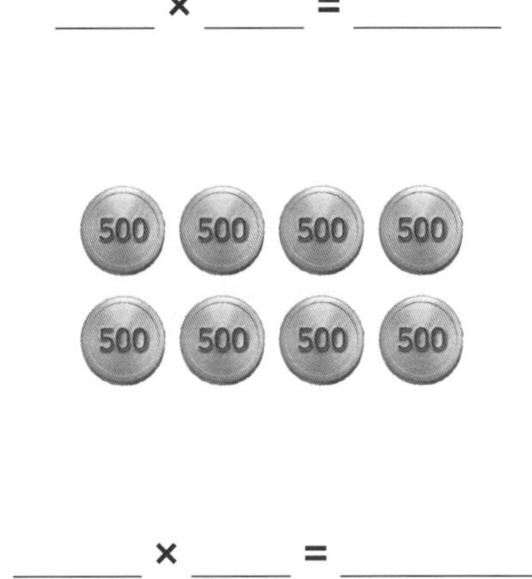

______ × ______ = ______

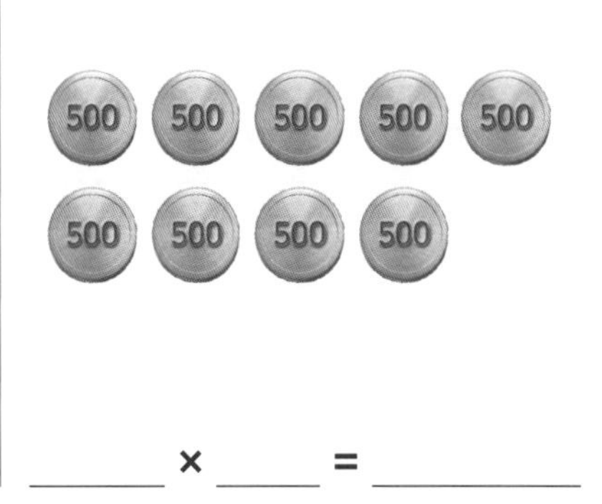

______ × ______ = ______

6. 엠마가 가진 돈으로 살 수 있는 스포츠 장비에 V표 해 보세요.

엠마는 5유로 지폐 7장과 10유로 지폐 7장을 가지고 있어요.

❶ 스케이트보드 ☐

❷ 축구공과 배드민턴 라켓 ☐

❸ 글러브 2개와 축구공 ☐

❹ 축구공 3개 ☐

❺ 글러브 3개 ☐

❻ 배드민턴 라켓 2개 ☐

더 생각해 보아요!

곱셈 피라미드를 완성해 보세요. 연속된 칸의 두 수의 곱을 위 칸에 채워 보세요.

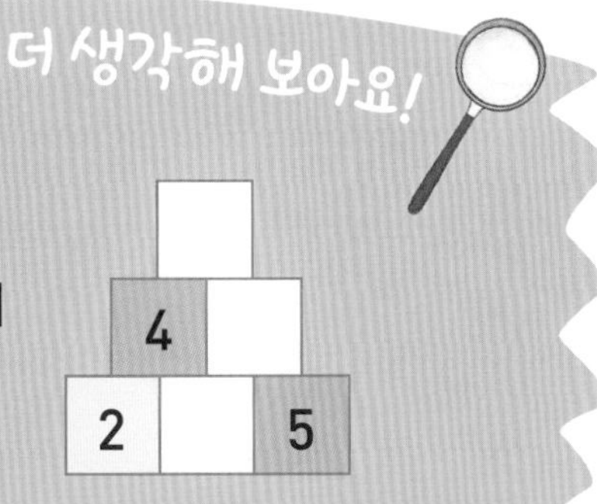

7. 곱셈식과 덧셈식, 계산값을 바르게 연결해 보세요.

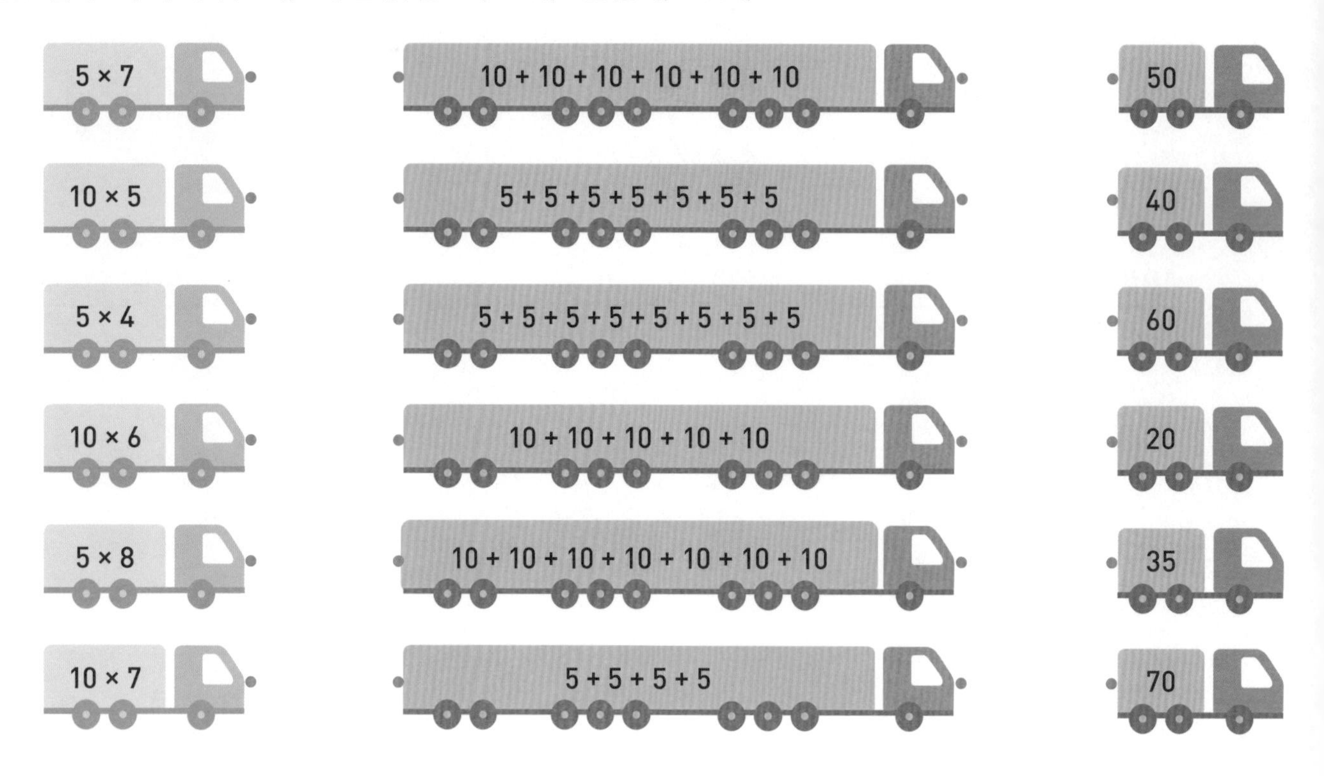

8. 보물을 찾아볼까요? 가운데에서 출발해서 값이 더 큰 방향으로 이동하세요.

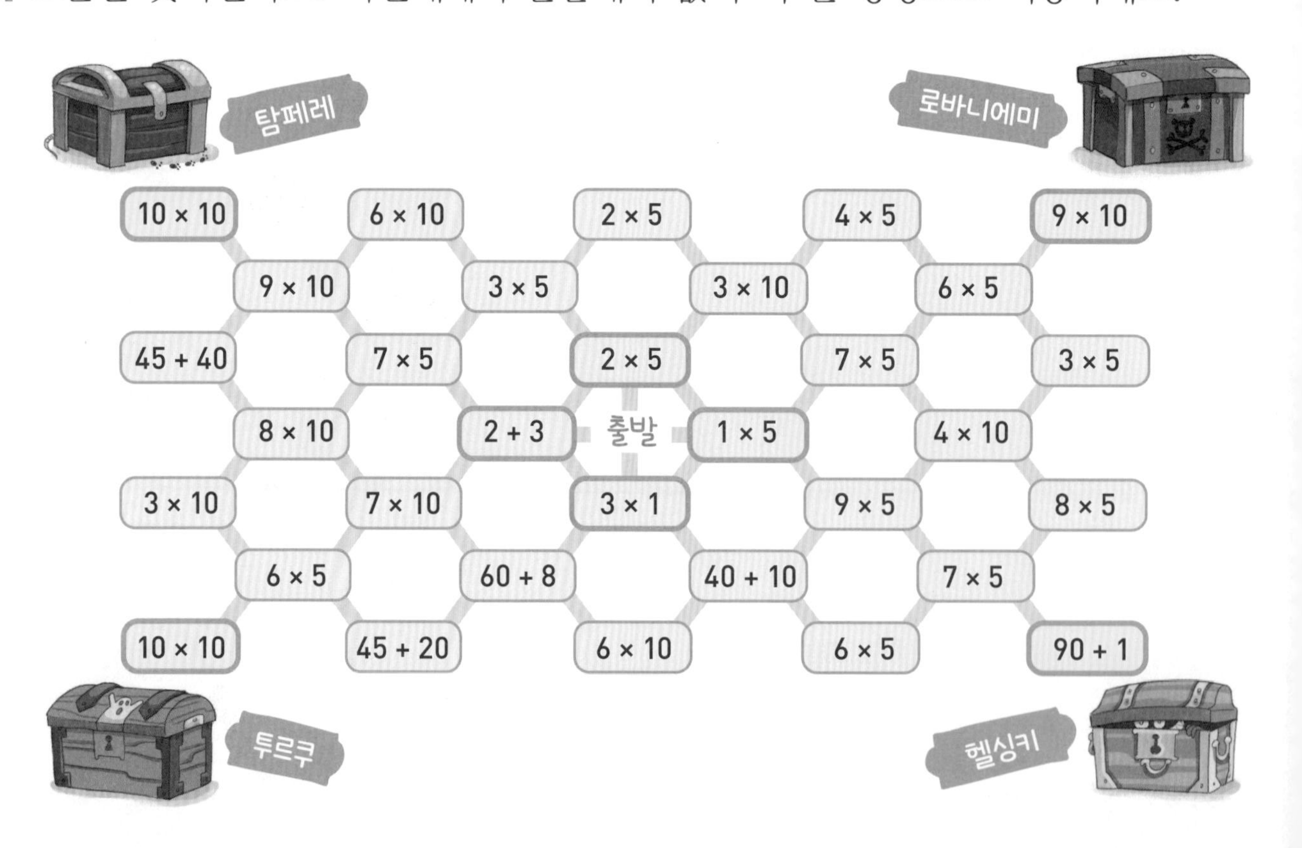

보물은 어느 도시에 숨겨져 있을까요? ____________________

9. 다음 표를 완성해 보세요.

×	5	6	7	8	9	10	11	12	13	14	15
5	25	30									
10	50										

10. 식이 성립하도록 빈칸에 알맞은 수를 써넣어 보세요.

5 × ______ = 10 × 1　　5 × ______ = 10 × 4　　10 × ______ = 5 × 12

5 × ______ = 10 × 5　　5 × ______ = 10 × 10　　10 × ______ = 5 × 14

10 × ______ = 5 × 6　　10 × ______ = 5 × 0　　10 × ______ = 5 × 16

한 번 더 연습해요!

1. 계산해 보세요.

5 × 4 = ______　　5 × 2 = ______　　10 × 8 = ______　　10 × 0 = ______

5 × 9 = ______　　5 × 7 = ______　　10 × 10 = ______　　10 × 2 = ______

5 × 5 = ______　　5 × 8 = ______　　10 × 4 = ______　　10 × 6 = ______

5 × 3 = ______　　5 × 0 = ______　　10 × 7 = ______　　10 × 5 = ______

5 × 6 = ______　　5 × 10 = ______　　10 × 3 = ______　　10 × 9 = ______

2. 아래 글을 읽고 알맞은 식을 세워 답을 구해 보세요.

❶ 엠마는 500원짜리 동전 5개를 가지고 있어요. 엠마가 가진 돈은 모두 얼마일까요?

식 : ______

정답 : ______

❷ 알렉은 1000원짜리 지폐 7장을 가지고 있어요. 알렉이 가진 돈은 모두 얼마일까요?

식 : ______

정답 : ______

____월 ____일 ____요일

15 2단과 4단

2단	4단
2 × 0 = 0	4 × 0 = 0
2 × 1 = 2	4 × 1 = 4
2 × 2 = 4	4 × 2 = 8
2 × 3 = 6	4 × 3 = 12
2 × 4 = 8	4 × 4 = 16
2 × 5 = 10	4 × 5 = 20
2 × 6 = 12	4 × 6 = 24
2 × 7 = 14	4 × 7 = 28
2 × 8 = 16	4 × 8 = 32
2 × 9 = 18	4 × 9 = 36
2 × 10 = 20	4 × 10 = 40

2단과 4단은 일의 자리가 짝수예요.

1. 캐시가 2칸씩 뛰어가기를 해요. □ 안에 알맞은 수를 써넣어 보세요.

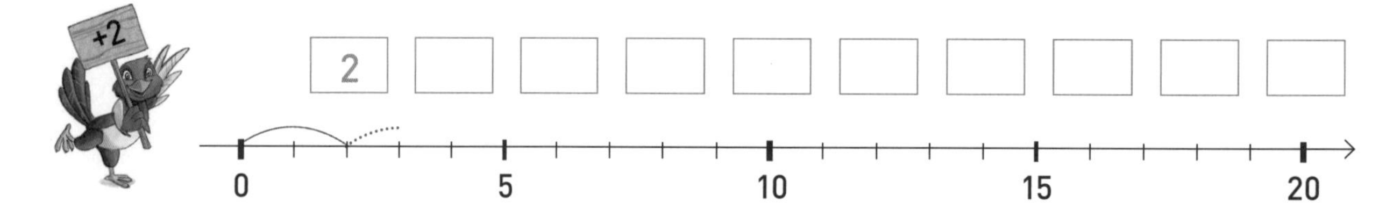

2. 계산해 보세요.

2 × 2 = ______　　2 × 3 = ______　　2 × 4 = ______　　2 × 5 = ______

4 × 2 = ______　　6 × 2 = ______　　8 × 2 = ______　　10 × 2 = ______

3. 캐시가 4칸씩 뛰어가기를 해요. □ 안에 알맞은 수를 써넣어 보세요.

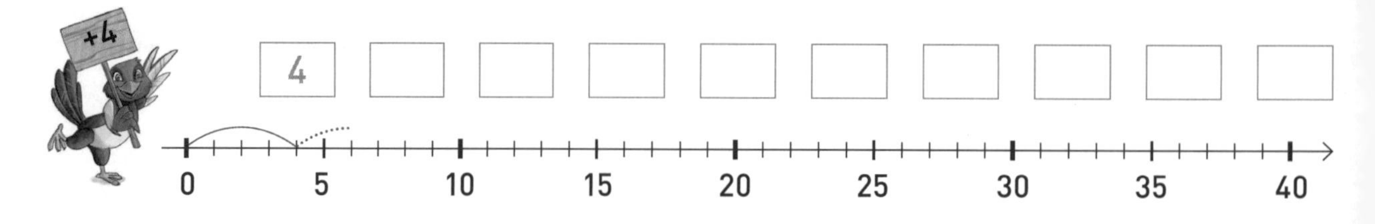

4. 계산해 보세요.

2 × 4 = ______　　3 × 4 = ______　　4 × 4 = ______　　5 × 4 = ______

4 × 4 = ______　　6 × 4 = ______　　8 × 4 = ______　　10 × 4 = ______

5. 아래 글을 읽고 식을 세워 답을 구한 후, 애벌레에서 답을 찾아 ○표 해 보세요.

❶ 자전거가 3대 있어요. 바퀴가 모두 몇 개일까요?

식 : ______

정답 : ______

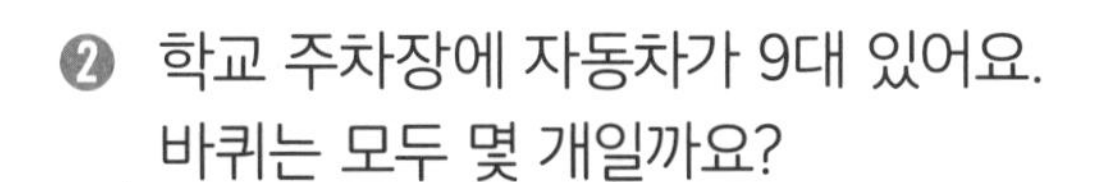

❷ 학교 주차장에 자동차가 9대 있어요. 바퀴는 모두 몇 개일까요?

식 : ______

정답 : ______

❸ 까치 6마리가 선생님 차의 지붕에 앉았어요. 까치 6마리의 다리는 모두 몇 개일까요?

식 : ______

정답 : ______

❹ 타이어를 교체하기 위해 자동차 7대가 정비소에 운송되었어요. 교체된 타이어는 모두 몇 개일까요?

식 : ______

정답 : ______

❺ 자전거 주차대가 5개 있어요. 각 주차대에 4대의 자전거를 주차할 수 있어요. 주차대에 주차할 수 있는 자전거는 모두 몇 대일까요?

식 : ______

정답 : ______

6. 그림이 들어간 식을 보고 그림의 값을 구해 보세요.

양팔 저울이 수평을 이루고 있어요. 색깔이 같은 건 같은 값을 가져요.

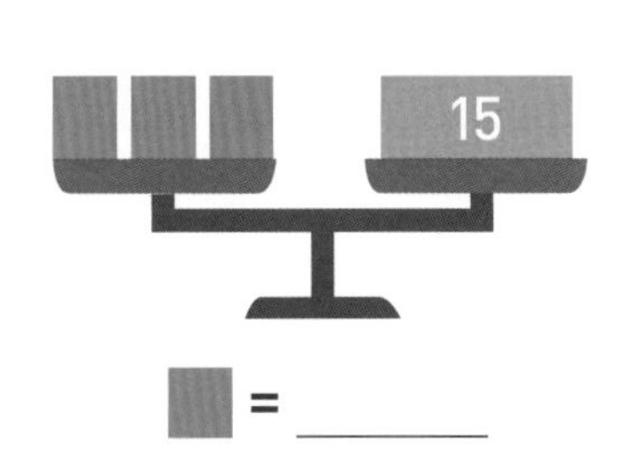

■ = ______

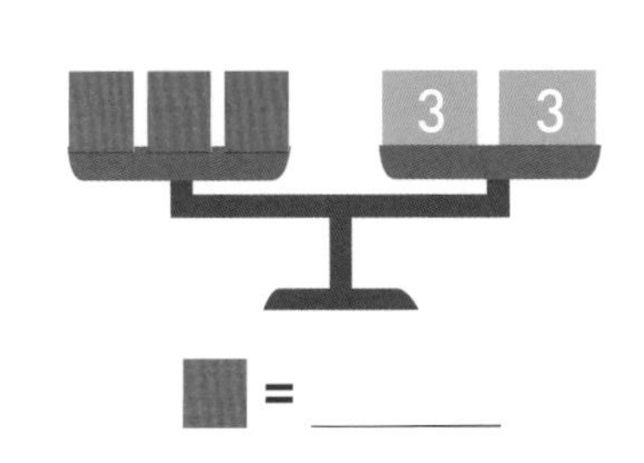

■ = ______

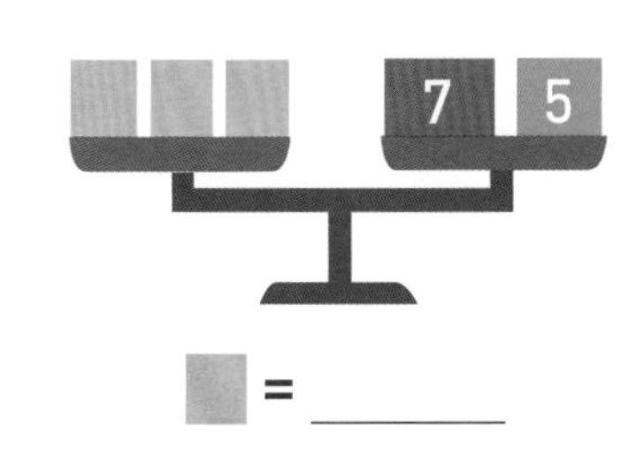

■ = ______

7. 규칙에 따라 빈칸에 알맞은 수를 써넣어 보세요.

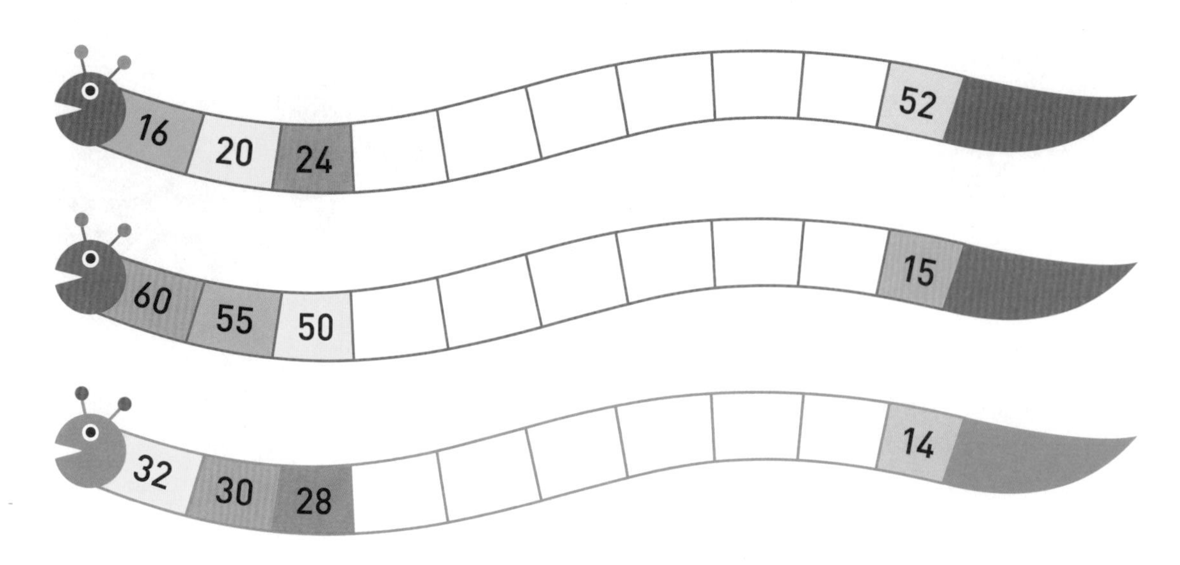

8. 다음 표를 완성해 보세요.

×	5	6	7	8	9	10	11	12	13	14	15
2	10	12									
4	20										

9. 서로 다른 수를 이용해서 2개의 곱셈식을 만들어 보세요.

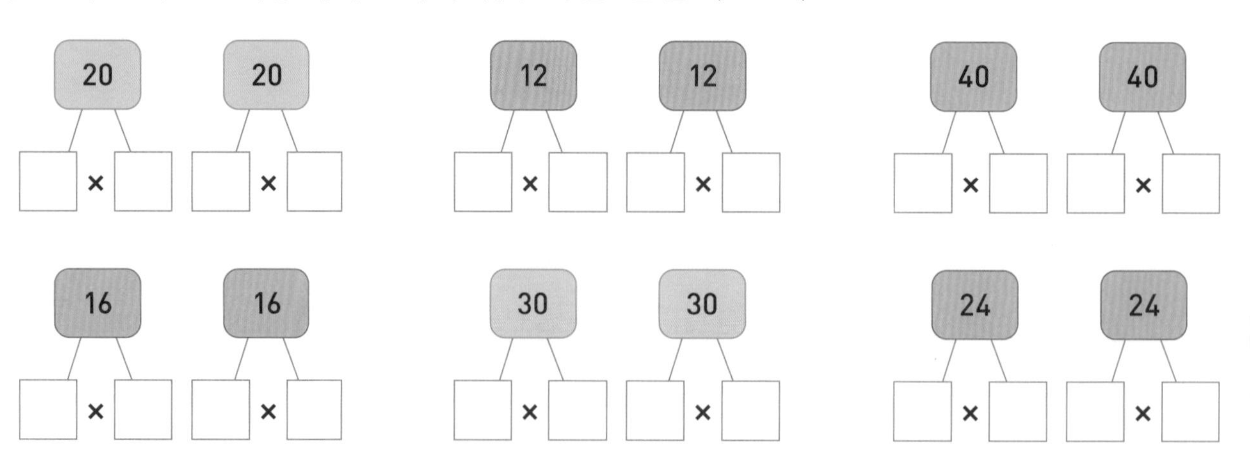

10. 빈칸에 알맞은 수를 써넣어 보세요.

$4 \times$ ______ $= 2 \times 2$　　$2 \times$ ______ $= 4 \times 5$　　$2 \times$ ______ $= 4 \times 2$

$4 \times$ ______ $= 2 \times 6$　　$4 \times$ ______ $= 2 \times 8$　　$2 \times$ ______ $= 4 \times 0$

11. 그림이 들어간 식을 보고 그림의 값을 구해 보세요. 단, 모든 값은 20이 안 넘어요.

= ______ = ______

= ______ = ______

12. 빈칸에 알맞은 수를 써넣어 보세요.

______ × ______ = 36

______ × ______ × ______ = 36

______ × ______ × ______ × ______ = 36

한 번 더 연습해요!

1. 계산해 보세요.

2 × 4 = ______	2 × 3 = ______	4 × 6 = ______	4 × 9 = ______
2 × 5 = ______	2 × 7 = ______	4 × 4 = ______	4 × 5 = ______
2 × 9 = ______	2 × 10 = ______	4 × 8 = ______	4 × 7 = ______
2 × 6 = ______	2 × 8 = ______	4 × 3 = ______	4 × 10 = ______

2. 아래 글을 읽고 알맞은 식을 세워 답을 구해 보세요.

❶ 마당에 자전거가 8대 있어요. 바퀴가 모두 몇 개일까요?

식 : ______________________

정답 : ______________________

❷ 마당에 자동차가 6대 있어요. 바퀴는 모두 몇 개일까요?

식 : ______________________

정답 : ______________________

15 3단

	3 × 0 = 0
3	3 × 1 = 3
3 3	3 × 2 = 6
3 3 3	3 × 3 = 9
3 3 3 3	3 × 4 = 12
3 3 3 3 3	3 × 5 = 15
3 3 3 3 3 3	3 × 6 = 18
3 3 3 3 3 3 3	3 × 7 = 21
3 3 3 3 3 3 3 3	3 × 8 = 24
3 3 3 3 3 3 3 3 3	3 × 9 = 27
3 3 3 3 3 3 3 3 3 3	3 × 10 = 30

1. 캐시가 3칸씩 뛰어가기를 해요. □ 안에 알맞은 수를 써넣어 보세요.

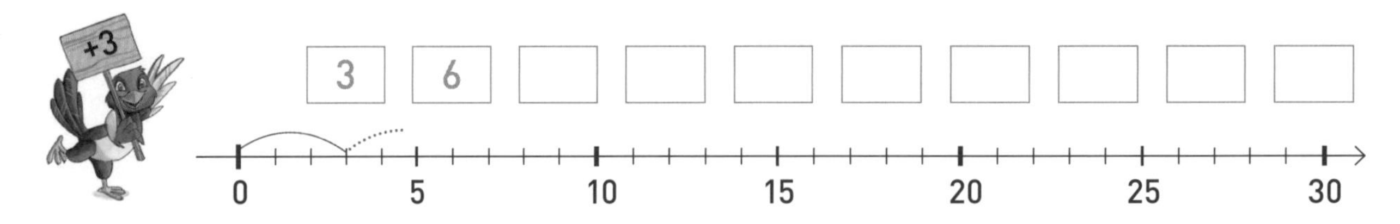

2. 3씩 뛰어 세기 한 수에 O표 해 보세요.

1	2	(3)	4	5	(6)	7	8	9	10
11	12	13	14	15	16	17	18	19	20
21	22	23	24	25	26	27	28	29	30
31	32	33	34	35	36	37	38	39	40
41	42	43	44	45	46	47	48	49	50

3. 계산해 보세요.

3 × 2 = ______　　3 × 3 = ______　　3 × 4 = ______　　3 × 5 = ______

3 × 4 = ______　　3 × 6 = ______　　3 × 8 = ______　　3 × 10 = ______

4. 아래 글을 읽고 식을 세워 답을 구한 후, 애벌레에서 답을 찾아 ○표 해 보세요.

❶ 학생들이 3명씩 6모둠 있어요. 학생들은 모두 몇 명일까요?

식 : ______

정답 : ______

❷ 학생 4명이 각자 3번씩 멀리뛰기를 했어요. 학생들은 멀리뛰기를 모두 몇 번 했을까요?

식 : ______

정답 : ______

❸ 학생 8명이 각자 3번씩 팔 벌려 뛰기를 했어요. 학생들은 팔 벌려 뛰기를 모두 몇 번 했을까요?

식 : ______

정답 : ______

❹ 학생 7명이 각자 3번씩 한 발로 뛰기를 했어요. 학생들은 한 발로 뛰기를 모두 몇 번 했을까요?

식 : ______

정답 : ______

❺ 학생 9명이 스쿼트를 각자 3번씩 했어요. 학생들은 스쿼트를 모두 몇 번 했을까요?

식 : ______

정답 : ______

❻ 학생 5명이 전력 달리기를 각자 3번씩 달렸어요. 학생들은 전력 달리기를 모두 몇 번 했을까요?

식 : ______

정답 : ______

5. 계산해 보세요.

$3 \times 11 =$ ______ $3 \times 13 =$ ______

$3 \times 14 =$ ______ $3 \times 16 =$ ______

더 생각해 보아요!

$v \times v = 3$, $t \times t = 2$, $j \times j = 4$일 때
다음 곱셈식을 계산해 보세요.

$v \times v \times v \times v =$ ______ $t \times t \times j \times j =$ ______

$v \times v \times t \times t =$ ______ $j \times j \times t \times t \times v \times v =$ ______

6. 규칙에 따라 빈칸에 알맞은 수를 써넣어 보세요.

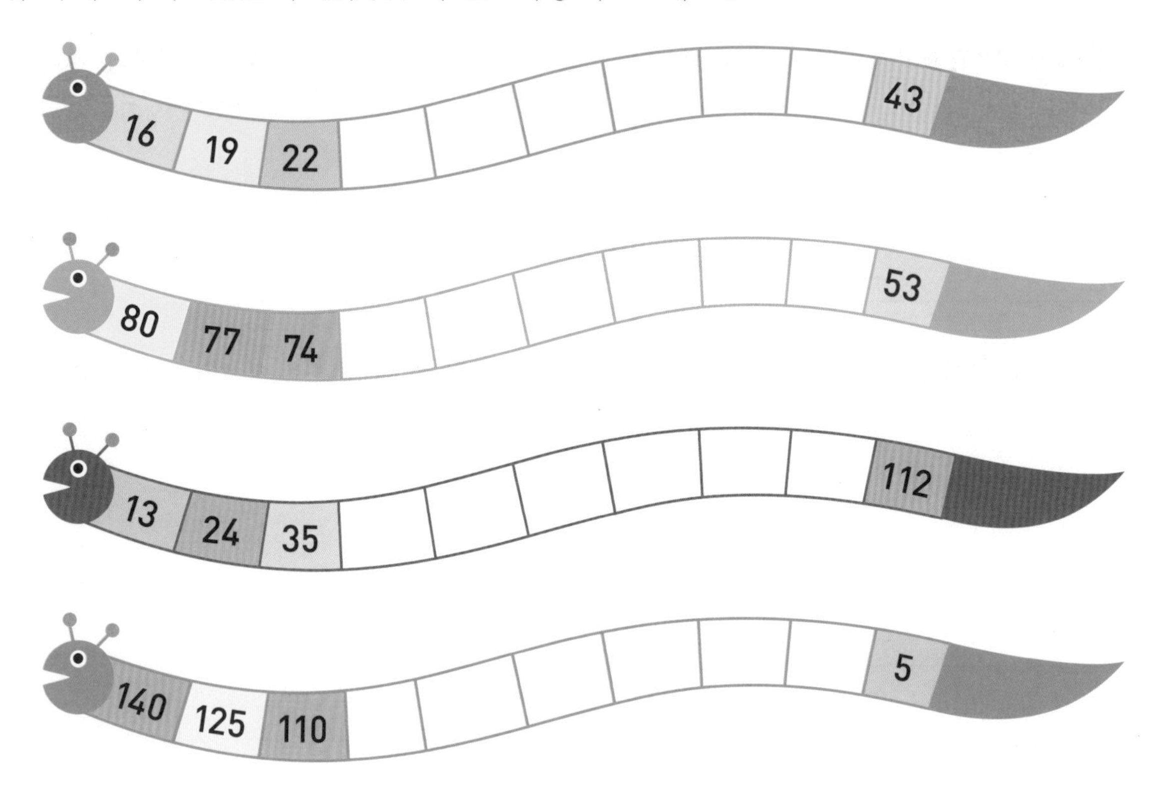

7. 암산으로 다음 표를 완성해 보세요.

배드민턴 코트 예약 비용은 3유로예요. 알렉이 매달 배드민턴 코트 예약으로 쓴 돈은 얼마일까요?

월	배드민턴 코트 예약 횟수	가격
8월	5	
9월	3	
10월	2	
11월	4	
12월	7	

8. 빈칸에 알맞은 수를 써넣어 보세요.

$3 \times$ ______ $= 6 \times 1$

$3 \times$ ______ $= 6 \times 2$

$3 \times$ ______ $= 9 \times 2$

$3 \times$ ______ $= 6 \times 4$

$3 \times$ ______ $= 0 \times 5$

$3 \times$ ______ $= 6 \times 5$

$3 \times$ ______ $= 3 \times 3 \times 3$

$3 \times$ ______ $= 9 \times 4$

$3 \times$ ______ $= 7 \times 3 \times 2$

9. 아래 글을 읽고 친구들의 이름, 학년, 가지고 있는 카드 개수를 알아맞혀 보세요.

이름	______	______	______	______
카드 개수	______	______	______	______
학년	______	______	______	______

- 마리안은 쉘리와 네타 사이에 있어요.
- 4학년 학생이 카드를 4장 가지고 있어요.
- 에밀리는 쉘리보다 카드를 2장 더 가지고 있어요.
- 에밀리는 5학년이며 맨 오른쪽에 있어요.
- 쉘리는 에밀리 옆에 있지 않아요.
- 쉘리는 3학년이며 또 다른 3학년 학생 옆에 있어요.
- 쉘리는 네타보다 카드를 2배 더 많이 가지고 있어요.
- 쉘리 옆에 있는 여학생은 에밀리가 가진 카드 수의 절반을 가지고 있어요.

한 번 더 연습해요!

1. 계산해 보세요.

$3 \times 5 =$ ______　　$3 \times 6 =$ ______　　$3 \times 2 \times 10 =$ ______

$3 \times 4 =$ ______　　$3 \times 10 =$ ______　　$3 \times 5 \times 2 =$ ______

2. 아래 글을 읽고 알맞은 식을 세워 답을 구해 보세요.

❶ 수영장 입장료는 3유로예요. 알렉의 엄마는 수영을 4번 하러 가요. 알렉의 엄마가 입장료로 내는 돈은 모두 얼마일까요?

식 : ______

정답 : ______

❷ 테니스 경기 비용은 10유로예요. 엠마의 아빠는 테니스 경기를 5번 해요. 엠마의 아빠가 테니스 경기에 내는 돈은 모두 얼마일까요?

식 : ______

정답 : ______

연습 문제

___월 ___일 ___요일

1. 계산한 후, 알맞은 답을 찾아 선으로 이어 보세요.

3 × 4　　4 × 3　　2 × 4　　5 × 2

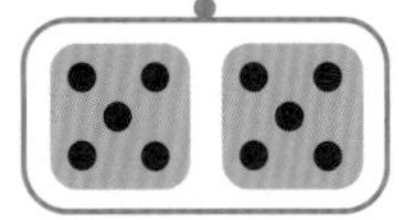

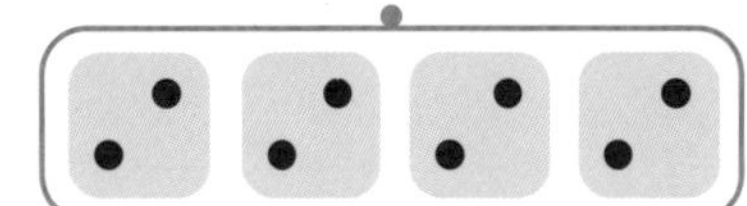

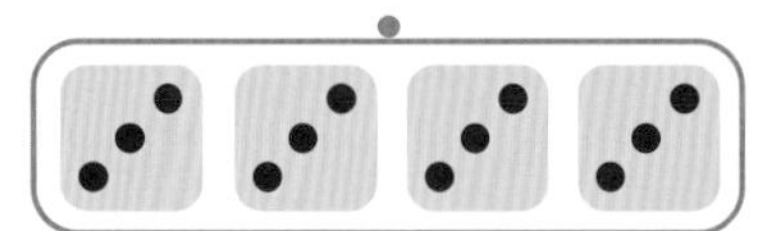

2. 계산한 후, 정답에 해당하는 알파벳을 수직선에서 찾아 □ 안에 써넣어 보세요.

3 × 4 = ____ □
4 × 2 = ____ □
5 × 5 = ____ □
2 × 4 = ____ □
3 × 2 = ____ □
6 × 5 = ____ □

1 × 8 = ____ □
8 × 4 = ____ □
7 × 5 = ____ □
10 × 4 = ____ □
4 × 5 = ____ □
2 × 3 = ____ □

7 × 4 = ____ □
4 × 4 = ____ □
4 × 3 = ____ □
6 × 2 = ____ □
2 × 2 = ____ □

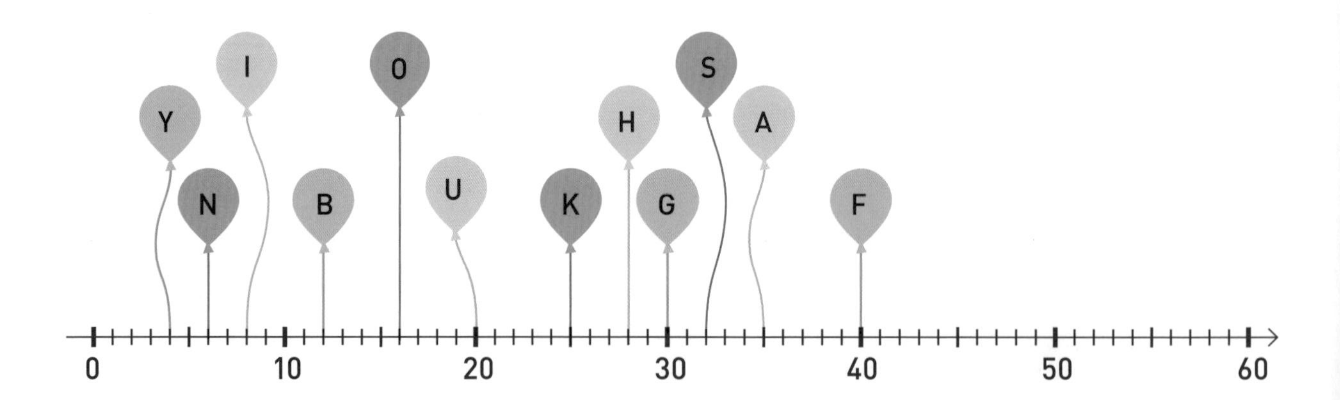

3. 아래 글을 읽고 식을 세워 답을 구한 후, 애벌레에서 답을 찾아 ○표 해 보세요.

❶ 학생 8명이 각자 자전거를 타고 4km를 갔어요. 학생들이 자전거를 탄 거리는 모두 몇 km일까요?

식 : 4 km × 8 =

정답 : km

❷ 학생 5명이 3km를 각자 달렸어요. 학생들이 달린 거리는 모두 몇 km일까요?

식 :

정답 :

❸ 학생 7명이 각자 자전거를 타고 5km를 갔어요. 학생들이 자전거를 탄 거리는 모두 몇 km일까요?

식 :

정답 :

❹ 학생 8명이 5km를 각자 걸었어요. 학생들이 걸은 거리는 모두 몇 km일까요?

식 :

정답 :

❺ 학생 6명이 각자 자전거를 타고 10km를 갔어요. 학생들이 자전거를 탄 거리는 모두 몇 km일까요?

식 :

정답 :

❻ 학생 9명이 각자 자전거를 타고 10km를 갔어요. 학생들이 자전거를 탄 거리는 모두 몇 km일까요?

식 :

정답 :

15 km 30 km 32 km 35 km 40 km 60 km 80 km 90 km

더 생각해 보아요!
아래 두 수를 곱한 수가 위에 오도록 곱셈 피라미드를 완성해 보세요.
32
4
2

4. 보기처럼 가로나 세로 방향으로 곱셈식이 완성되는 수를 찾아 색칠해 보세요.
같은 수가 여러 곱셈식에 쓰일 수 있어요.

35	20	10	2	8	24	4	6
5	4	8	3	30	9	7	44
7	40	5	6	8	6	8	30
16	4	4	10	6	34	5	15
8	5	40	5	32	50	10	5
3	9	10	2	2	16	45	5
20	4	8	16	6	18	3	6

5. 식이 성립하도록 빈칸에 알맞은 수를 써넣어 보세요.

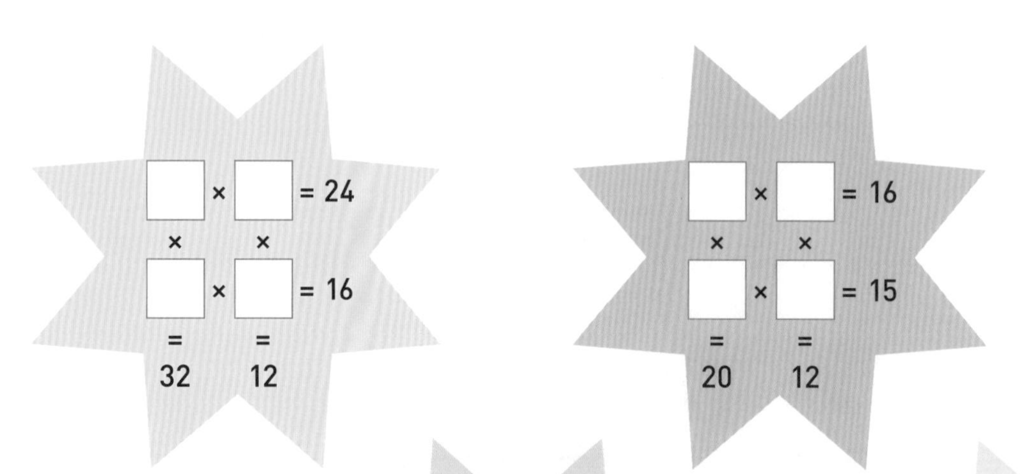

□ × □ = 12
× ×
□ × □ = 40
= =
24 20

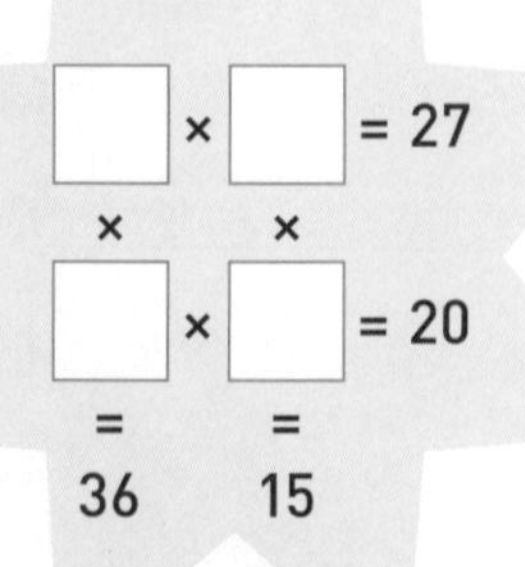

6. 2개의 곱셈식을 만들어 보세요.

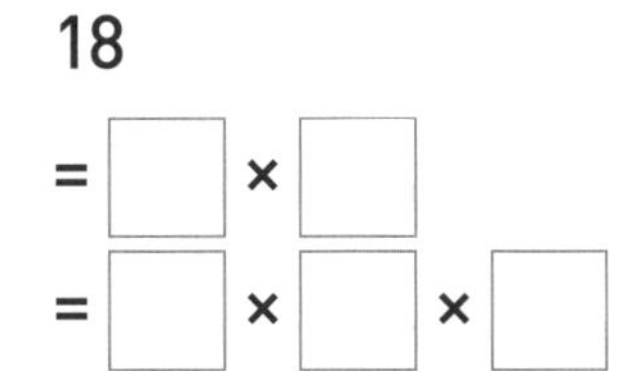

18
= ☐ × ☐
= ☐ × ☐ × ☐

27
= ☐ × ☐
= ☐ × ☐ × ☐

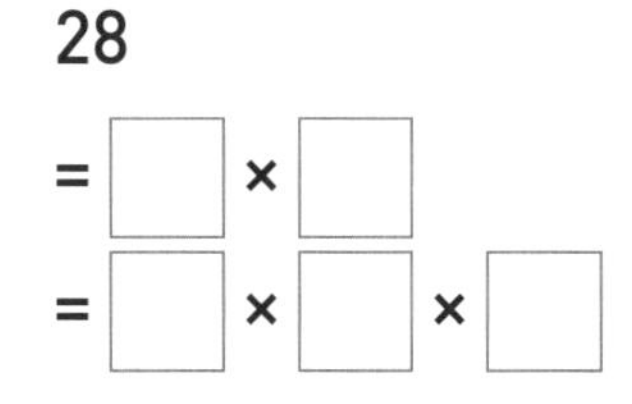

28
= ☐ × ☐
= ☐ × ☐ × ☐

7. 그림이 들어간 식을 보고 그림의 값을 구해 보세요.

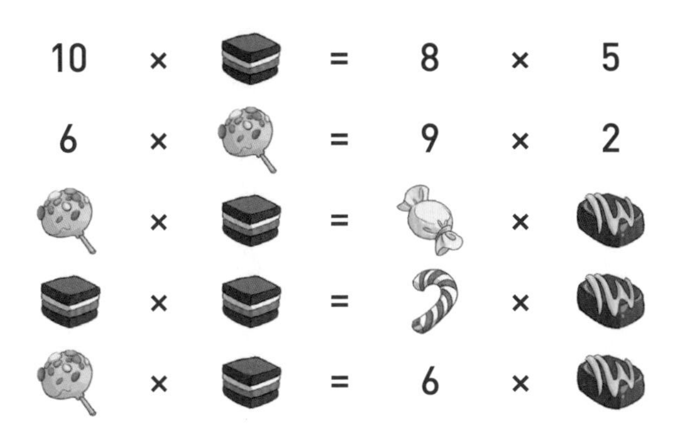

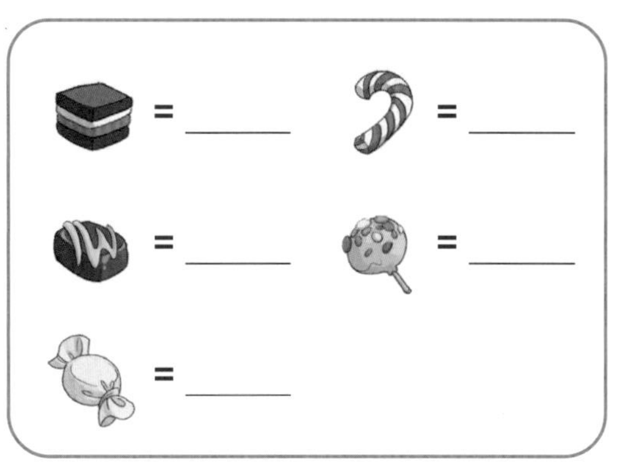

한 번 더 연습해요!

1. 계산해 보세요.

3 × 3 = ______　　4 × 7 = ______　　10 × 5 = ______　　4 × 6 = ______

4 × 8 = ______　　2 × 6 = ______　　5 × 9 = ______　　4 × 4 = ______

2. 아래 글을 읽고 알맞은 식을 세워 답을 구해 보세요.

❶ 학생 8명이 각자 자전거를 타고 10km를 갔어요. 학생들이 자전거를 탄 거리는 모두 몇 km일까요?

식 : ______

정답 : ______

❷ 학생들이 5명씩 7모둠 있어요. 학생들은 모두 몇 명일까요?

식 : ______

정답 : ______

___월 ___일 ___요일

17 4단과 8단

4단		8단	
	4 × 0 = 0		8 × 0 = 0
4	4 × 1 = 4	8	8 × 1 = 8
4 4	4 × 2 = 8	8 8	8 × 2 = 16
4 4 4	4 × 3 = 12	8 8 8	8 × 3 = 24
4 4 4 4	4 × 4 = 16	8 8 8 8	8 × 4 = 32
4 4 4 4 4	4 × 5 = 20	8 8 8 8 8	8 × 5 = 40
4 4 4 4 4 4	4 × 6 = 24	8 8 8 8 8 8	8 × 6 = 48
4 4 4 4 4 4 4	4 × 7 = 28	8 8 8 8 8 8 8	8 × 7 = 56
4 4 4 4 4 4 4 4	4 × 8 = 32	8 8 8 8 8 8 8 8	8 × 8 = 64
4 4 4 4 4 4 4 4 4	4 × 9 = 36	8 8 8 8 8 8 8 8 8	8 × 9 = 72
4 4 4 4 4 4 4 4 4 4	4 × 10 = 40	8 8 8 8 8 8 8 8 8 8	8 × 10 = 80

4단과 8단은 일의 자리 수가 짝수예요.

1. 캐시가 4칸씩 뛰어가기를 해요. □ 안에 알맞은 수를 써넣어 보세요.

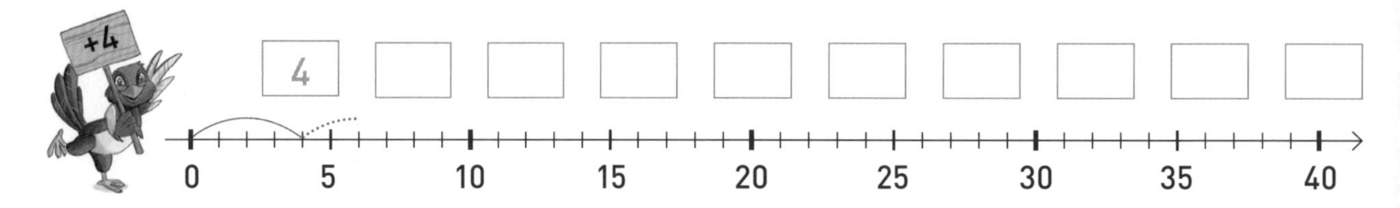

2. 계산해 보세요.

4 × 2 = ______ 4 × 3 = ______ 4 × 4 = ______ 4 × 5 = ______

4 × 4 = ______ 4 × 6 = ______ 4 × 8 = ______ 4 × 10 = ______

3. 캐시가 8칸씩 뛰어가기를 해요. □ 안에 알맞은 수를 써넣어 보세요.

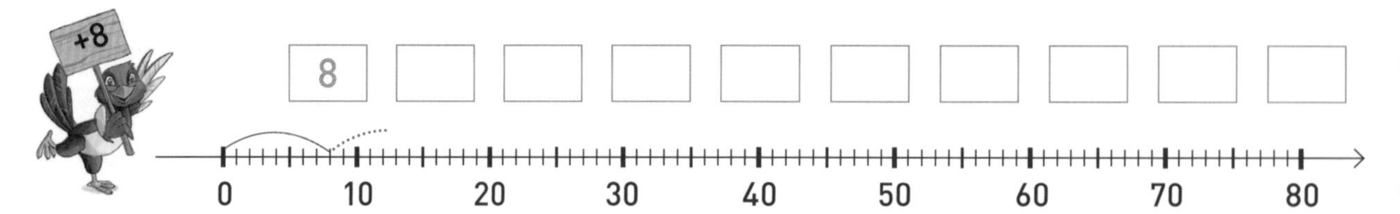

4. 계산해 보세요.

8 × 2 = ______ 8 × 3 = ______ 8 × 7 = ______ 8 × 5 = ______

8 × 4 = ______ 8 × 6 = ______ 8 × 8 = ______ 8 × 10 = ______

5. 아래 글을 읽고 식을 세워 답을 구한 후, 애벌레에서 답을 찾아 ○표 해 보세요.

❶ 물통 8개는 모두 얼마일까요?

식 : ______________________

정답 : ______________________

❷ 털모자 5개는 모두 얼마일까요?

식 : ______________________

정답 : ______________________

❸ 목도리 7개는 모두 얼마일까요?

식 : ______________________

정답 : ______________________

❹ 배지 6개는 모두 얼마일까요?

식 : ______________________

정답 : ______________________

❺ 야구 모자 5개는 모두 얼마일까요?

식 : ______________________

정답 : ______________________

❻ 열쇠고리 9개는 모두 얼마일까요?

식 : ______________________

정답 : ______________________

18 € 24 € 32 € 36 €

40 € 48 € 50 € 56 €

빈칸에 1, 2, 3, 4, 5, 6을 한 번씩 써서 식을 완성해 보세요.

___ ___ ___ + ___ ___ ___ = 399

___ ___ ___ + ___ ___ ___ = 399

6. 곱셈을 해 보세요.

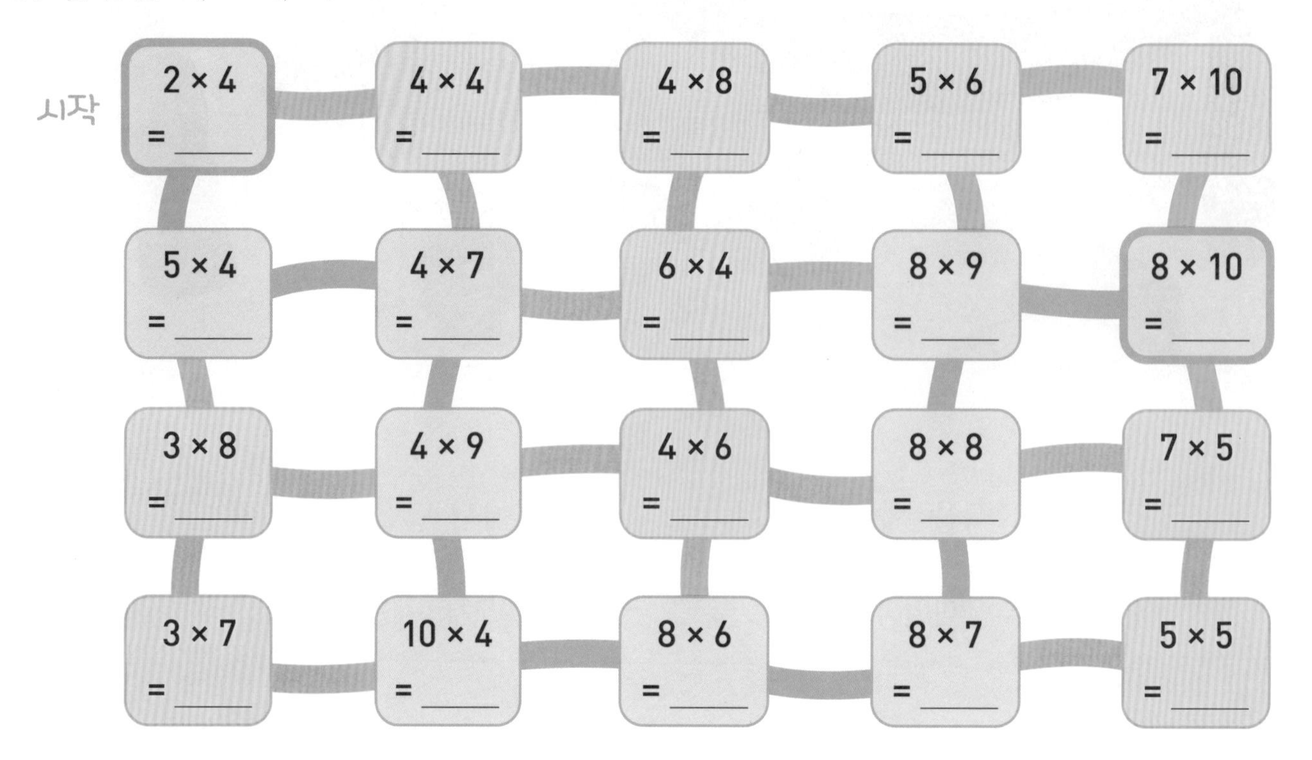

파란색 칸의 답만 살펴보세요. 어떤 규칙을 발견했는지 써 보세요.

____

____

7. 순서대로 계산하여 아래 표에서 답을 찾아 X표 하세요. 같은 답이 다른 표에서도 나올 수 있어요.

4 × 8 = ____	8 × 7 = ____	5 × 4 = ____	3 × 2 = ____
1 × 4 = ____	4 × 7 = ____	8 × 6 = ____	8 × 10 = ____
3 × 4 = ____	5 × 2 = ____	4 × 9 = ____	8 × 9 = ____
8 × 8 = ____	2 × 4 = ____	2 × 7 = ____	3 × 8 = ____
2 × 9 = ____	8 × 5 = ____	5 × 6 = ____	4 × 4 = ____

엠마

4	10	14
30	15	32
12	48	72

알렉

6	24	4
40	18	16
32	8	56

미리암

12	20	8
24	28	21
36	80	64

표에 있는 모든 숫자에 X표를 한 사람은 누구인가요?

____

8. 다음 표를 완성해 보세요.

×	5	6	7	8	9	10	11	12	13	14	15
4	20	24									
8	40										

9. 빈칸에 알맞은 수를 써넣어 보세요.

______ × 4 = 1 × 8
______ × 8 = 6 × 4

______ × 4 × 5 = 5 × 3 × 4
10 × ______ × 4 = 8 × 5 × 6

7 × 8 × ______ = 4 × 7 × 2
12 × 0 × 8 = ______ × 24 × 4

한 번 더 연습해요!

1. 계산해 보세요.

4 × 8 = ______	4 × 6 = ______	8 × 9 = ______	8 × 2 = ______
8 × 7 = ______	4 × 4 = ______	5 × 8 = ______	8 × 5 = ______
2 × 8 = ______	4 × 7 = ______	5 × 4 = ______	8 × 8 = ______

2. 아래 글을 읽고 알맞은 식을 세워 답을 구해 보세요.

❶ 알렉은 4유로짜리 열쇠고리 3개를 샀어요. 모두 얼마가 들었나요?

식 : ______

정답 : ______

❷ 엠마의 엄마는 8유로짜리 스카프 4장을 샀어요. 모두 얼마가 들었나요?

식 : ______

정답 : ______

18 6단

	6 × 0 = 0
6	6 × 1 = 6
6 6	6 × 2 = 12
6 6 6	6 × 3 = 18
6 6 6 6	6 × 4 = 24
6 6 6 6 6	6 × 5 = 30
6 6 6 6 6 6	6 × 6 = 36
6 6 6 6 6 6 6	6 × 7 = 42
6 6 6 6 6 6 6 6	6 × 8 = 48
6 6 6 6 6 6 6 6 6	6 × 9 = 54
6 6 6 6 6 6 6 6 6 6	6 × 10 = 60

1. 캐시가 6칸씩 뛰어가기를 해요. □ 안에 알맞은 수를 써넣어 보세요.

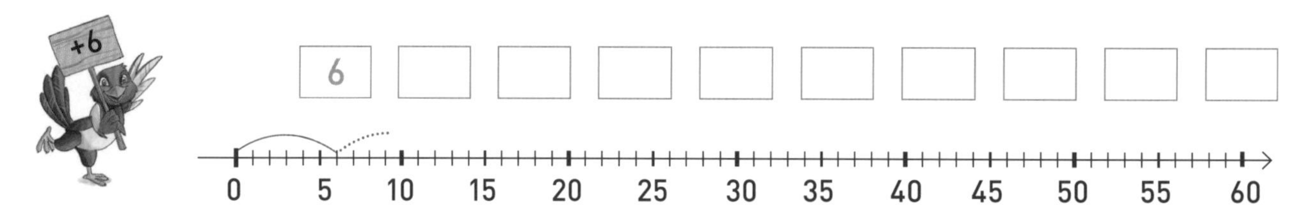

2. 3씩 뛰어 세기 한 수에 빨간색으로 ○표 하고, 6씩 뛰어 세기 한 수에 파란색으로 ○표 해 보세요.

1	2	③	4	5	⑥	7	8	⑨	10	11	⑫	13	14	15
16	17	18	19	20	21	22	23	24	25	26	27	28	29	30
31	32	33	34	35	36	37	38	39	40	41	42	43	44	45
46	47	48	49	50	51	52	53	54	55	56	57	58	59	60
61	62	63	64	65	66	67	68	69	70	71	72	73	74	75

3. 계산해 보세요.

3 × 5 = ______　　3 × 7 = ______　　3 × 0 = ______　　3 × 9 = ______

6 × 5 = ______　　6 × 7 = ______　　6 × 0 = ______　　6 × 9 = ______

4. 아래 글을 읽고 알맞은 식을 세워 답을 구해 보세요.

❶ 메리와 아서는 각자 도서관에서 6권씩 책을 빌렸어요. 메리와 아서가 빌린 책은 모두 몇 권일까요?

식 : ____________________

정답 : ____________________

❷ 루이스는 자전거를 하루에 6km씩 일주일에 5일을 타요. 루이스가 일주일에 자전거를 타는 거리는 모두 몇 km일까요?

식 : ____________________

정답 : ____________________

5. 계산해 보세요.

$6 \times 2 =$ ______ $6 \times 3 =$ ______ $6 \times 4 =$ ______ $6 \times 5 =$ ______

$6 \times 4 =$ ______ $6 \times 6 =$ ______ $6 \times 8 =$ ______ $6 \times 10 =$ ______

6. 다음 표를 완성해 보세요.

×	5	6	7	8	9	10	11	12	13	14	15
3	15	18									
6	30										

더 생각해 보아요!

빈칸에 2, 3, 4, 8을 넣어 서로 다른 2개의 곱셈식을 만들어 보세요.

☐ × ☐ = ☐☐

☐ × ☐ = ☐☐

7. 빨랫줄에 걸린 티셔츠를 조건에 맞게 색칠해 보세요.

❶ 3단에 나오는 수

❷ 6단에 나오는 수

❸ 8단에 나오는 수

8. 빈칸에 알맞은 수를 써넣어 보세요.

$4 \times$ ______ $= 3 \times 8$　　$4 \times$ ______ $= 6 \times 2$　　$3 \times$ ______ $= 4 \times 3 \times 2$

$3 \times$ ______ $= 2 \times 9$　　$5 \times$ ______ $= 6 \times 5$　　$6 \times$ ______ $= 9 \times 0 \times 4$

9. 누구의 집이고, 사는 사람의 취미는 무엇인지 알아맞혀 보세요.

집주인 ____________ ____________ ____________ ____________

취미 ____________ ____________ ____________ ____________

- 케빈은 달리기를 좋아해요.
- 야구와 아이스하키를 하는 사람은 옆집에 살지 않아요.
- 야구를 좋아하는 사람은 파란색 집에 살아요.
- 앤톤은 달리기를 좋아하는 사람 옆집에 살아요.
- 실케는 빨간색 집과 노란색 집 사이에 살아요.
- 마르시는 파란색 집 옆집에 살아요.
- 달리기를 좋아하는 사람은 빨간색 집에 살아요.
- 실케의 옆집에 사는 사람은 수영을 좋아해요.

한 번 더 연습해요!

1. 계산해 보세요.

$6 \times 6 =$ ______	$3 \times 2 =$ ______	$6 \times 5 =$ ______	$3 \times 7 =$ ______
$6 \times 4 =$ ______	$3 \times 4 =$ ______	$6 \times 0 =$ ______	$3 \times 3 =$ ______
$6 \times 9 =$ ______	$3 \times 5 =$ ______	$6 \times 2 =$ ______	$3 \times 0 =$ ______

2. 아래 글을 읽고 알맞은 식을 세워 답을 구해 보세요.

❶ 존은 게임하는 데 6분이 걸려요. 존은 게임을 5판 했어요. 존은 게임을 몇 분 동안 했을까요?

식 : ____________________

정답 : ____________________

❷ 엠마는 게임하는 데 8분이 걸려요. 엠마는 게임을 4판 했어요. 엠마는 게임을 몇 분 동안 했을까요?

식 : ____________________

정답 : ____________________

10. 규칙에 따라 빈칸에 알맞은 수를 써넣어 보세요.

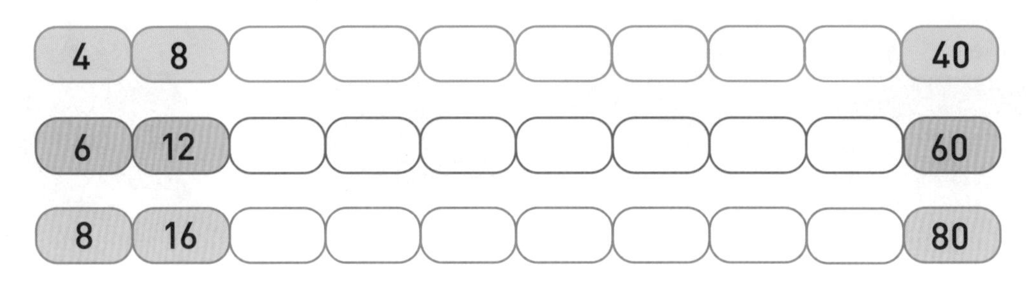

11. 계산해 보세요.

3 × 5 = ______	6 × 2 = ______	4 × 9 = ______	8 × 3 = ______
3 × 3 = ______	6 × 9 = ______	4 × 5 = ______	8 × 7 = ______
3 × 7 = ______	6 × 6 = ______	4 × 6 = ______	8 × 5 = ______

12. 계산한 후, 정답에 해당하는 알파벳을 애벌레에 써넣어 보세요.

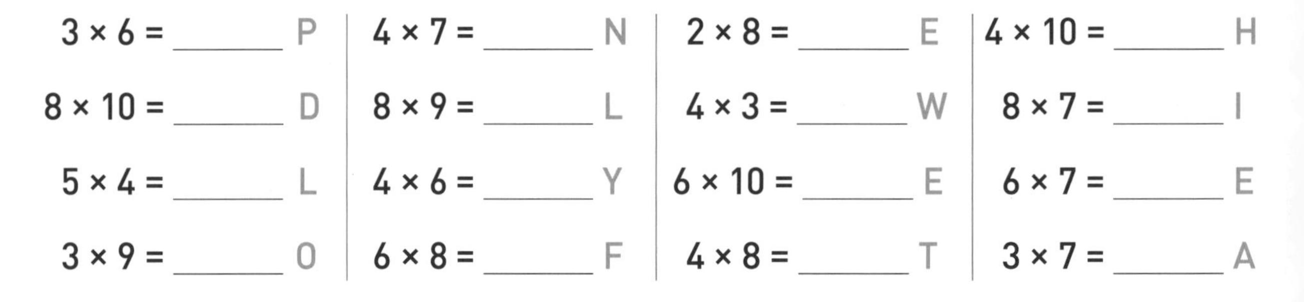

3 × 6 = ______ P	4 × 7 = ______ N	2 × 8 = ______ E	4 × 10 = ______ H
8 × 10 = ______ D	8 × 9 = ______ L	4 × 3 = ______ W	8 × 7 = ______ I
5 × 4 = ______ L	4 × 6 = ______ Y	6 × 10 = ______ E	6 × 7 = ______ E
3 × 9 = ______ O	6 × 8 = ______ F	4 × 8 = ______ T	3 × 7 = ______ A

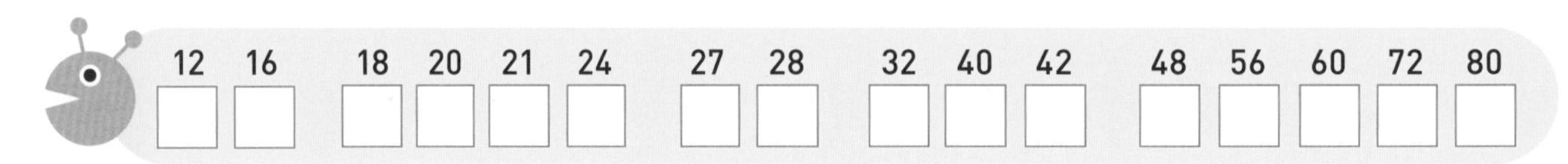

13. 아래 글을 읽고 알맞은 식을 세워 답을 구해 보세요.

❶ 오토는 팔 굽혀 펴기를 8번씩 4세트를 했어요.
오토는 팔 굽혀 펴기를 모두 몇 번 했을까요?

식 : ______________________

정답 : ______________________

❷ 에시는 6km씩 3번 달리기를 했어요.
에시가 달린 거리는 모두 몇 km일까요?

식 : ______________________

정답 : ______________________

도전! 심화 평가 1단계

____ 월 ____ 일 ____ 요일

1. 점을 이어 보세요.

❶ 6단을 따라 점을 이어 보세요.

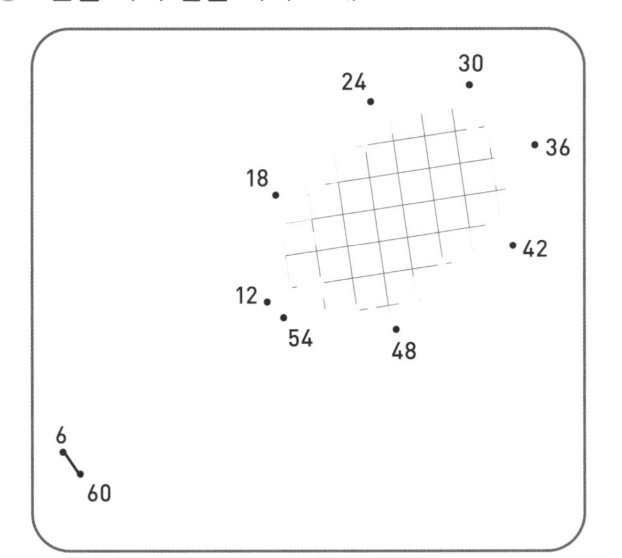

❷ 8단을 따라 점을 이어 보세요.

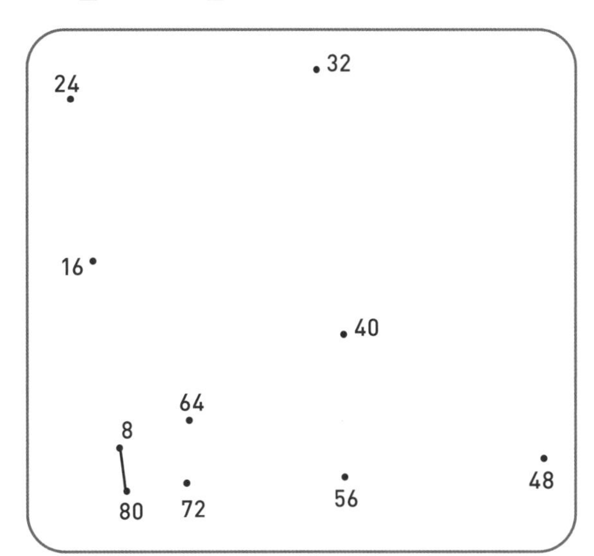

2. 계산해 보세요.

2 × 4 = ____	3 × 4 = ____	4 × 4 = ____	5 × 4 = ____
4 × 4 = ____	6 × 4 = ____	8 × 4 = ____	4 × 10 = ____
2 × 6 = ____	3 × 6 = ____	4 × 6 = ____	5 × 6 = ____

3. 아래 글을 읽고 알맞은 식을 세워 답을 구해 보세요.

❶ 농구 경기 학생 입장료가 6유로예요.
학생 4명의 입장료는 얼마일까요?

식 : ____________

정답 : ____________

❷ 축구 경기 학생 입장료는 8유로예요.
학생 3명의 입장료는 얼마일까요?

식 : ____________

정답 : ____________

4. 같은 수를 두 번 곱해서 다음과 같은 수가 되었어요. 나는 어떤 수일까요?

16 ____ 36 ____

64 ____ 100 ____

도전! 심화 평가
2단계

____ 월 ____ 일 ____ 요일

1. 계산해 보세요.

4 × 9 = ______	8 × 7 = ______	3 × 1 × 8 = ______
4 × 6 = ______	6 × 9 = ______	6 × 4 × 0 = ______
2 × 8 = ______	4 × 11 = ______	2 × 2 × 8 = ______
6 × 7 = ______	3 × 12 = ______	3 × 3 × 6 = ______

2. □ 안에 알맞은 수를 써넣어 보세요.

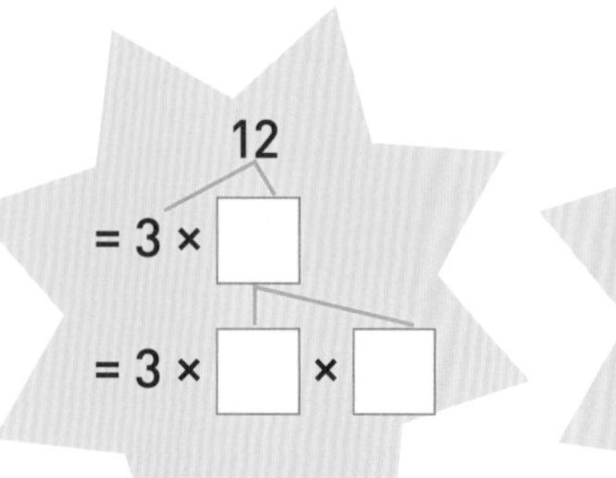

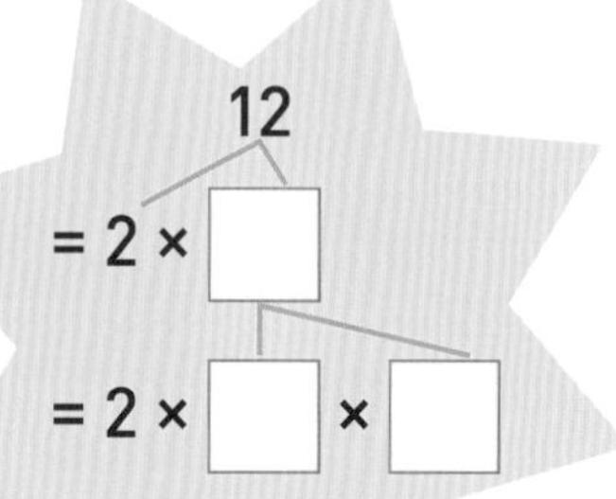

아래 줄에 있는 식을 보고 무엇을 알았나요?

____

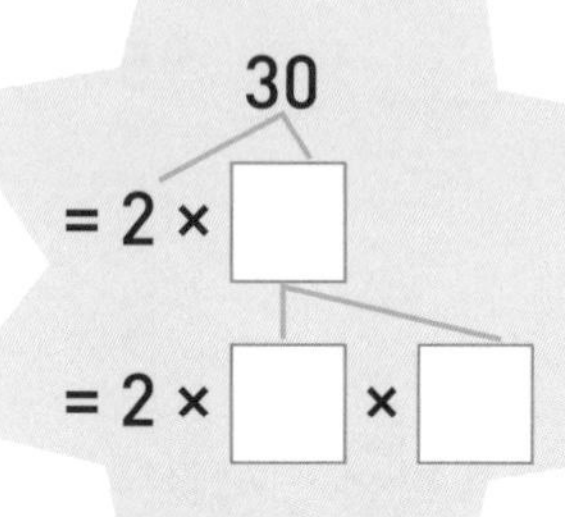

30
= 5 × □
= 5 × □ × □

아래 줄에 있는 식을 보고 무엇을 알았나요?

____

3. 아래 글을 읽고 알맞은 식을 세워 답을 구해 보세요.

❶ 플로어볼 경기 어린이 입장료가 8유로예요. 어린이 6명의 입장료는 얼마일까요?

식 : ______________________________

정답 : ______________________________

❷ 스케이트 경기 어린이 입장료가 6유로예요. 어린이 9명의 입장료는 얼마일까요?

식 : ______________________________

정답 : ______________________________

도전! 심화 평가
3단계

____ 월 ____ 일 ____ 요일

1. 같은 수를 두 번 곱해서 다음과 같은 수가 되었어요. 나는 어떤 수일까요?

81 ________ 100 ________ 121 ________ 169 ________

2. 4×6을 이용할 수 있는 문제를 스스로 만들어 답을 구해 보세요.

4 × 6 = ____

식 : ______________________

____

정답 : ______________________

3. 다음 설명을 읽고 설명에 해당하는 수 2개를 구해 보세요.

❶ 믹이 가진 두 수를 더하면 13이고, 곱하면 40이에요. 믹이 가진 두 수는 무엇일까요?

________, ________

❷ 팀이 가진 두 수를 더하면 13이고, 곱하면 36이에요. 팀이 가진 두 수는 무엇일까요?

________, ________

❸ 매트가 가진 두 수를 더하면 19이고, 곱하면 60이에요. 매트가 가진 두 수는 무엇일까요?

________, ________

4. 나란히 있는 두 수의 곱을 위 칸에 써서 곱셈 피라미드를 완성해 보세요.

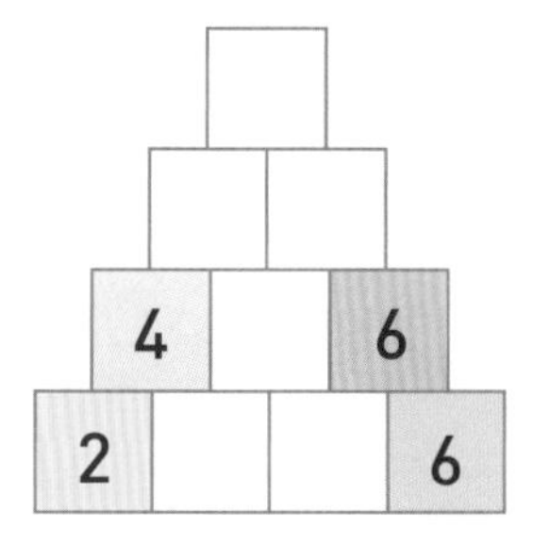

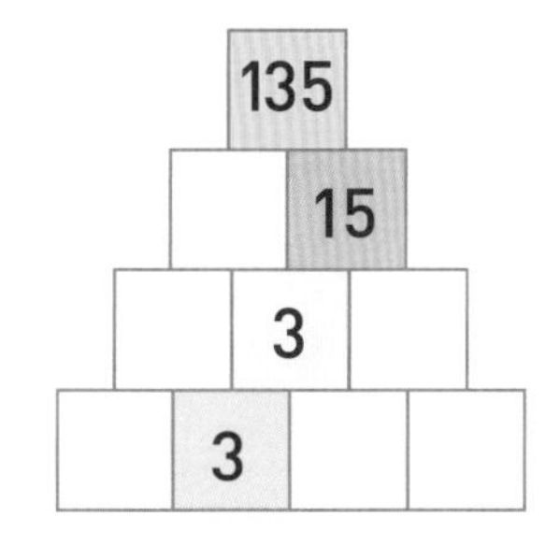

19 9단

$9 \times 0 = 0$
$9 \times 1 = 9$
$9 \times 2 = 18$
$9 \times 3 = 27$
$9 \times 4 = 36$
$9 \times 5 = 45$
$9 \times 6 = 54$
$9 \times 7 = 63$
$9 \times 8 = 72$
$9 \times 9 = 81$
$9 \times 10 = 90$

1. 캐시가 9칸씩 뛰어가기를 해요. □ 안에 알맞은 수를 써넣어 보세요.

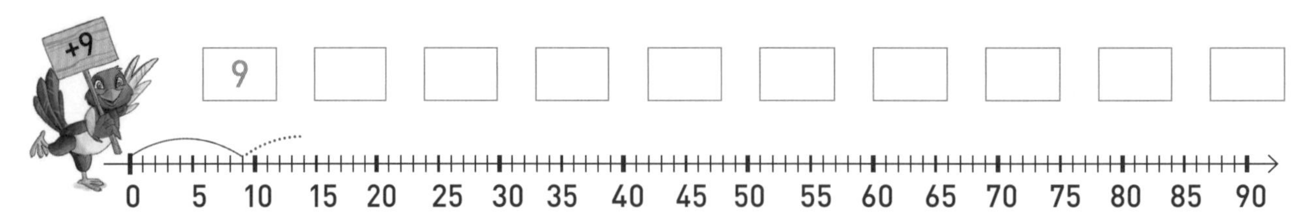

2. 계산해 보세요.

$9 \times 2 =$ ______ $9 \times 3 =$ ______ $9 \times 4 =$ ______ $9 \times 5 =$ ______

$9 \times 4 =$ ______ $9 \times 6 =$ ______ $9 \times 8 =$ ______ $9 \times 10 =$ ______

3. 다음 표를 완성해 보세요.

×	0	1	2	3	4	5	6	7	8	9	10
10	0	10	20	30							
9	0	9	18	27							

4. 곱셈식을 세워 답을 구해 보세요. 각 팀에는 9명의 선수가 있어요.

❶ 2팀이라면 선수는 모두 몇 명일까요?

____

❷ 7팀이라면 선수는 모두 몇 명일까요?

____

5. 아래 글을 읽고 식을 세워 답을 구한 후, 애벌레에서 찾아 ○표 해 보세요.

❶ 학교 창고에 상자가 3개 있어요.
각 상자에는 글러브가 9개씩 들어 있어요.
창고에 있는 글러브는 모두 몇 개일까요?

식 : ______________________

정답 : ______________________

❷ 사물함에 상자가 5개 있어요.
각 상자에는 공이 9개씩 들어 있어요.
사물함에 있는 공은 모두 몇 개일까요?

식 : ______________________

정답 : ______________________

❸ 학생 2명이 각각 운동 조끼를 9벌씩 받았어요. 학생 2명이 받은 운동 조끼는 모두 몇 벌일까요?

식 : ______________________

정답 : ______________________

❹ 한 팀에는 선수가 9명씩 있어요. 8팀에 있는 선수는 모두 몇 명일까요?

식 : ______________________

정답 : ______________________

18 27 36 45 54 72

6. 계산한 후, 정답에 해당하는 알파벳을 애벌레에 써넣어 보세요.

5 × 9 = ______ R	7 × 9 = ______ I	4 × 6 = ______ O	9 × 2 = ______ A
4 × 9 = ______ T	9 × 6 = ______ E	3 × 9 = ______ P	6 × 9 = ______ E
8 × 3 = ______ O	6 × 5 = ______ M	6 × 4 = ______ O	10 × 10 = ______ F
9 × 5 = ______ R	5 × 3 = ______ U	3 × 8 = ______ O	9 × 9 = ______ W
7 × 6 = ______ Y			

63	81	45	24	36	54	18	27	24	54	30	100	24	45	42	24	15
□	□	□	□	□	□	□	□	□	□	□	□	□	□	□	□	□

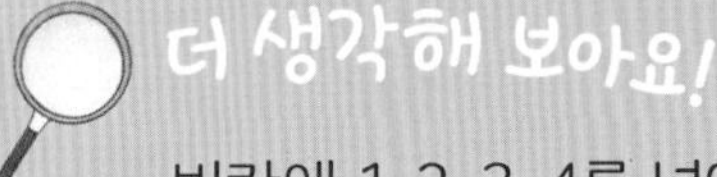

빈칸에 1, 2, 3, 4를 넣어 곱셈식과 덧셈식을 만들어 보세요.

______ × ______ = ______

______ + ______ = ______ + ______

7. 식이 성립하도록 빈칸에 알맞은 수를 써넣어 보세요.

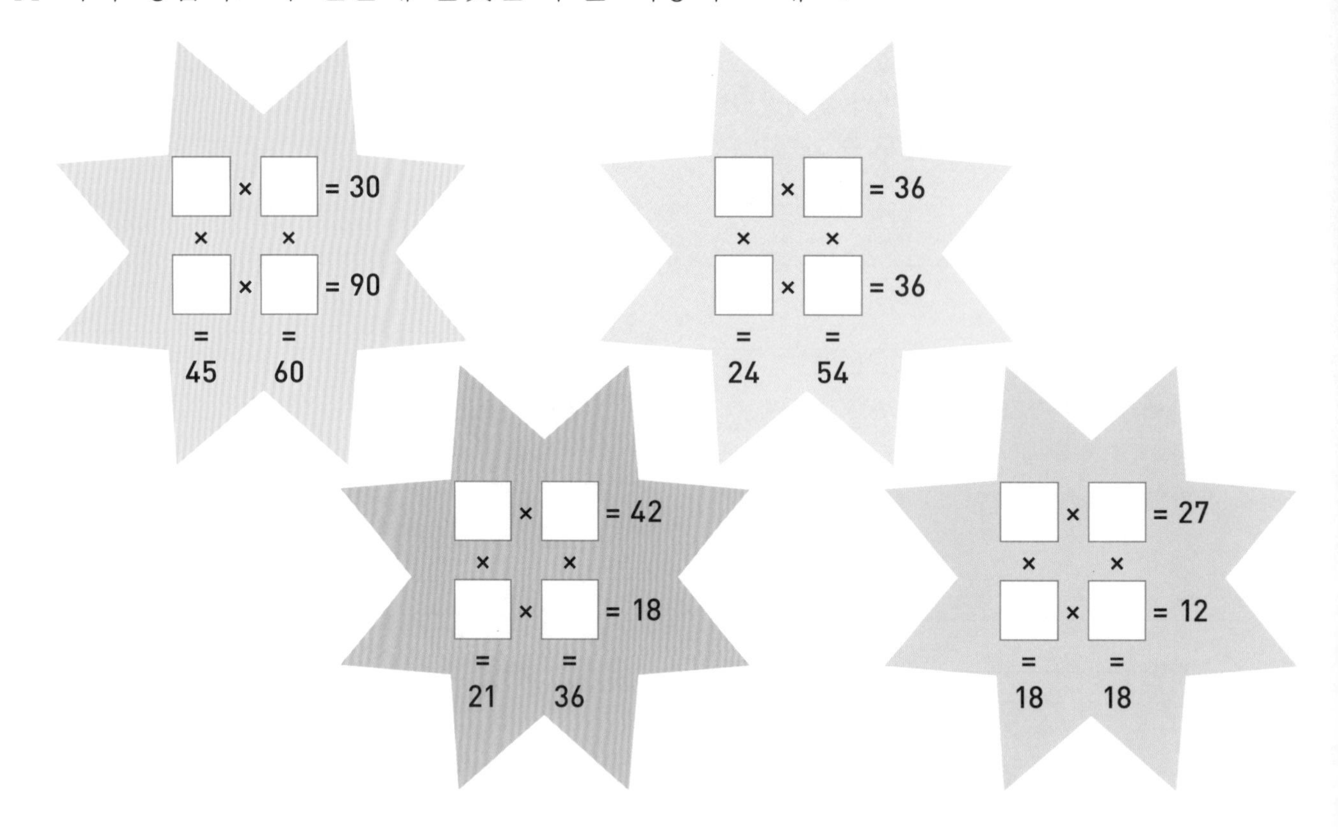

8. 다음 표를 완성해 보세요.

×	5	6	7	8	9	10	11	12	13	14	15
3	15	18									
6	30										
9	45										

9. 그림이 들어간 식을 보고 그림의 값을 구해 보세요.

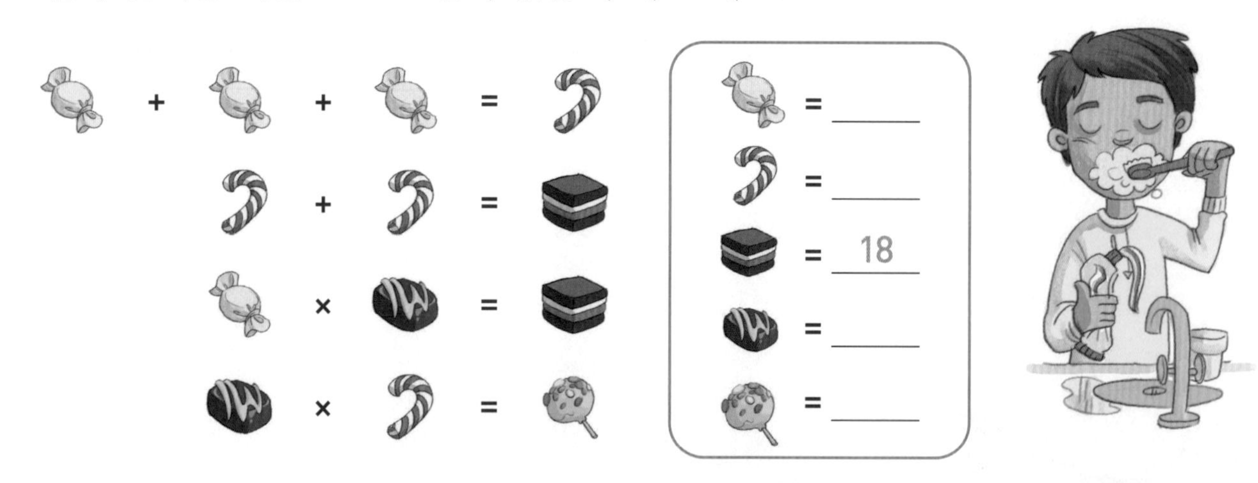

10. 주어진 수가 나올 수 있도록 〈보기〉와 같이 곱셈식을 만들어 보세요.
단, 두 번째 줄에는 2와 3만 쓸 수 있어요.

<보기> $18 = 6 \times 3$
$= 2 \times 3 \times 3$

12 = ______________ 24 = ______________
= ______________ = ______________

48 = ______________ 27 = ______________
= ______________ = ______________

36 = ______________ 72 = ______________
= ______________ = ______________

11. 식이 성립하도록 빈칸에 알맞은 수를 써넣어 보세요.

____ $\times 6 = 9 \times 4$ ____ $\times 3 = 9 \times 5$ ____ $\times 8 = 3 \times 8 \times 3$

____ $\times 3 = 2 \times 9$ ____ $\times 6 = 0 \times 9$ ____ $\times 3 = 3 \times 9 \times 2$

한 번 더 연습해요!

1. 계산해 보세요.

$9 \times 7 =$ ____ $9 \times 8 =$ ____ $6 \times 4 =$ ____ $9 \times 0 =$ ____

$9 \times 3 =$ ____ $9 \times 5 =$ ____ $9 \times 7 =$ ____ $6 \times 7 =$ ____

2. 아래 글을 읽고 알맞은 식을 세워 답을 구해 보세요.

❶ 토너먼트에 7팀이 참가해요. 각 팀이 9명이라면 토너먼트에 참가하는 선수는 모두 몇 명일까요?

식 : ______________

정답 : ______________

❷ 5팀이 있는데 각 팀은 9점씩 기록했어요. 5팀의 점수는 모두 몇 점일까요?

식 : ______________

정답 : ______________

_____ 월 _____ 일 _____ 요일

1. 조건에 맞게 길을 따라 색칠해 보세요.

❶ 캐시는 3단을 따라 스케이트보드를 타요. 캐시가 가는 길을 주황색으로 색칠하세요.

❷ 칩은 6단을 따라 스케이트보드를 타요. 칩이 가는 길을 파란색으로 색칠하세요.

❸ 부엉이는 9단을 따라 스케이트보드를 타요. 부엉이가 가는 길을 초록색으로 색칠하세요.

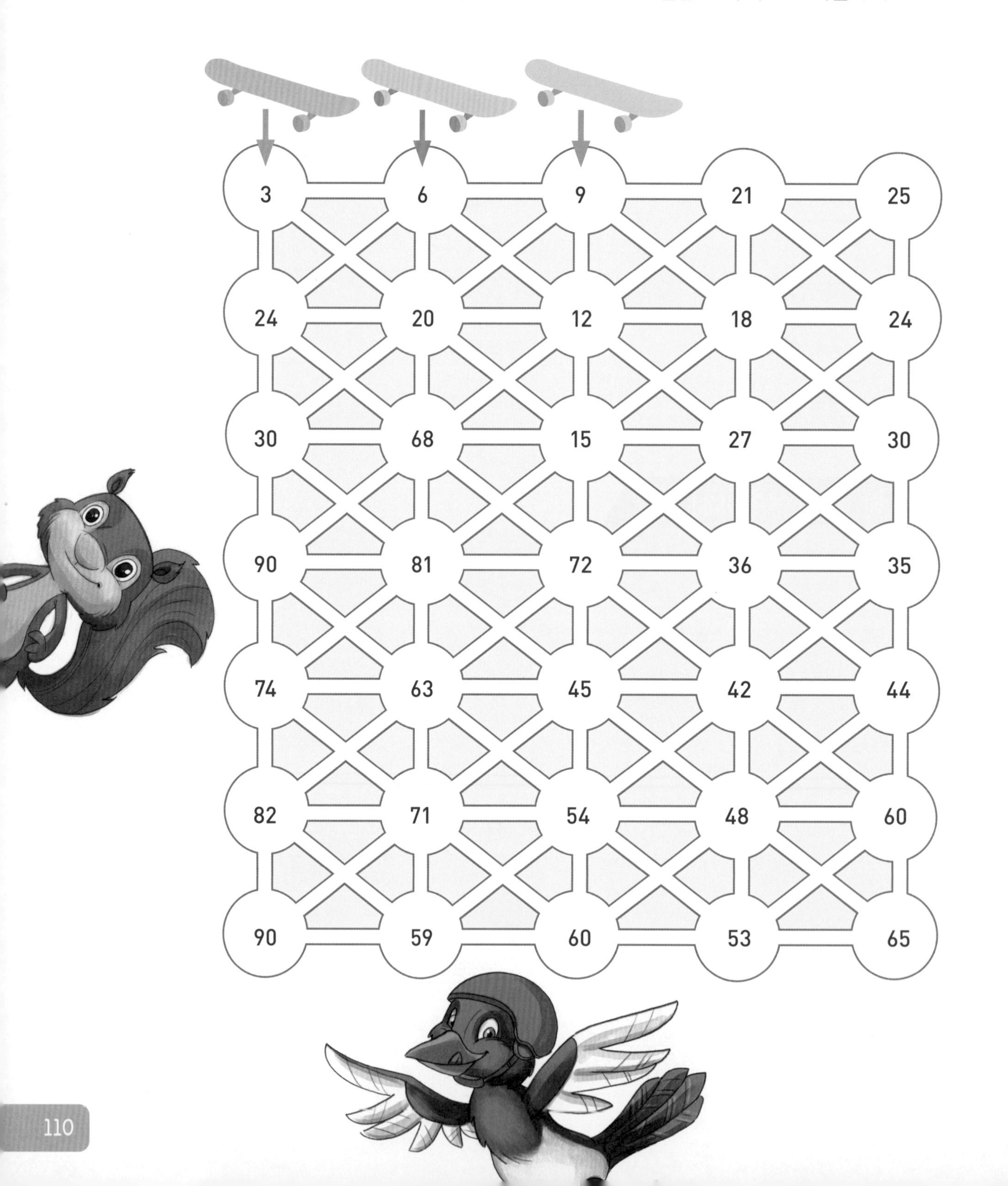

2. 아래 글을 읽고 식을 세워 답을 구한 후, 애벌레에서 찾아 ○표 해 보세요.

❶ 요나의 팀은 5가지 과제를 했는데 과제마다 9점씩 받았어요. 요나의 팀이 받은 점수는 모두 몇 점일까요?

식 :

정답 :

❷ 벨라의 팀은 7가지 과제를 했는데 각 과제마다 6점씩 받았어요. 벨라의 팀이 받은 점수는 모두 몇 점일까요?

식 :

정답 :

❸ 니키타의 팀은 4가지 과제를 했는데 과제마다 9점씩 받았어요. 니키타의 팀이 받은 점수는 모두 몇 점일까요?

식 :

정답 :

❹ 올리의 팀은 6가지 과제를 했는데 과제마다 8점씩 받았어요. 올리의 팀이 받은 점수는 모두 몇 점일까요?

식 :

정답 :

❺ 아이노의 팀은 5가지 과제를 했는데 과제마다 8점씩 받았어요. 아이노의 팀이 받은 점수는 모두 몇 점일까요?

식 :

정답 :

❻ 다니엘의 팀은 10가지 과제를 했는데 과제마다 10점씩 받았어요. 다니엘의 팀이 받은 점수는 모두 몇 점일까요?

식 :

정답 :

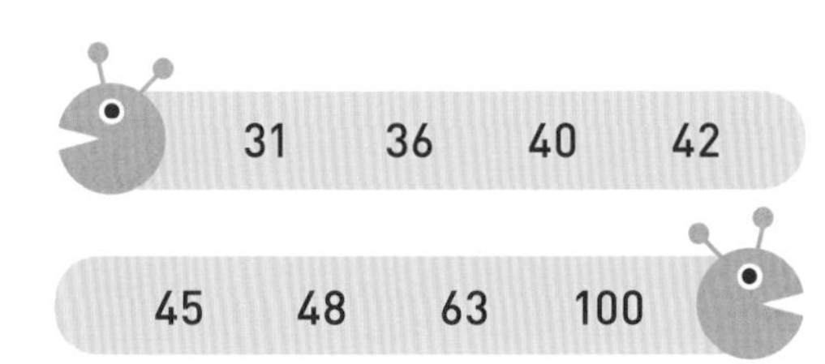

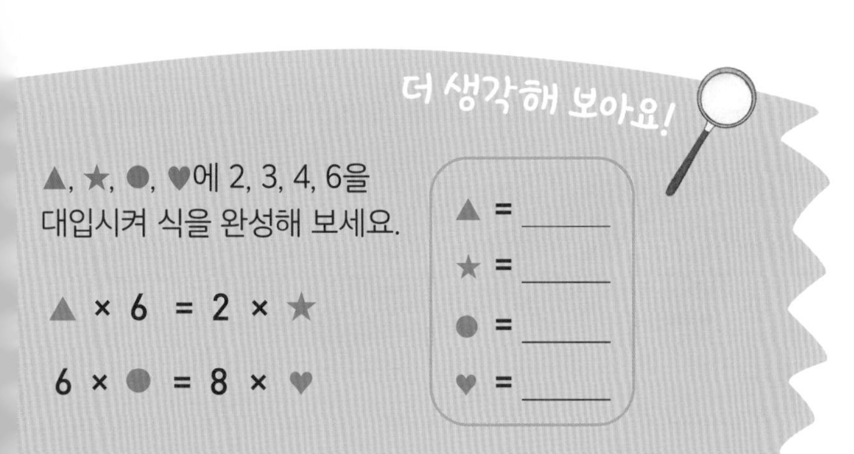

더 생각해 보아요!
▲, ★, ●, ♥에 2, 3, 4, 6을 대입시켜 식을 완성해 보세요.
▲ × 6 = 2 × ★
6 × ● = 8 × ♥
▲ = ______
★ = ______
● = ______
♥ = ______

3. 빈칸에 알맞은 수를 써넣어 보세요.

18 = 3 × ______	48 = 6 × ______	72 = 9 × ______	15 = 3 × ______
9 = 3 × ______	54 = 6 × ______	90 = 9 × ______	30 = 6 × ______
27 = 3 × ______	24 = 6 × ______	36 = 9 × ______	45 = 9 × ______
12 = 3 × ______	36 = 6 × ______	81 = 9 × ______	60 = 6 × ______

4. 다음 표에서 알맞은 수에 ○표 해 보세요.

❶ 5칸씩 뛰어 세기 한 수는 빨간색

❷ 10칸씩 뛰어 세기 한 수는 파란색

❸ 8칸씩 뛰어 세기 한 수는 초록색

1	2	3	4	(5)	6	7	(8)	9	(10)	11	12	13	14	15	16	17	18	19	20
21	22	23	24	25	26	27	28	29	30	31	32	33	34	35	36	37	38	39	40
41	42	43	44	45	46	47	48	49	50	51	52	53	54	55	56	57	58	59	60
61	62	63	64	65	66	67	68	69	70	71	72	73	74	75	76	77	78	79	80
81	82	83	84	85	86	87	88	89	90	91	92	93	94	95	96	97	98	99	100

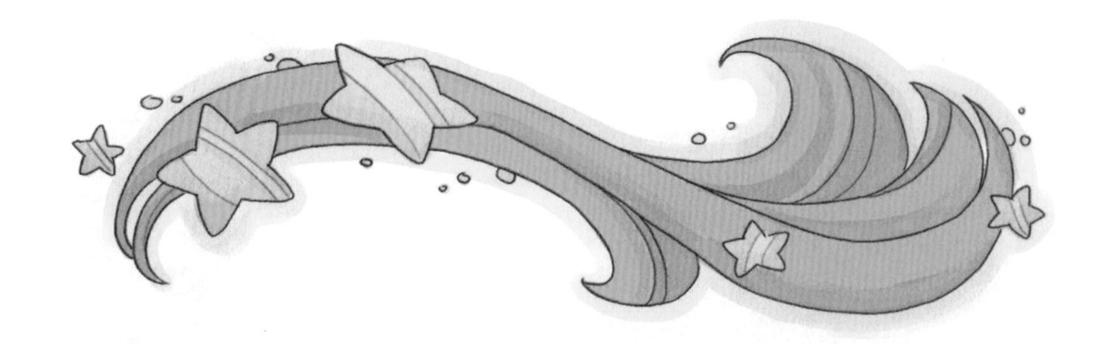

5. □ 안에 >, =, <를 알맞게 써넣어 보세요.

9 × 9 □ 8 × 8	6 × 2 □ 3 × 6	4 × 8 □ 9 × 4
3 × 9 □ 9 × 3	6 × 9 □ 9 × 5	7 × 9 □ 8 × 8
3 × 6 □ 2 × 9	3 × 8 □ 4 × 6	6 × 8 □ 9 × 5

6. 나는 어떤 수일까요?

① 나에게서 14를 빼면 7과 9를 곱한 수와 같아요.

나는 ______예요.

② 4와 5를 곱한 값을 나에게 더하면 5와 15를 곱한 수와 같아요.

나는 ______예요.

한 번 더 연습해요!

1. 계산해 보세요.

8 × 9 = ____	9 × 9 = ____	64 = 8 × ____	45 = 9 × ____
9 × 6 = ____	7 × 6 = ____	36 = 4 × ____	28 = 7 × ____
3 × 9 = ____	6 × 8 = ____	36 = 6 × ____	40 = 5 × ____
5 × 6 = ____	7 × 3 = ____	56 = 7 × ____	63 = 7 × ____

2. 아래 글을 읽고 알맞은 식을 세워 답을 구해 보세요.

① 에이노의 팀은 6가지 과제를 했는데 과제마다 9점씩 받았어요. 에이노의 팀이 받은 점수는 모두 몇 점일까요?

식 : ____________

정답 : ____________

② 카일라의 팀은 7가지 과제를 했는데 과제마다 8점씩 받았어요. 카일라의 팀이 받은 점수는 모두 몇 점일까요?

식 : ____________

정답 : ____________

___월 ___일 ___요일

20 7단

$7 \times 0 = 0$
$7 \times 1 = 7$
$7 \times 2 = 14$
$7 \times 3 = 21$
$7 \times 4 = 28$
$7 \times 5 = 35$
$7 \times 6 = 42$
$7 \times 7 = 49$
$7 \times 8 = 56$
$7 \times 9 = 63$
$7 \times 10 = 70$

1. 캐시가 7칸씩 뛰어가기를 해요. □ 안에 알맞은 수를 써넣어 보세요.

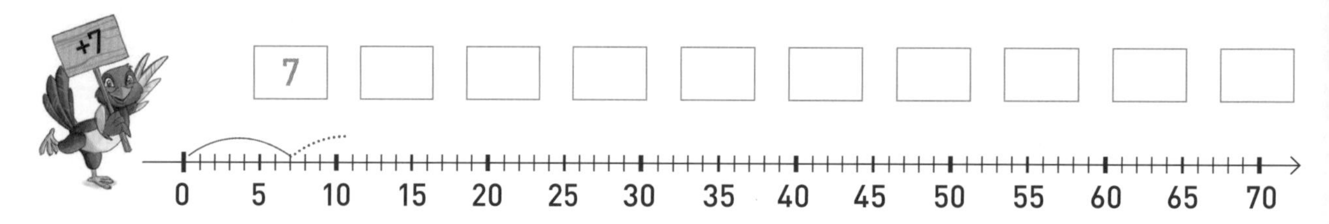

2. 계산해 보세요.

$7 \times 2 =$ ______　　$7 \times 3 =$ ______　　$7 \times 4 =$ ______　　$7 \times 5 =$ ______

$7 \times 4 =$ ______　　$7 \times 6 =$ ______　　$7 \times 8 =$ ______　　$7 \times 10 =$ ______

3. 다음 표를 완성해 보세요.

×	0	1	2	3	4	5	6	7	8	9	10
5	0	5	10								
2	0	2	4								
7	0	7	14								

4. 곱셈식을 세워 답을 구해 보세요. 1주일은 7일이에요.

❶ 3주이면 며칠일까요?

____

❷ 7주이면 며칠일까요?

____

5. 아래 글을 읽고 식을 세워 답을 구한 후, 애벌레에서 찾아 ○표 해 보세요.

❶ 스튜어트는 한 달에 책을 7권씩 읽어요. 스튜어트가 4달 동안 읽는 책은 모두 몇 권일까요?

식 : ______________________

정답 : ______________________

❷ 1주일은 7일이에요. 린다의 가족은 2주 동안 해외여행을 떠나요. 린다 가족의 여행은 며칠 걸릴까요?

식 : ______________________

정답 : ______________________

❸ 피터의 할머니는 3주 동안 여행을 가요. 할머니의 여행은 며칠 걸릴까요?

식 : ______________________

정답 : ______________________

❹ 이웃 아기가 태어난 지 9주가 되었어요. 아기는 태어난 지 며칠이 된 걸까요?

식 : ______________________

정답 : ______________________

❺ 엠마의 아빠는 하루에 7시간을 자요. 엠마의 아빠가 6일 동안 잔 시간은 얼마일까요?

식 : ______________________

정답 : ______________________

❻ 알렉의 엄마는 하루에 7시간을 일해요. 알렉의 엄마는 5일 동안 몇 시간을 일할까요?

식 : ______________________

정답 : ______________________

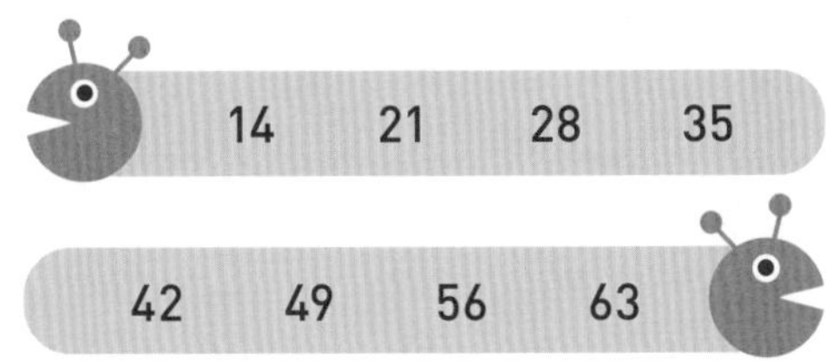

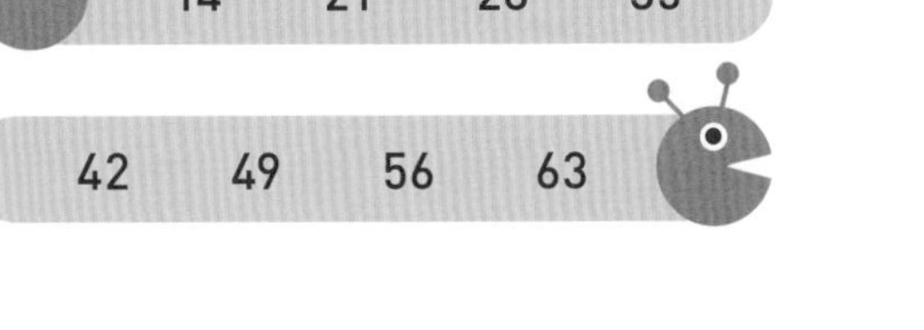

더 생각해 보아요!

오늘은 화요일이에요. 오늘부터 15일 후는 무슨 요일일까요?

____

6. 계산한 순서대로 답을 찾아 선으로 이어 보세요.

7 × 6 = ______	8 × 6 = ______
4 × 8 = ______	7 × 8 = ______
7 × 4 = ______	3 × 6 = ______
9 × 6 = ______	7 × 5 = ______
7 × 3 = ______	4 × 9 = ______
5 × 4 = ______	7 × 2 = ______
7 × 10 = ______	8 × 8 = ______
3 × 8 = ______	7 × 9 = ______
7 × 7 = ______	5 × 9 = ______
9 × 9 = ______	5 × 3 = ______
7 × 1 = ______	6 × 9 = ______

7. 아래 달력을 보고 문제의 답을 구해 보세요.

오늘은 9월 20일이에요. 알렉의 생일은 오늘부터 정확히 7주 후예요.

❶ 알렉의 생일은 무슨 요일일까요? ______________

❷ 생일이 되기까지 며칠 남았나요? ______________

❸ 알렉의 생일은 몇 월 며칠일까요? ______________

9월

월	화	수	목	금	토	일
					1	2
3	4	5	6	7	8	9
10	11	12	13	14	15	16
17	18	19	20	21	22	23
24	25	26	27	28	29	30

10월

월	화	수	목	금	토	일
1	2	3	4	5	6	7
8	9	10	11	12	13	14
15	16	17	18	19	20	21
22	23	24	25	26	27	28
29	30	31				

11월

월	화	수	목	금	토	일
			1	2	3	4
5	6	7	8	9	10	11
12	13	14	15	16	17	18
19	20	21	22	23	24	25
26	27	28	29	30		

8. 다음 표를 완성해 보세요.

×	5	6	7	8	9	10	11	12	13	14	15
7	35	42									
9	45	54									

9. 보기처럼 가로나 세로 방향으로 곱셈식이 성립하는 수를 찾아 색칠해 보세요. 같은 수가 여러 곱셈식에 쓰일 수 있어요.

35	20	9	2	8	24	36	12
5	4	8	7	56	9	7	44
7	7	49	14	8	6	7	42
3	24	4	10	6	54	5	15
21	9	40	6	32	50	10	4
3	32	8	4	2	25	5	5
20	4	36	24	6	32	8	4

10. 빈칸에 알맞은 수를 써넣어 보세요.

$\_\_\_\_ \times 14 = 6 \times 7$

$\_\_\_\_ \times 21 = 7 \times 9$

$\_\_\_\_ \times 2 = 10 \times 7$

$\_\_\_\_ \times 4 = 8 \times 7$

$\_\_\_\_ \times 7 = 3 \times 7 \times 2$

$\_\_\_\_ \times 2 = 2 \times 7 \times 2$

한 번 더 연습해요!

1. 계산해 보세요.

$7 \times 3 =$ ____	$9 \times 4 =$ ____	$6 \times 8 =$ ____	$7 \times 10 =$ ____
$9 \times 8 =$ ____	$7 \times 7 =$ ____	$7 \times 9 =$ ____	$9 \times 9 =$ ____
$5 \times 10 =$ ____	$7 \times 2 =$ ____	$7 \times 4 =$ ____	$3 \times 7 =$ ____

2. 아래 글을 읽고 알맞은 식을 세워 답을 구해 보세요. 1주일은 7일이에요.

❶ 9주이면 며칠일까요?

식 : ____________________

정답 : ____________________

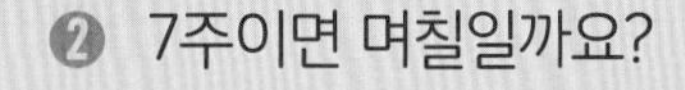

❷ 7주이면 며칠일까요?

식 : ____________________

정답 : ____________________

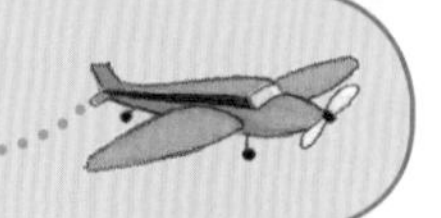

21 곱셈의 교환법칙

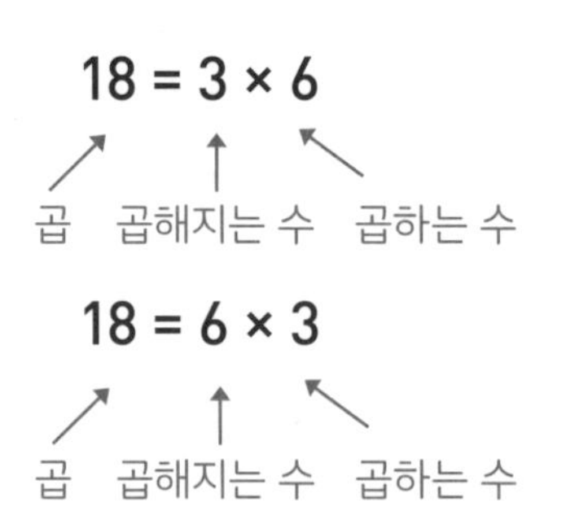

- 곱셈에서 곱해지는 수와 곱하는 수의 순서가 바뀌어도 결과는 같아요.

1. 그림을 보고 알맞은 곱셈식을 써 보세요.

❶ 단추가 8개 있어요.

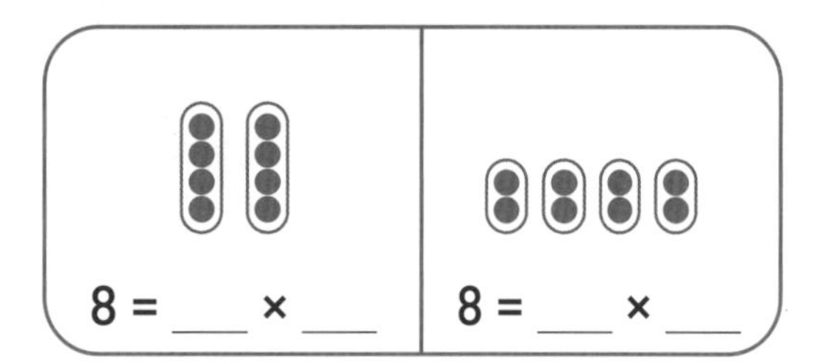

❷ 단추가 12개 있어요.

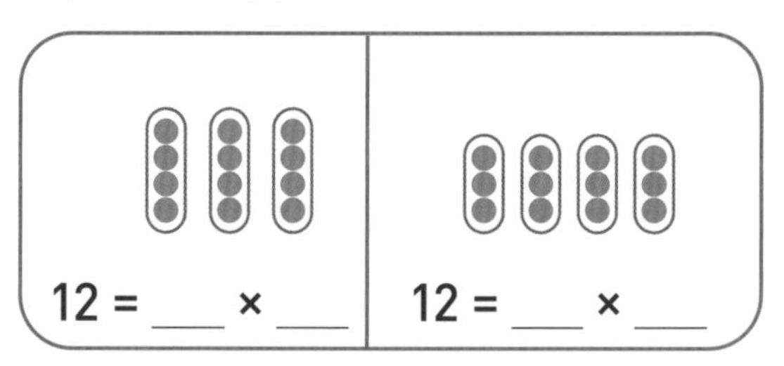

❸ 단추가 15개 있어요.

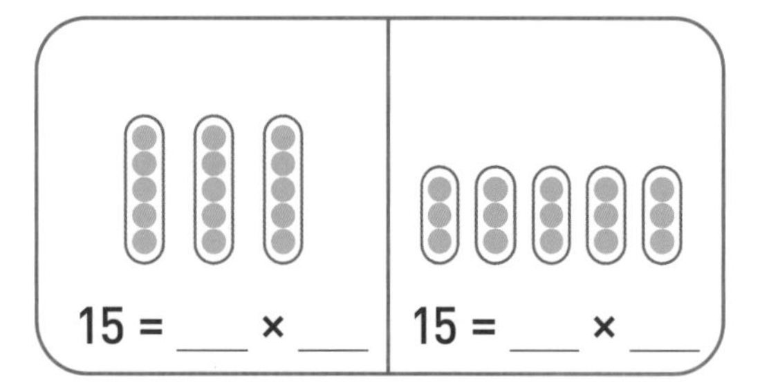

❹ 단추가 14개 있어요.

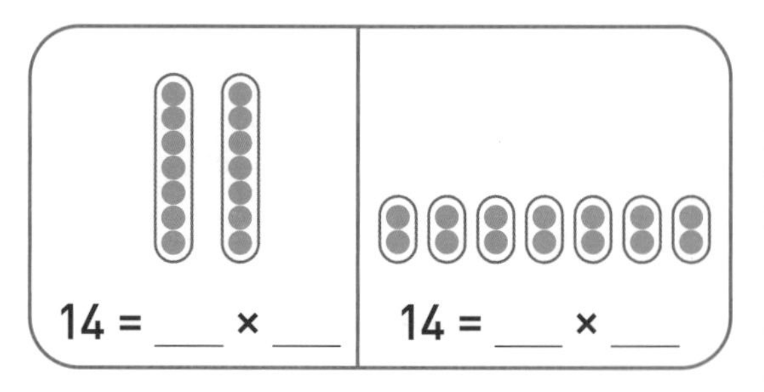

❺ 단추가 24개 있어요.

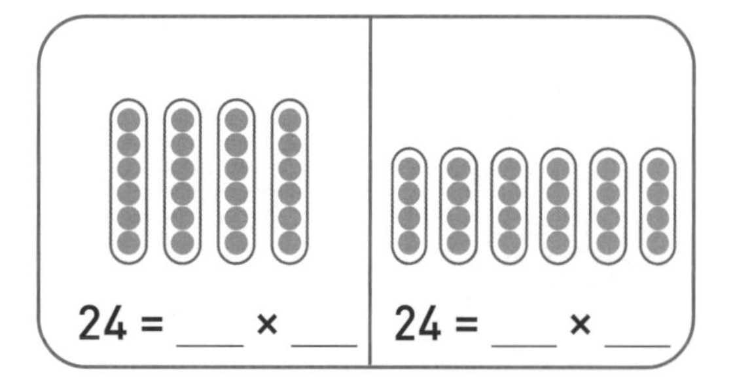

❻ 단추가 35개 있어요.

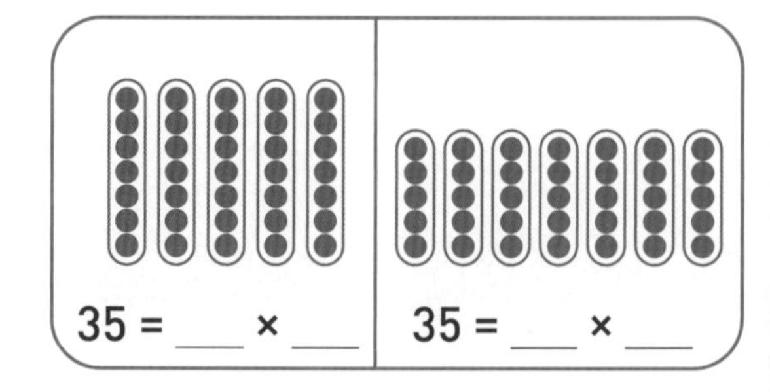

2. 그림을 보고 알맞은 곱셈식을 세워 공의 수를 구해 보세요.

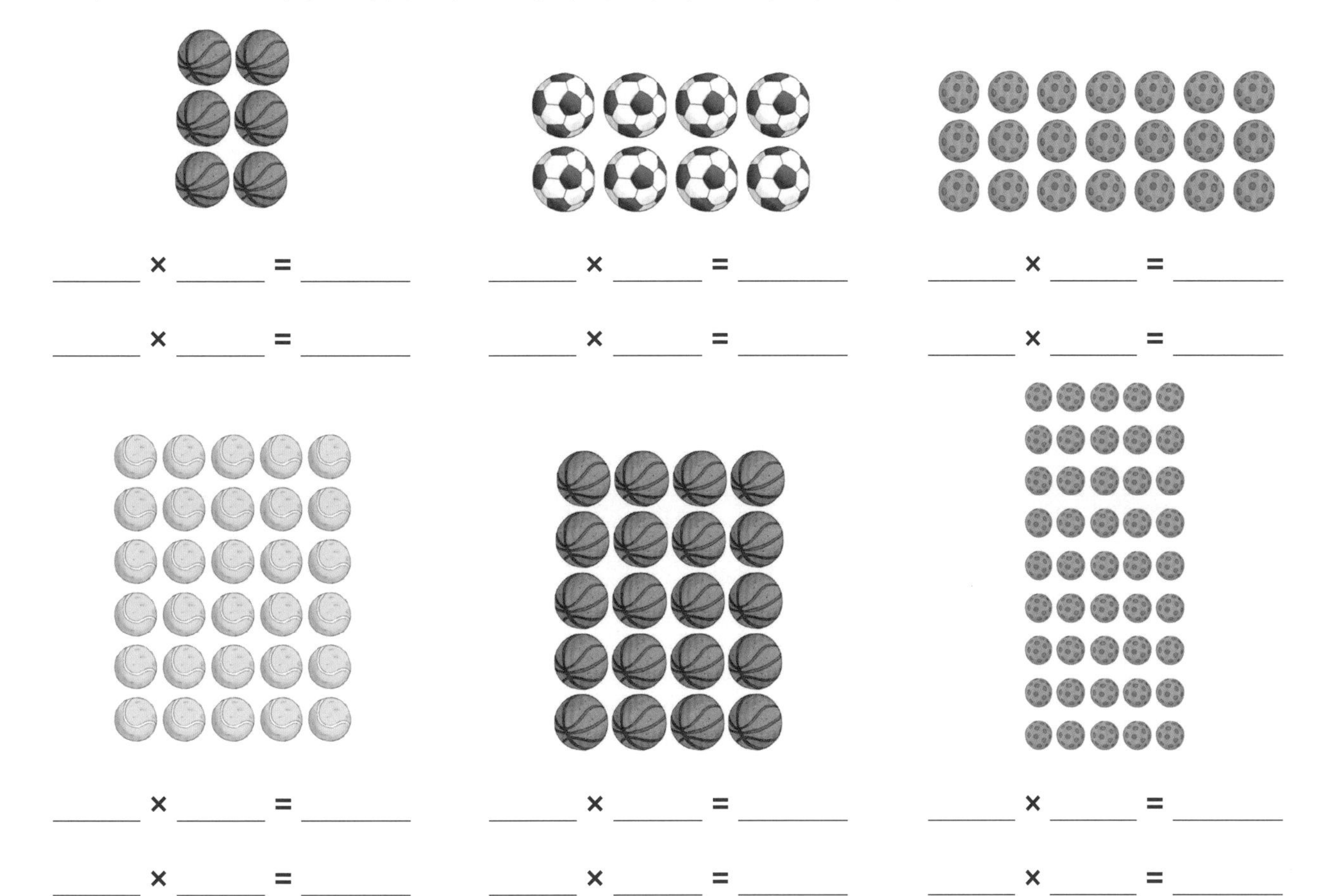

3. 곱셈식과 답을 선으로 이어 보세요.

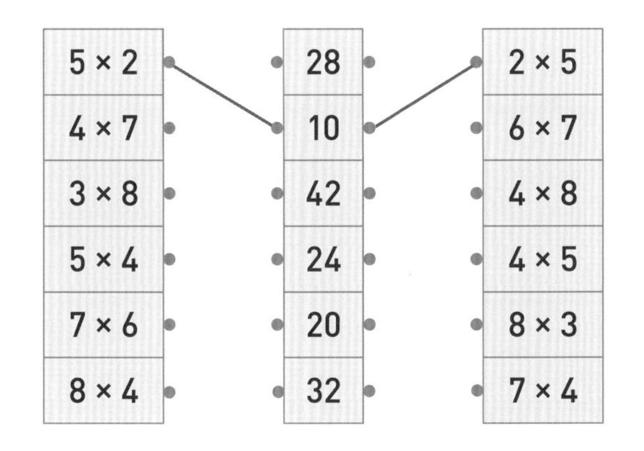

5 × 2	28	2 × 5
4 × 7	10	6 × 7
3 × 8	42	4 × 8
5 × 4	24	4 × 5
7 × 6	20	8 × 3
8 × 4	32	7 × 4

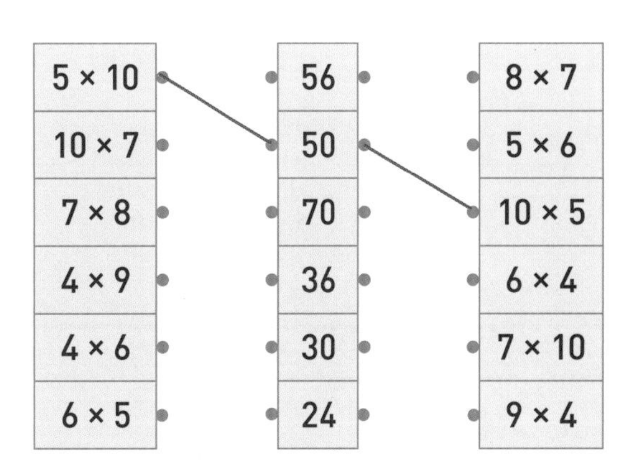

5 × 10	56	8 × 7
10 × 7	50	5 × 6
7 × 8	70	10 × 5
4 × 9	36	6 × 4
4 × 6	30	7 × 10
6 × 5	24	9 × 4

더 생각해 보아요!

k x k = 5, s x s = 3,
t x t = 4일 때
다음 곱셈식을 계산해 보세요.

s × s × k × k = ______

t × k × t × k = ______

t × s × k × s × k × t = ______

4. 그림을 그리고 알맞은 곱셈식을 세워 공의 수를 구해 보세요.

❶ 축구공이 3개씩 들어 있는 상자가 4개 있어요.

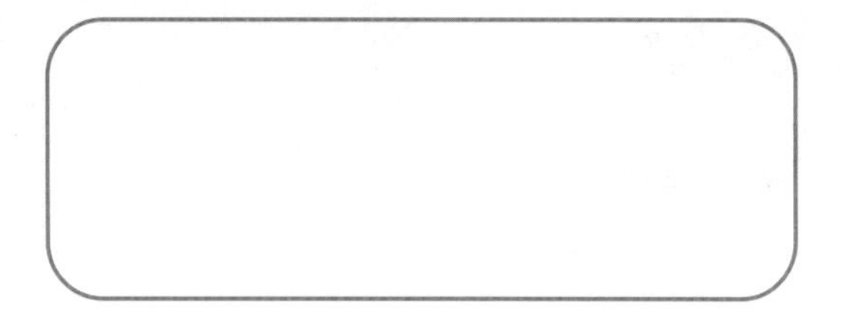

식 :

정답 :

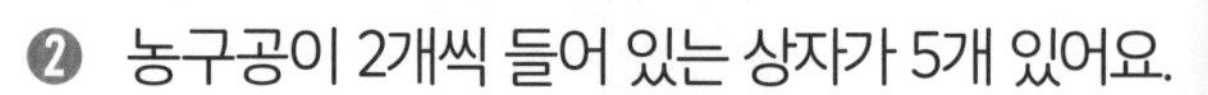

❷ 농구공이 2개씩 들어 있는 상자가 5개 있어요.

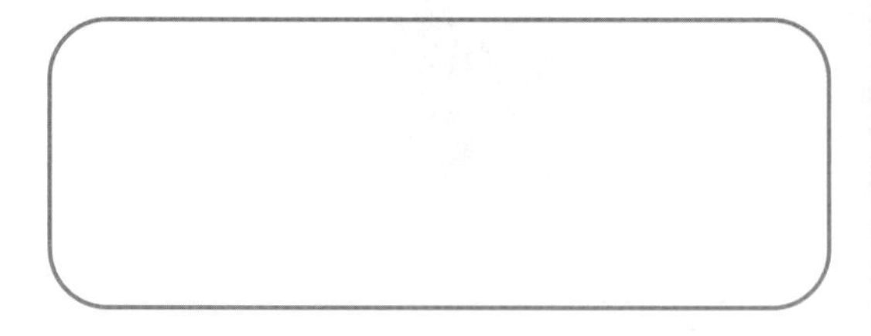

식 :

정답 :

❸ 골프공이 7개씩 들어 있는 상자가 3개 있어요.

식 :

정답 :

❹ 테니스공이 9개씩 들어 있는 상자가 2개 있어요.

식 :

정답 :

5. 계산값이 같은 것끼리 선으로 이어 보세요.

5 + 5 + 5 + 5 + 5 + 5 •	• 6 + 6 + 6 + 6
9 + 9 + 9 •	• 3 + 3 + 3 + 3 + 3 + 3 + 3 + 3 + 3
10 + 10 + 10 + 10 + 10 •	• 7 + 7 + 7
4 + 4 + 4 + 4 + 4 + 4 •	• 6 + 6 + 6 + 6 + 6
2 + 2 + 2 + 2 + 2 •	• 5 + 5
3 + 3 + 3 + 3 + 3 + 3 + 3 •	• 4 + 4 + 4 + 4 + 4 + 4 + 4 + 4
8 + 8 + 8 + 8 •	• 5 + 5 + 5 + 5 + 5 + 5 + 5 + 5 + 5 + 5

6. 아래 설명을 읽고 문제의 답을 구해 보세요.

표의 아무 칸에서 시작하여 1부터 차례대로 써 보세요. 이때 규칙이 있어요. <보기>와 같이 가로나 세로로는 2칸을, 대각선으로는 1칸을 움직일 수 있어요. 표에 화살표를 실제로 그리지는 마세요. 표의 빈칸을 25까지 채운 후 마지막에 도달한 수에 O표 해 보세요.

<예>

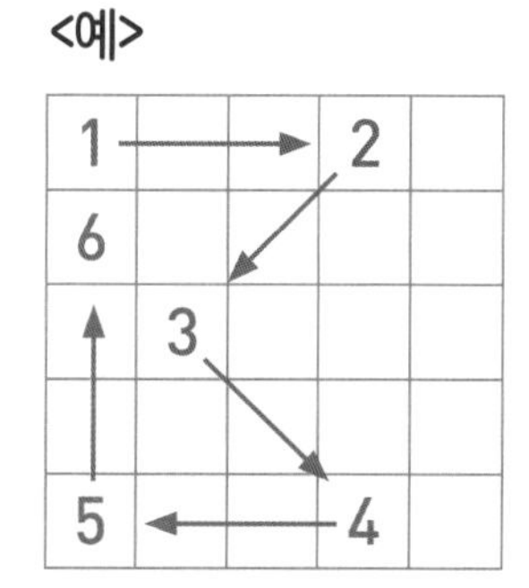

1회

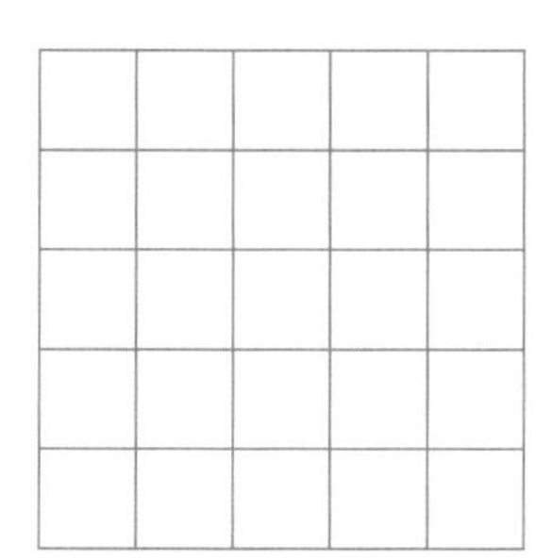

2회

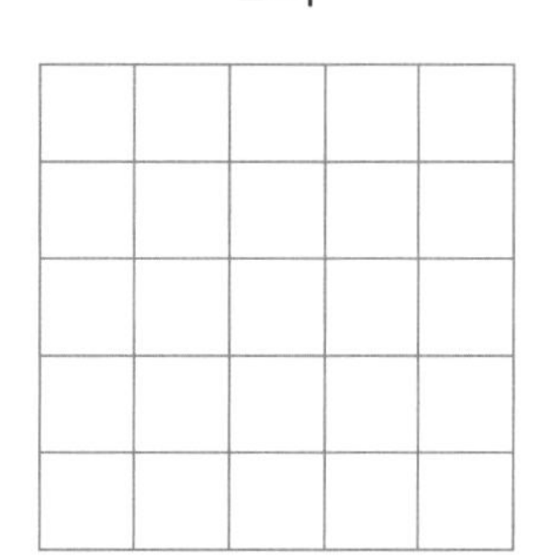

3회

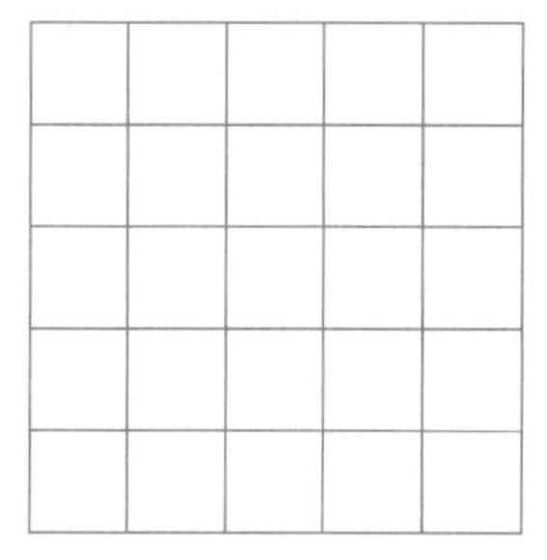

한 번 더 연습해요!

1. 공이 몇 개 있나요? 서로 다른 곱셈식 2개를 세워 답을 구해 보세요.

____ × ____ = ____

____ × ____ = ____

____ × ____ = ____

____ × ____ = ____

____ × ____ = ____

____ × ____ = ____

2. 계산해 보세요.

$6 \times 2 =$ ____	$2 \times 7 =$ ____	$7 \times 5 =$ ____	$5 \times 6 =$ ____
$2 \times 6 =$ ____	$7 \times 2 =$ ____	$5 \times 7 =$ ____	$6 \times 5 =$ ____
$6 \times 4 =$ ____	$3 \times 9 =$ ____	$7 \times 8 =$ ____	$8 \times 4 =$ ____

7. 문제의 답을 구해 보세요.

❶ 아래 단서를 읽고 몰리의 수를 구해 보세요.
- 5단에 나오는 수예요.
- 2단에 나오는 수예요.
- 8단에 나오는 수예요.

몰리의 수는 무엇일까요? ______

❷ 아래 단서를 읽고 기디온의 수를 구해 보세요.
- 8단에 나오지 않는 수예요.
- 2단에 나오는 수예요.
- 3단과 9단에 나오는 수예요.

기디온의 수는 무엇일까요? ______

❸ 아래 단서를 읽고 찰리의 수를 구해 보세요.
- 8단에 나오는 수예요.
- 각 자리의 수를 모두 더하면 8보다 커요.
- 십의 자리 수는 일의 자리 수보다 커요.

찰리의 수는 무엇일까요? ______

8. 아래 글을 읽고 참, 거짓을 표시해 보세요.

	참	거짓
❶ 24는 3단, 4단, 6단에 모두 나오는 수예요.	☐	☐
❷ 6단에 나오는 수는 모두 짝수예요.	☐	☐
❸ 30단은 3단, 5단, 6단에 모두 나오는 수예요.	☐	☐

9. 아래 글을 읽고 답을 구해 보세요.

학생 77명이 일렬로 서 있어요. 8씩 뛰어 세기 한 번호의 학생이 모둠 장을 맡기로 정했어요. 줄의 3번째에 서 있던 알렉이 모둠 장을 우선 맡았어요. 엠마는 53번, 안나는 67번, 헬렌은 76번째에 있어요. 세 명 중 누가 모둠 장을 맡게 될까요?

____

아하! 그렇구나.

한 번 더 연습해요!

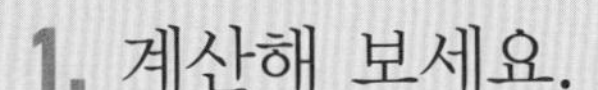

1. 계산해 보세요.

6 × 2 = ______	4 × 8 = ______	9 × 5 = ______	7 × 3 = ______
3 × 8 = ______	5 × 4 = ______	6 × 9 = ______	5 × 7 = ______

2. 아래 글을 읽고 알맞은 식을 세워 답을 구해 보세요.

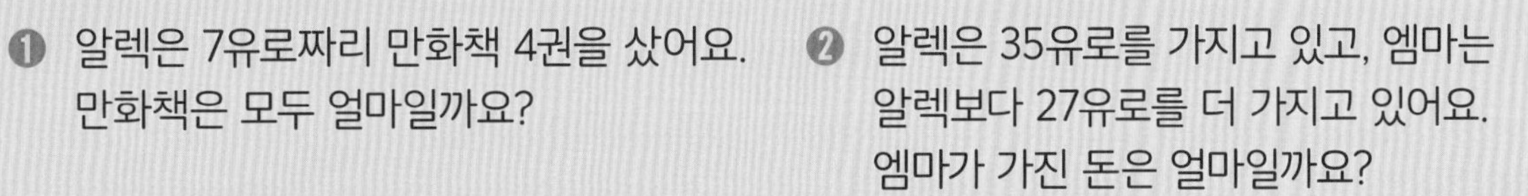

❶ 알렉은 7유로짜리 만화책 4권을 샀어요. 만화책은 모두 얼마일까요?

식 : ______________

정답 : ______________

❷ 알렉은 35유로를 가지고 있고, 엠마는 알렉보다 27유로를 더 가지고 있어요. 엠마가 가진 돈은 얼마일까요?

식 : ______________

정답 : ______________

실력을 평가해 봐요!

____ 월 ____ 일 ____ 요일

1. 그림을 보고 덧셈식과 곱셈식을 세워 계산해 보세요.

____ + ____ + ____ = ______

____ × ____ = ______

____ + ____ + ____ + ____ = ______

____ × ____ = ______

2. 그림을 보고 서로 다른 곱셈식 2개를 세워 계산해 보세요.

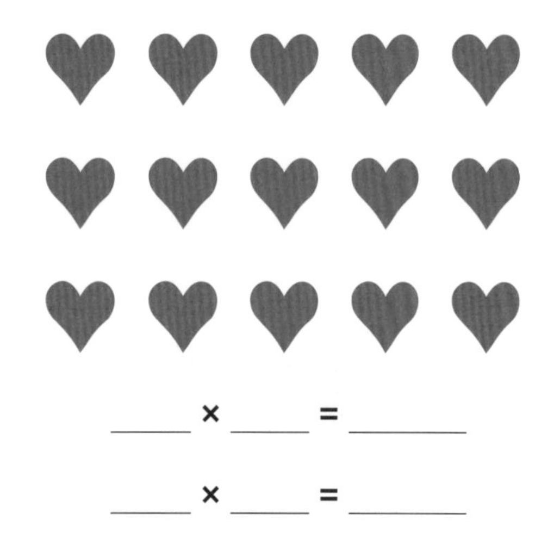

____ × ____ = ______

____ × ____ = ______

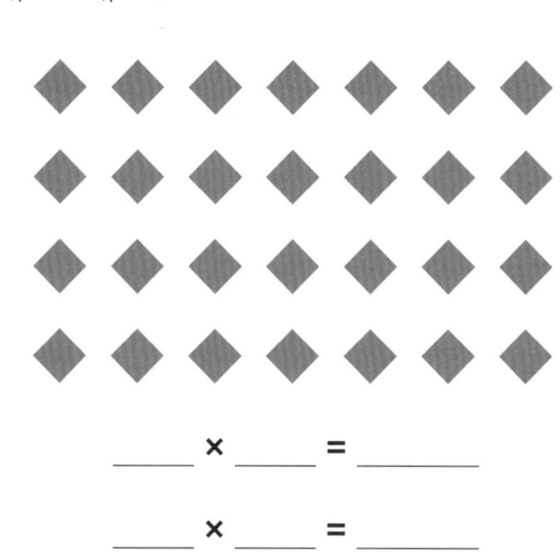

____ × ____ = ______

____ × ____ = ______

3. 계산해 보세요.

6 × 4 = ______

2 × 8 = ______

3 × 5 = ______

7 × 8 = ______

9 × 8 = ______

3 × 9 = ______

2 × 5 = ______

4 × 8 = ______

2 × 10 = ______

8 × 1 = ______

10 × 5 = ______

9 × 4 = ______

5 × 2 = ______

2 × 4 = ______

6 × 7 = ______

8 × 7 = ______

8 × 4 = ______

9 × 5 = ______

8 × 9 = ______

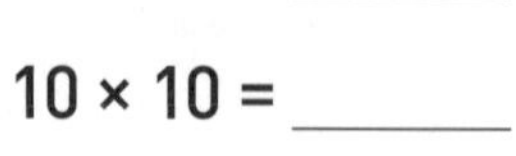

10 × 10 = ______

4. 아래 글을 읽고 알맞은 식을 세워 답을 구해 보세요.

❶ 엠마는 영화표 6장을 샀어요. 표 한 장은 9유로예요. 영화표는 모두 얼마일까요?

식 : ______________________

정답 : ______________________

❷ 알렉은 5유로 지폐 6장을 가지고 있어요. 알렉이 가진 돈은 모두 얼마일까요?

식 : ______________________

정답 : ______________________

❸ 엠마는 4일 동안 매일 자전거를 7km씩 탔어요. 엠마가 자전거를 탄 거리는 모두 몇 km일까요?

식 : ______________________

정답 : ______________________

❹ 학생들이 7명씩 8모둠 있어요. 학생은 모두 몇 명일까요?

식 : ______________________

정답 : ______________________

5. 빈칸에 알맞은 수를 넣어 보세요.

____ × 4 = 36	7 × ____ = 28	5 × ____ = 4 × 10
____ × 8 = 64	5 × ____ = 45	6 × ____ = 9 × 4
____ × 8 = 72	7 × ____ = 56	4 × ____ = 8 × 3

실력이 자란 만큼 별을 색칠하세요.

★★★ 정말 잘했어요.

★★☆ 꽤 잘했어요.

★☆☆ 앞으로 더 노력할게요.

1

다음 표를 완성해 보세요.

×	4	5	6	7	8	9	10
6	24						
7							
8							
9							
10							

2

계산해 보세요.

5 × 9 = ______

4 × 8 = ______

7 × 5 = ______

3 × 7 = ______

9 × 2 = ______

3 × 9 = ______

9 × 10 = ______

10 × 10 = ______

3

다음 표를 완성해 보세요.

❶ 규칙에 맞게 빈칸에 알맞은 수를 써넣어 보세요.

10	15	20						50

72	64	56						8

❷ 다음 수를 보고 어떤 규칙이 있는지 설명해 보세요.

71	64	57	50	43	36	29	22	15

____

____

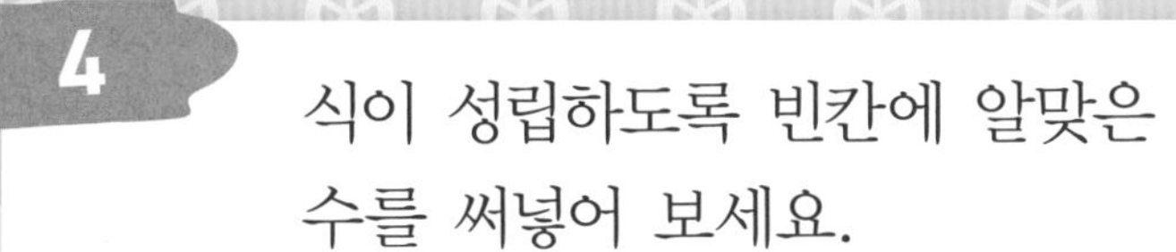

4

식이 성립하도록 빈칸에 알맞은 수를 써넣어 보세요.

54 = ____ × 9	____ × ____ = 64
48 = ____ × 6	____ × ____ = 45
63 = ____ × 7	____ × ____ = 56

5

그림이 들어간 식을 보고 그림의 값을 구해 보세요.

  ×  = 

 ×  = 36

 ×  = 36

 ×  = 27

 = ____

  = ____

 = ____

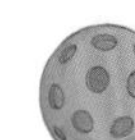 = ____

6

그림이 들어간 식을 보고 그림의 값을 구해 보세요.

 ♥ × ♥ × ♥ = ★

▲ + ▲ = ★

♥ × ♥ = ▲

★ = ____

▲ = ____

♥ = ____

도전! 심화 평가
1단계

___ 월 ___ 일 ___ 요일

1. 그림을 보고 덧셈식과 곱셈식을 세워 계산해 보세요.

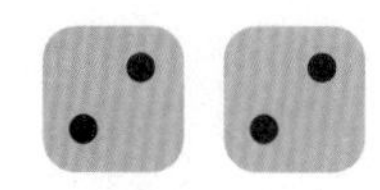

___ + ___ = ______

___ × ___ = ______

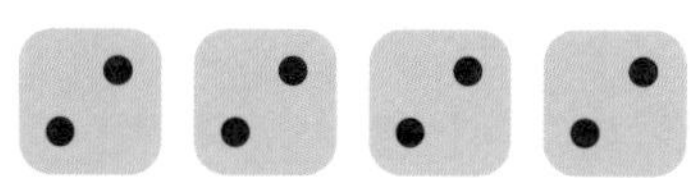

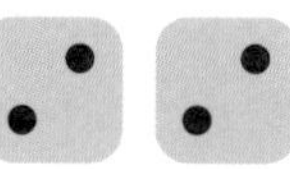

___ + ___ + ___ + ___ = ______

___ × ___ = ______

2. 계산해 보세요.

$2 \times 2 =$ ______ $3 \times 2 =$ ______ $4 \times 2 =$ ______ $5 \times 2 =$ ______

$2 \times 4 =$ ______ $3 \times 4 =$ ______ $4 \times 4 =$ ______ $5 \times 4 =$ ______

3. 계산해 보세요.

$2 \times 5 =$ ______ $4 \times 5 =$ ______ $6 \times 5 =$ ______ $8 \times 5 =$ ______

$2 \times 10 =$ ______ $4 \times 10 =$ ______ $6 \times 10 =$ ______ $8 \times 10 =$ ______

4. 아래 글을 읽고 알맞은 식을 세워 답을 구해 보세요.

❶ 엠마는 6유로짜리 입장권 5장을 샀어요. 입장권은 모두 얼마일까요?

식 : ______________________

정답 : ______________________

❷ 알렉은 6유로짜리 책 4권을 샀어요. 책은 모두 얼마일까요?

식 : ______________________

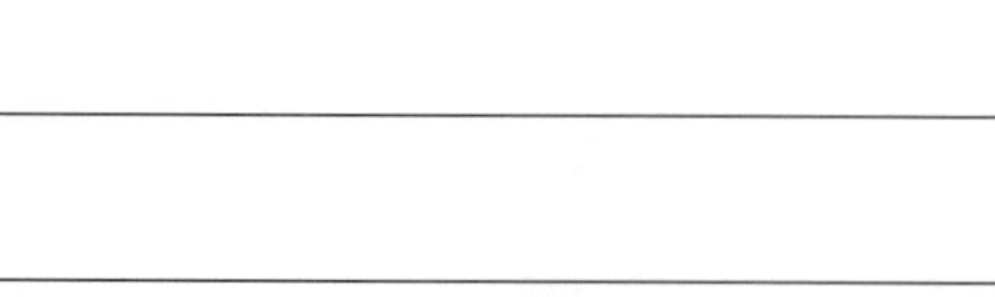

정답 : ______________________

____ 월 ____ 일 ____ 요일

1. 다음 표를 완성해 보세요.

×	2	3	4	5	6	7	8	9	10	11	12
5	10										
6											
7											
8											
9											

2. 아래 글을 읽고 알맞은 식을 세워 답을 구해 보세요.

❶ 엠마는 한 장에 7유로짜리 입장권을 8장 샀어요. 입장권은 모두 얼마일까요?

식 : ____________

정답 : ____________

❷ 파라는 롤러스케이트를 타고 9km를 4차례 이동했어요. 파라가 롤러스케이트를 탄 거리는 몇 km일까요?

식 : ____________

정답 : ____________

❸ 스코티는 하루에 9쪽씩 책을 읽었어요. 스코티가 7일 동안 읽은 책은 모두 몇 쪽일까요?

식 : ____________

정답 : ____________

❹ 알렉의 생일은 지금부터 6주 후예요. 알렉의 생일까지 며칠 남았나요?

식 : ____________

정답 : ____________

3. □ 안에 >, =, <를 알맞게 써넣어 보세요.

9×4 □ 4×9

7×6 □ 6×6

5×6 □ 3×10

7×7 □ 8×6

8×3 □ 6×4

8×5 □ 9×4

$3 \times 3 \times 4$ □ $2 \times 3 \times 6$

$2 \times 6 \times 5$ □ $5 \times 3 \times 5$

$4 \times 3 \times 5$ □ $9 \times 3 \times 2$

____ 월 ____ 일 ____ 요일

1. 계산해 보세요.

9 × 9 = ____	6 × 7 = ____	7 × 7 = ____	9 × 4 = ____
8 × 9 = ____	5 × 8 = ____	8 × 7 = ____	4 × 7 = ____
7 × 8 = ____	7 × 9 = ____	7 × 6 = ____	6 × 9 = ____

2. 빈칸에 알맞은 수를 써넣어 보세요.

____ × 5 = 6 × 10　　____ × 8 = 7 × 4 × 2　　____ × 3 = 2 × 7 × 3

____ × 8 = 4 × 12　　____ × 6 = 4 × 9 × 0　　____ × 2 = 3 × 4 × 5

3. ♥ > ♣일 때 >, =, < 중 알맞은 것을 빈칸에 써넣어 보세요.

♥ × ♣ ☐ ♣ × ♥　　4 × ♥ ☐ 4 × ♣　　♥ × ♣ ☐ ♥ × ♥

♥ × ♥ ☐ ♣ × ♣　　♥ × 5 ☐ 5 × ♥　　♥ + ♥ ☐ ♣ + ♣

♥ × ♣ ☐ ♣ × ♣　　0 × ♣ ☐ 0 × ♥　　♥ − ♣ ☐ ♣ − ♣

4. 처음 수를 구해 보세요.

시작
처음 수 : ____ → 7을 곱하세요. → 10을 빼세요. → 마지막 수 25

시작
처음 수 : ____ → 5를 더하세요. → 8을 곱하세요. → 마지막 수 88

시작
처음 수 : ____ → 6을 곱하세요. → 5를 곱하세요. → 마지막 수 120

____월 ____일 ____요일

★ 곱셈

- 곱셈은 더해지는 수가 모두 같을 때 덧셈을 간단하게 만든 것이에요.

더해지는 수

$5 + 5 + 5 = 15$ ← 합

$5 \times 3 = 15$ ← 곱

곱해지는 수 곱하는 수

★ 곱셈의 교환법칙

- 곱셈에서 곱해지는 수와 곱하는 수의 순서가 바뀌어도 결과는 같아요.

$5 \times 3 = 15$

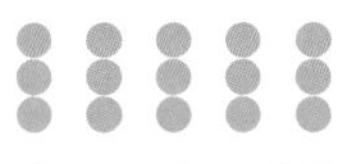

$3 \times 5 = 15$

$15 = 5 \times 3$

곱 곱해지는 수 곱하는 수

$15 = 3 \times 5$

곱 곱해지는 수 곱하는 수

★ 곱셈표

×	1	2	3	4	5	6	7	8	9	10
1	1	2	3	4	5	6	7	8	9	10
2	2	4	6	8	10	12	14	16	18	20
3	3	6	9	12	15	18	21	24	27	30
4	4	8	12	16	20	24	28	32	36	40
5	5	10	15	20	25	30	35	40	45	50
6	6	12	18	24	30	36	42	48	54	60
7	7	14	21	28	35	42	49	56	63	70
8	8	16	24	32	40	48	56	64	72	80
9	9	18	27	36	45	54	63	72	81	90
10	10	20	30	40	50	60	70	80	90	100

덧셈과 뺄셈 복습

____월 ____일 ____요일

1. 계산한 후, 답에 해당하는 알파벳을 애벌레에서 찾아 □ 안에 써넣어 보세요.

51 − 49 = ______ □

33 − 22 = ______ □

22 + 9 = ______ □

12 + 8 = ______ □

40 − 25 = ______ □

11 + 13 = ______ □

18 − 9 = ______ □

14 − 7 = ______ □

11 + 12 = ______ □

48 − 24 = ______ □

42 − 22 = ______ □

25 − 16 = ______ □

2	7	9	11	15	20	23	24	31
W	P	S	I	E	T	O	R	N

2. 암산으로 계산한 후, 답을 애벌레에서 찾아 ○표 해 보세요.

145 + 55 = ______

321 + 43 = ______

667 + 11 = ______

882 + 18 = ______

284 + 32 = ______

123 − 122 = ______

476 − 130 = ______

653 − 132 = ______

884 − 262 = ______

704 − 302 = ______

1 200 205 316 346 364 402 502 521 622 678 900

3. 세로셈으로 계산한 후, 답을 애벌레에서 찾아 ○표 해 보세요.

389 + 242

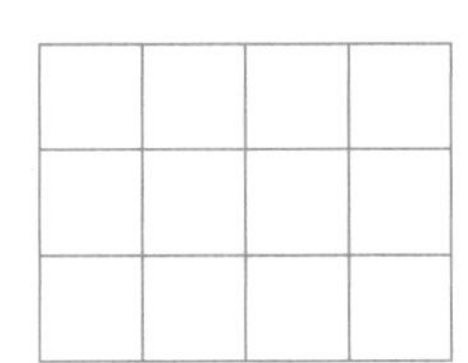

415 + 137

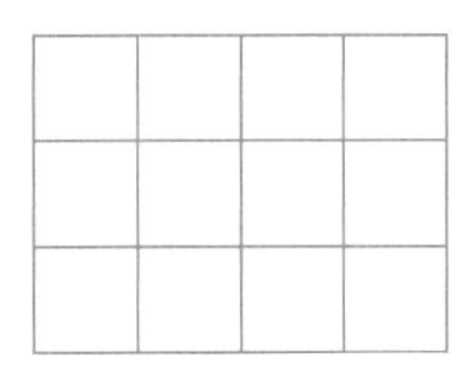

723 − 218

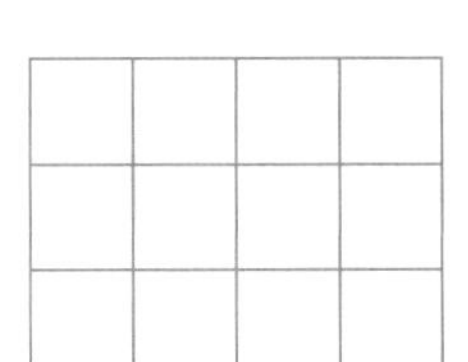

625 − 439

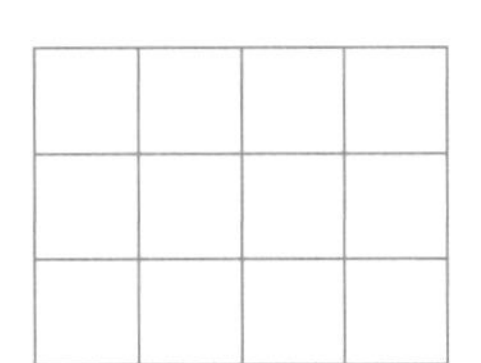

505 − 247

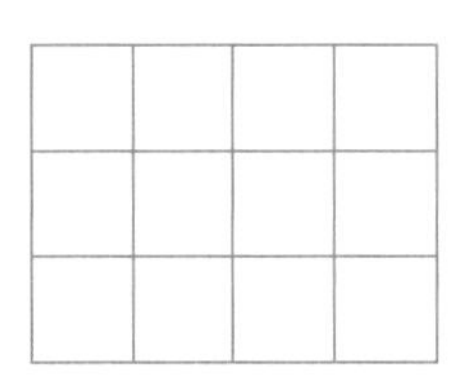

545 + 378

700 − 386

179 + 398

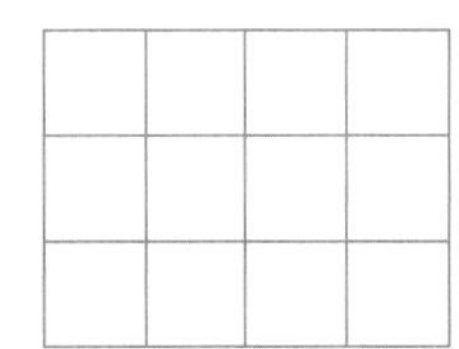

443 − 97

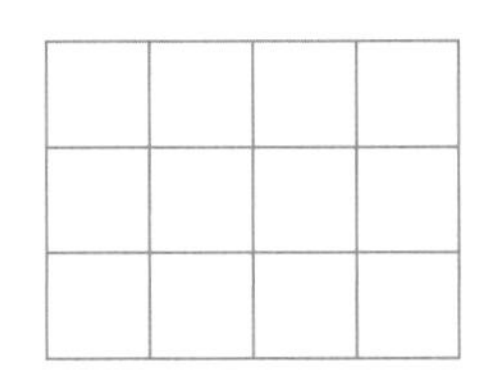

186 218 258 314 346 505

552 577 631 903 923

더 생각해 보아요!

성냥개비 1개를 움직여 염소의 방향을 바꾸어 보세요. 움직이는 성냥개비에 X표 하고 새로운 위치로 옮겨 보세요.

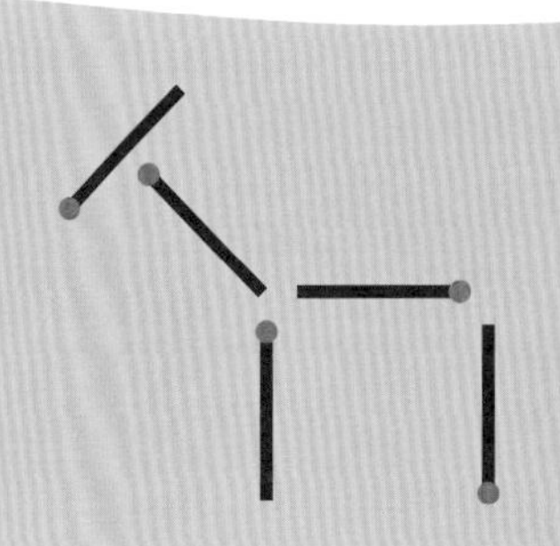

4. 순서대로 계산해 보세요. 답이 나오면 그 답을 다음 식에 적고 계산을 이어 나가세요.

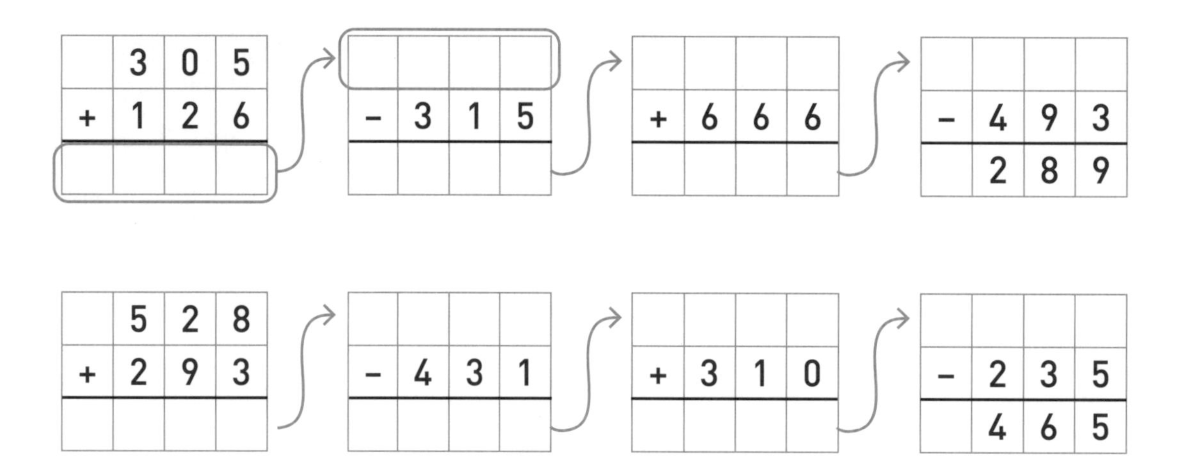

5. 규칙에 따라 □ 안에 알맞은 모양을 그려 보세요.

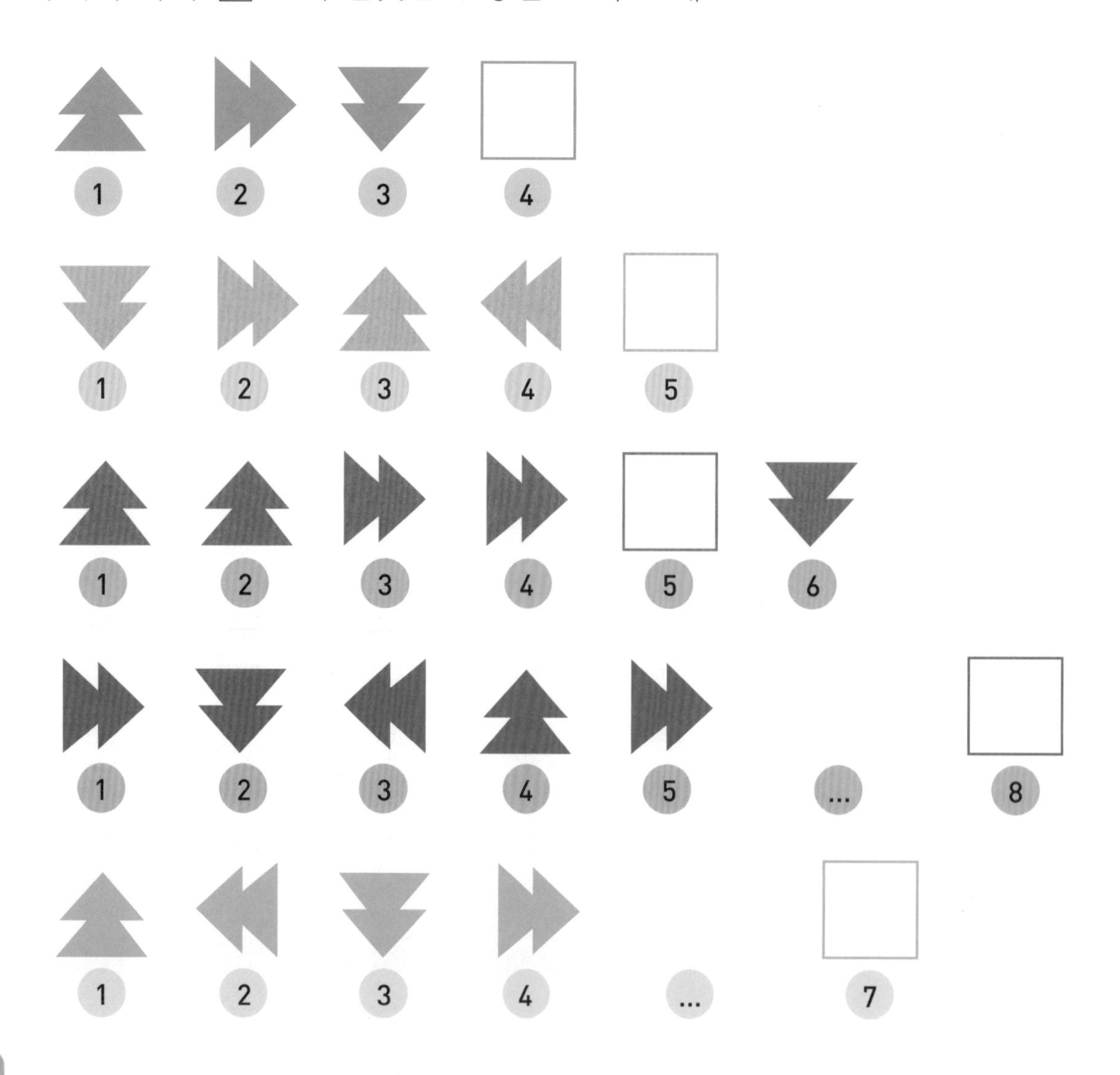

6. 다음 수직선을 보고 >, =, < 중 알맞은 것을 □ 안에 써넣어 보세요.

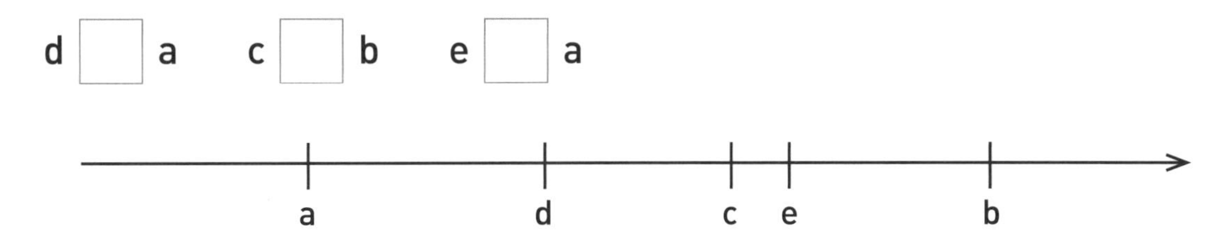

7. 아래 그림은 같은 정육면체를 위치만 다르게 하여 보여 준 거예요.

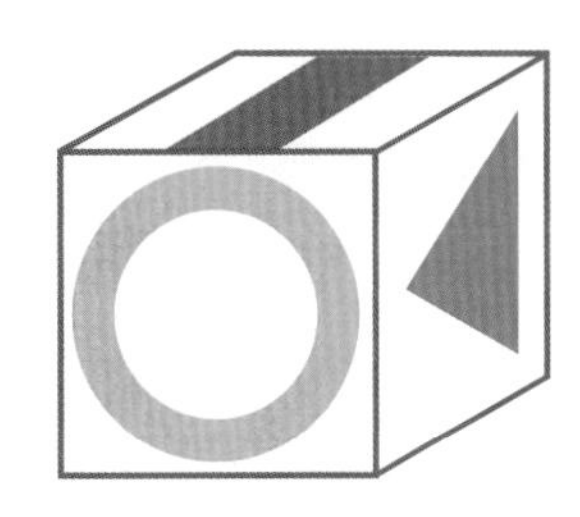
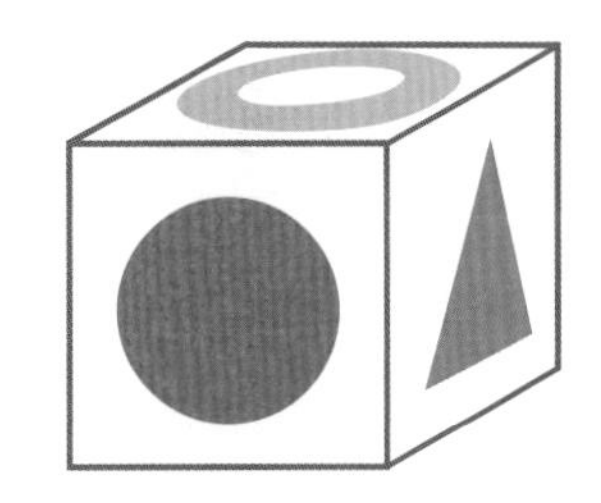
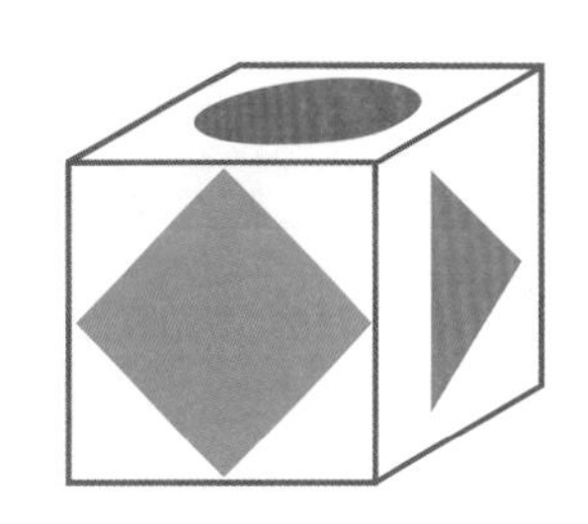

① ●의 반대편에 어떤 모양이 있을까요? □ 안에 그려 보세요.

② ◆의 반대편에 어떤 모양이 있을까요? □ 안에 그려 보세요.

한 번 더 연습해요!

1. 세로셈으로 계산해 보세요.

124 + 239

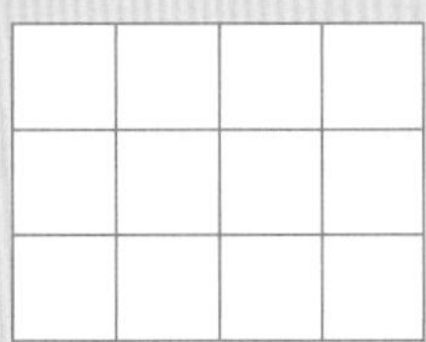

369 + 275

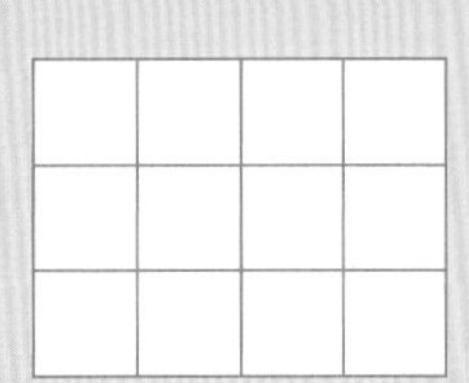

621 − 213

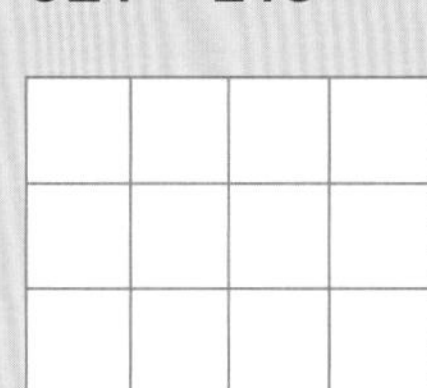

635 − 347

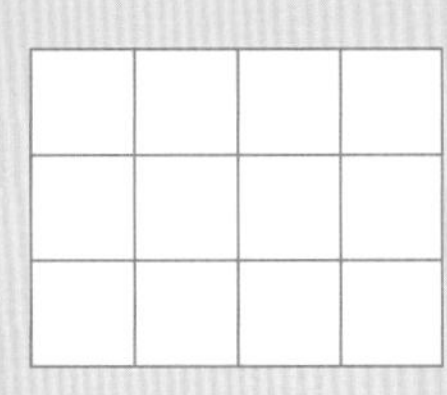

537 + 89

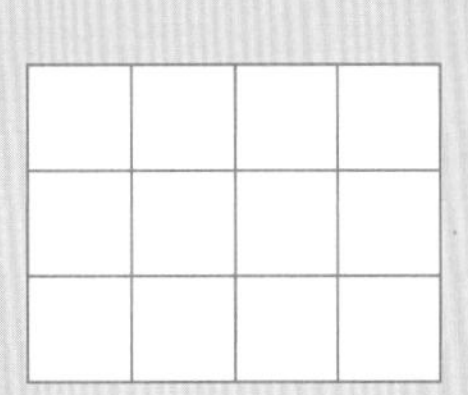

603 − 529

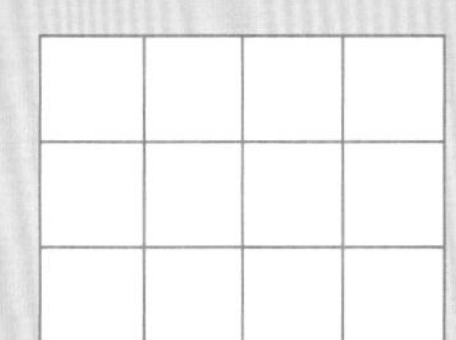

____ 월 ____ 일 ____ 요일

1. 계산해 보세요.

6 × 5 = ____	7 × 4 = ____	7 × 8 = ____	9 × 7 = ____
7 × 3 = ____	9 × 3 = ____	6 × 6 = ____	8 × 6 = ____
2 × 9 = ____	6 × 4 = ____	8 × 5 = ____	4 × 8 = ____

2. 가족이 구매한 상품의 금액은 모두 얼마일까요?

	2 €	6 €	9 €	총액
엄마가 2개씩 구매	2 € × 2 = 4 €			
할머니가 4개씩 구매				
아빠가 5개씩 구매				
할아버지가 8개씩 구매				

3. 빈칸에 알맞은 수를 써넣어 보세요.

36 = 4 × ____	64 = ____ × 8	16 = ____ × 1 × 4
15 = 3 × ____	28 = ____ × 4	32 = 2 × ____ × 2
72 = 9 × ____	35 = ____ × 7	45 = 3 × ____ × 5
54 = 9 × ____	81 = ____ × 9	56 = 7 × ____ × 8

4. 아래 글을 읽고 알맞은 식을 세워 답을 구해 보세요.

❶ 엠마의 엄마와 아빠는 각자 9개의 선물을 포장했어요. 엄마와 아빠가 포장한 선물은 모두 몇 개일까요?

식 : ______________________

정답 : ______________________

❷ 4명의 아이가 각자 8개씩 파이를 만들었어요. 아이들이 만든 파이는 모두 몇 개일까요?

식 : ______________________

정답 : ______________________

5. 곱셈을 한 후, 정답을 아래 그림에서 찾아 색칠해 보세요. 식이 적혀 있는 칸과 같은 색깔을 칠하세요.

10 × 2	1 × 8	4 × 4	2 × 16	6 × 2	12 × 2	16 × 2	3 × 10	2 × 10	6 × 4	2 × 5	4 × 8
2 × 12	2 × 8	8 × 4	4 × 5	1 × 16	3 × 4	5 × 4	2 × 4	3 × 8	4 × 2	5 × 2	6 × 5

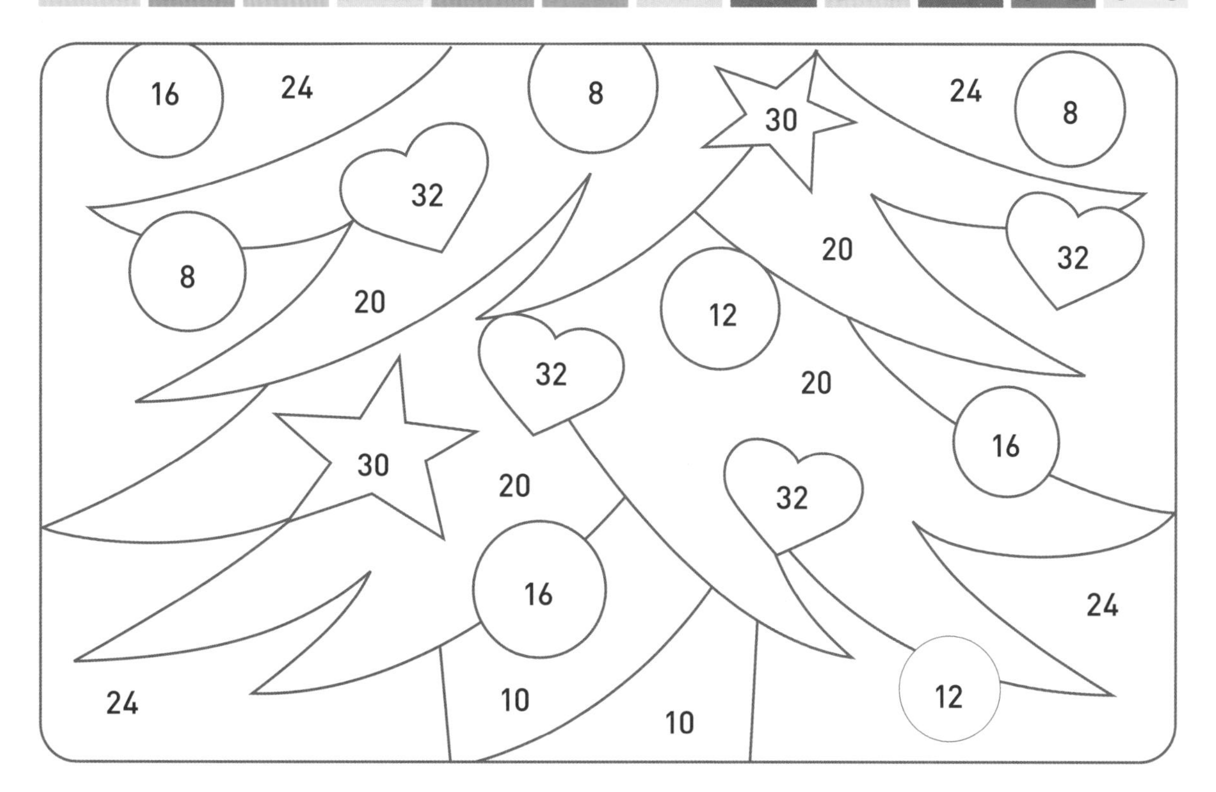

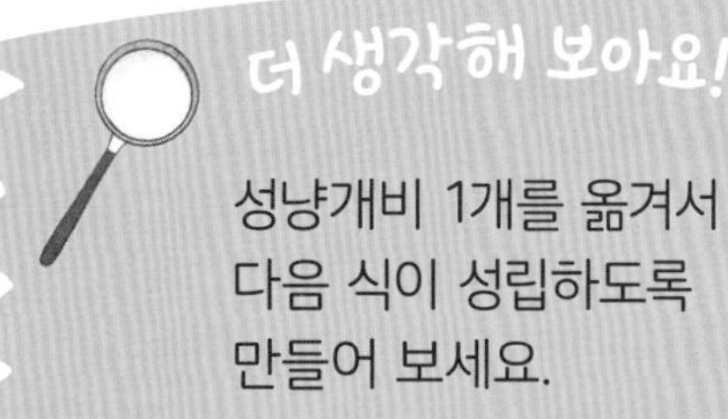

더 생각해 보아요!

성냥개비 1개를 옮겨서 다음 식이 성립하도록 만들어 보세요.

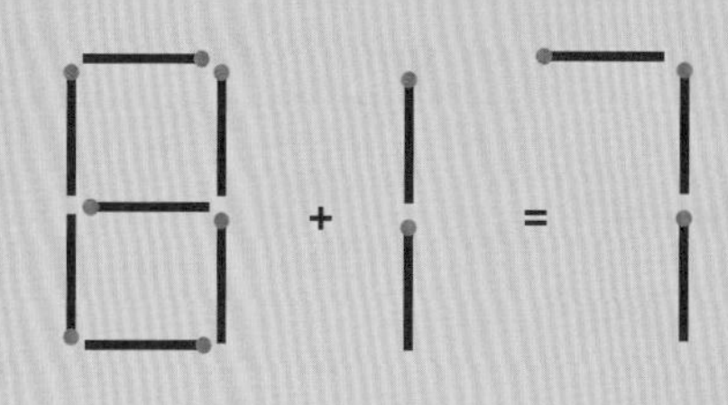

6. 누가 누구인지 알아맞혀 보세요. 개들의 이름은 Becky(베키), Cinnamon(시나몬), Toby(토비), Cooper(쿠퍼), Rosie(로지)예요.

7. □ 안에 >, =, <를 알맞게 써넣어 보세요.

6×4	□	5×4	6×2	□	5×2	2×4	□	4×2
4×4	□	4×5	4×6	□	3×9	6×7	□	5×8
8×3	□	6×5	5×9	□	6×8	9×4	□	8×5

8. 빈칸에 알맞은 수를 써넣어 보세요.

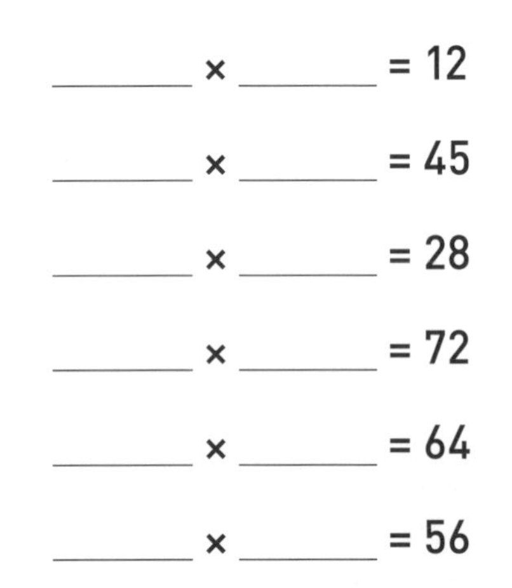

_____ × _____ = 12

_____ × _____ = 45

_____ × _____ = 28

_____ × _____ = 72

_____ × _____ = 64

_____ × _____ = 56

9. 아래 단서를 읽고 친구들의 이름과 가지고 있는 영화표의 수를 알아맞혀 보세요.

이름 ______ ______ ______ ______ ______

영화표 수 ______ ______ ______ ______ ______

- 시에나 옆에 앉은 사람은 가장 적은 표를 가지고 있어요.
- 티아는 빨간 티셔츠를 입고 있는데, 시에나의 표와 합쳐서 총 10장을 가지고 있어요.
- 메리와 모나는 총 10장의 표를 가지고 있어요.
- 메리와 모나는 서로 옆에 앉아 있어요.
- 네아와 시에나는 표 12장을 똑같이 나누어 가졌어요.
- 친구들은 총 26장의 표를 가지고 있어요.
- 모나는 네아가 가진 표의 절반을 가지고 있어요.
- 시에나는 그림에서 가운데에 있어요.

한 번 더 연습해요!

1. 아래 글을 읽고 그림으로 나타내고, 알맞은 식을 세워 답을 구해 보세요.

❶ 엠마, 알렉, 그리고 파라는 각자 5개씩 비스킷을 만들었어요. 아이들이 만든 비스킷은 모두 몇 개일까요?

식 : ______

정답 : ______

❷ 4팀이 토너먼트 대결을 해요. 각 팀은 6명씩 있어요. 토너먼트에 참가하는 선수는 모두 몇 명일까요?

식 : ______

정답 : ______

덧셈 뺄셈 놀이

인원 : 2명　준비물 : 주사위 2개, 145쪽 활동지

덧셈 놀이

50 +	=

뺄셈 놀이

200 −	=

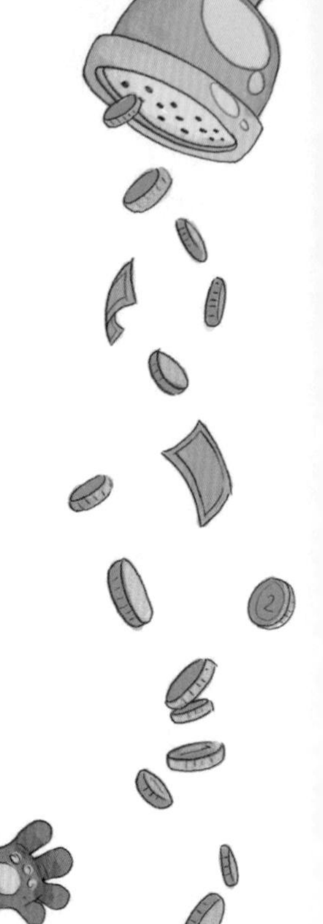

놀이 방법

덧셈 놀이

1. 한 명은 교재를, 다른 한 명은 145쪽의 활동지를 이용해요.
2. 처음 금액을 50유로로 설정하고, 주사위 2개를 굴려서 나온 수를 50유로에 더한 후 표의 오른쪽 칸에 적으세요.
3. 다른 한 명도 같은 방식으로 놀이를 이어 가요.
4. 다시 순서가 돌아오면 앞에서 나온 합을 아래 칸에 적은 후 주사위 2개를 굴려서 나온 수를 더해요. 이런 식으로 계속 놀이를 이어 가며, 놀이가 끝날 때 더 많은 돈을 가진 사람이 이겨요.

뺄셈 놀이

1. 처음 금액을 200유로로 설정하고 놀이를 시작해요.
2. 주사위 2개를 굴려서 나온 수를 200유로에서 뺀 후 표의 오른쪽 칸에 적으세요.
3. 다른 한 명도 같은 방식으로 놀이를 이어 가요.
4. 다시 순서가 돌아오면 앞에서 나온 차를 아래 칸에 적은 후 주사위 2개를 굴려서 나온 수를 빼요. 이런 식으로 계속 놀이를 이어 가며, 놀이가 끝날 때 더 적은 돈을 가진 사람이 이겨요.

가장 큰 수를 찾아라

인원 : 2명 준비물 : 주사위 1개, 146쪽 활동지

백의 자리	십의 자리	일의 자리

점수

놀이 방법

1. 한 명은 교재를 다른 한 명은 146쪽 활동지를 이용해요.
2. 가능한 한 큰 수를 만드는 놀이예요. 순서를 정해 주사위를 굴려요. 굴려서 나온 수를 표에 있는 백의 자리, 십의 자리, 일의 자리 중 순서에 상관없이 적으세요. 한 번 적으면 바꿀 수 없어요.
3. 주사위를 3번씩 던져 각 자리의 수를 모두 채운 후, 서로 수의 크기를 비교해 보세요. 더 큰 수를 만든 사람이 놀이에서 이겨요.

크거나 작거나 같거나

인원 : 2명 준비물 : 주사위 1개, 146쪽 활동지

놀이 1

			<			
			>			
			=			

놀이 2

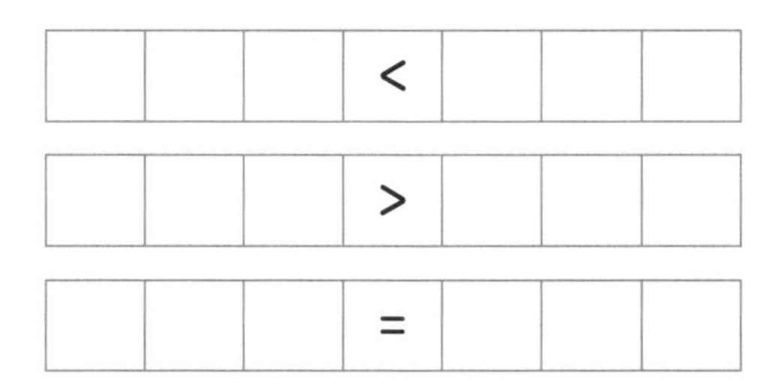

			<			
			>			
			=			

놀이 방법

1. 한 명은 교재를 다른 한 명은 146쪽 활동지를 이용해요.
2. 주사위를 굴려서 나온 수를 아무 칸에 쓰세요. >, =, <가 성립하지 않으면 다음 사람에게 순서가 돌아가요.
3. 부등식이 성립하도록 모든 칸을 가장 먼저 채운 사람이 놀이에서 이겨요.

아이스하키 경기

인원 : 3명 준비물 : 놀이 말 1개

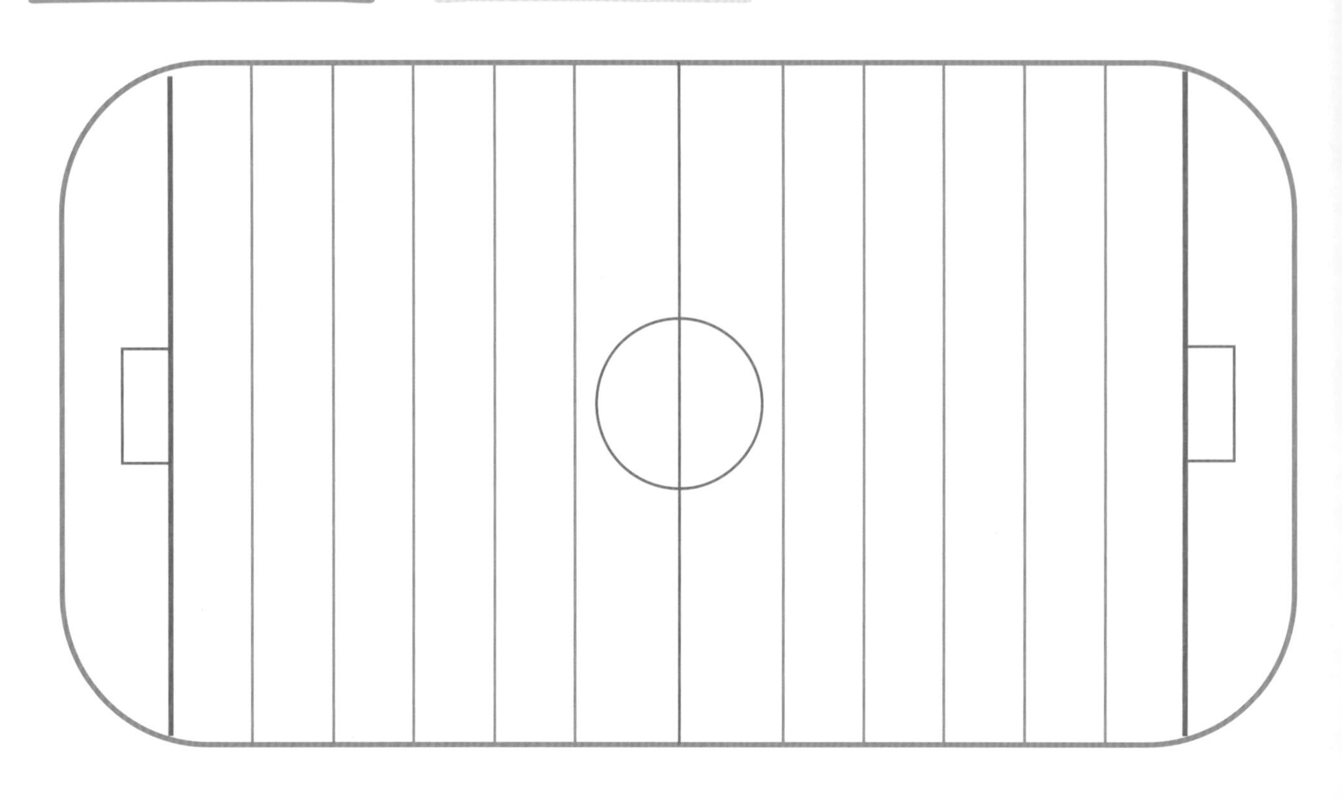

놀이 방법

1. 1명은 심판, 2명은 각자 대결하는 팀이 돼요.
2. 교재의 그림판을 게임판으로 사용해요.
3. 심판이 말을 게임판 중앙의 원에 두고 곱셈식을 읽어요. 곱셈식의 정답을 먼저 말하는 사람이 상대 골에 가까운 쪽으로 놀이 말을 한 칸 움직여요.
4. 상대편 골라인으로 놀이 말을 먼저 이동하는 사람이 놀이에서 이겨요.

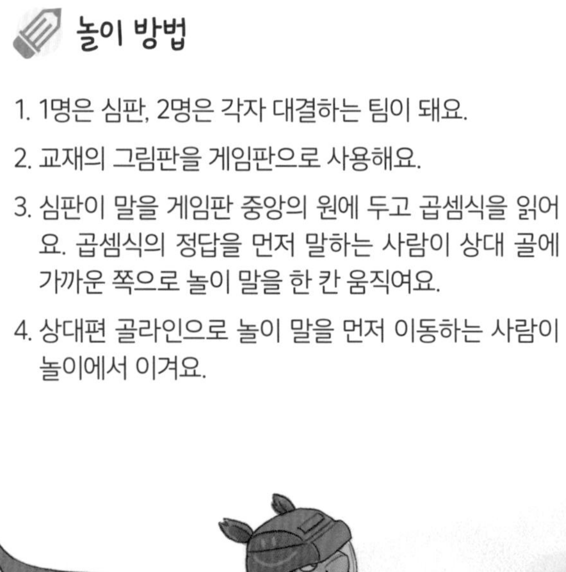

팀 편성 놀이

인원 : 2명 준비물 : 주사위 1개, 다른 색깔 색연필 2개

주사위 눈			
⚀	8 × 8	2 × 9	6 × 7
⚁	7 × 9	3 × 4	3 × 9
⚂	4 × 5	9 × 9	8 × 10
⚃	6 × 10	5 × 5	7 × 5
⚄	6 × 6	4 × 4	7 × 7
⚅	9 × 8	5 × 9	8 × 4

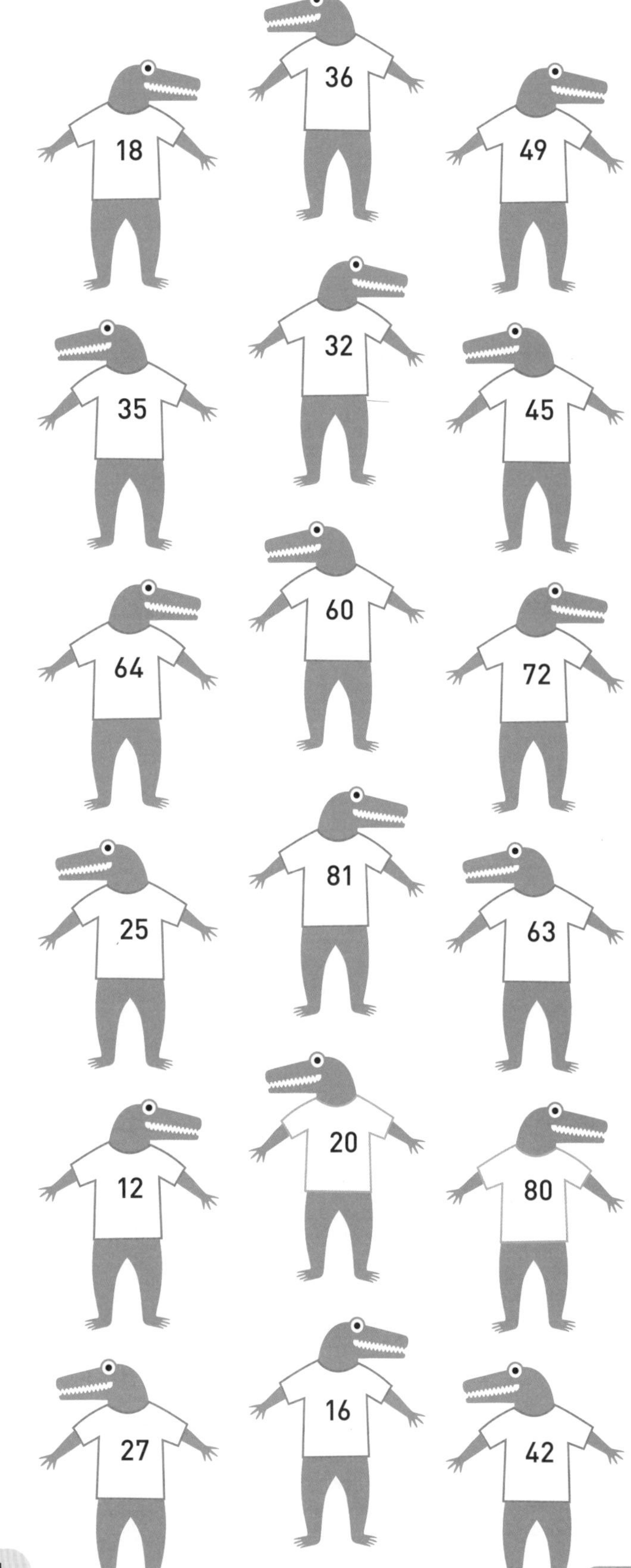

놀이 방법

1. 주사위를 굴려요. 주사위 눈에 해당하는 줄에서 계산식을 하나 선택해요.
2. 선택한 계산식에 ×표를 하고, 정답이 있는 티셔츠를 색칠해요.
3. 다음 사람에게 순서가 돌아가고, 같은 방식으로 놀이를 이어 가요.
4. 계산식에 모두 ×표가 되었거나, 곱셈식의 정답이 틀린 경우 다음 사람에게 순서가 돌아가요.
5. 9명의 축구팀을 먼저 만드는 사람이 놀이에서 이겨요.

147쪽의 활동지를 이용해 한 번 더 놀이해요!

140쪽 놀이 수학 <덧셈 뺄셈 놀이>에 활용하세요.

덧셈 놀이

50 +	=

뺄셈 놀이

200 −	=

덧셈 놀이

50 +	=

뺄셈 놀이

200 −	=

141쪽 놀이 수학 <가장 큰 수를 찾아라>에 활용하세요.

백의 자리	십의 자리	일의 자리

점수

백의 자리	십의 자리	일의 자리

점수

141쪽 놀이 수학 <크거나 작거나 같거나>에 활용하세요.

놀이 1

			<			
			>			
			=			

놀이 2

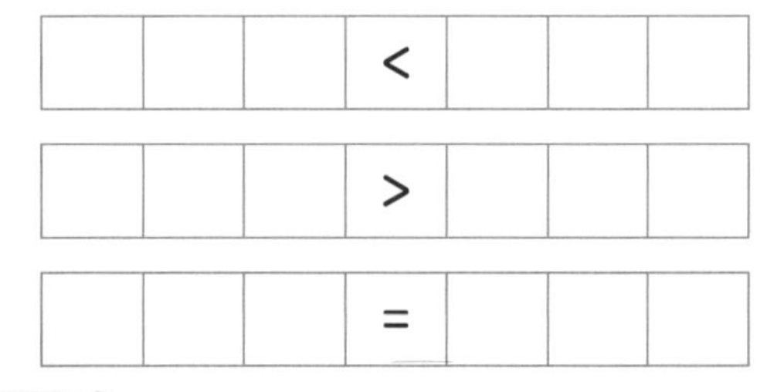

놀이 1

			<			
			>			
			=			

놀이 2

			<			
			>			
			=			

143쪽 놀이 수학 <팀 편성 놀이>에 활용하세요.

8 × 8　2 × 9　6 × 7

7 × 9　3 × 4　3 × 9

4 × 5　9 × 9　8 × 10

6 × 10　5 × 5　7 × 5

6 × 6　4 × 4　7 × 7

9 × 8　5 × 9　8 × 4

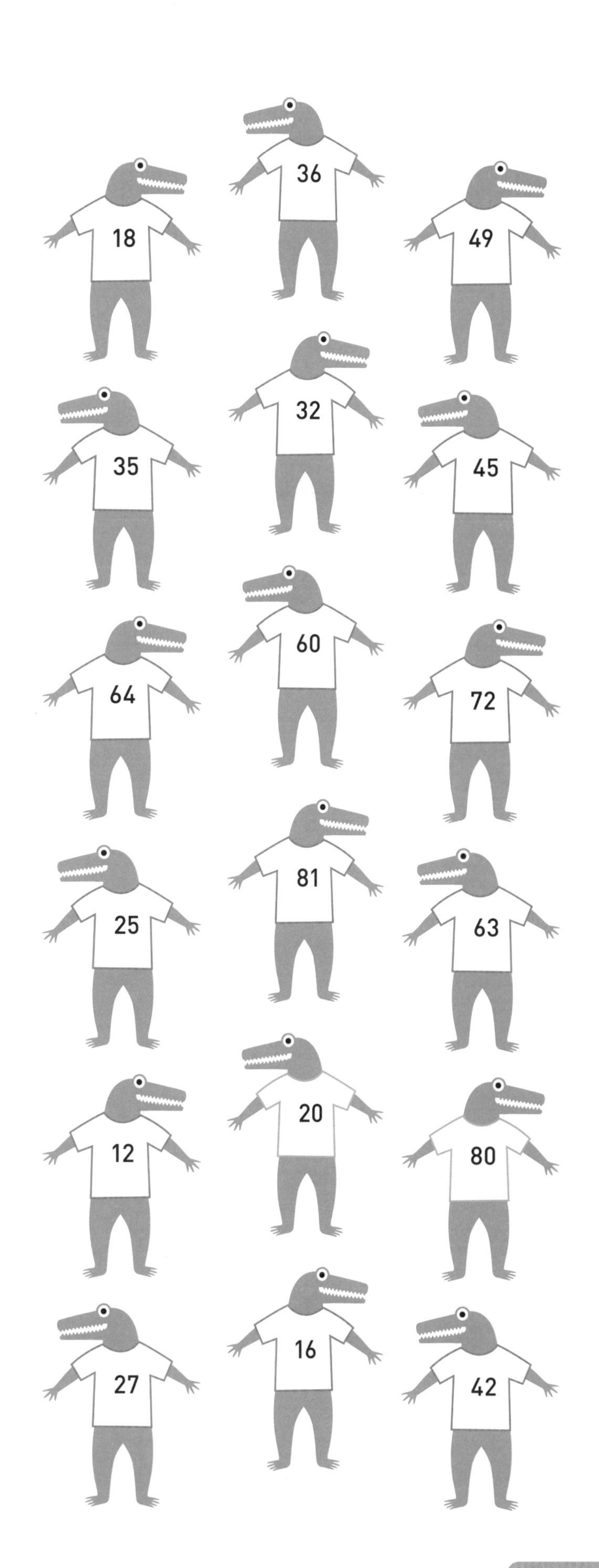

핀란드에서 가장 많이 보는 1등 수학 교과서!
핀란드 초등학교 수학 교육 최고 전문가들이 만든
혼공 시대에 꼭 필요한 자기주도 수학 교과서를 만나요!

핀란드 수학 교과서, 왜 특별할까?

수학적 구조를 발견하고 이해하게 하여 수학 공식을 암기할 필요가 없어요.

수학적 이야기가 풍부한 그림으로 수학 학습에 영감을 불어넣어요.

교구를 활용한 놀이를 통해 수학 개념을 이해시켜요.

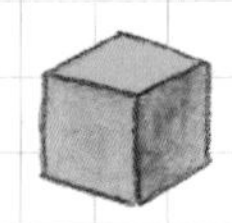

수학과 연계하여 컴퓨팅 사고와 문제 해결력을 키워 줘요.

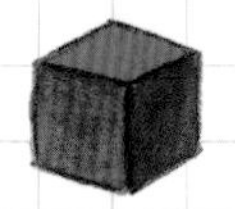

연산, 서술형, 응용과 심화, 사고력 문제가 한 권에 모두 들어 있어요.

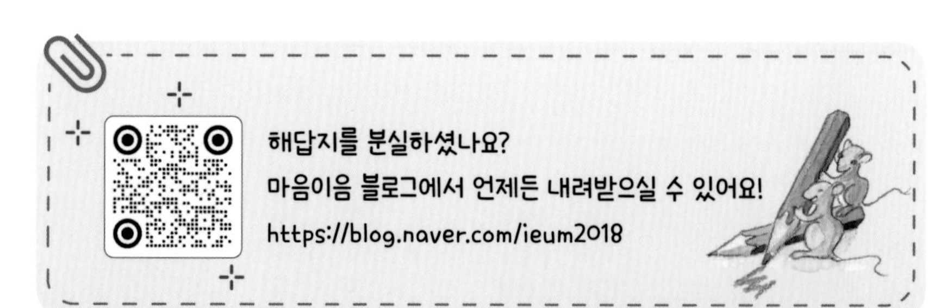
해답지를 분실하셨나요?
마음이음 블로그에서 언제든 내려받으실 수 있어요!
https://blog.naver.com/ieum2018

개별가 없음(세트로만 판매)

ISBN 979-11-89010-88-1
979-11-89010-87-4 (세트)

무형광 종이 인쇄로 아이들 눈을 지켜 줘요

핀란드 3학년 수학 교과서

3-1
2권

글 파이비 키빌루오마, 킴모 뉘리넨, 피리타 페랄라,
페카 록카, 마리아 살미넨, 티모 타피아이넨
그림 미리야미 만니넨
옮김 박문선
감수 이경희(전 수학 교과서 집필진)

놀이 수학 카드와
동영상 제공

마음이음

글 **파이비 키빌루오마** l Päivi Kiviluoma

탐페레에서 초등학교 교사로 일하고 있습니다. 학생들마다 문제 해결 도출 방식이 다르므로 수학 교수법에 있어서도 어떻게 접근해야 할지 늘 고민하고 도전합니다.

킴모 뉘리넨 l Kimmo Nyrhinen

투루쿠에서 수학과 과학을 가르치고 있습니다. 「핀란드 수학 교과서」 외에도 화학, 물리학 교재를 집필했습니다. 낚시와 버섯 채집을 즐겨하며, 체력과 인내심은 자연에서 얻을 수 있는 놀라운 선물이라 생각합니다.

피리타 페랄라 l Pirita Perälä

탐페레에서 초등학교 교사로 일하고 있습니다. 수학을 제일 좋아하지만 정보통신기술을 활용한 수업에도 관심이 많습니다. 「핀란드 수학 교과서」를 집필하면서 다양한 수준의 학생들이 즐겁게 도전하며 배울 수 있는 교재를 만드는 데 중점을 두었습니다.

페카 록카 l Pekka Rokka

교사이자 교장으로 30년 이상 재직하며 1~6학년 모든 과정을 가르쳤습니다. 학생들이 수학 학습에서 영감을 얻고 자신만의 강점을 더 발전시킬 수 있는 교재를 만드는 게 목표입니다.

마리아 살미넨 l Maria Salminen

오울루에서 초등학교 교사로 일하고 있습니다. 체험과 실습을 통한 배움, 협동, 유연한 사고를 중요하게 생각합니다. 수학 교육에 있어서도 이를 적용하여 똑같은 결과를 도출하기 위해 얼마나 다양한 방식으로 접근할 수 있는지 토론하는 것을 좋아합니다.

티모 타피아이넨 l Timo Tapiainen

오울루에 있는 고등학교에서 수학 교사로 있습니다. 다양한 교구를 활용하여 수학을 가르치고, 학습 성취가 뛰어난 학생들에게 적절한 도전 과제를 제공하는 것을 중요하게 생각합니다.

옮김 **박문선**

연세대학교 불어불문학과를 졸업하고 한국외국어대학교 통역번역대학원 영어과를 전공하였습니다. 졸업 후 부동산 투자 회사 세빌스코리아(Savills Korea)에서 5년간 에디터로 근무하면서 다양한 프로젝트 통번역과 사내 영어 교육을 담당했습니다. 현재 프리랜서로 번역 활동 중입니다.

감수 **이경희**

서울교육대학교와 동 대학원에서 초등교육방법을 전공했으며, 2009 개정 교육과정에 따른 초등학교 수학 교과서 집필진으로 활동했습니다. ICME12(세계 수학교육자대회)에서 한국 수학 교과서 발표, 2012년 경기도 연구년 교사로 덴마크에서 덴마크 수학을 공부했습니다. 현재 학교를 은퇴하고 외국인들에게 한국어를 가르쳐 주며 봉사활동을 하고 있습니다. 집필한 책으로는 『외우지 않고 구구단이 술술술』 『예비 초등학생을 위한 든든한 수학 짝꿍』 『한 권으로 끝내는 초등 수학사전』 등이 있습니다.

핀란드 3학년 수학 교과서

______ 초등학교 ___ 학년 ___ 반

이름 ______

QR코드를 스캔하면 놀이 수학
동영상을 보실 수 있습니다.

핀란드 3학년 수학 교과서 3-1 2권

초판 3쇄 발행 2024년 1월 20일

지은이 파이비 키빌루오마, 킴모 뉘리넨, 피리타 페랄라, 페카 록카, 마리아 살미넨, 티모 타피아이넨
그린이 미리야미 만니넨 **옮긴이** 박문선 **감수** 이경희
펴낸이 정혜숙 **펴낸곳** 마음이음

책임편집 이금정 **디자인** 디자인서가
등록 2016년 4월 5일(제2018-000037호)
주소 03925 서울시 마포구 월드컵북로 402 9층 917A호(상암동 KGIT센터)
전화 070-7570-8869 **팩스** 0505-333-8869
전자우편 ieum2016@hanmail.net
블로그 https://blog.naver.com/ieum2018

ISBN 979-11-89010-89-8 64410
979-11-89010-87-4 (세트)

핀란드 3학년 수학 교과서 3-1 2권

글 파이비 키빌루오마, 킴모 뉘리넨, 피리타 페랄라,
페카 록카, 마리아 살미넨, 티모 타피아이넨
그림 미리야미 만니넨
옮김 박문선
감수 이경희(전 수학 교과서 집필진)

마음이음

아이들이 수학을 공부해야 하는 이유는 수학 지식을 위한 단순 암기도 아니며, 많은 문제를 빠르게 푸는 것도 아닙니다. 시행착오를 통해 정답을 유추해 가면서 스스로 사고하는 힘을 키우기 위함입니다.
핀란드의 수학 교육은 다양한 수학적 활동을 통하여 수학 개념을 자연스럽게 깨닫게 하고, 논리적 사고를 유도하는 문제들로 학생들이 수학에 흥미를 갖도록 하는 데 성공했습니다. 이러한 자기 주도적인 수학 교과서가 우리나라에 번역되어 출판하게 된 것을 두 팔 벌려 환영하며, 학생들이 수학을 즐겁게 공부하게 될 것이라 생각하여 감히 추천하는 바입니다.

하동우(민족사관고등학교 수학 교사)

수학은 언어, 그림, 색깔, 그래프, 방정식 등으로 다양하게 표현하는 의사소통의 한 형태입니다. 이들 사이의 관계를 파악하면서 수학적 사고력도 높아지는데, 안타깝게도 우리나라 교육 환경에서는 수학이 의사소통임을 인지하기 어렵습니다. 수학 교육 과정이 수직적으로 배열되어 있기 때문입니다. 그런데 『핀란드 수학 교과서』는 배운 개념이 거미줄처럼 수평으로 확장, 반복되고, 아이들은 넓고 깊게 스며들 듯이 개념을 이해할 수 있습니다.

정유숙(쑥샘TV 운영자)

『핀란드 수학 교과서』를 보는 순간 다양한 문제들을 보고 놀랐습니다. 다양한 형태의 문제를 풀면서 생각의 폭을 넓히고, 생각의 힘을 기르고, 수학 실력을 보다 안정적으로 만들 수 있습니다. 또한 놀이와 탐구로 학습하면서 수학에 대한 흥미가 높아져 문제를 스스로 이해하고 터득하는 데 도움이 됩니다.
숫자가 바탕이 되는 수학은 세계적인 유일한 공통 과목입니다. 21세기를 이끌어 갈 아이들에게 4차산업혁명을 넘어 인공지능 시대에 맞는 창의적인 사고를 길러 주는 바람직한 수학 교육이 이 책을 통해 이루어지길 바랍니다.

김재련(사월이네 공부방 원장)

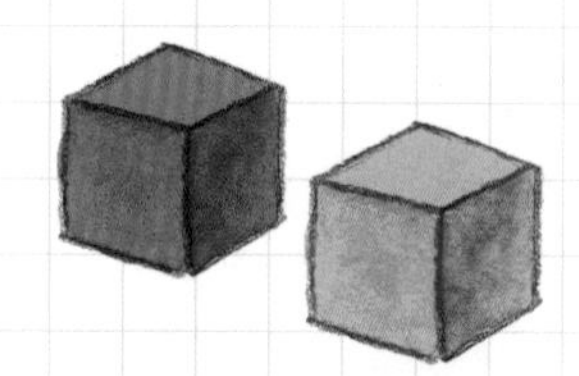

한국의 학생들에게

「핀란드 수학 교과서(Star Maths)」 시리즈를 펴낸 오타바(Otava) 출판사는 교재 전문 출판사로 120년이 넘는 역사를 지닌 명실상부한 핀란드의 대표 출판사입니다. 특히 「Star Maths」 시리즈는 핀란드 학교 현장의 수학 전문가들이 최신 핀란드 국립교육과정을 반영하여 함께 개발한 핀란드의 대표 수학 교과서입니다.

수 개념과 십진법을 이해하기 위한 탄탄한 기반을 제공하여 연산 능력을 키우고, 기본, 응용, 심화 문제 등 학생 개개인의 학습 차이를 다각도에서 고려하여 다양한 평가 문제를 실었습니다. 또한 친구 또는 부모님과 함께 놀이를 통해 문제 해결을 하며 수학적 즐거움을 발견하여 수학에 대한 긍정적인 태도를 갖도록 합니다.

한국의 학생들이 이 책과 함께 즐거운 수학 세계로 여행을 떠나길 바랍니다.

파이비 키빌루오마, 킴모 뉘리넨, 피리타 페랄라, 페카 록카,
마리아 살미넨, 티모 타피아이넨(STAR MATHS 공동 저자)

차례

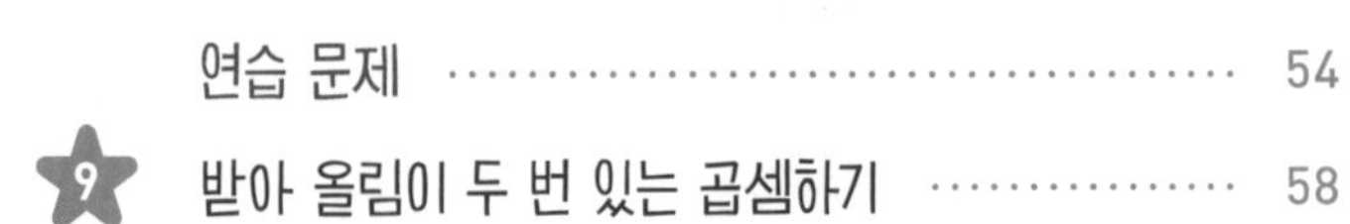

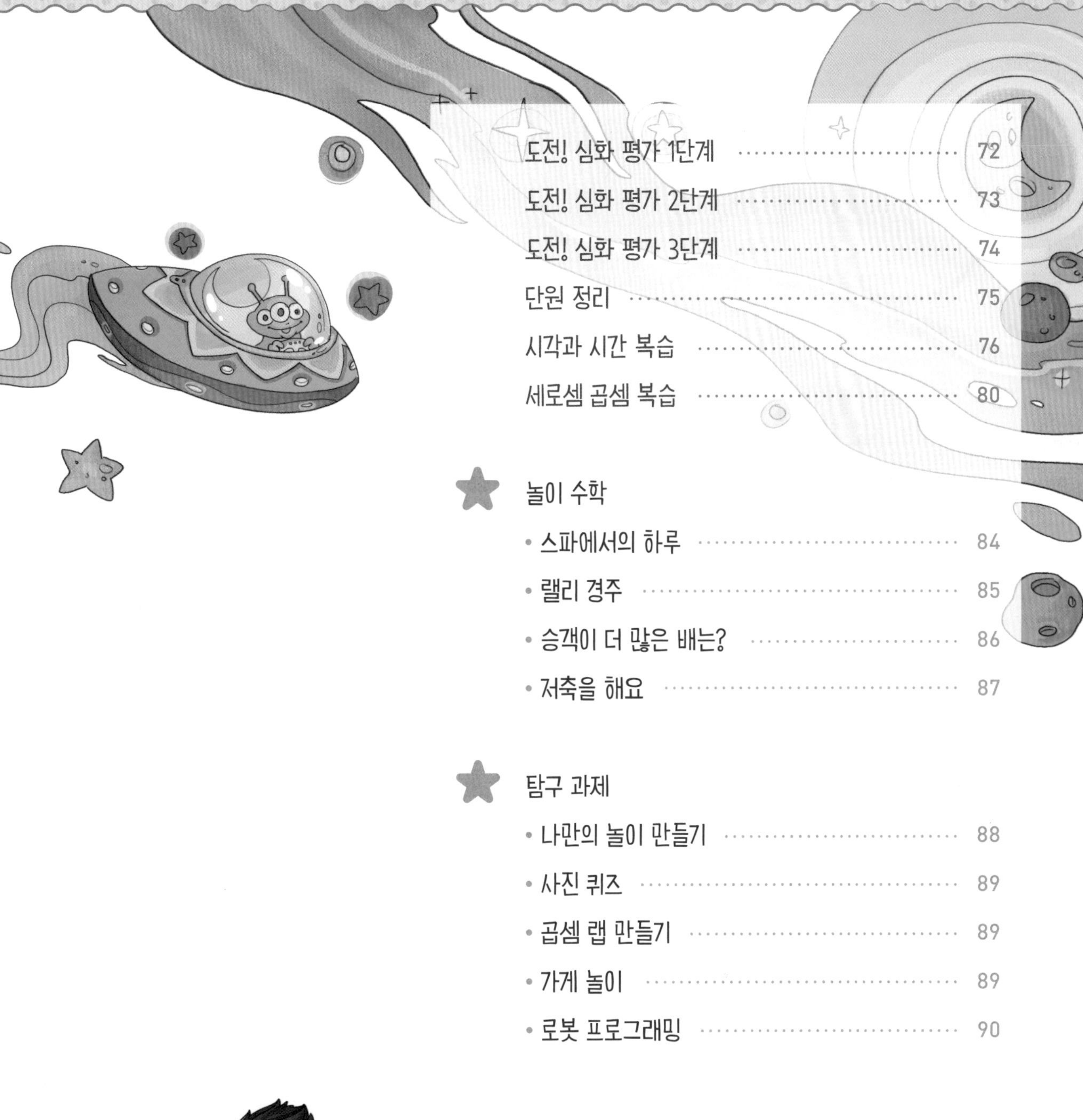

1 시계 읽기(정각에서 반까지)

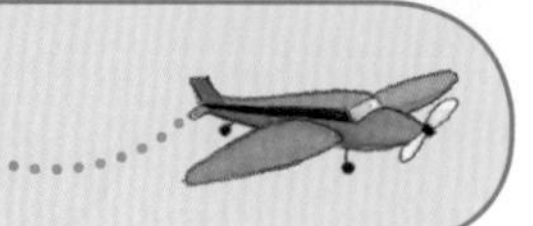

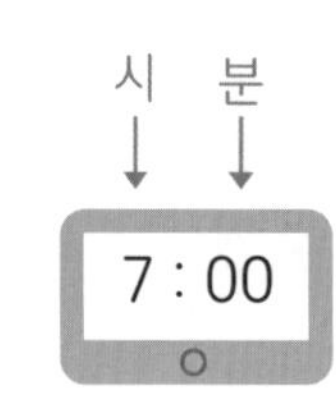

7시 정각

- 1시간은 긴바늘이 시계를 한 바퀴 도는 데 걸리는 시간으로 60분이에요.
- 긴바늘이 가리키는 작은 눈금 한 칸은 1분을 나타내요.
- 분이 0분일 때 정각이나 정시라고 해요.
- 분이 30분일 때 몇 시 30분 또는 몇 시 반이라고 해요.

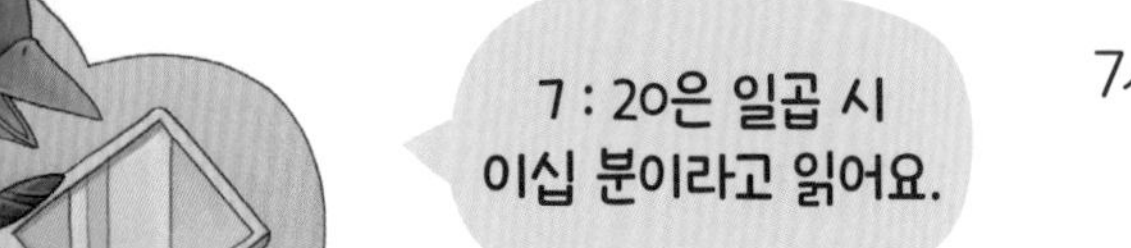

7 : 20은 일곱 시
이십 분이라고 읽어요.

7 : 05

7시 5분

7 : 10

7시 10분

7 : 15

7시 15분

7 : 20

7시 20분

7 : 25

7시 25분

7 : 30

7시 30분
(또는 7시 반)

1. 같은 시각끼리 선으로 이어 보세요.

9시 10분 | 9시 5분 | 9시 30분 | 9시 15분 | 9시 20분

9 : 10 | 9 : 30 | 9 : 05 | 9 : 20 | 9 : 15

2. 시계를 보고 몇 시 몇 분인지 디지털시계로 나타내 보세요.

8 : 00 ____ ____ ____

____ ____ ____

3. 시계를 보고 몇 시 몇 분인지 써 보세요.

9 : 00	7 : 15	11 : 25	9 : 30
____시 정각	____시 ____분	____시 ____분	____시 ____분

____시 ____분	____시 ____분	____시 정각	____시 정각

더 생각해 보아요!

시계를 거울에 비추었더니
그림과 같이 되었어요. 실제로
몇 시 몇 분일까요?

____시 ____분

4. 규칙에 따라 빈칸에 알맞은 시각을 써넣어 보세요.

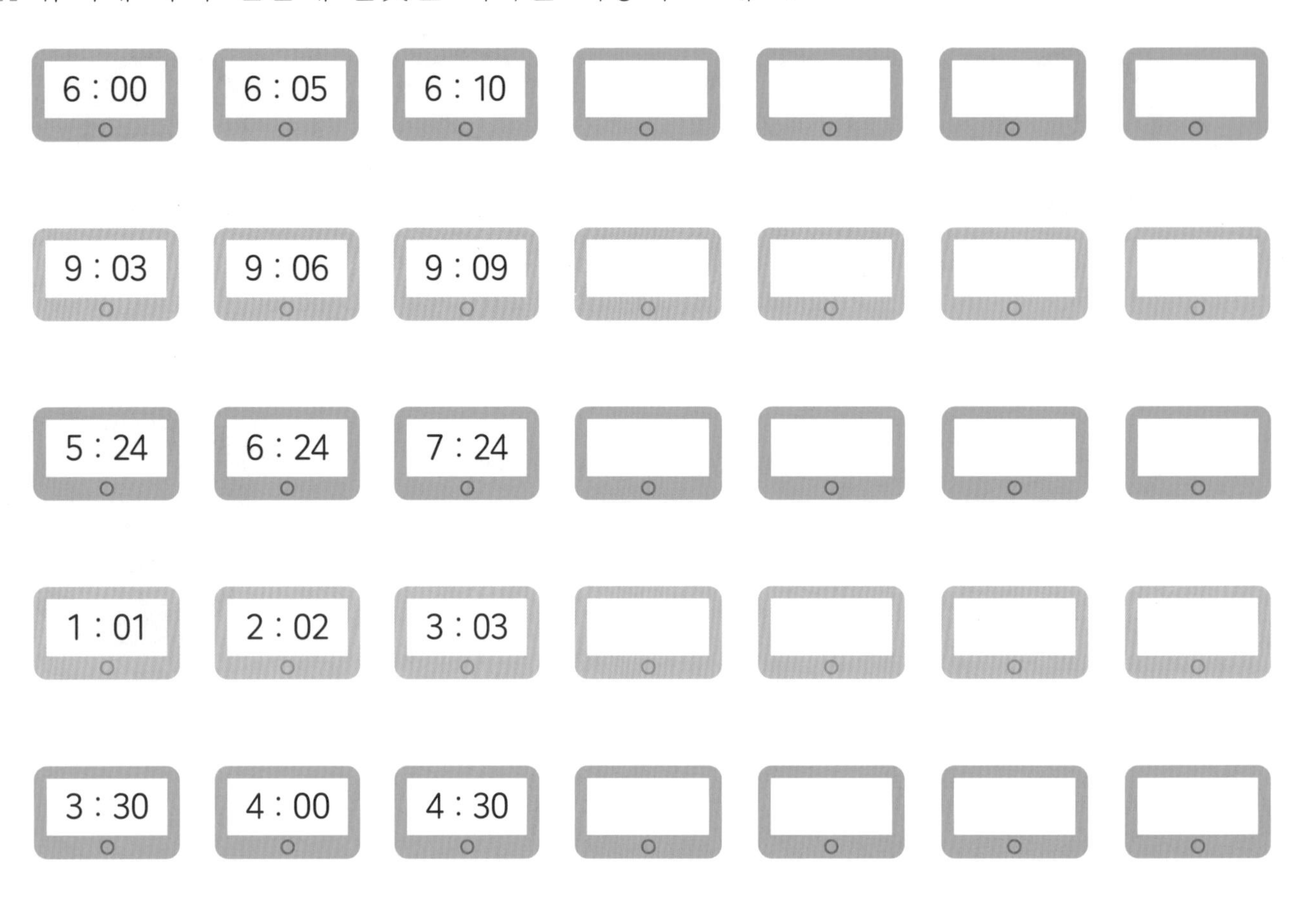

5. 그림을 비교해서 다른 곳을 10군데 찾아 오른쪽 그림에 표시해 보세요.

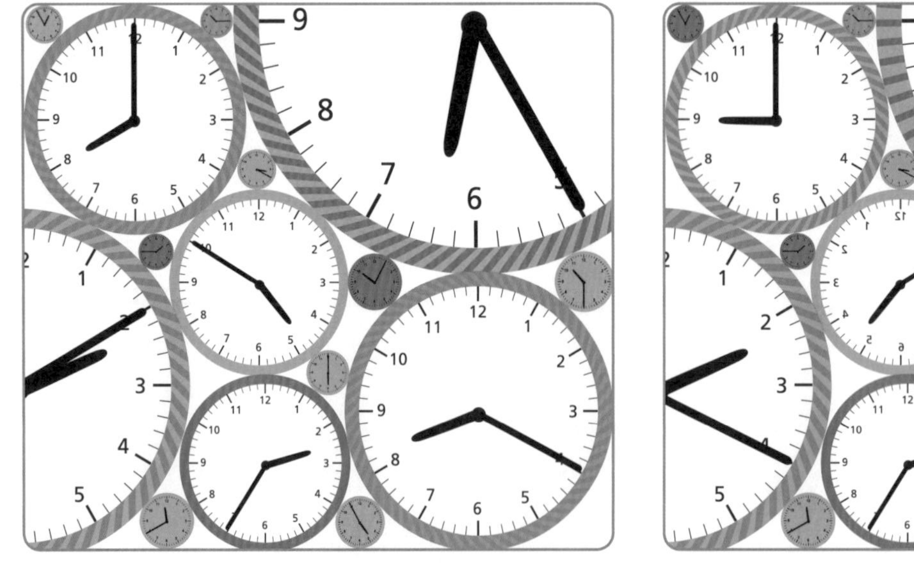

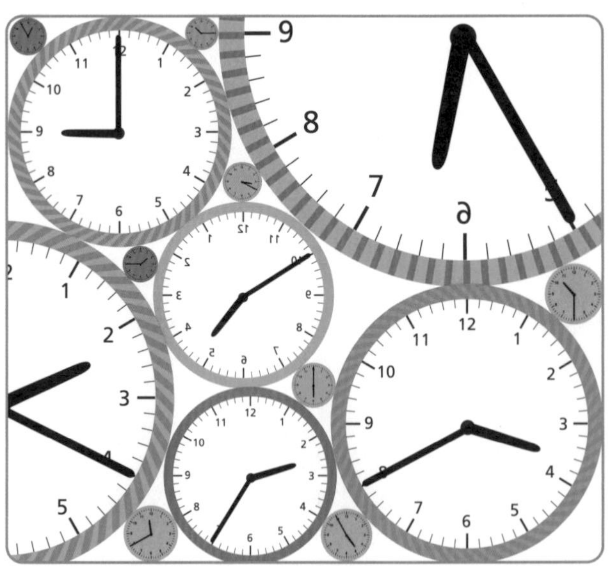

집중해서 잘 찾아보렴~!

6. 성냥개비 2개를 움직여서 새로운 시각을 만들어 보세요. 움직여야 할 성냥개비에 X표 하고 빈칸에 그림으로 나타내 보세요.

❶ 3분 후

7:12

❷ 22분 후

5:06

❸ 4분 후

4:49

한 번 더 연습해요!

1. 시계를 보고 몇 시 몇 분인지 써 보세요.

____시 ____시____분 ____시____분 ____시____분

2. 아래 시각에 무엇을 했는지 써 보세요.

7시 20분 ____________________

10시 5분 ____________________

______ 월 ______ 일 ______ 요일

2 시계 읽기(반에서 정각까지)

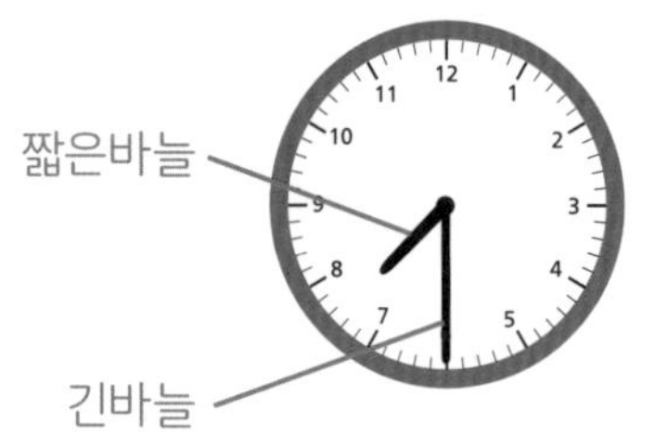

짧은바늘
긴바늘

시 분

7 : 30

7시 30분

- 지금은 7시 50분이에요.
  8시가 되려면 10분 더 있어야 해요.
- 60분에서 50분을 빼면 10분이 남아요.
  그래서 7시 50분을
  8시 10분 전이라고도 해요.

7시 50분은
8시 10분 전이라고도
해요.

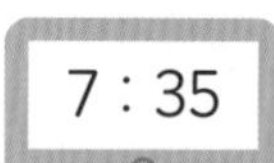

7 : 35	7 : 40	7 : 45
8시 25분 전	8시 20분 전	8시 15분 전

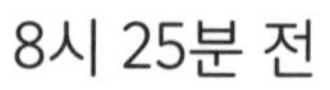

7 : 50	7 : 55	8 : 00
8시 10분 전	8시 5분 전	8시 정각

1. 같은 시각끼리 선으로 이어 보세요.

10시 정각 | 10시 10분 전 | 10시 25분 전 | 10시 5분 전 | 10시 20분 전

9 : 50 | 10 : 00 | 9 : 55 | 9 : 35 | 9 : 40

2. 시계를 보고 몇 시 몇 분인지 디지털시계로 나타내 보세요.

________ ________ ________

________ ________ ________ ________

3. 시계를 보고 몇 시 몇 분인지 써 보세요.

6 : 30	8 : 40	7 : 55	10 : 35
____시 ____분	____시 ____분 전	____시 ____분 전	____시 ____분 전

____시 ____분 전	____시 ____분 전	____시 ____분	____시 ____분 전

더 생각해 보아요!

다음 중 어떤 시계가 잘못된 것일까요? ○표 해 보세요.

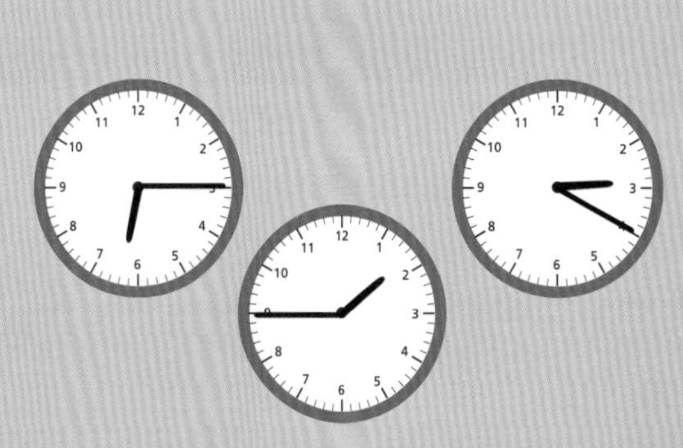

4. 10시 15분 이후 시간이 얼마나 지났을까요?

10 : 20	10 : 30	10 : 45
______	______	______
11 : 00	11 : 05	11 : 15
______	______	______

5. 아래 글을 읽고 몇 시 몇 분인지 써 보세요.

❶ 알렉의 엄마는 6시 45분에 샤워를 시작해서 15분 동안 씻어요. 샤워를 마치면 몇 시 몇 분일까요?

정답 : ______

❷ 알렉의 엄마는 7시 15분부터 30분 동안 이메일을 확인해요. 이메일을 다 보면 몇 시 몇 분일까요?

정답 : ______

❸ 엠마의 아빠는 6시 20분부터 30분 동안 신문을 읽어요. 신문을 다 읽으면 몇 시 몇 분일까요?

정답 : ______

❹ 엠마의 아빠는 7시 10분에 출근해서 회사에 가려면 40분이 걸려요. 회사에 도착하면 몇 시 몇 분일까요?

정답 : ______

❺ 알렉의 엄마는 11시 5분부터 55분 동안 점심을 먹어요. 점심을 다 먹으면 몇 시 몇 분일까요?

정답 : ______

❻ 엠마의 아빠는 15시 5분에 퇴근해서 집에 가려면 45분이 걸려요. 집에 도착하면 몇 시 몇 분일까요?

정답 : ______

6. 짧은바늘을 보고 긴바늘의 위치가 바르게 된 것에 색칠하세요.

❶ 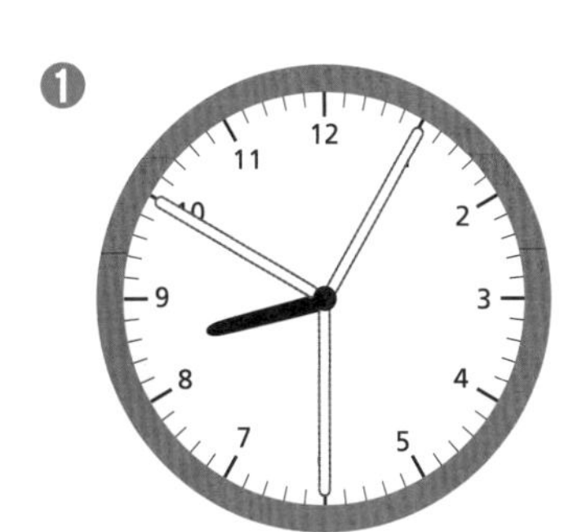

❷ 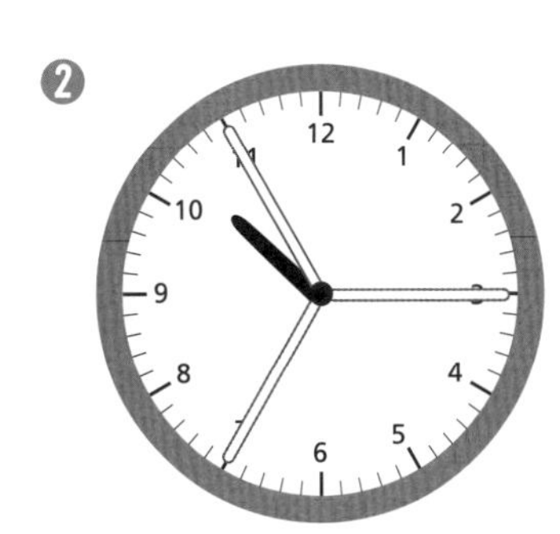

7. 몇 시 몇 분인지 써 보세요.

❶ 8시에서 120분 전

____시 ____분

❷ 4시에서 70분 후

____시 ____분

❸ 10시에서 95분 전

____시 ____분

❹ 5시에서 150분 후

____시 ____분

한 번 더 연습해요!

1. 시계를 보고 몇 시 몇 분인지 써 보세요.

____시 ____분

____

____시 ____분

____

____시 ____분

____

____시 ____분

____

2. 나의 하루를 살펴보고 시각을 써 보세요.

오늘 몇 시에 일어났나요? ______________________________

오늘 몇 시에 등교했나요? ______________________________

오늘 몇 시에 아침을 먹었나요? ______________________________

3 하루의 시간 – 오전

- 하루는 24시간이에요.
- 짧은바늘은 하루에 시계를 2바퀴 돌아요.

지금은 오전 9시에서 20분 후 즉, 9시 20분이에요.

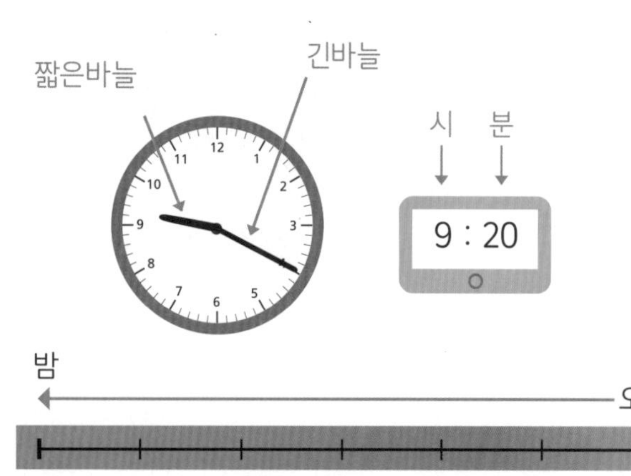

밤 ← 오전 → 낮

0:00 1:00 2:00 3:00 4:00 5:00 6:00 7:00 8:00 9:00 10:00 11:00 12:00

전날 밤 12시(0:00)부터 낮 12시까지를 오전이라고 해요.

1. 시계를 보고 오전 몇 시 몇 분인지 써 보세요.

2시 10분

2. 시계를 보고 오전 몇 시 몇 분인지 디지털시계로 나타내 보세요.

3. 다음 시각을 디지털시계에 나타내 보세요.

4. 같은 시각끼리 선으로 이어 보세요.

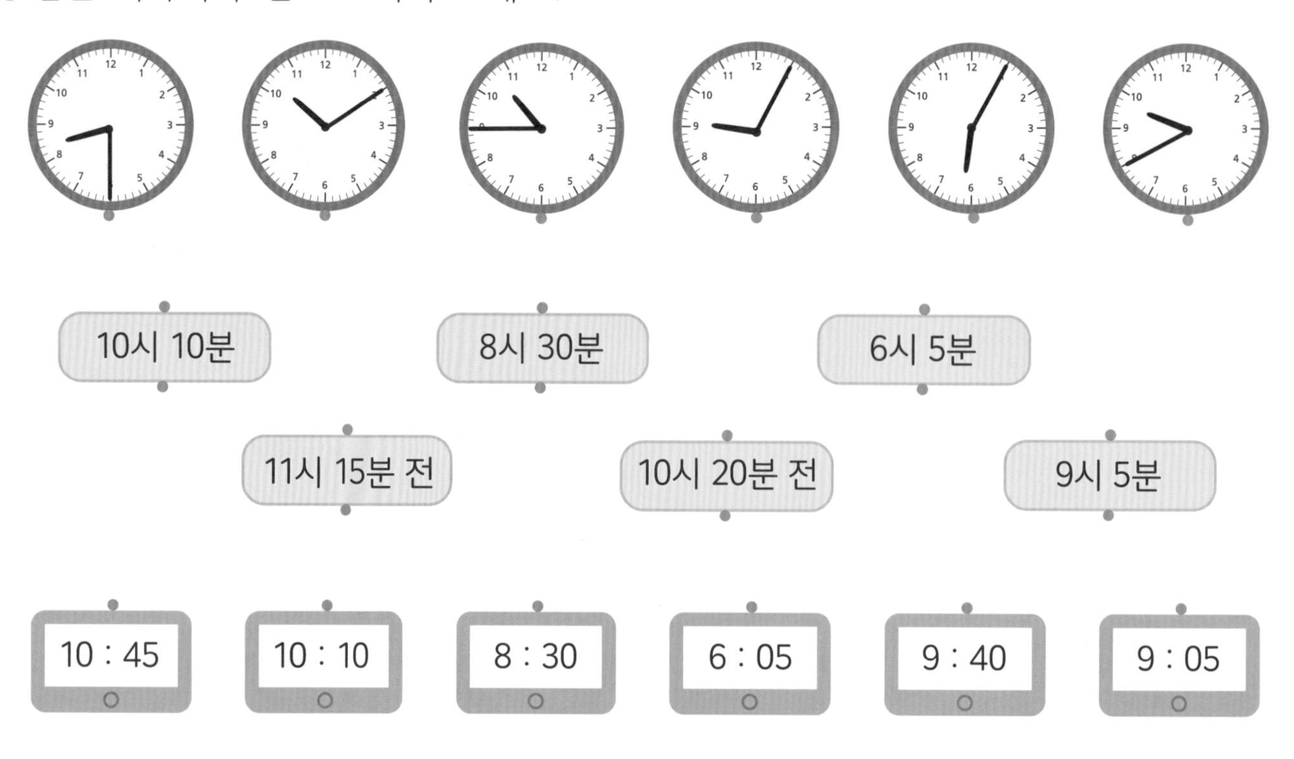

5. 아래 글을 읽고 몇 시 몇 분인지 써 보세요.

❶ 선생님이 8시 30분에 시계를 확인했어요.
30분 전에는 몇 시 몇 분이었을까요?

정답 : ______________________

❷ 오전 8시 45분이에요. 체육 수업을 30분 후에 시작해요. 체육 수업은 몇 시 몇 분에 시작할까요?

정답 : ______________________

❸ 선생님이 한밤중인 1시 20분에 잠을 깼다가 35분 뒤에 다시 잠이 들었어요. 선생님이 잠든 시각은 몇 시 몇 분이었을까요?

정답 : ______________________

❹ 선생님이 자명종 시계를 6시 10분에 껐어요. 선생님은 1시간 50분 뒤에 출근해요. 출근하는 시각은 몇 시 몇 분일까요?

정답 : ______________________

6. 다음 글을 읽고 누가 몇 시에 일어났는지 알아맞혀 보세요.

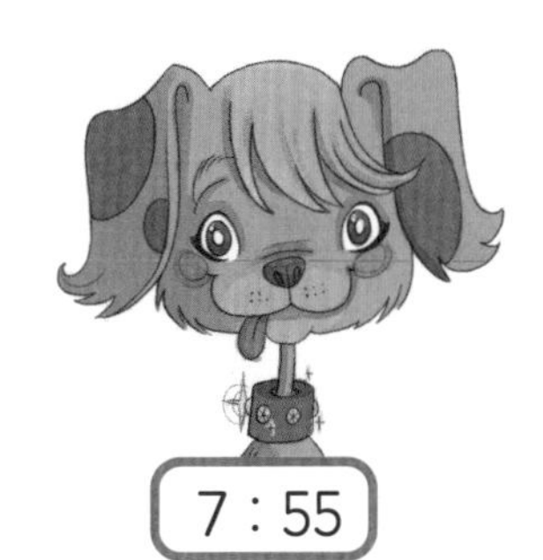

- 버디는 루시보다 25분 전에 일어났어요.
- 로키는 포보다 25분 후에 일어났어요.
- 버디는 포보다 더 일찍 일어났어요.

7. 다음 글을 읽고 답을 구해 보세요.

지금은 3시 10분이에요. 이 시계는 한 시간마다 5분씩 빨라져요.

3시간 후에 시곗바늘은 몇 시 몇 분을 가리킬까요? ______________________

7시간 후에 시곗바늘은 몇 시 몇 분을 가리킬까요? ______________________

한 번 더 연습해요!

1. 시계를 보고 오전 몇 시 몇 분인지 써 보세요.

2. 다음 시각을 디지털시계에 나타내 보세요.

오전 3시 20분

오전 11시 20분

오전 3시 5분 전

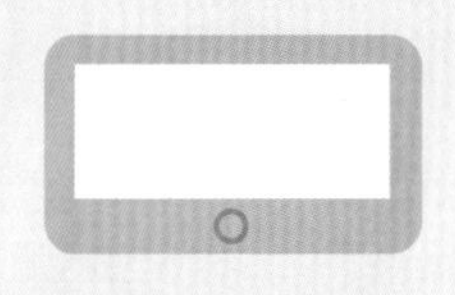

오전 3시 35분

4 하루의 시간 – 오후

낮 12시부터 밤 12시까지를 오후라고 합니다.

1. 시계를 보고 오후 몇 시 몇 분인지 써 보세요.

14시 15분

2. 시계를 보고 오후 몇 시 몇 분인지 디지털시계로 나타내 보세요.

3. 다음 시각을 디지털시계에 나타내 보세요.

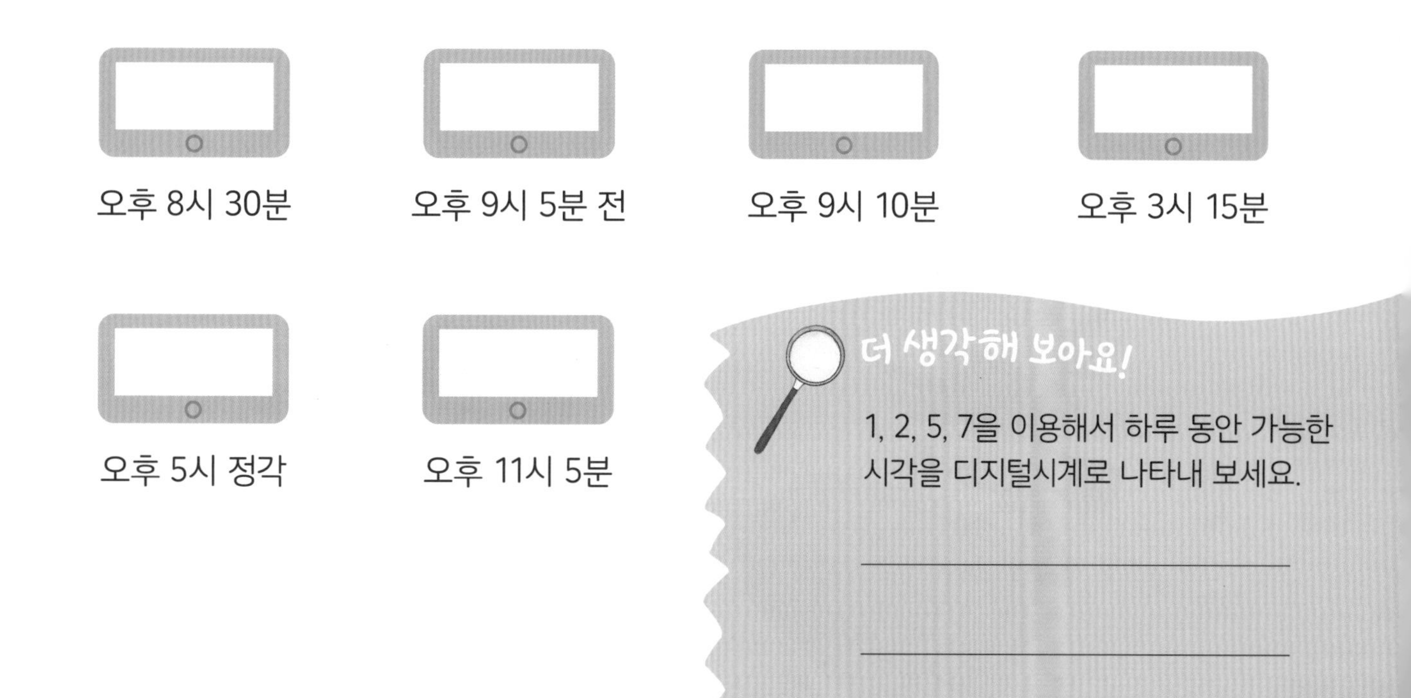

오후 8시 30분

오후 9시 5분 전

오후 9시 10분

오후 3시 15분

오후 5시 정각

오후 11시 5분

더 생각해 보아요!

1, 2, 5, 7을 이용해서 하루 동안 가능한 시각을 디지털시계로 나타내 보세요.

4. 같은 시각끼리 선으로 이어 보세요.

22 : 10

15 : 45

20 : 40

23 : 50

18 : 55

19 : 00

5. 아래 글을 읽고 몇 시 몇 분인지 써 보세요.

❶ 엠마는 학교 수업을 마치고 14시 10분에 할머니 집으로 갔어요. 2시간 30분 후 집으로 돌아갈 때는 몇 시 몇 분일까요?

정답 : ______________________

❷ 지금은 13시 50분이에요. 알렉은 2시간 전에 시계를 확인했어요. 알렉이 시계를 확인했을 때는 몇 시 몇 분이었을까요?

정답 : ______________________

❸ 지금은 12시 55분이에요. 루이스는 65분 후에 학교에서 출발할 거예요. 그때는 몇 시 몇 분일까요?

정답 : ______________________

❹ 선생님은 22시 50분에 잠자리에 들어 7시간 후에 일어나요. 선생님이 일어나는 시각은 몇 시 몇 분일까요?

정답 : ______________________

6. 6시 5분과 9시 5분 사이에 짧은바늘과 긴바늘은 몇 번 겹치게 될까요?

정답 : ______________________

7. 기차는 정각에 역에 도착하고, 매시간 15분에 역을 떠나요. 8시와 14시 사이에 기차가 역에 있는 시간은 몇 시간 몇 분일까요?

정답 : ______________________

한 번 더 연습해요!

1. 시계를 보고 오후 몇 시 몇 분인지 써 보세요.

______________ ______________ ______________ ______________

2. 다음 시각을 디지털시계에 나타내 보세요.

오후 12시 30분   오후 4시 5분   오후 10시 정각   오후 12시 25분 전

____ 월 ____ 일 ____ 요일

1. 몇 시 몇 분인지 써 보세요.

7 : 15	8 : 05	9 : 30	20 : 40
오전 7시 15분	________	________	________

2. 시계를 보고 몇 시 몇 분인지 디지털시계로 나타내 보세요.

오전 ________	________	________	________
오후 ________	________	________	________

오전 ________	________	________	________
오후 ________	________	________	________

3. 같은 시각끼리 선으로 이어 보세요.

9 : 25	3시 20분 전	18 : 50
6 : 50	9시 25분	22 : 30
5 : 35	7시 10분 전	21 : 25
2 : 40	10시 30분	14 : 40
10 : 30	6시 25분 전	17 : 35

4. 다음 행동에 적절한 시각을 〈보기〉에서 골라 빈칸에 써넣어 보세요.

<보기>

14 : 45	~~7 : 45~~	19 : 45	21 : 00	13 : 30	19 : 30	13 : 00	17 : 10
18 : 15	2 : 35	7 : 05	~~15 : 00~~	~~20 : 30~~	7 : 20	8 : 00	21 : 45

• **엠마의 하루**

기상	______
아침 식사	______
등교	7 : 45
수업 시작	______
수업 끝	______
동아리 활동	______
간식	______
숙제	15 : 00
저녁 식사	______
댄스 수업	______
댄스 수업 끝	______
TV 시청	______
야식	20 : 30
독서	______
취침	______
자다 깨기	______

더 생각해 보아요!

지금은 짧은바늘과 긴바늘이 겹쳐 있어요. 긴바늘이 시계 한 바퀴를 돌아요. 왜 짧은바늘과 긴바늘이 겹치지 않을까요?

______

______

5. 쉬는 날, 알렉의 일과를 따라 길을 찾아보세요.

- 8시 35분에 일어났어요.
- 9시 20분에 아침을 먹었어요.
- 한 시간 후에 수영장에 갔어요.
- 정각 12시에 동물원에 가는 버스를 탔어요.
- 45분 동안 버스에 있었어요.
- 3시 30분에 점심을 먹었어요.
- 18시 45분에 버스는 돌아갔어요.
- 30분 뒤에 돌고래 쇼가 시작됐어요.
- 35분 동안 돌고래 쇼를 관람했어요.
- 21시 15분에 늦은 저녁을 먹었어요.

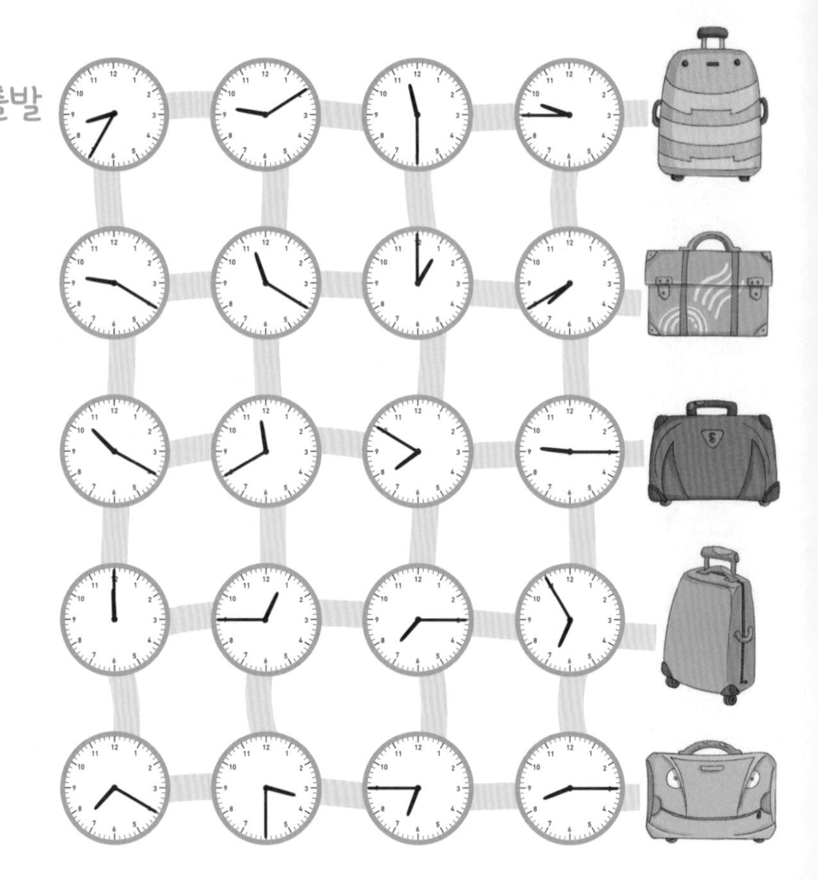

6. 다음 시계는 모두 오전 시각을 나타내고 있어요. 시각의 순서대로 시계의 알파벳을 □ 안에 써넣어 보세요.

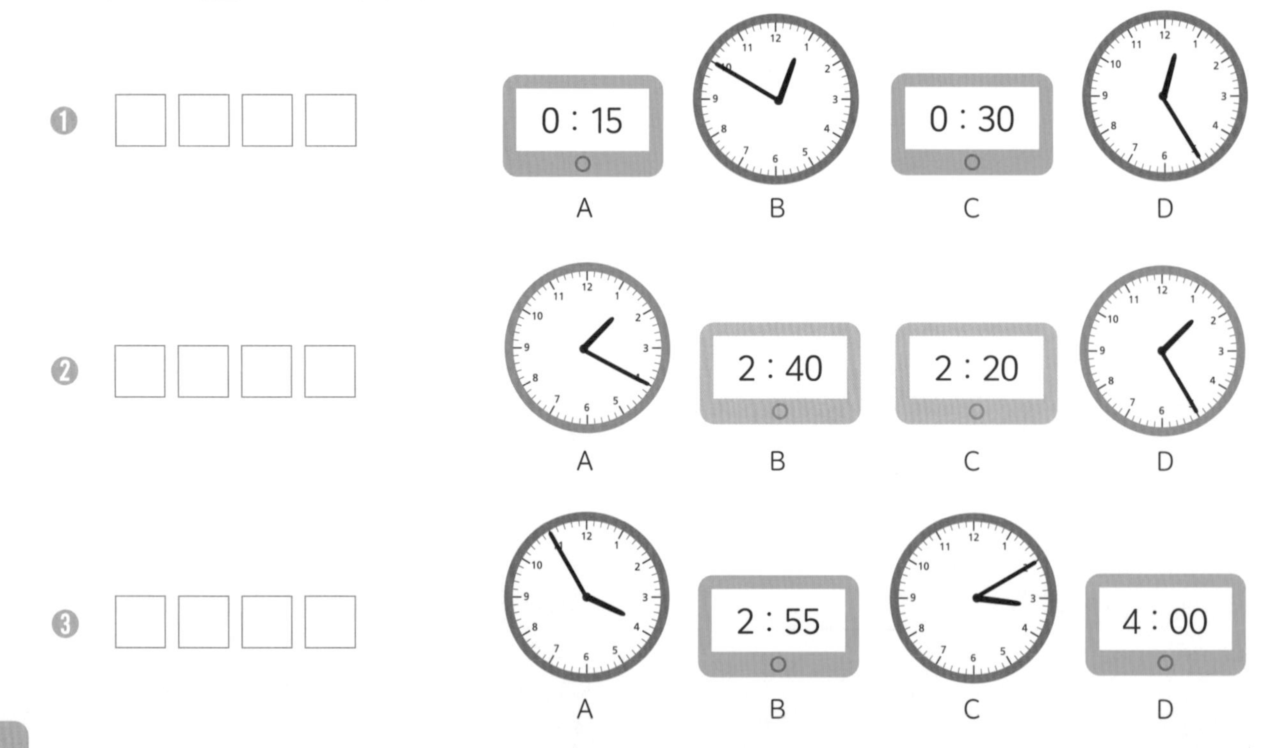

7. 다음 글을 읽고 어느 시계가 어떤 시각을 나타내는지 알아맞혀 보세요.

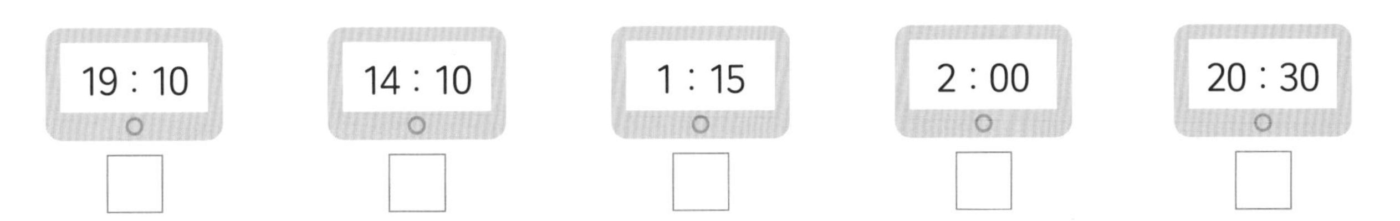

- A 시계는 정오(낮 12시)에 가까워요.
- B 시계는 새벽 시각을 나타내요.
- C 시계는 3시간 30분 후에 자정이 돼요.
- D 시계는 저녁 시각을 나타내요.
- E 시계는 5시간 후에 오전 7시가 돼요.

8. 1, 2, 3, 4를 이용해 나타낼 수 있는 시각을 색칠해 보세요.

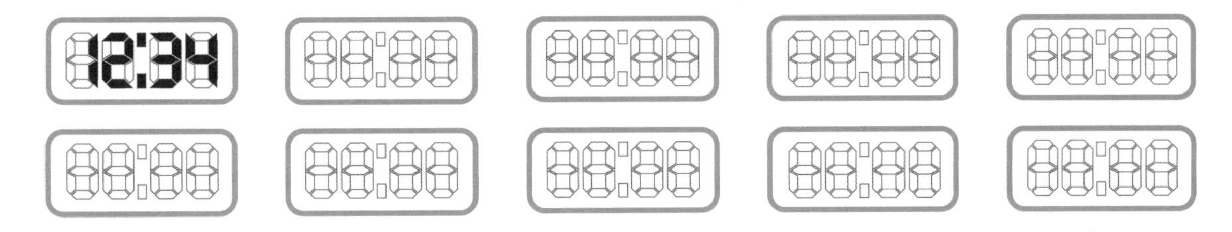

한 번 더 연습해요!

1. 시계를 보고 몇 시 몇 분인지 디지털시계로 나타내 보세요.

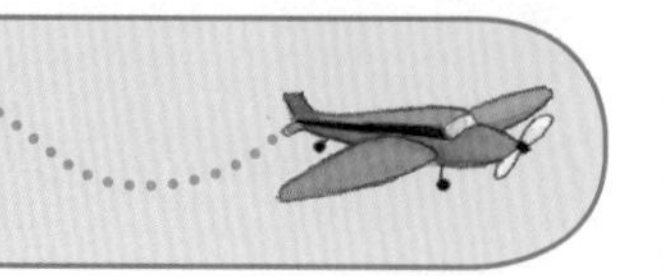

5 시간 계산

7시 45분에
학교로 출발해요.

8시 10분에
학교에 도착해요.

학교까지 가는 데
15분 + 10분 = 25분
25분이 걸렸네요.

1. 빈칸에 알맞은 시각을 넣어 버스 운행 시간표를 완성해 보세요.

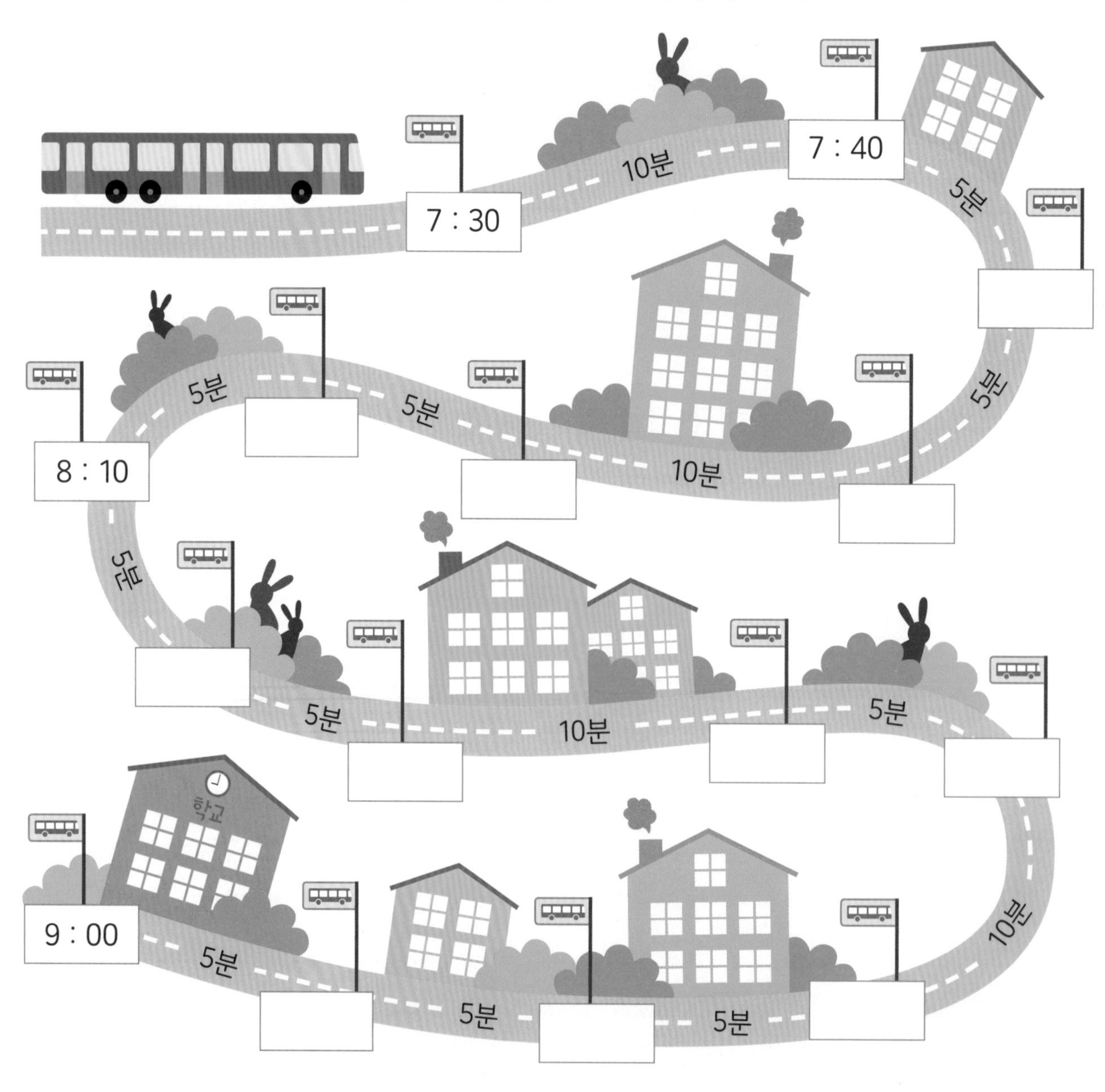

2. 다음 규칙에 맞게 버스 운행 시간표를 완성해 보세요.

❶ 버스는 10분마다 운행해요.

7 : 15	7 : 25			

❷ 버스는 20분마다 운행해요.

5 : 10				

❸ 버스는 15분마다 운행해요.

8 : 25				

3. 계산한 후, 답을 애벌레에서 찾아 O표 해 보세요.

❶ 알렉은 13시 20분에 기차를 타서 13시 50분에 내렸어요. 알렉이 기차를 타고 이동하는 데 걸린 시간은 얼마일까요?

정답 : ____________________

❷ 알렉은 14시 15분에 게임을 시작해서 15시에 끝마쳤어요. 알렉이 게임을 하는 데 걸린 시간은 얼마일까요?

정답 : ____________________

❸ 엠마는 14시 10분에 버스를 타서 14시 35분에 내렸어요. 엠마가 버스를 타고 이동하는 데 걸린 시간은 얼마일까요?

정답 : ____________________

❹ 엠마는 18시 50분에 책을 읽기 시작해서 19시 10분에 책을 덮었어요. 엠마가 책을 읽는 데 걸린 시간은 얼마일까요?

정답 : ____________________

❺ 알렉의 엄마는 18시 35분에 산책을 나가서 19시 15분에 집에 도착했어요. 알렉 엄마가 산책하는 데 걸린 시간은 얼마일까요?

정답 : ____________________

❻ 엠마의 아빠는 18시 5분에 요가 수업을 시작해서 19시에 마쳤어요. 엠마 아빠가 요가 수업을 하는 데 걸린 시간은 얼마일까요?

정답 : ____________________

20분 25분 30분 35분 40분 45분 50분 55분

4. 쉬는 날 엠마의 일과를 따라 길을 찾아보세요.

- 9시 15분에 일어났어요.
- 9시 35분에 아침을 먹었어요.
- 승마 수업을 11시 20분에 시작했어요.
- 1시 반에 간식을 먹었어요.
- 댄스 공연이 3시간 후에 시작됐어요.
- 댄스 공연은 90분 동안 계속되었어요.
- 그래서 엠마는 6시 반이 되도록 저녁을 못 먹었어요.
- 21시 10분에 밤 수영을 하러 갔어요.
- 10시 5분에 시작하는 재미있는 영화를 볼 계획이었어요.
- 하지만, 다음 날 아침 엄마는 엠마가 10시 반 즈음에 잠이 들었다고 말했어요.

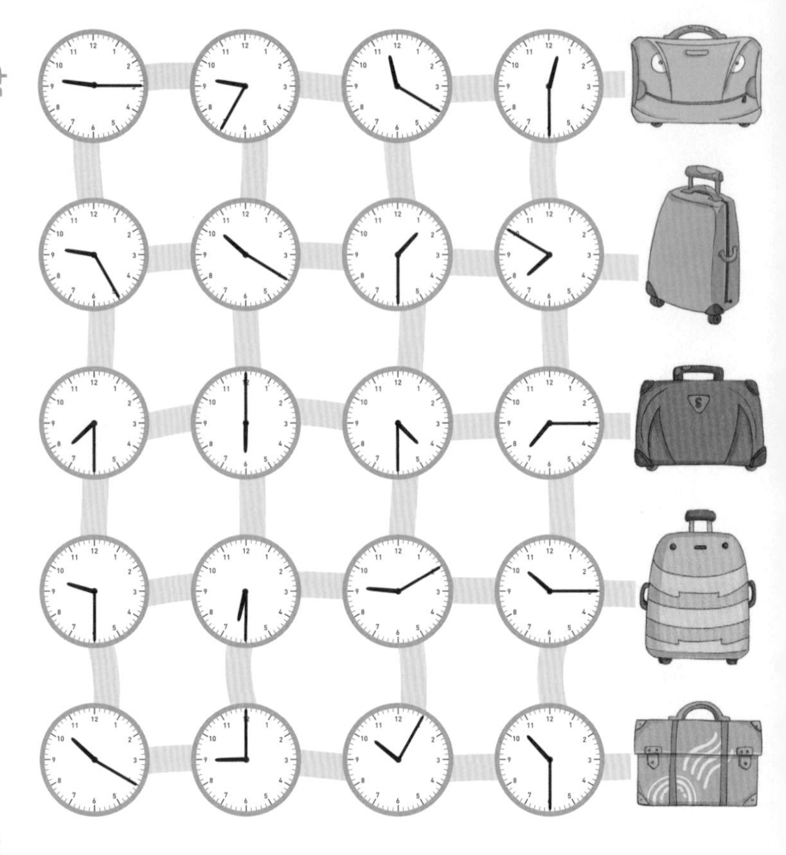

5. 같은 원을 2개 찾아보세요. 같은 원이지만 위치에 따라 다르게 보일 수 있어요.

________, ________

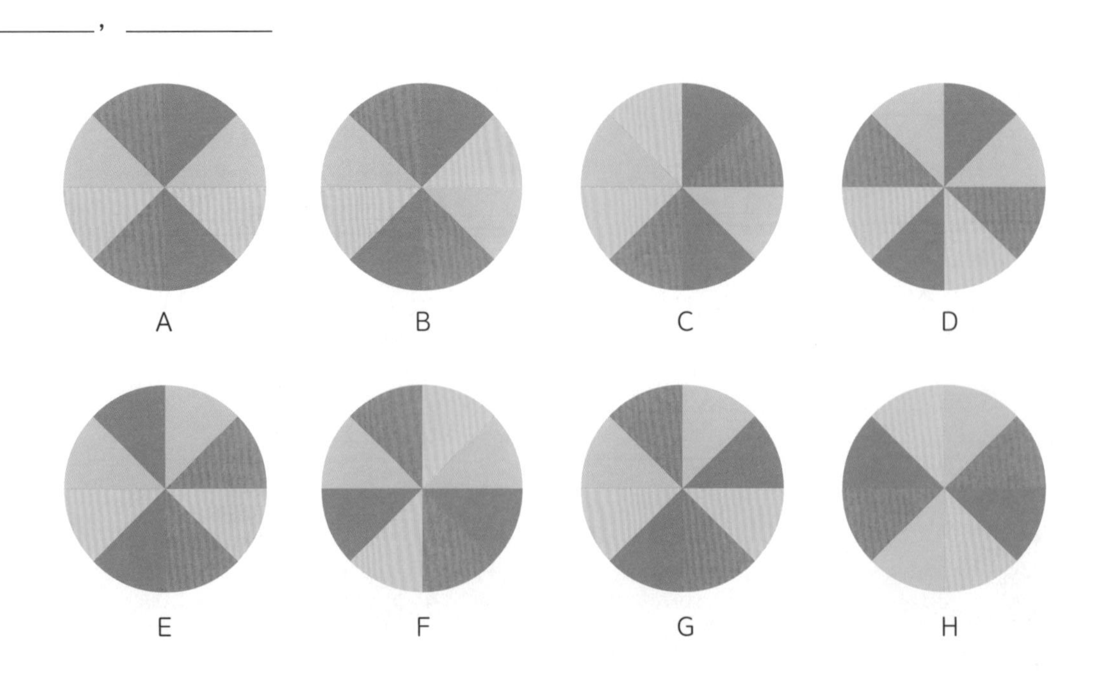

6. 아래 글을 읽고 답을 구해 보세요.

- 달팽이 에멜리는 빨간색 길을 따라가요. 다음 점으로 이동하기까지 3분이 걸려요. 사과에 다다르면 1분을 쉬어요.
- 달팽이 에셀리는 파란색 길을 따라가요. 다음 점으로 이동하기까지 2분이 걸려요. 사과에 다다르면 3분을 쉬어요.

어느 달팽이가 먼저 목적지에 도착할까요?

____

7. 아래 글을 읽고 답을 구해 보세요.

안나의 가족은 오전 7시 30분에 여행을 떠났어요. 2시간 운전 후 점심을 먹기 위해 가던 길을 잠시 멈췄어요. 점심을 40분 동안 먹고, 1시간 30분 동안 다시 차를 타고 갔어요. 그리고 주유하기 위해 15분 동안 멈췄어요. 여행지에 도착하기까지 앞으로 1시간 50분이 더 걸릴 거예요.

안나의 가족이 목적지에 도착하는 시각은 몇 시 몇 분일까요?

____

중간에 쉬지 않았다면 안나의 가족은 몇 시 몇 분에 목적지에 도착할까요?

____

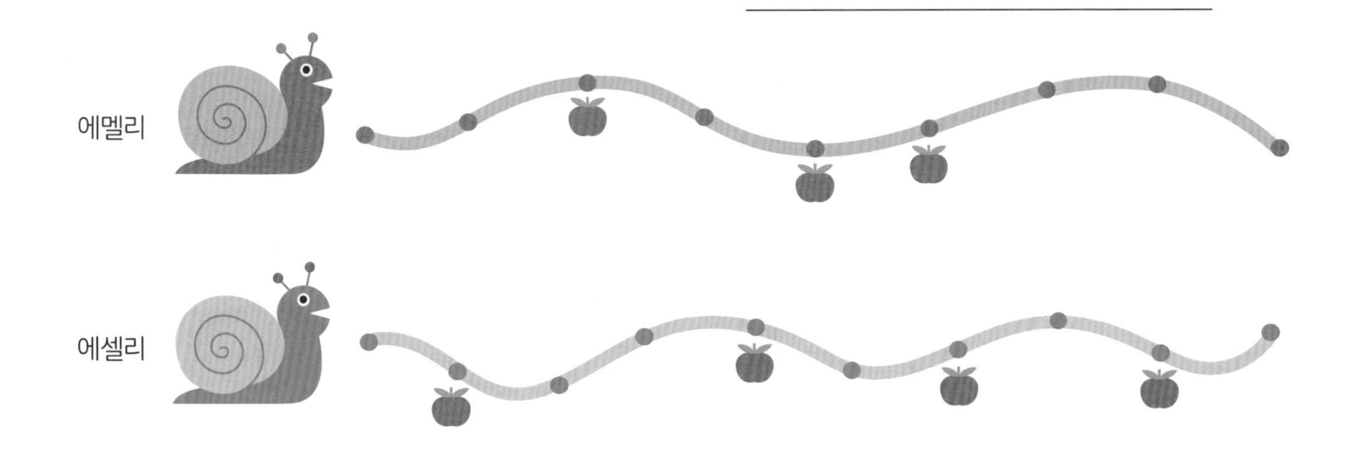

한 번 더 연습해요!

1. 규칙에 맞게 버스 운행 시간표를 완성해 보세요.

버스는 15분마다 운행해요.

8. 캐시는 시계에서 시계로 이동할 때마다 20분이 걸려요. 캐시가 이동하는 길을 그려 보세요.

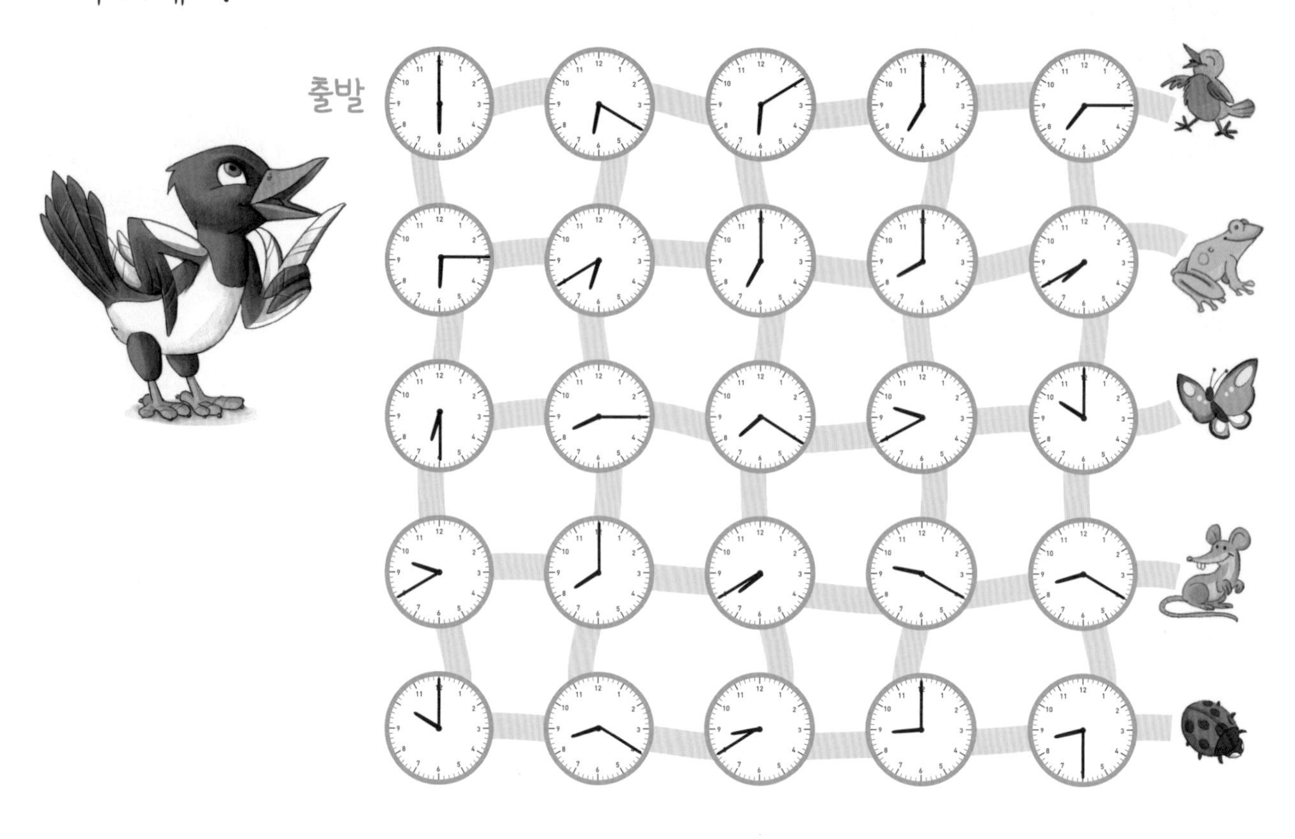

9. 파란색 시계가 멈추었어요. 빨간색 시계들은 거울에 비친 모습이에요.

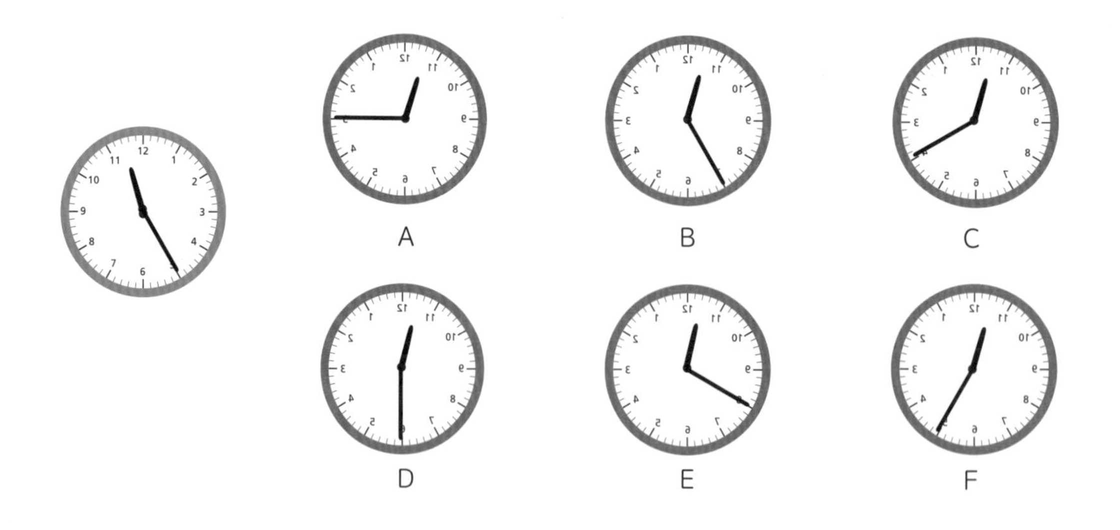

❶ 파란색 시계의 10분 후 시각을 나타내는 시계는 어떤 시계일까요?

정답 : ______________________

❷ 파란색 시계의 10분 전 시각을 나타내는 시계는 어떤 시계일까요?

정답 : ______________________

10. 다음 글을 읽고 친구들의 여행 출발 시각, 도착 시각 그리고 걸린 시간을 알아맞혀 보세요.

엠마

올리비아

헤르미온

알레나

	엠마	올리비아	헤르미온	알레나
출발 시각				
도착 시각				
걸린 시간				

- 올리비아는 9시에 출발했고, 알레나는 올리비아보다 30분 후에 출발했어요.
- 엠마는 목적지에 17시 15분에 도착했어요.
- 엠마는 알레나보다 15분 일찍 출발했어요.
- 헤르미온은 자정에 여행을 떠났어요. 헤르미온은 엠마가 걸린 시간만큼 걸려서 도착했어요.
- 알레나는 오후 3시 30분에 도착했어요.
- 올리비아는 헤르미온보다 4시간 후에 도착했어요.

한 번 더 연습해요!

1. 몇 시 몇 분일까요? 디지털시계로 나타내 보세요.

❶ 지금부터 5분 후

8 : 55 ____________

❷ 지금부터 20분 후

18 : 40 ____________

2. 계산해 보세요.

❶ 엠마의 아빠는 19시 15분에 출발하는 버스를 탔어요. 버스는 19시 30분에 목적지에 도착했어요. 아빠가 버스를 타고 이동하는 데 걸린 시간은 얼마일까요?

정답 : ____________

❷ 알렉은 기차를 타고 9시 50분에 출발해서 10시 25분에 목적지에 도착했어요. 알렉이 기차를 타고 이동하는 데 걸린 시간은 얼마일까요?

정답 : ____________

실력을 평가해 봐요!

____월 ____일 ____요일

1. 다음 시각을 디지털시계에 나타내 보세요.

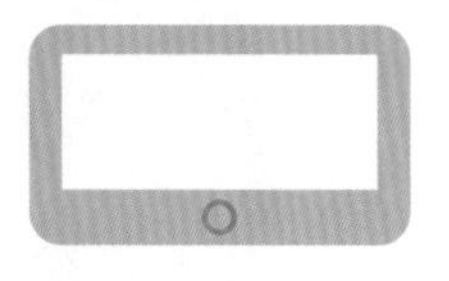		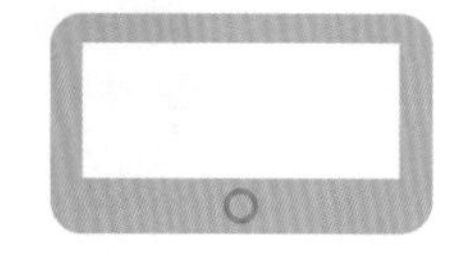	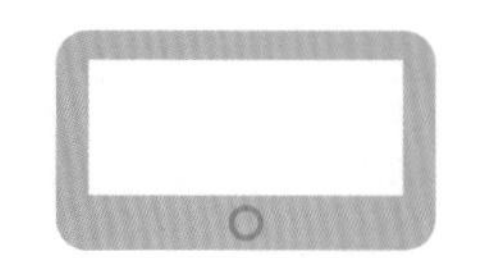
오전 9시 정각	오후 12시 30분	오후 6시 15분	오후 10시 10분 전

2. 시계를 보고 몇 시 몇 분인지 디지털시계로 나타내 보세요.

오전 ______	______	______	______
오후 ______	______	______	______

오전 ______	______	______	______
오후 ______	______	______	______

3. 지금부터 15분 후는 몇 시 몇 분일까요?

19 : 10	20 : 15
______	______
22 : 50	23 : 45
______	______

4. 다음 표를 완성해 보세요.

출발 시각	도착 시각	소요 시간(분)
9 : 05	9 : 25	분
10 : 10	10 : 30	
17 : 35	18 : 15	
19 : 20	20 : 10	

출발 시각	도착 시각	소요 시간(분)
	8 : 30	30분
	9 : 40	20분
	10 : 20	25분
	11 : 10	40분

5. 계산해 보세요.

❶ 휴식 시간은 10시 30분에 시작해서 15분 동안이에요. 휴식 시간은 몇 시 몇 분에 끝날까요?

정답 : ______________________

❷ 엠마는 17시 45분에 출발해서 18시 10분에 댄스 학원에 도착했어요. 학원에 가는 데 걸린 시간은 얼마일까요?

정답 : ______________________

❸ 알렉은 16시 50분에 숙제를 시작해서 17시 15분에 끝마쳤어요. 알렉이 숙제를 하는 데 걸린 시간은 얼마일까요?

정답 : ______________________

❹ 학교 밴드 활동은 14시 30분에 시작해서 50분 동안 해요. 밴드 활동은 몇 시 몇 분에 끝날까요?

정답 : ______________________

실력이 자란 만큼 별을 색칠하세요.

★★★ 정말 잘했어요.

★★☆ 꽤 잘했어요.

★☆☆ 앞으로 더 노력할게요.

단원 평가

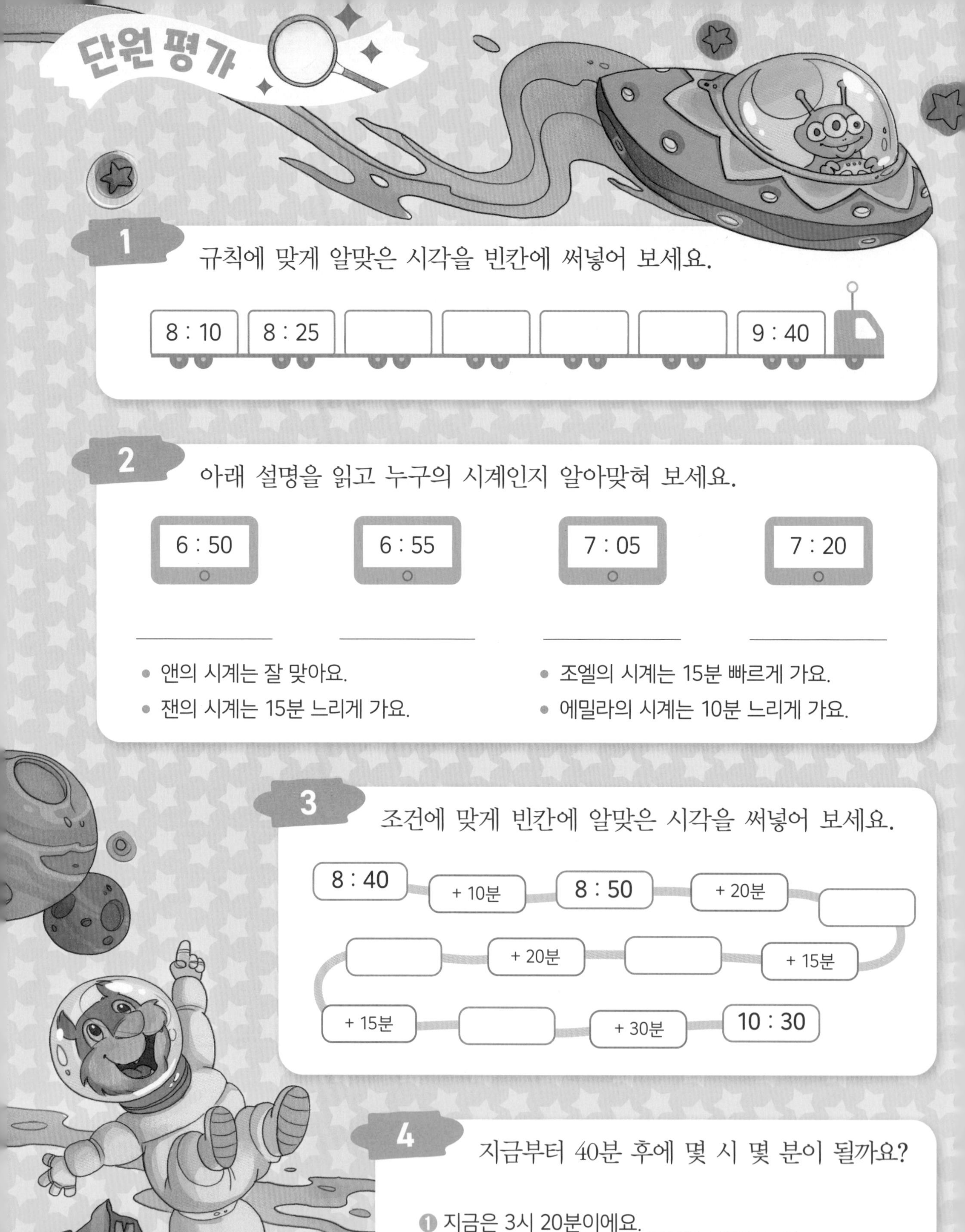

1 규칙에 맞게 알맞은 시각을 빈칸에 써넣어 보세요.

8 : 10 / 8 : 25 / ( ) / ( ) / ( ) / ( ) / 9 : 40

2 아래 설명을 읽고 누구의 시계인지 알아맞혀 보세요.

6 : 50	6 : 55	7 : 05	7 : 20
______	______	______	______

- 앤의 시계는 잘 맞아요.
- 잭의 시계는 15분 느리게 가요.
- 조엘의 시계는 15분 빠르게 가요.
- 에밀라의 시계는 10분 느리게 가요.

3 조건에 맞게 빈칸에 알맞은 시각을 써넣어 보세요.

8 : 40 → + 10분 → 8 : 50 → + 20분 → ( ) → + 15분 → ( ) → + 20분 → ( ) → + 15분 → ( ) → + 30분 → 10 : 30

4 지금부터 40분 후에 몇 시 몇 분이 될까요?

❶ 지금은 3시 20분이에요. ______________

❷ 지금은 8시 10분이에요. ______________

5
자신만의 규칙을 만들어 보세요. 그리고 그 규칙에 맞게 빈칸에 알맞은 수를 써넣어 보세요.
20 : 10
6
같은 시각끼리 선으로 이어 보세요.
8 : 55
8 : 15
7 : 40
8 : 30
8시 15분
8시 20분 전
8시 30분
9시 5분 전
7
문제의 답을 구해 보세요.
파란색 시계가 멈추었어요. 빨간색 시계는 거울에 비친 모습이에요. 15분 후 파란색 시계는 어떤 모습일까요?
A
B
C
D
E
F

도전! 심화 평가
1단계

____ 월 ____ 일 ____ 요일

1. 같은 시각끼리 선으로 이어 보세요.

8시 50분 | 8시 10분 | 8시 20분 | 9시 25분 전 | 9시 정각 | 8시 30분

2. 몇 시 몇 분인지 빈칸에 써넣어 보세요.

3. 규칙에 맞게 아래 빈칸에 알맞은 시각을 써넣어 보세요.

11 : 15	11 : 30	11 : 45				
18 : 20	18 : 40	19 : 00				

4. 계산해 보세요.

① 엠마는 7시 40분에 집에서 나와요. 등교 시간은 15분 걸려요. 엠마는 학교에 몇 시 몇 분에 도착할까요?

정답 :

② 점심시간은 11시에 시작해서 30분 동안이에요. 점심시간은 몇 시 몇 분에 끝날까요?

정답 :

도전! 심화 평가 2단계

___월 ___일 ___요일

1. 몇 시 몇 분인지 디지털시계로 나타내 보세요.

오전 ______	______	______	______
오후 ______	______	______	______

2. 다음 시각을 디지털시계에 나타내 보세요.

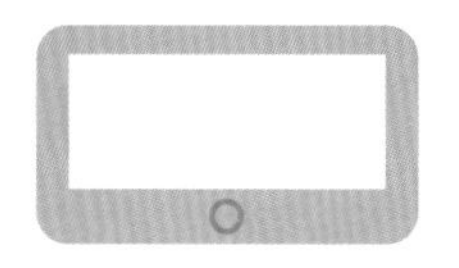
오전 2시 30분

오전 9시 10분

오후 1시 55분

오후 7시 25분

3. 지금부터 50분 후는 몇 시 몇 분일까요?

1 : 45	6 : 20	10 : 50	11 : 55
______	______	______	______

4. 계산해 보세요.

❶ 선생님은 17시 40분에 극장으로 출발해서 45분이 걸려 도착했어요. 선생님이 극장에 도착한 시각은 몇 시 몇 분일까요?

정답 : ______

❷ 경기가 18시 30분에 시작해요. 경기장까지 50분이 걸린다면 늦어도 몇 시 몇 분에 집에서 출발해야 할까요?

정답 : ______

❸ TV 프로그램이 19시 50분에 시작해서 20시 40분에 끝나요. 프로그램 방영 시간은 얼마일까요?

정답 : ______

도전! 심화 평가
3단계

____ 월 ____ 일 ____ 요일

1. 다음 시계를 보고 몇 시 몇 분인지 빈칸에 써넣어 보세요.

25분 후

35분 후

55분 후

65분 후

2. 규칙에 맞게 알맞은 시각을 써넣어 보세요.

3. 계산해 보세요.

❶ 아이스하키 경기는 18시 30분에 시작해서 21시 10분에 끝나요. 경기 시간은 얼마일까요?

정답 : ____________________

❷ 영화가 20시 10분에 끝나요. 영화 상영 시간이 1시간 30분이라면 영화는 몇 시 몇 분에 시작했을까요?

정답 : ____________________

4. 다음은 24시간을 나타내는 시계예요. 시계를 보고 몇 시 몇 분인지 써 보세요.

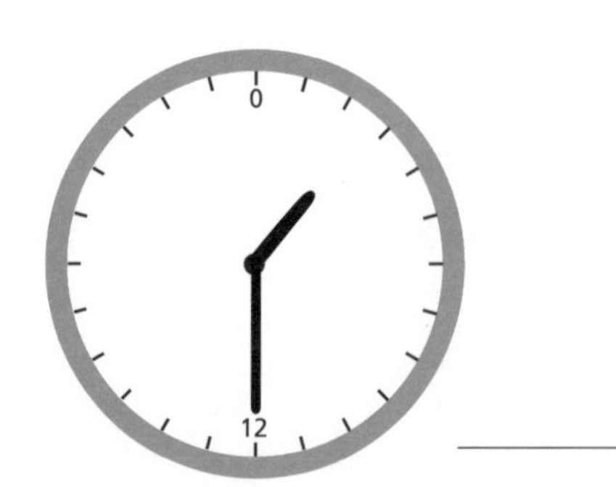

단원 정리

_____월 _____일 _____요일

★ 1시간

- 1시간은 60분이에요.
- 1시간의 절반은 30분이에요.

5분

30분

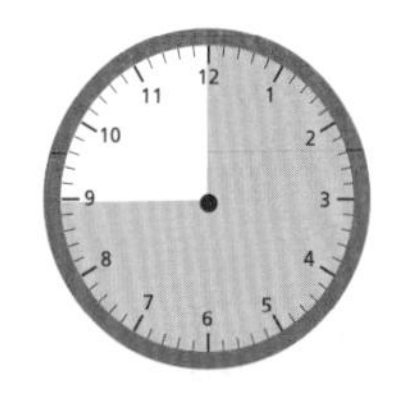
45분

60분

★ 오전과 오후

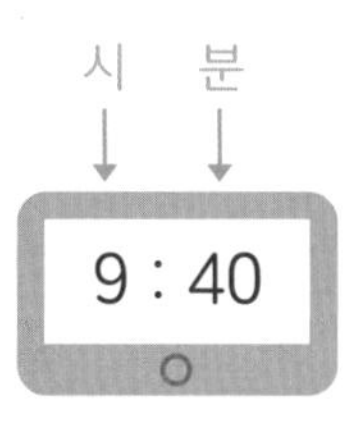

- 9시 40분 또는 오전 10시 20분 전이라고 읽어요.
- 21시 40분 또는 오후 10시 20분 전이라고 읽어요.

★ 하루의 시간(0~24시)

오전 8시 30분
오후 20시 30분

오전 8시 55분
오후 20시 55분

오전 2시 50분
오후 14시 50분

오전 3시
오후 15시

★ 시간의 계산

시각과 시간을 구분해서 사용하도록 해.

7시 45분에
집에서 출발해요.

8시 10분에
학교에 도착해요.

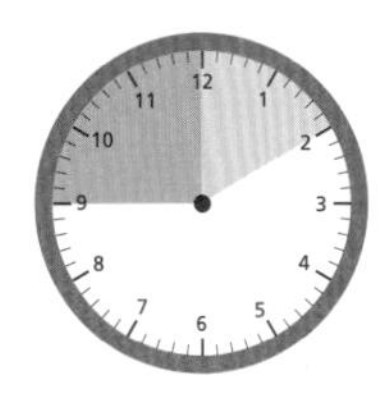
등교 시간은
15분 + 10분 = 25분이에요.

____ 월 ____ 일 ____ 요일

6 세로셈으로 곱셈하기

백의 자리 / 십의 자리 / 일의 자리

1 3 2 × 2

덧셈

	1	3	2
+	1	3	2
	2	6	4

곱셈

	1	3	2
×			2
	2	6	4

정답 : 264

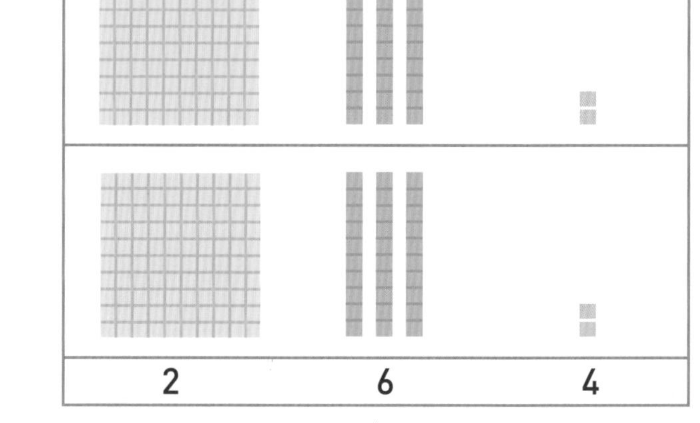

- 첫째, 일의 자리 수를 곱하세요. (2 x 2 = 4) 일의 자리 칸에 4를 쓰세요.
- 둘째, 십의 자리 수를 곱하세요. (2 x 3 = 6) 십의 자리 칸에 6을 쓰세요.
- 셋째, 백의 자리 수를 곱하세요. (2 x 1 = 2) 백의 자리 칸에 2를 쓰세요.

1. 먼저 덧셈을 계산한 후, 곱셈식을 세워 계산해 보세요.

		4	1
+		4	1

		4	1
×			2

		3	4
+		3	4

×			

	2	4	3
+	2	4	3

×			

	3	1	2
+	3	1	2

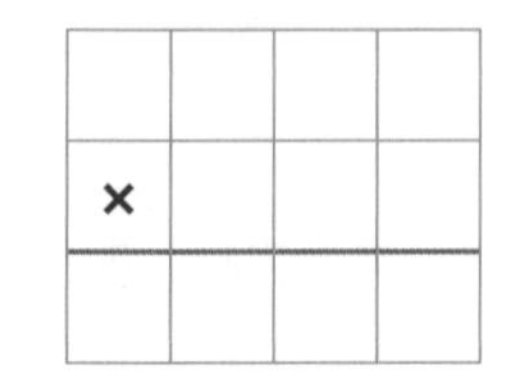

×			

2. 그림을 보고 곱셈식을 세워 답을 구한 후, 애벌레에서 찾아 ◯표 해 보세요.

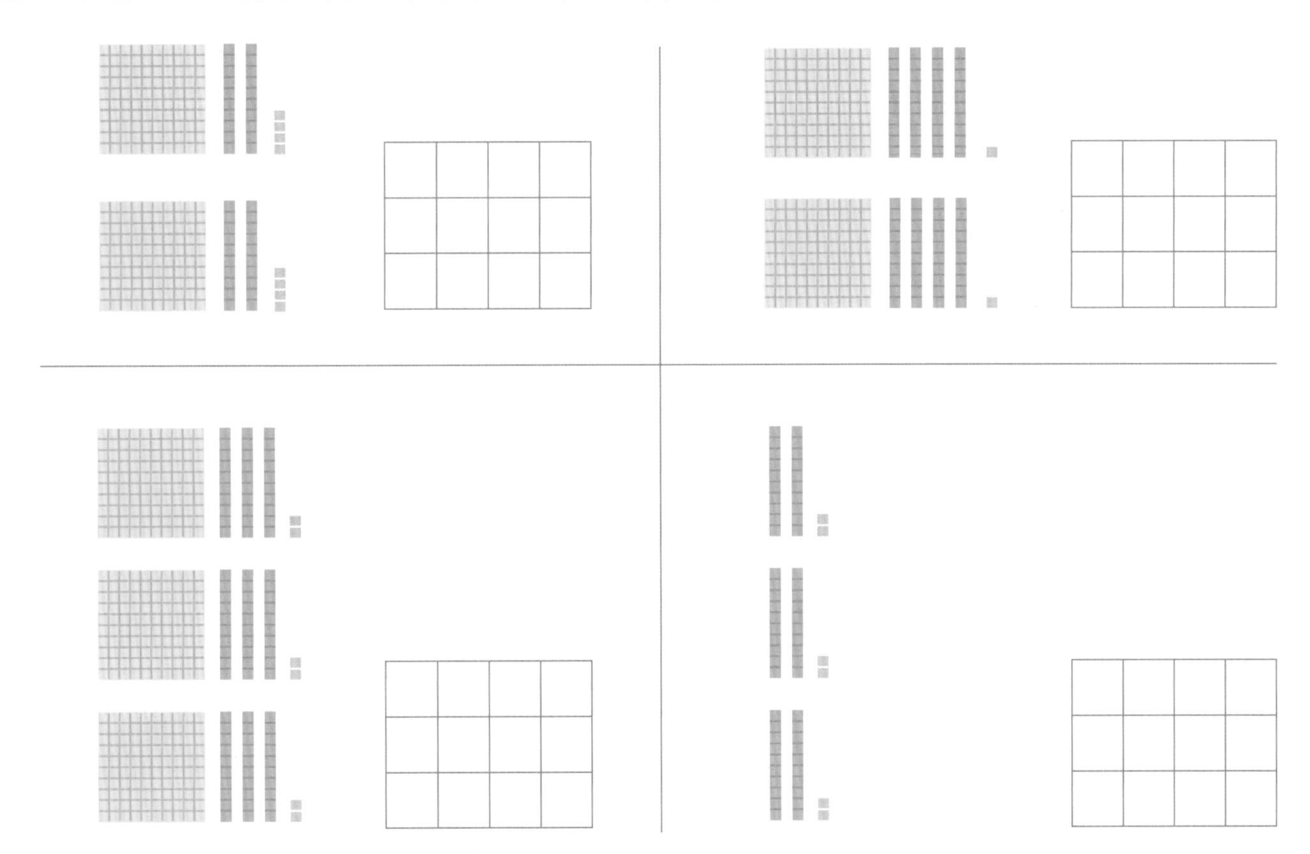

3. 세로셈으로 계산한 후, 애벌레에서 답을 찾아 ◯표 해 보세요.

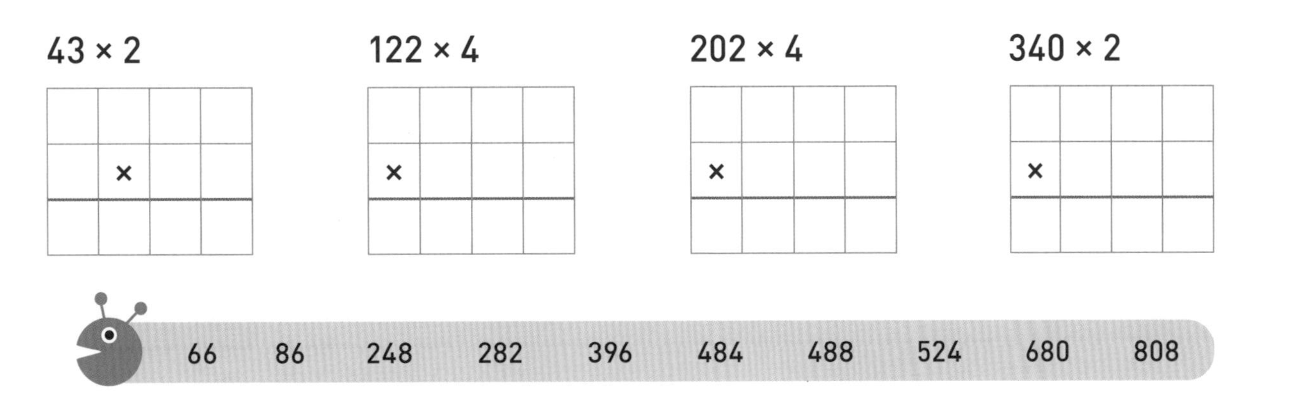

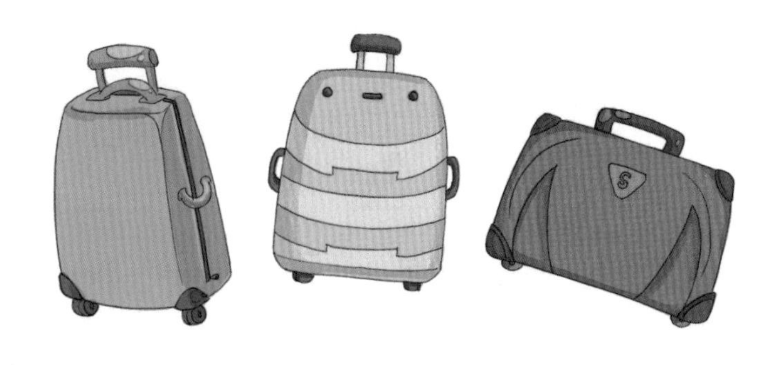

더 생각해 보아요!

두 수의 곱은 36이고, 두 수의 차는 5예요. 두 수의 합은 얼마일까요?

____

4. 세로셈으로 계산한 후, 같은 값끼리 선으로 이어 보세요. 아이들이 여행하는 곳을 알 수 있어요.

5. 빈칸에 알맞은 수를 써넣어 보세요.

	4	□	4
×			2
	8	2	8

	1	2	2
×			□
	4	8	8

	2	0	0
×			□
	6	0	0

		□	2
	×		4
	3	2	8

6. 아래 글을 읽고 문제의 답을 구해 보세요.

옛날 중국에서는 선을 이용하여 곱셈을 했어요. 오른쪽 그림은 122×3을 나타낸 거예요.
파란색 선은 곱해지는 수 122를, 빨간색 선은 곱하는 수 3을 나타내요. 교차점의 개수가 백의 자리, 십의 자리, 일의 자리 수를 뜻해요. 그래서 곱셈값은 366이 나와요.

<보기>
122 × 3

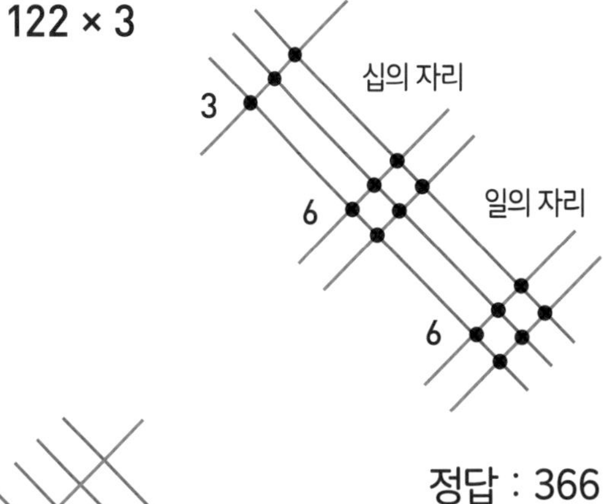

정답 : 366

선을 이용해서 다음 곱셈식을 계산해 보세요.

❶

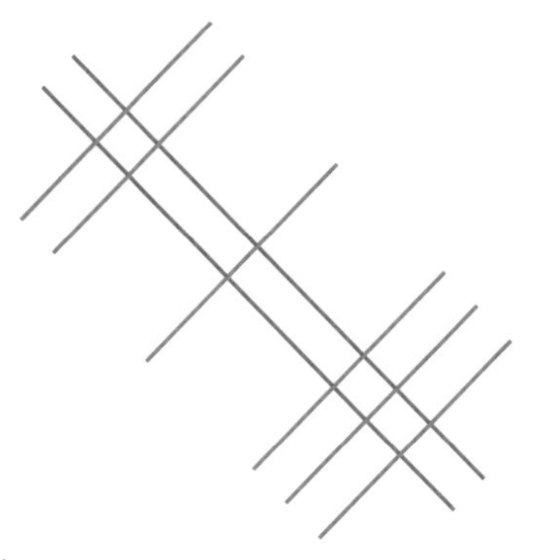

식 : ____________________

정답 : ____________________

❷

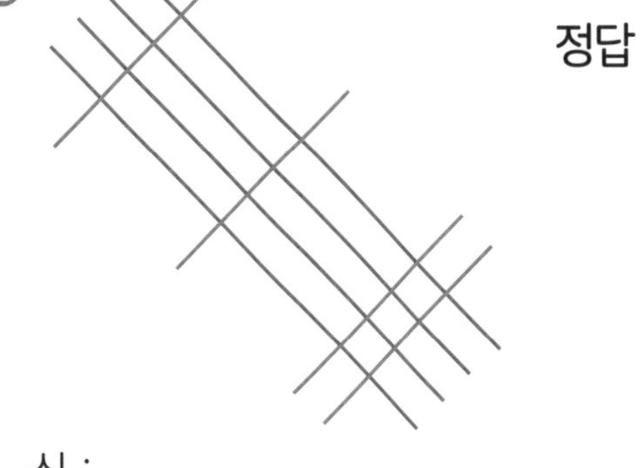

식 : ____________________

정답 : ____________________

한 번 더 연습해요!

1. 계산해 보세요.

$6 \times 8 =$ ______
$4 \times 8 =$ ______
$9 \times 6 =$ ______

$7 \times 5 =$ ______
$9 \times 3 =$ ______
$6 \times 5 =$ ______

$5 \times 7 =$ ______
$9 \times 4 =$ ______
$7 \times 9 =$ ______

2. 세로셈으로 계산해 보세요.

221×2

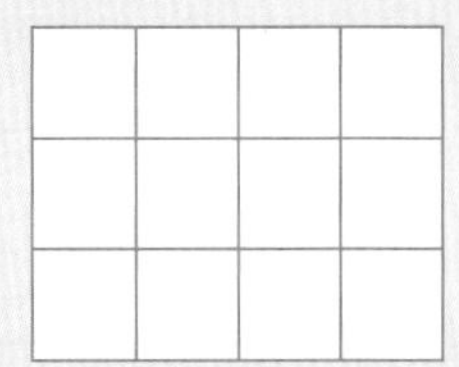

120×4

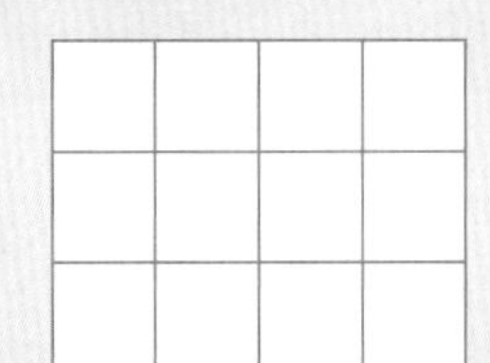

201×3

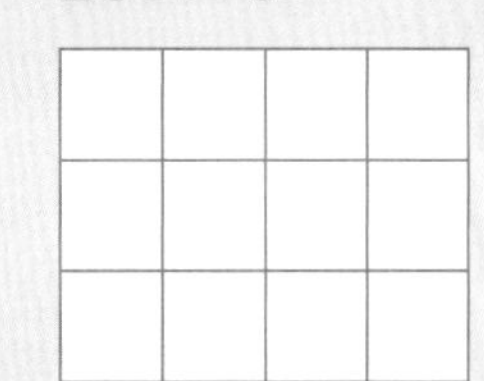

110×5

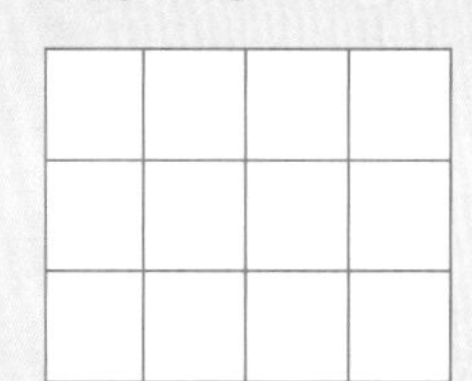

_____ 월 _____ 일 _____ 요일

7 곱셈으로 돈 계산하기

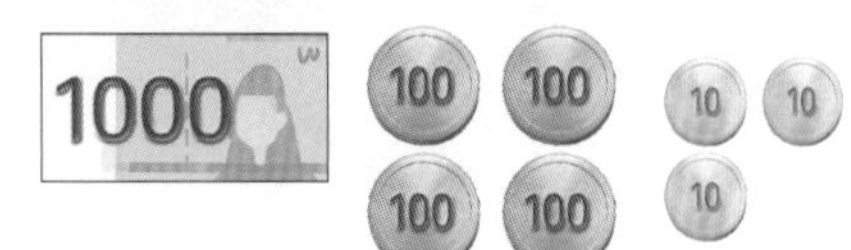

1430원 × 2

	1	4	3	0
+	1	4	3	0
	2	8	6	0

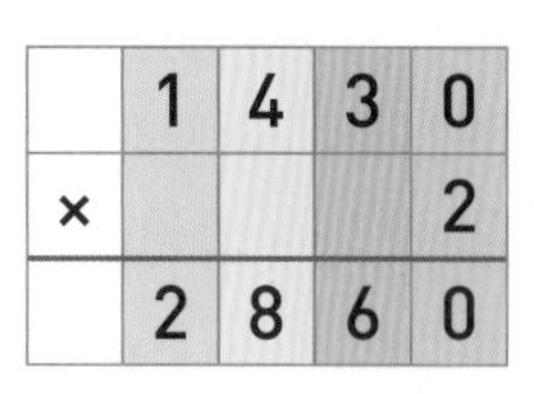

	1	4	3	0
×				2
	2	8	6	0

정답 : 2860원

한국의 화폐 단위는 원이에요.

- 먼저 일의 자리 수를 곱한 후(2×0=0) 일의 자리 칸에 0을 쓰세요.
- 십의 자리 수를 곱한 후(2×3=6) 6을 십의 자리 칸에 쓰세요.
  한국 화폐는 십 원 단위부터 시작되기 때문에 일의 자리는 항상 0이에요.
- 백의 자리 수를 곱한 후(2×4=8) 8을 백의 자리 칸에 쓰세요.
- 천의 자리 수를 곱한 후(2×1=2) 2를 천의 자리 칸에 쓰세요.

1. 그림을 보고 알맞은 덧셈식과 곱셈식을 세워 돈이 모두 얼마인지 계산해 보세요.

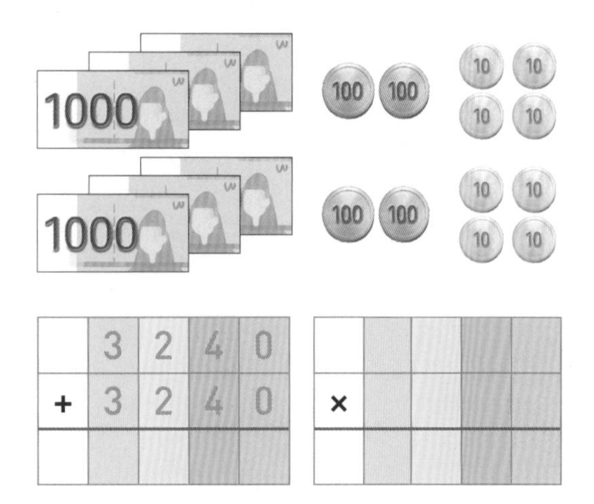

	3	2	4	0
+	3	2	4	0

×				

정답 : ______________

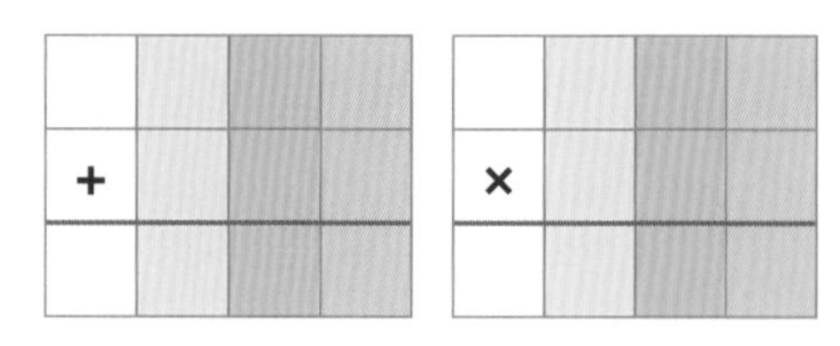

정답 : ______________

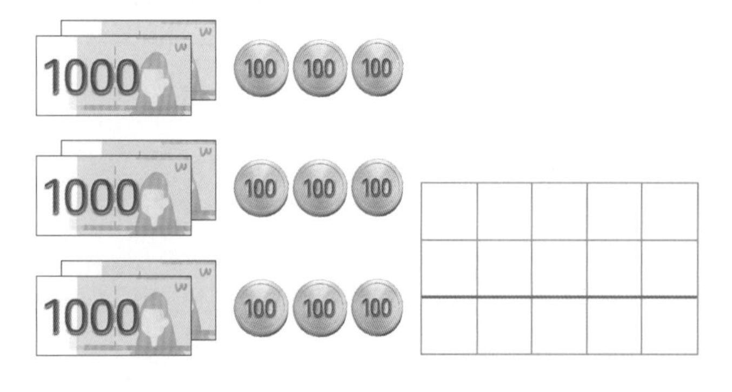

정답 : ______________

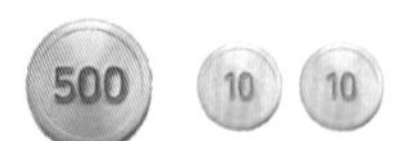

정답 : ______________

2. 식을 세워 세로셈으로 계산해 보세요.

❶ 알렉은 매주 용돈으로 1200원을 받아요. 4주 동안 알렉이 받는 돈은 모두 얼마일까요?

식 :

정답 :

❷ 알렉은 일주일에 500원씩 저축을 해요. 5주 동안 알렉이 저축한 돈은 모두 얼마일까요?

식 :

정답 :

❸ 알렉의 엄마는 11000원짜리 책 4권을 구매했어요. 엠마 엄마가 구매한 책은 모두 얼마일까요?

식 :

정답 :

❹ 축구 강습이 1회당 8000원이에요. 5회 강습 비용은 모두 얼마일까요?

식 :

정답 :

❺ 학생 영화 입장료가 9000원이에요. 학생 3명의 영화 입장료는 모두 얼마일까요?

식 :

정답 :

더 생각해 보아요!

왕복 기차표의 가격이 33유로예요. 돌아오는 표는 갈 때 표의 절반 가격이에요. 그렇다면 갈 때 표의 가격은 얼마일까요?

3. 곱셈값에 따라 공을 패스해서 길을 찾아보세요. 그리고 선수들의 티셔츠에 있는 알파벳을 순서대로 나열해 보세요.

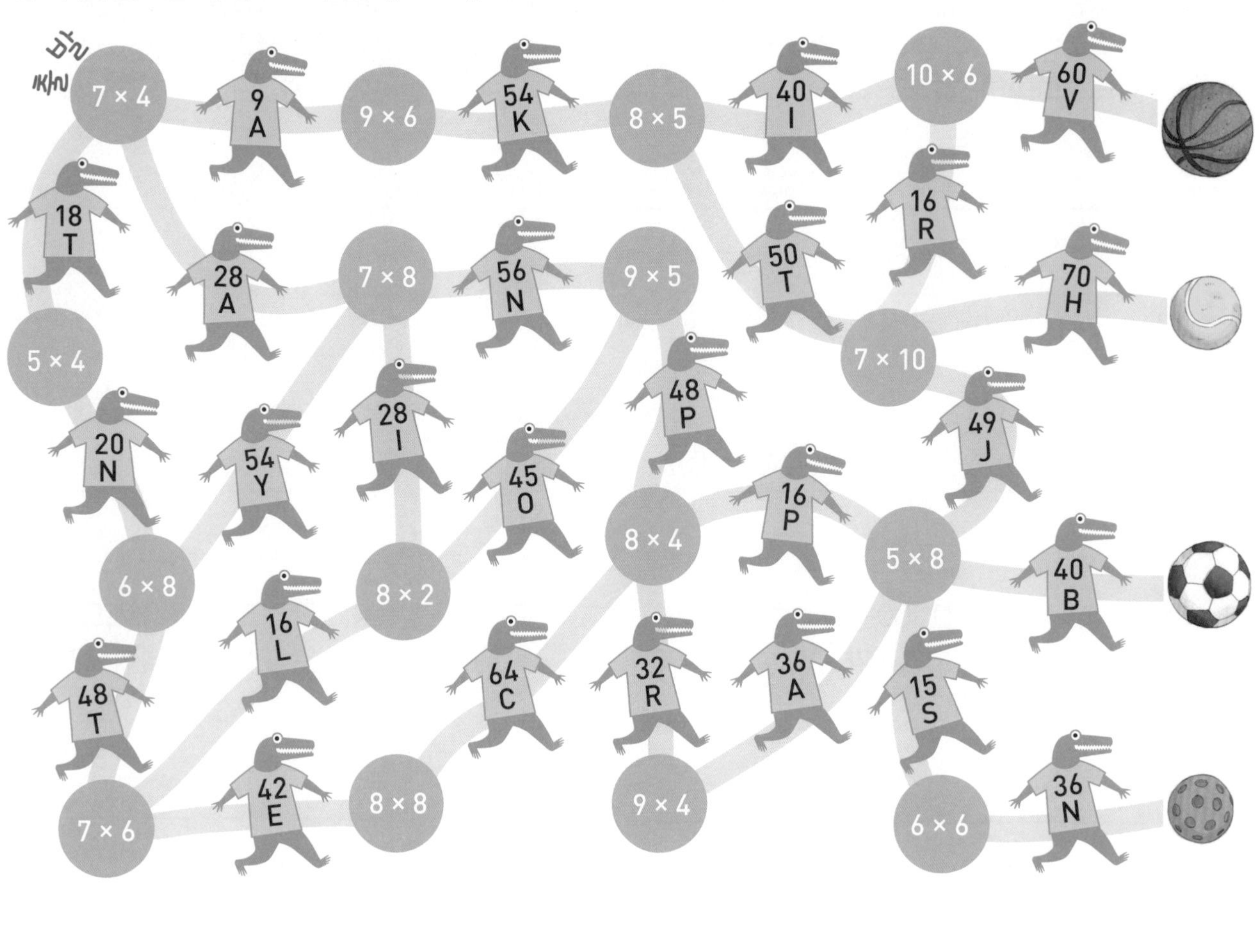

어떤 단어가 완성되었나요? ______________________

4. 다음 암호 메시지를 해독해 보세요.

m v s r e
u e l l b
l r y a m
t t i c u
i p l y n

암호 내용

____

____

____

암호 내용

t s m i f l t
h i o d f u
i s r e i c

____

____

____

5. 아래 단서를 읽고 누가 지갑의 주인인지, 지갑이 무엇으로 만들어졌는지, 돈이 얼마나 들어 있는지 알아맞혀 보세요.

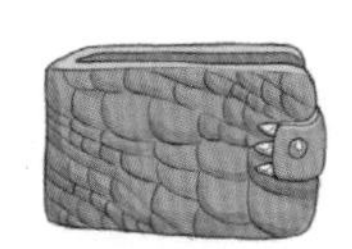   

지갑 주인	______	______	알렉스	______
지갑 재질	______	______	______	______
돈	______	______	______	______

- 엠마의 지갑은 앤의 지갑 왼쪽에 있어요.
- 엠마의 지갑은 플라스틱 지갑 옆에 있어요.
- 알렉스의 지갑은 루이스와 앤의 지갑 사이에 있어요.
- 헝겊 지갑에는 30유로가 들어 있고, 알렉스의 지갑에는 40유로가 들어 있어요.
- 초록색 지갑에는 플라스틱 지갑보다 10유로 적게 들어 있어요.
- 지갑 중 하나는 고무로 만들어졌고, 가죽 지갑에는 20유로가 들어 있어요.

한 번 더 연습해요!

1. 세로셈으로 계산해 보세요.

54 × 2

41 × 3

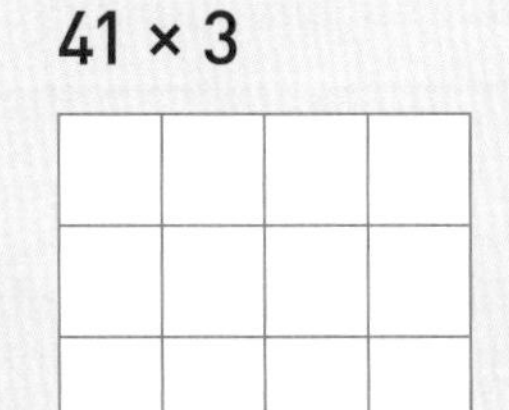

90 × 5

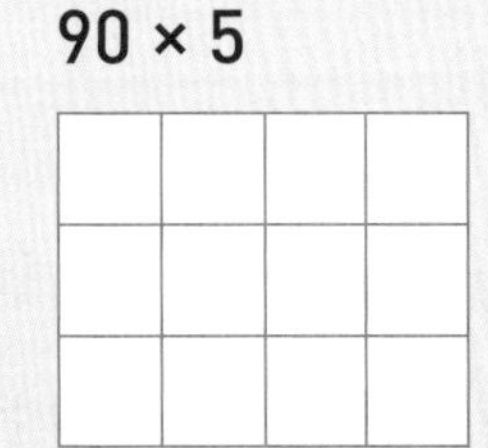

21 × 7

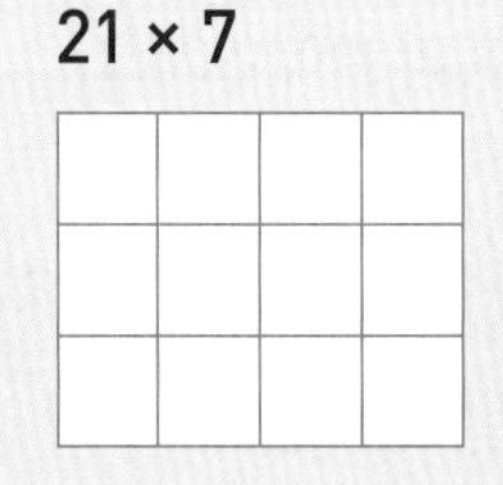

2. 아래 글을 읽고 식을 세운 후 세로셈으로 계산해 보세요.

❶ 선생님은 5400원짜리 라켓 2개를 구매했어요. 라켓을 사는 데 모두 얼마가 들었을까요?

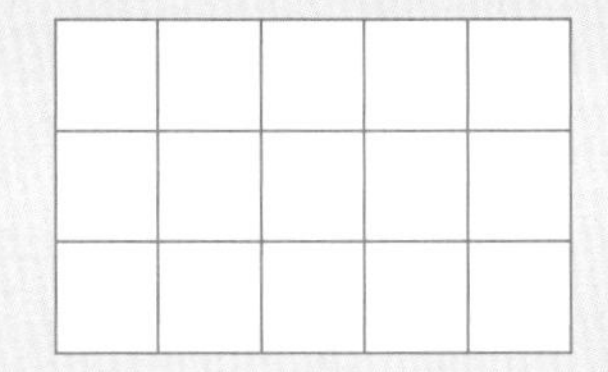

정답 : ______

❷ 엠마는 4200원짜리 색연필을 4세트 구매했어요. 색연필을 사는 데 모두 얼마가 들었을까요?

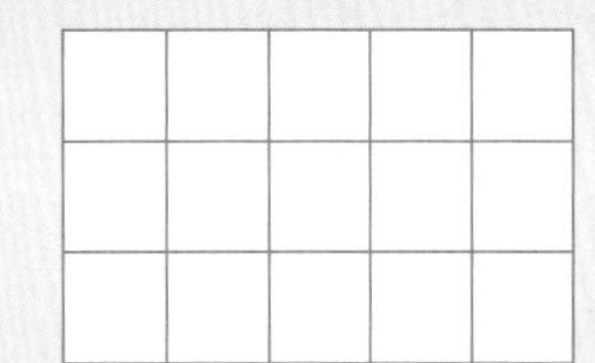

정답 : ______

8 받아 올림이 한 번 있는 곱셈하기

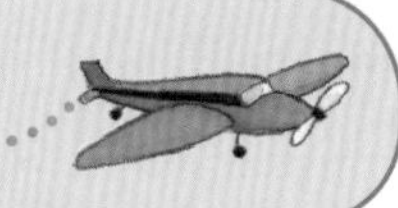

백의 자리 십의 자리 일의 자리

2 2 4 × 3

		1	
	2	2	4
×			3
	6	7	2

정답 : 672

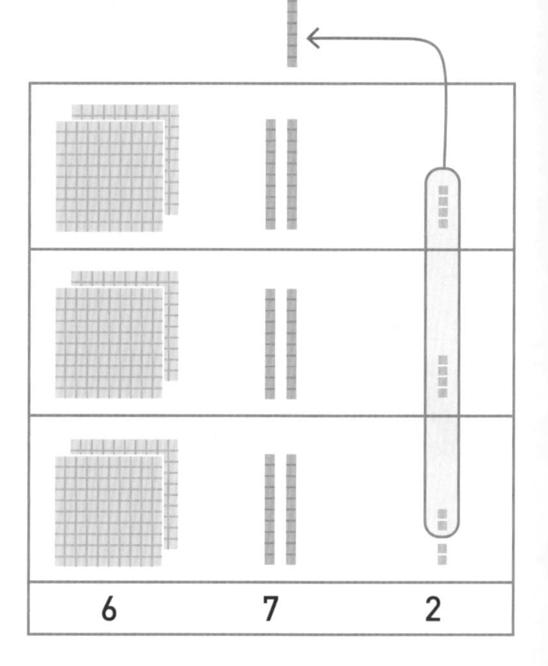

- 먼저 일의 자리 수끼리 곱하세요.(3 x 4 = 12) 나온 값 12에서 2를 일의 자리 칸에 쓰고, 1(실제 값은 10)은 십의 자리 위에 쓰세요.
- 십의 자리 수끼리 곱하고(3 x 2 = 6) 일의 자리에서 받아 올림한 수 1을 더하세요. (6 + 1 = 7). 그리고 더한 값 7을 십의 자리 칸에 쓰세요.
- 백의 자리 수끼리 곱하고(3 x 2 = 6) 나온 값 6을 백의 자리 칸에 쓰세요.

1. 세로셈으로 계산한 후, 애벌레에서 답을 찾아 ◯표 해 보세요.

118 × 2

	1	1	8
×			2
			6

123 × 4

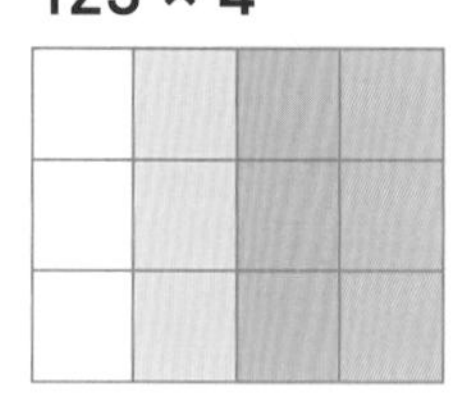

225 × 3

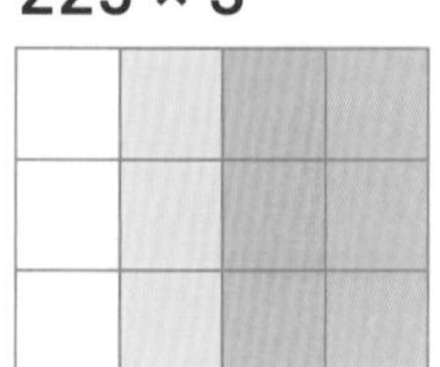

121 × 5

242 × 4

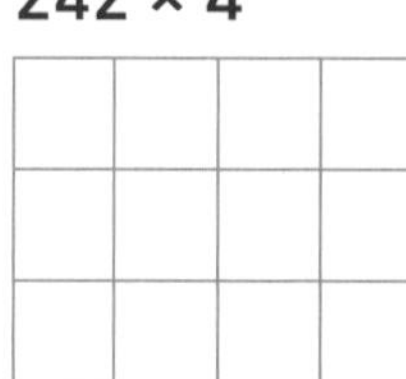

116 × 6

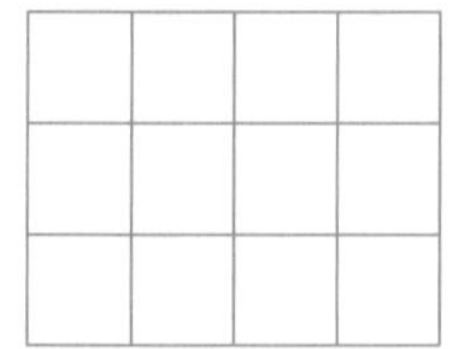

236 492 524 605 675 696 728 968

2. 그림을 보고 세로셈으로 답을 구한 후, 애벌레에서 찾아 ○표 해 보세요.

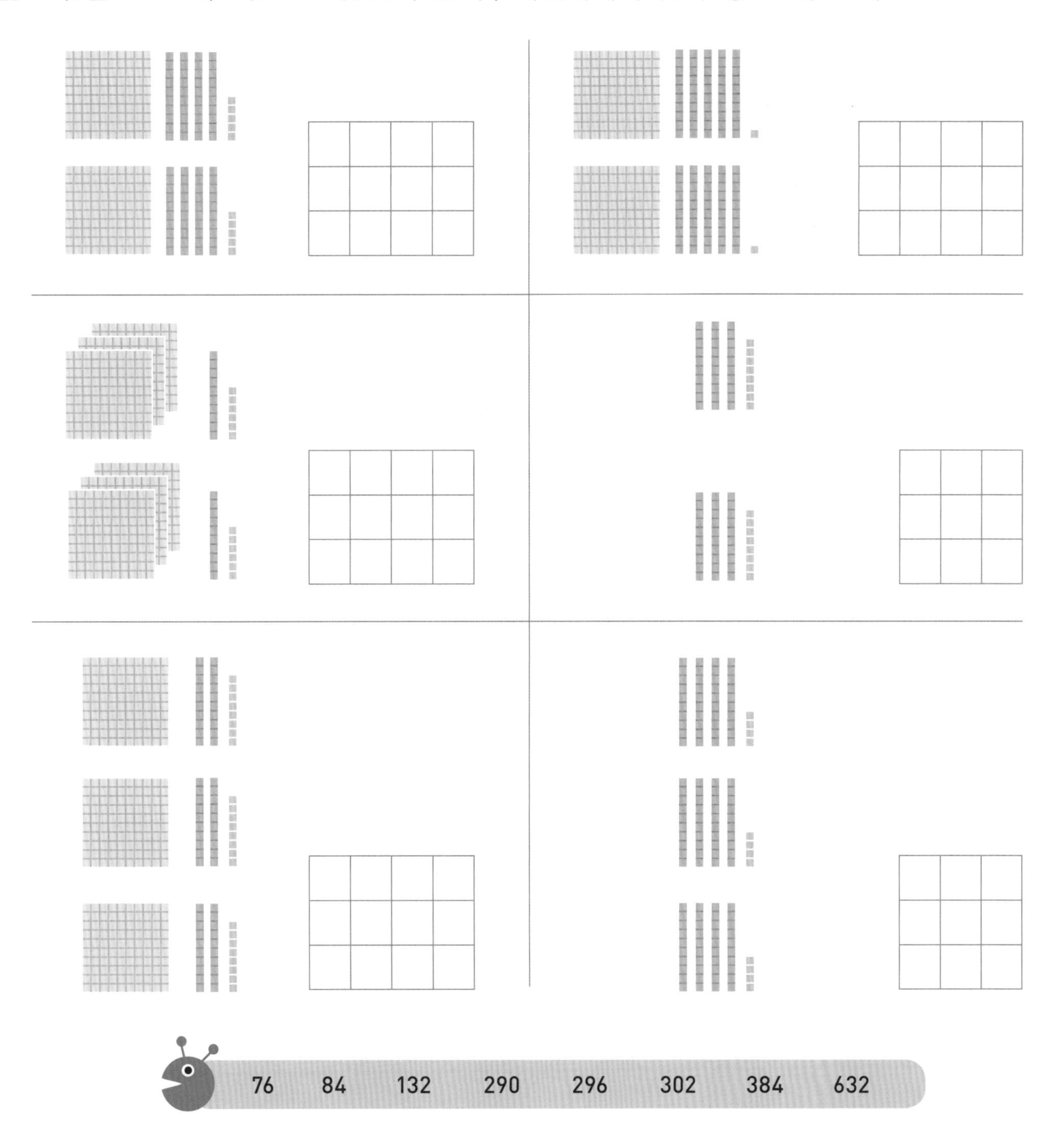

더 생각해 보아요!

세로셈에서 7에 어떤 수를 곱하면 5를 십의 자리로 받아 올림하게 될까요?

3. 캐시가 칩에게 갈 수 있도록 길을 안내해 보세요. 현재 있는 곳과 같은 색의 원으로는 갈 수 없어요.

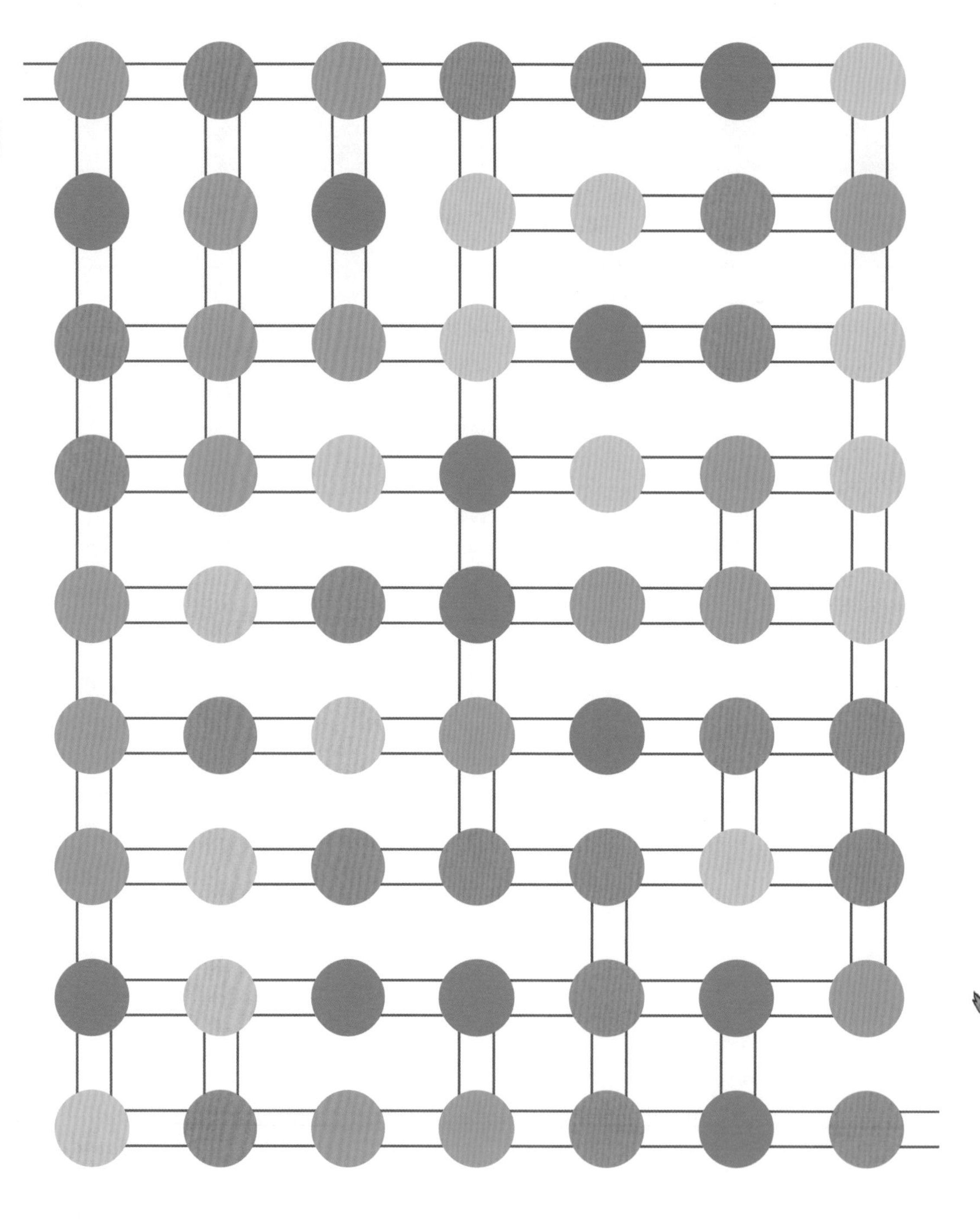

4. 빈칸에 알맞은 수를 써넣어 보세요.

	2	4	2
×			
	7	2	6

	2	4	5
×			
		9	0

	1	1	
×			5
	5		0

	1	4	2
×			
		6	8

5. 다음 도형이 나타내는 수를 구해 보세요.

	♥	♥	6
×			♥
	◆	★	2

♥ = ________ ★ = ________ ◆ = ________

6. 누가 어떤 트랙을 달렸는지 덧셈식을 세워 답을 구해 보세요.

❶ 에밀리는 총 550m를 달렸어요.

____

❷ 로라는 총 750m를 달렸어요.

____

❸ 에밀리아는 총 450m를 달렸어요.

____

❹ 미켈라는 총 850m를 달렸어요.

____

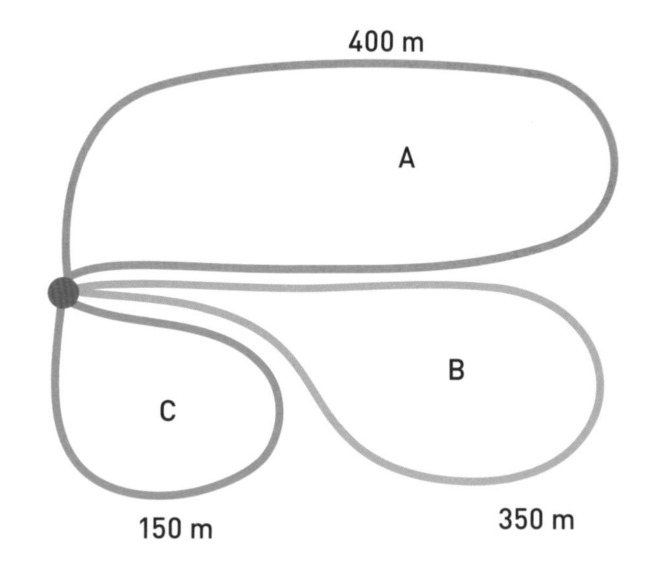

한 번 더 연습해요!

1. 세로셈으로 계산해 보세요.

112 × 5

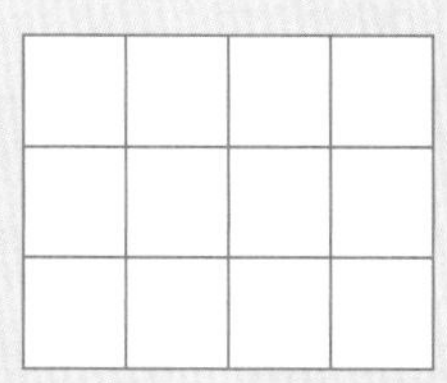

254 × 2

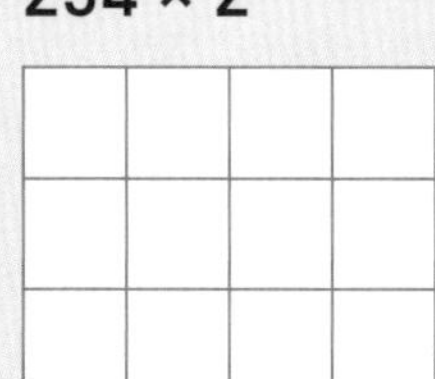

121 × 6

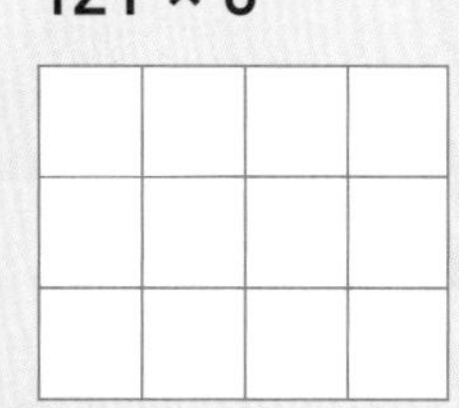

124 × 4

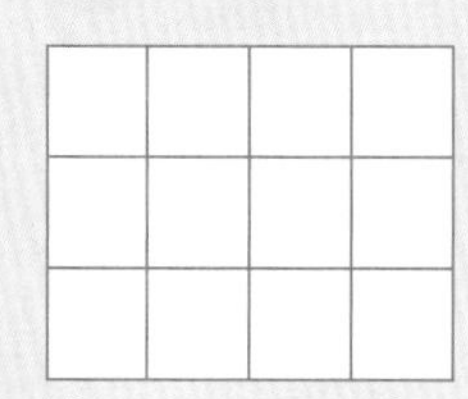

2. 알렉은 280m씩 달리기를 3번 했어요. 알렉이 달린 거리는 모두 몇 m일까요?

식 : ________________________

정답 : ________________________

_____ 월 _____ 일 _____ 요일

1. 그림을 보고 세로셈으로 답을 구해 보세요.

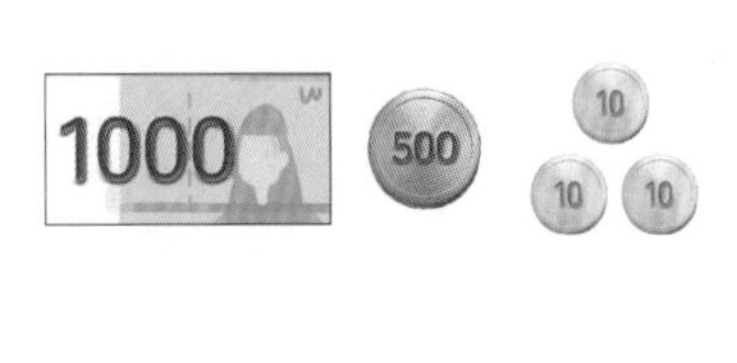
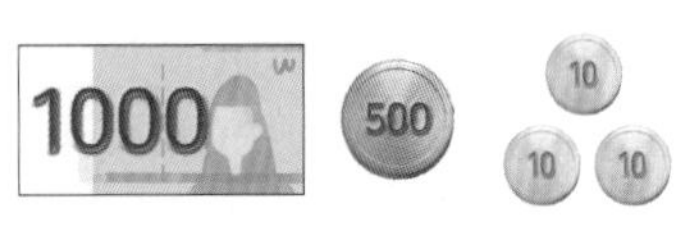

	1	5	3	0
×				2

정답 : ____________

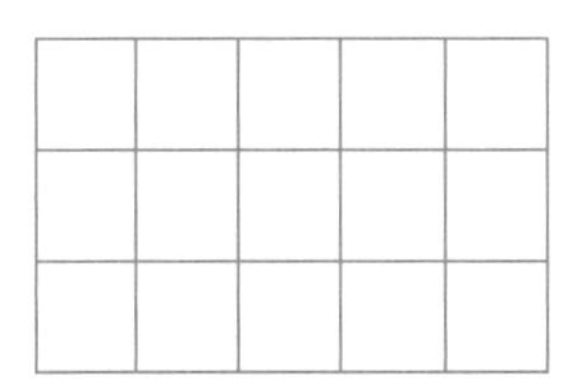

정답 : ____________

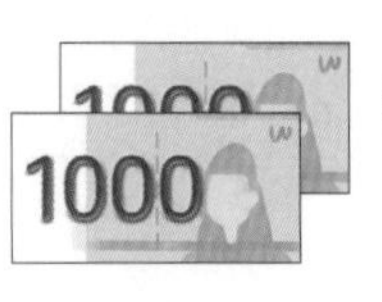

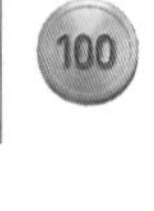

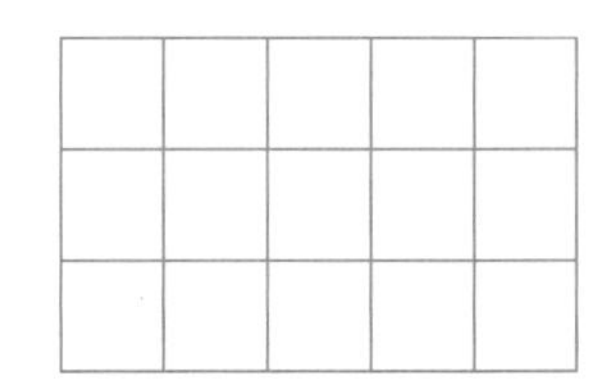

정답 : ____________

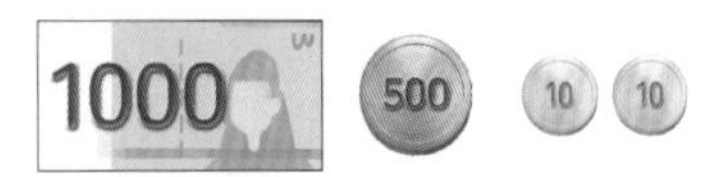

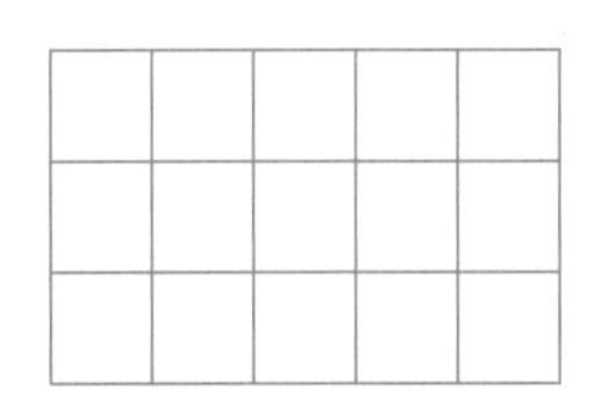

정답 : ____________

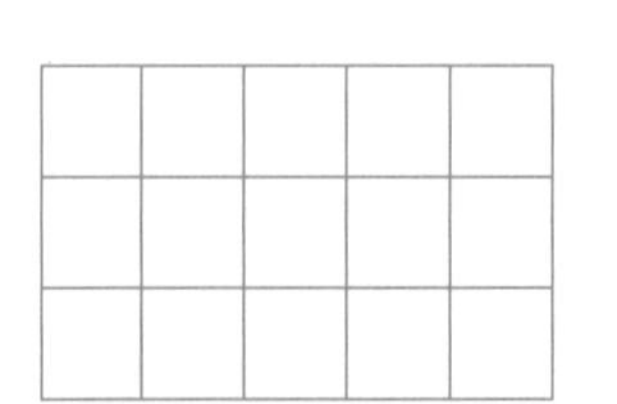

정답 : ____________

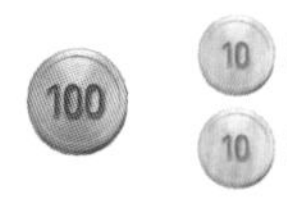

정답 : ____________

2. 다음 글을 읽고 알맞은 식을 세워 구매한 물건의 가격을 계산해 보세요.

48 €
45 €
14 €
58 €
88 €

❶ 알렉의 엄마는 슬리퍼 4켤레를 구매했어요.

식 :

정답 :

❷ 아서는 여행용 가방 2개를 구매했어요.

식 :

정답 :

❸ 엠마는 여름 치마 3벌을 구매했어요.

식 :

정답 :

❹ 할아버지는 큰 수건 6개를 구매했어요.

식 :

정답 :

❺ 앤은 운동화 2켤레를 구매했어요.

식 :

정답 :

84 € 116 € 144 € 154 €

176 € 180 € 216 €

더 생각해 보아요!

지우개 2개의 가격은 연필 3개의 가격과 같고, 연필 2개의 가격은 종이 10장의 가격과 같아요. 종이 1장이 20센트라면 지우개 1개는 얼마일까요? *1유로=100센트

3. 알렉과 엠마는 아래 광고를 보고 자신만의 수학 문제를 만들어 보려고 해요. 알맞은 식을 세워 계산해 보세요.

알렉의 수학 문제 :

____

____

____

____

식 : ______________________

정답 : ______________________

엠마의 수학 문제 :

____

____

____

____

식 : ______________________

정답 : ______________________

4. 아래 글을 읽고 문제의 답을 구해 보세요.

옛날 중국에서는 선을 이용하여 곱셈을 했어요.
오른쪽 그림은 122×3을 나타낸 거예요. 파란색 선은 곱해지는 수 122를, 빨간색 선은 곱하는 수 3을 나타내요.
교차점의 개수가 백의 자리, 십의 자리, 일의 자리 수를 뜻해요. 그래서 곱셈값은 366이 나와요.

<보기>
122 × 3

백의 자리
십의 자리
일의 자리
3
6
6

정답 : 366

선을 이용해서 다음 곱셈식을 계산해 보세요.

❶

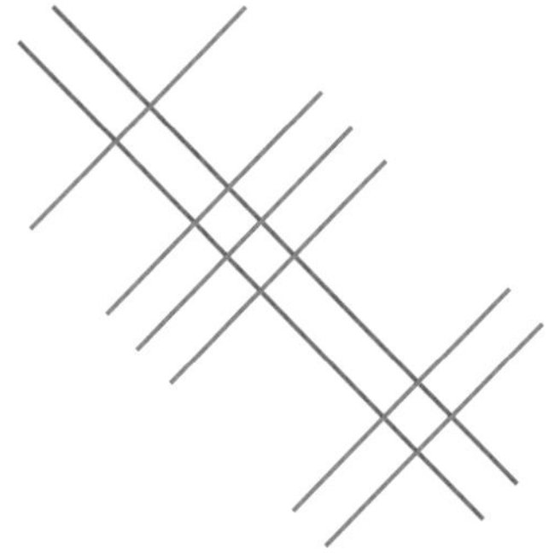

정답 : ______________

❷

정답 : ______________

❸

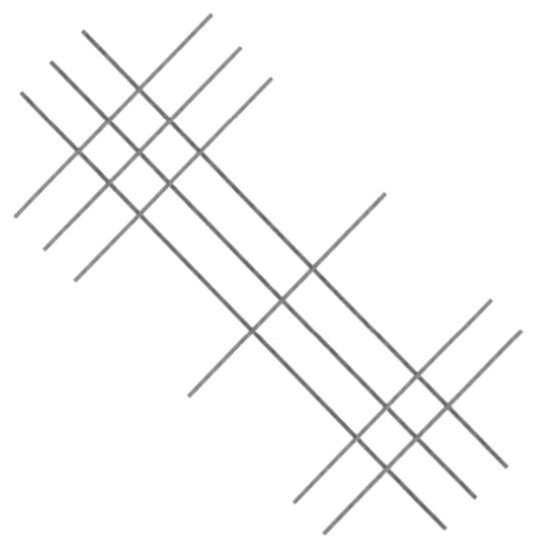

정답 : ______________

❹

정답 : ______________

한 번 더 연습해요!

1. 세로셈으로 계산해 보세요.

154 × 2

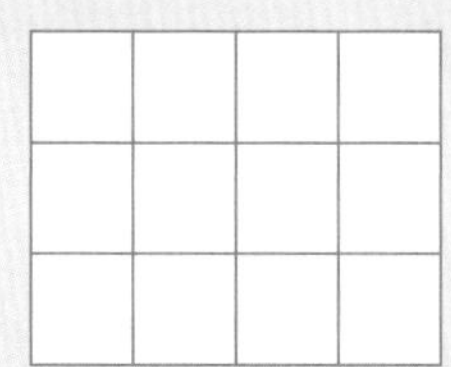

241 × 4

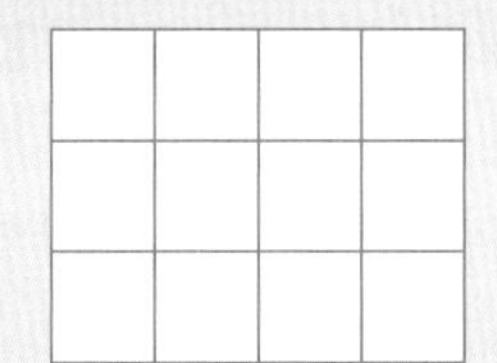

108 × 5

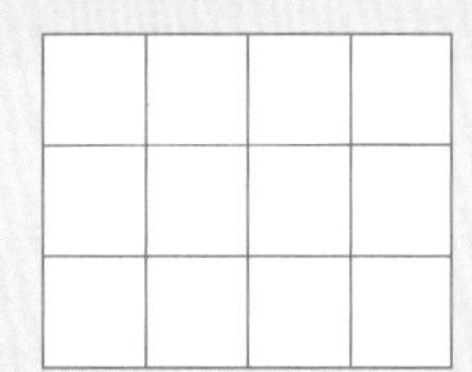

114 × 6

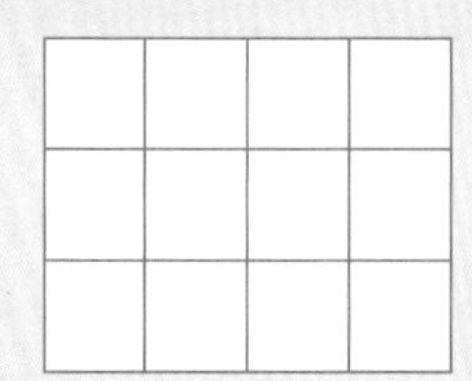

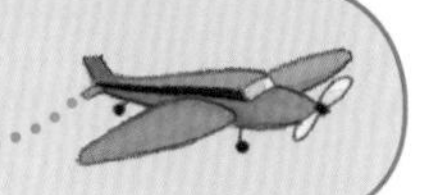

9 받아 올림이 두 번 있는 곱셈하기

백의 자리 십의 자리 일의 자리

2 5 4 × 3

	1	1	
	2	5	4
×			3
	7	6	2

정답 : 762

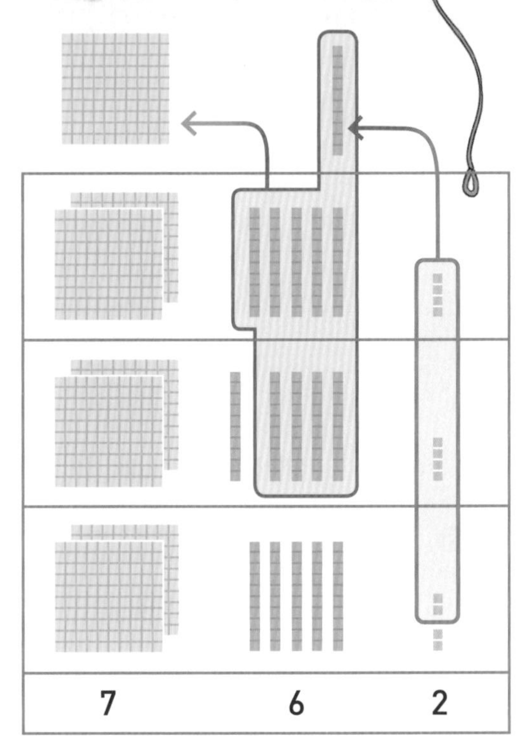

- 먼저 일의 자리 수끼리 곱하세요.(3 x 4 = 12) 나온 값 12에서 2는 일의 자리 칸에 쓰고, 1(실제 값은 10)은 십의 자리 위에 쓰세요.
- 십의 자리 수끼리 곱하고(3 x 5 = 15) 일의 자리에서 받아 올림한 수 1을 더하세요.(15 + 1 = 16). 더한 값 16에서 6은 십의 자리 칸에 쓰고 1(실제 값은 100)은 백의 자리 위에 쓰세요.
- 백의 자리 수끼리 곱하고(3 x 2 = 6) 십의 자리에서 받아 올림한 수 1을 더하세요.(6 + 1 = 7). 그리고 더한 값 7을 백의 자리 칸에 쓰세요.

1. 세로셈으로 계산한 후, 애벌레에서 답을 찾아 ◯표 해 보세요.

258 × 2

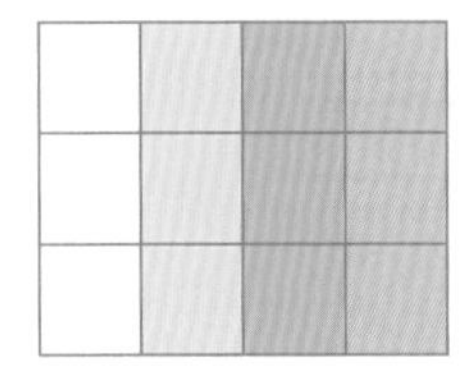

154 × 3

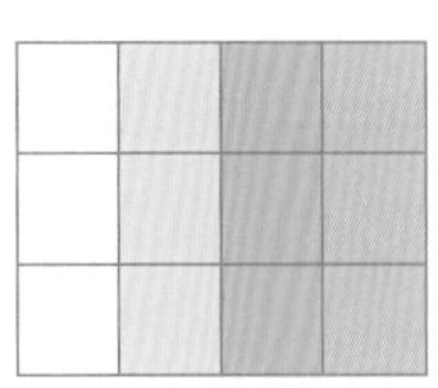

487 × 2

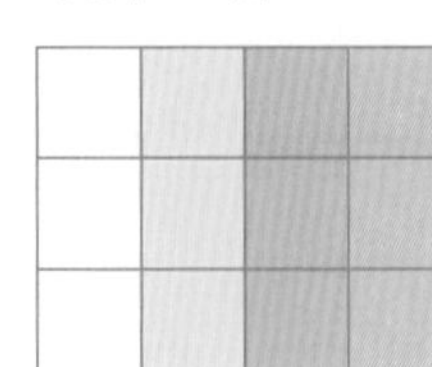

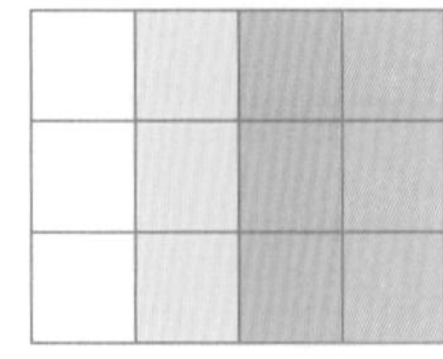

148 × 5

459 × 2

126 × 4

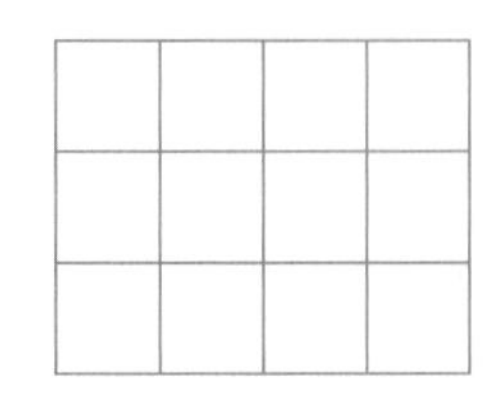

462
504
516
716
740
918
974
982

2. 아래 글을 읽고 식을 세워 답을 구한 후, 애벌레에서 찾아 ◯표 해 보세요.

❶ 엄마, 아빠, 자녀 4명이 유람선 여행을 떠나요. 유람선 여행은 1인당 122유로예요. 가족의 유람선 여행 비용은 모두 얼마일까요?

식 : ______________________

정답 : ______________________

❷ 유람선에서 저녁 식사 비용은 1인분에 28유로예요. 6명의 저녁 비용은 모두 얼마일까요?

식 : ______________________

정답 : ______________________

❸ 1주일 음악 캠프 비용은 154유로예요. 5명이 참가한다면 캠프 비용은 모두 얼마일까요?

식 : ______________________

정답 : ______________________

❹ 4인 가족이 리가로 여행을 떠나요. 여행 경비는 1인당 245유로예요. 가족 모두의 여행 경비는 얼마일까요?

식 : ______________________

정답 : ______________________

168 €　210 €　670 €

732 €　770 €　980 €

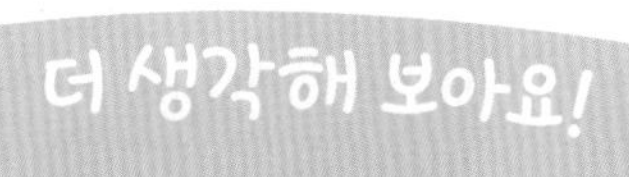

초콜릿 1kg과 사탕 2kg을 합해서 10유로이고,
초콜릿 2kg과 사탕 2kg을 합해서 14유로예요.
사탕 1kg은 얼마일까요?

____

3. 곱셈식을 계산해서 값이 같은 것끼리 선으로 이어 보세요.

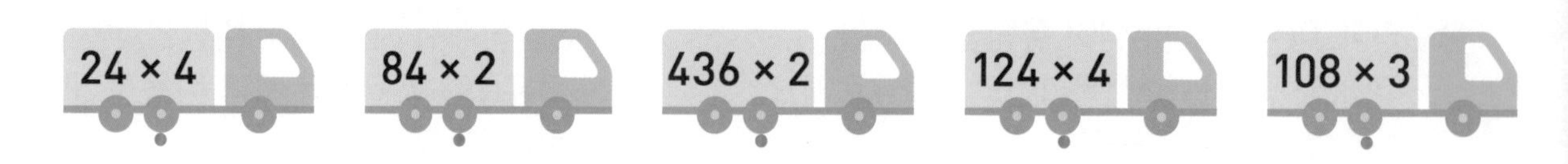

4. 아래 조건을 읽고 알맞은 주사위 눈을 빈칸에 그려 보세요.

❶

- 주사위 3개 눈을 모두 합하면 11이에요.
- 주사위 3개 눈을 모두 곱하면 40이에요.
- 주사위 3개 중에 가운데 주사위 눈은 홀수예요.
- 첫 번째 주사위 눈이 가장 작아요.

❷

- 주사위 3개 눈을 모두 합하면 14예요.
- 주사위 3개 중 양 끝 주사위 2개 눈을 더하면 9예요.
- 첫 번째 주사위 눈이 가장 커요.

❸ 

- 주사위 3개 중 제일 작은 눈 2개를 더하면 5예요.
- 주사위 3개 중 가운데 주사위 눈은 오른쪽에 있는 주사위 눈보다 5만큼 커요.

❹ 

- 주사위 3개 중 양 끝 주사위 2개는 눈이 같아요.
- 주사위 3개 눈을 모두 합하면 16이에요.
- 주사위 3개 중 1개 주사위 눈만 짝수예요.

5. 아래 조건을 읽고 벌레의 이름을 알아맞혀 보세요.

- 지지의 수에 2를 곱한 후 3을 빼면 11이 나와요.
- 10에서 다이애나의 수를 뺀 후 3을 곱하면 15가 나와요.
- 맥스의 수에 7을 더한 후 10을 곱하면 100이 나와요.
- 엘모의 수에 7을 곱한 후 6을 빼면 50이 나와요.
- 마지막에 남게 되는 벌레의 이름은 쉐이다예요. 쉐이다의 수에서 6을 뺀 후 3을 곱해 보세요.

어떤 수가 나올까요?

정답 : ______

한 번 더 연습해요!

1. 다음 글을 읽고 식을 세워 답을 구해 보세요.

❶ 영화관 입장권이 57유로예요. 입장권 5장은 모두 얼마일까요?

식 : ______

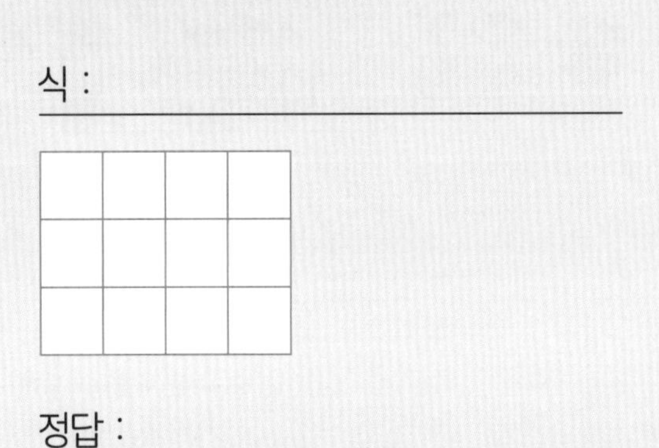

정답 : ______

❷ 브뤼셀행 비행기 표는 158유로예요. 4명이 비행기를 탄다면 얼마일까요?

식 : ______

정답 : ______

____월 ____일 ____요일

1. 그림을 보고 세로셈으로 답을 구해 보세요.

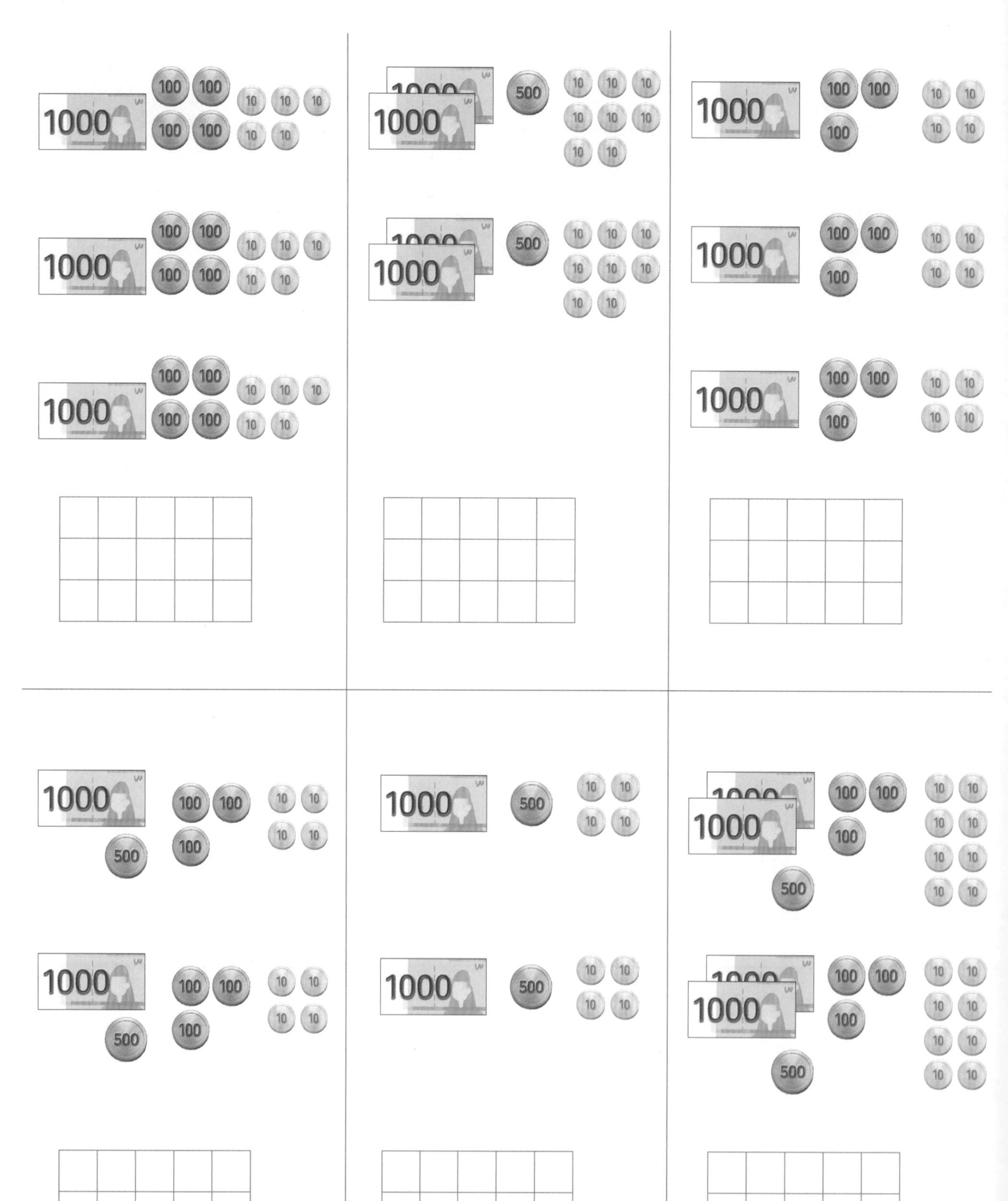

2. 아래 글을 읽고 식을 세워 답을 구한 후, 애벌레에서 찾아 ◯표 해 보세요.

❶ 7명이 탈린으로 단체 여행을 가요. 1인당 비용은 24유로예요. 단체 여행 비용은 모두 얼마일까요?

식 :

정답 :

❷ 엄마와 아빠가 오페라를 관람하러 가요. 성인 1명의 입장권은 58유로예요. 엄마 아빠 두 분의 입장권은 얼마일까요?

식 :

정답 :

❸ 선생님이 휴일에 친구와 함께 로마에 놀러 가요. 1인당 비용은 428유로예요. 2명의 여행 비용은 모두 얼마일까요?

식 :

정답 :

❹ 엠마는 부모님과 함께 라플란드로 여행을 가요. 1인당 여행 비용은 257유로예요. 가족 여행 비용은 얼마일까요?

식 :

정답 :

96 €　116 €　168 €　771 €　854 €　856 €

더 생각해 보아요!

에시에게는 자매 수보다 3배 많은 남자 형제가 있어요. 에시의 오빠인 어니스트에게는 여자 형제 수와 남자 형제 수가 같아요. 에시네 집에는 모두 몇 명의 자녀가 있을까요?

____

3. 가장 많은 돈을 모을 수 있는 길을 찾아보세요. 단, 아래쪽으로만 갈 수 있어요.

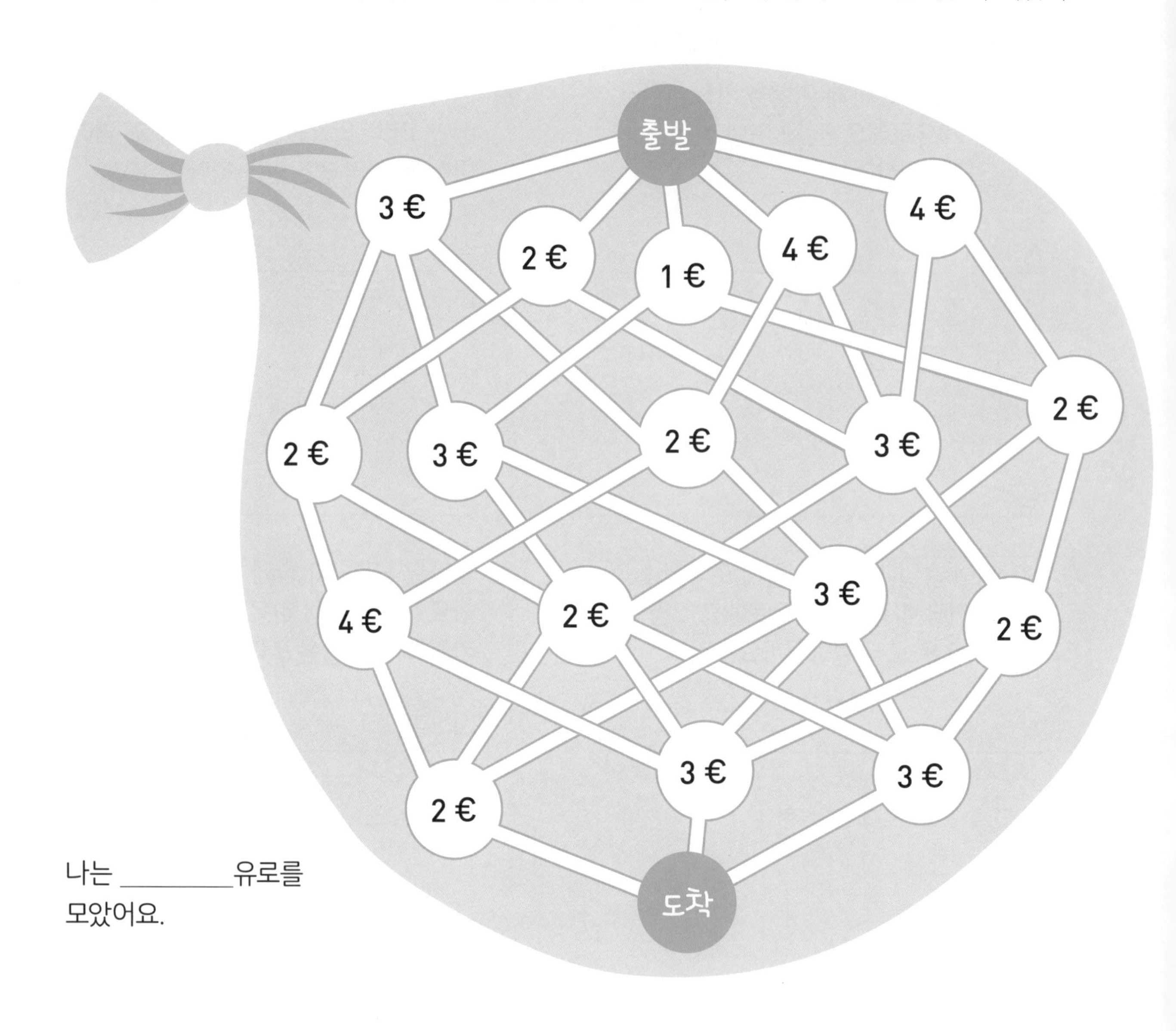

나는 ________유로를 모았어요.

4. 규칙에 맞게 네 번째 칸에 알맞은 모양을 그려 보세요.

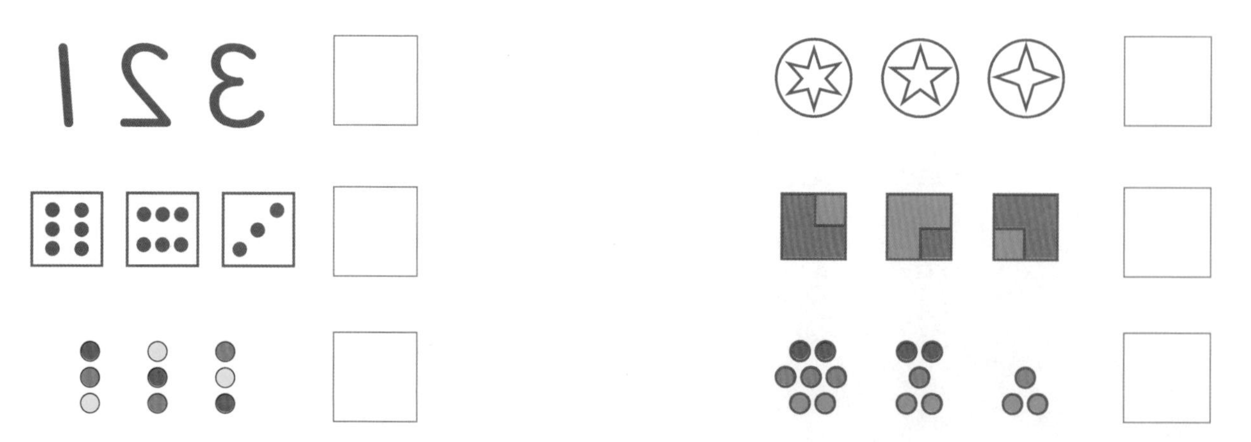

5. 아래 조건에 따라 주사위 눈을 알맞게 그려 보세요.

- 주사위 3개의 눈을 모두 합하면 12예요.
- 나란히 있는 2개의 주사위는 같은 눈이 아니에요.
- 주사위 3개의 눈을 모두 곱하면 54예요.

6. 아래 글을 읽고 답을 구해 보세요.

맨 꼭대기 칸에 가능한 한 가장 작은 수가 올 수 있도록 만들어 보세요. 맨 아랫줄에서 시작해서 연속한 두 수의 합을 위 칸에 쓰세요. 그런 식으로 계속 위로 올라가세요. 단, 빈칸에 들어가는 수는 모두 다른 수여야 해요.

1회

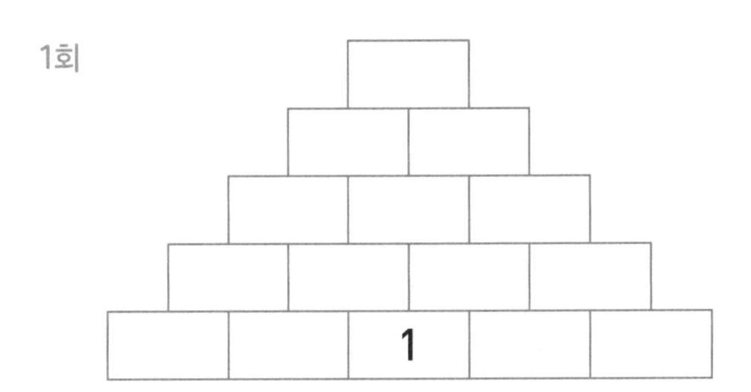

2회

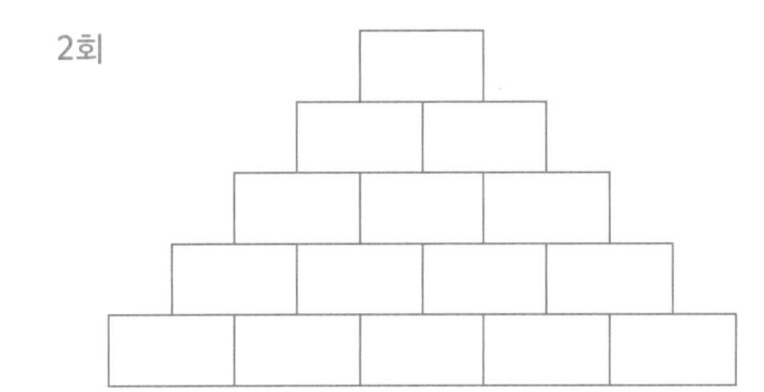

3회

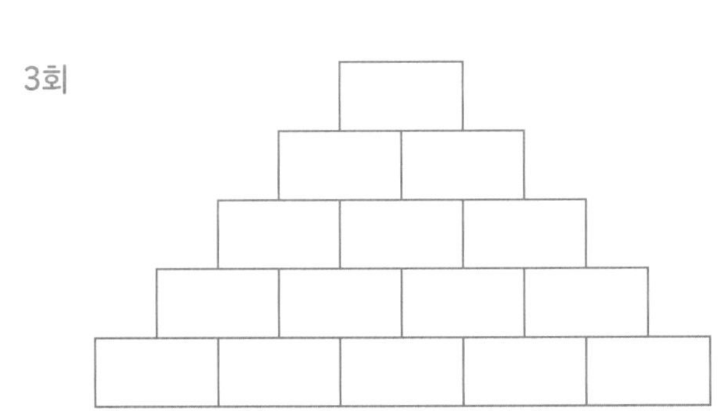

4회

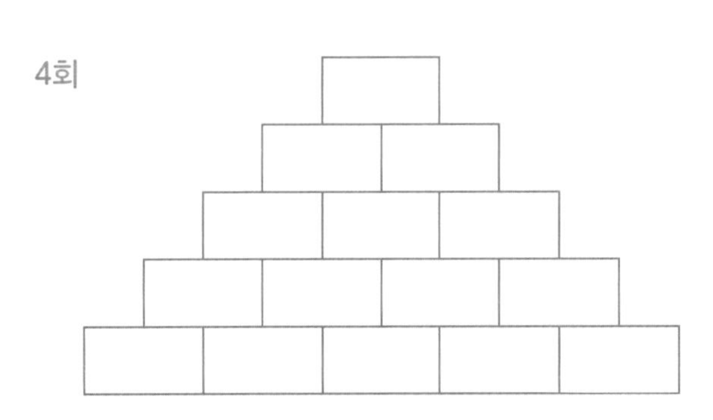

한 번 더 연습해요!

1. 다음 글을 읽고 식을 세워 답을 구해 보세요.

❶ 선생님은 수영장에서 25m씩 9번 왕복했어요. 선생님이 수영한 거리는 모두 몇 m일까요?

식 : ______________________

정답 : ______________________

7. 규칙에 따라 빈칸에 알맞은 수를 써넣어 보세요.

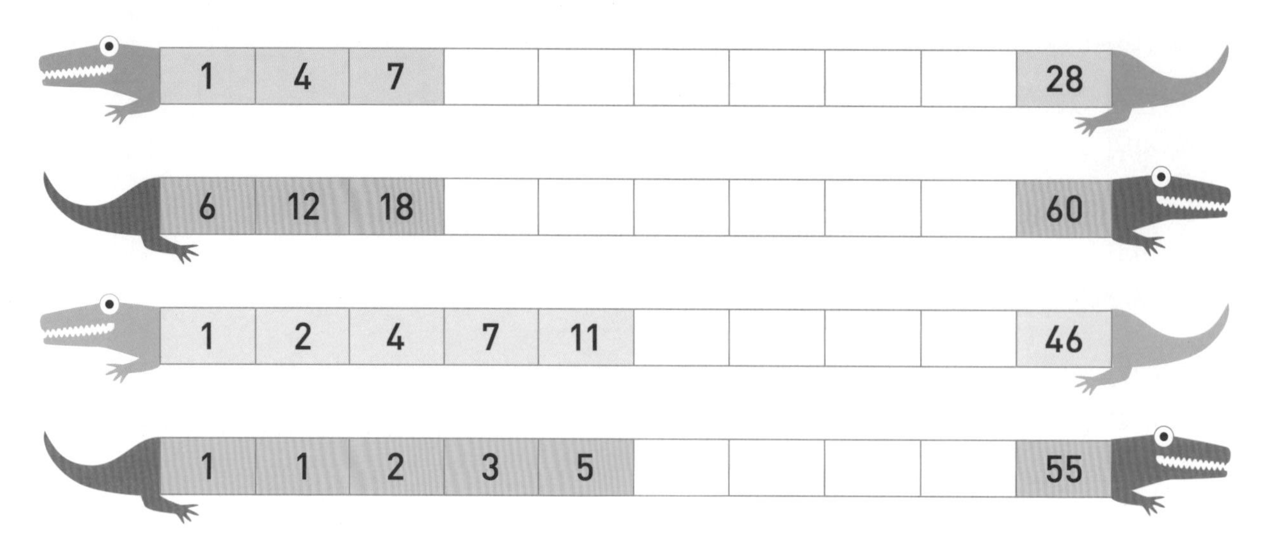

8. 문제의 답을 구해 보세요.

❶ 아래 그림은 주사위를 펼쳐 놓은 전개도예요. 주어진 주사위 눈 반대편에 어떤 눈이 있을지 생각하고 빈칸에 그려 보세요.

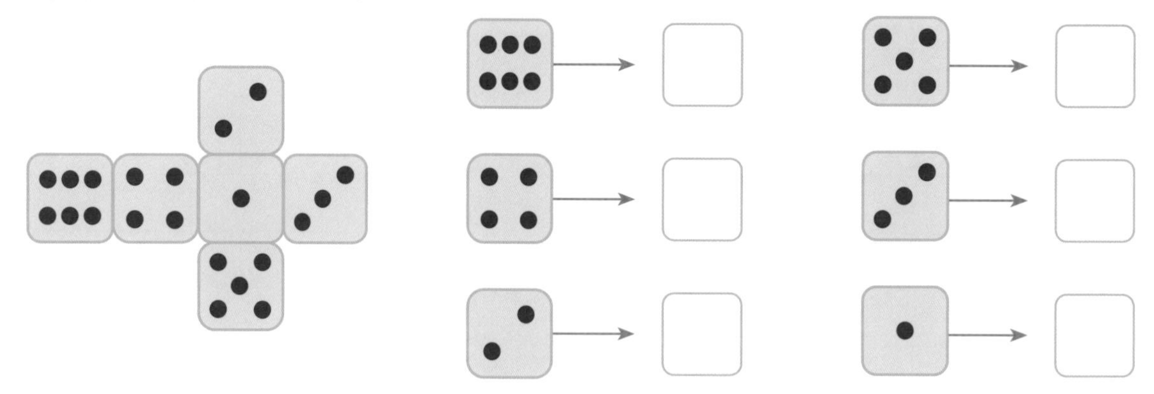

❷ 반대편에 있는 눈끼리 더해 보세요. 무엇을 알게 되었나요?

____

____

❸ 전개도를 접어서 주사위를 만들었어요. 잘못된 주사위 모양을 찾아서 X표 해 보세요.

9. 아래 글을 읽고 누구의 여행 가방인지, 가방에 무엇이 들어 있는지, 가방 주인의 목적지는 어디인지 알아맞혀 보세요.

주인 ________ ________ ________ ________

내용물 ________ ________ ________ ________

목적지 ________ ________ ________ ________

- 안토니의 여행 가방은 노란색 가방 옆에 있어요.
- 이나의 여행 가방은 초록색이에요.
- 버논은 중국에 갈 거예요.
- 키아의 가방에는 봉제 인형이 있어요.
- 버논의 집 오른쪽에 사는 이웃은 스페인으로 여행을 가요.
- 키아의 이웃은 이어폰을 가방에 넣었어요.
- 파란색 여행 가방의 주인은 이탈리아로 떠나요.
- 스페인으로 여행 가는 사람은 가방에 감초 과자를 넣었어요.
- 빨간색과 노란색 여행 가방 주인의 목적지가 같아요.
- 초록색 여행 가방 옆에 있는 가방에는 카메라가 들어 있어요.

한 번 더 연습해요!

1. 세로셈으로 계산해 보세요.

128 × 6

187 × 5

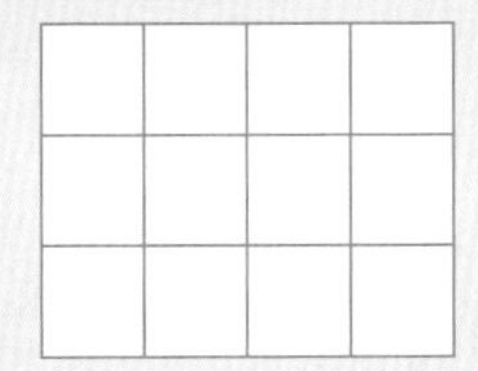

219 × 4

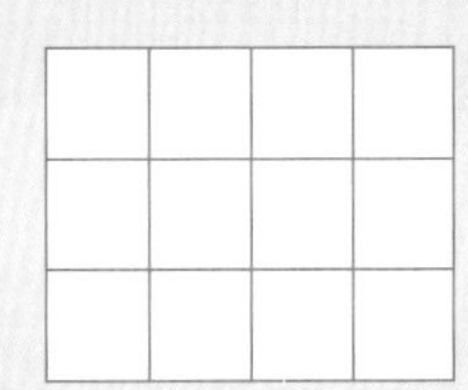

124 × 7

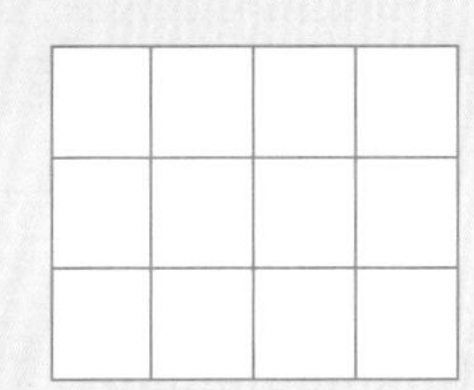

실력을 평가해 봐요!

_____월 _____일 _____요일

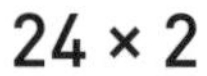

1. 세로셈으로 계산해 보세요.

24 × 2

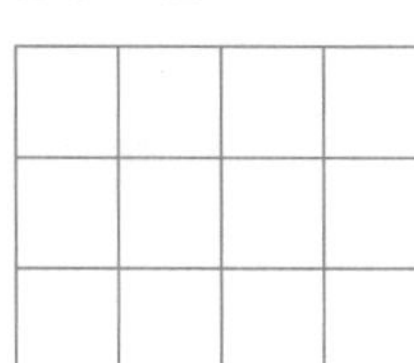

103 × 3

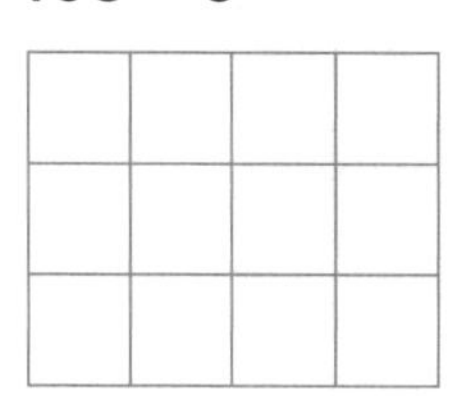

221 × 4

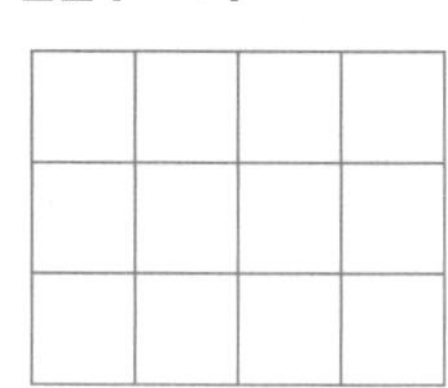

2. 그림을 보고 알맞은 식을 세워 답을 구해 보세요.

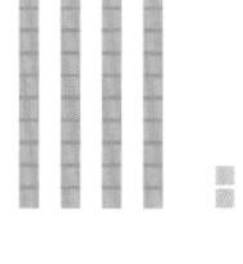

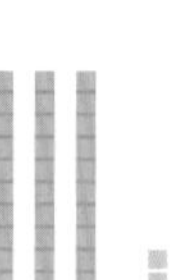

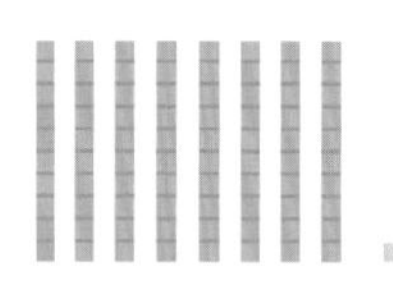

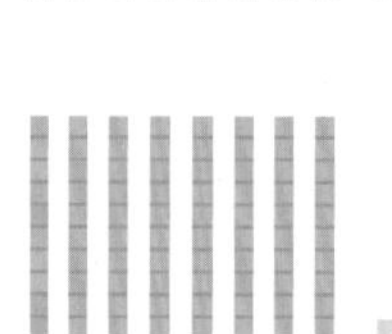

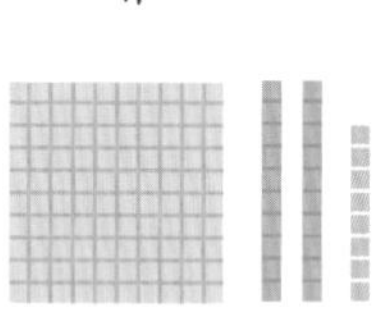

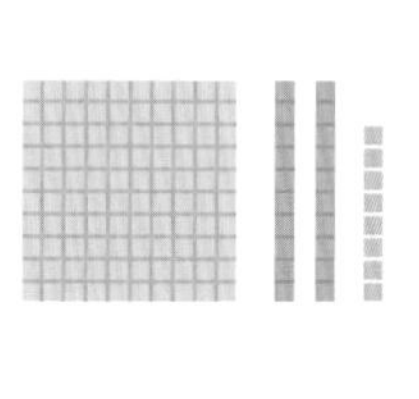

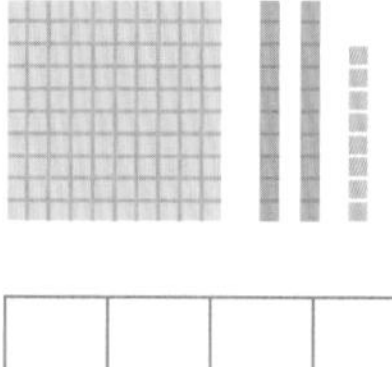

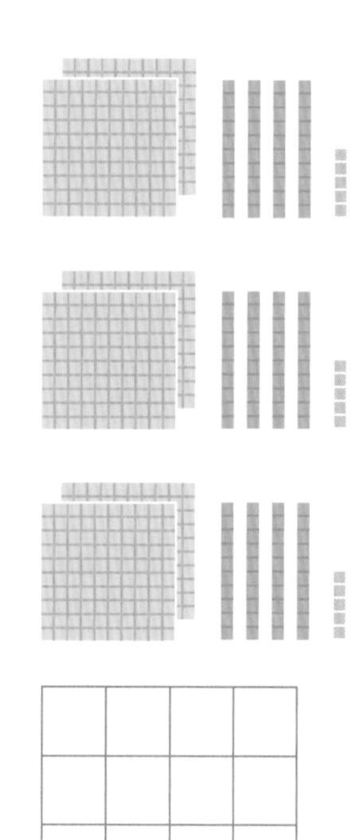

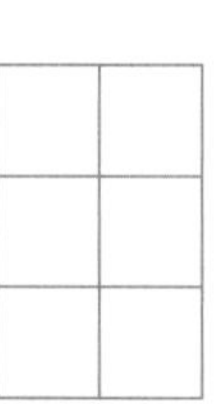

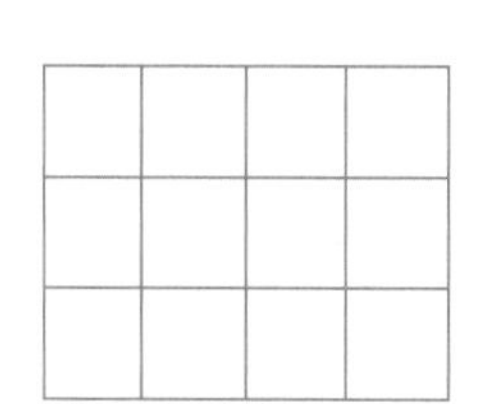

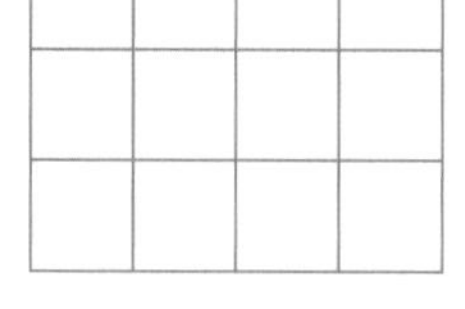

3. 아래 글을 읽고 알맞은 식을 세워 답을 구해 보세요.

❶ 알렉의 할아버지 댁은 왕복 170㎞ 거리예요. 알렉이 할아버지 댁을 3번 방문한다면 이동 거리는 모두 몇 ㎞일까요?

식 :

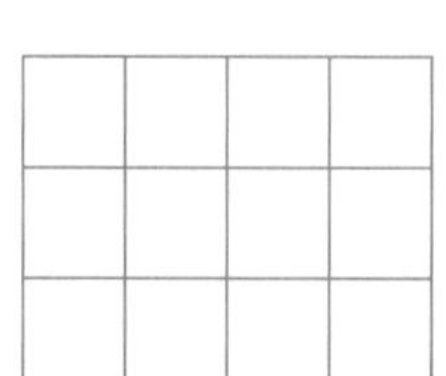

정답 :

❷ 엠마의 할머니 댁은 258㎞ 떨어져 있어요. 엠마가 할머니 댁을 방문하고 다시 집에 돌아오면 이동 거리는 모두 몇 ㎞일까요?

식 :

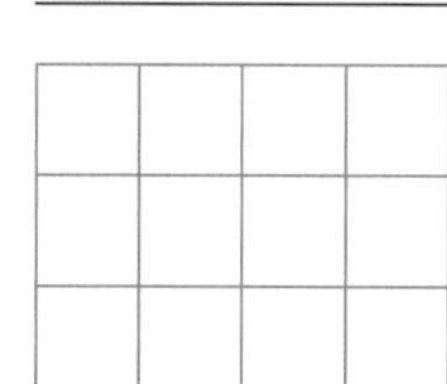

정답 :

4. 그림을 보고 돈이 모두 얼마인지 계산해 보세요.

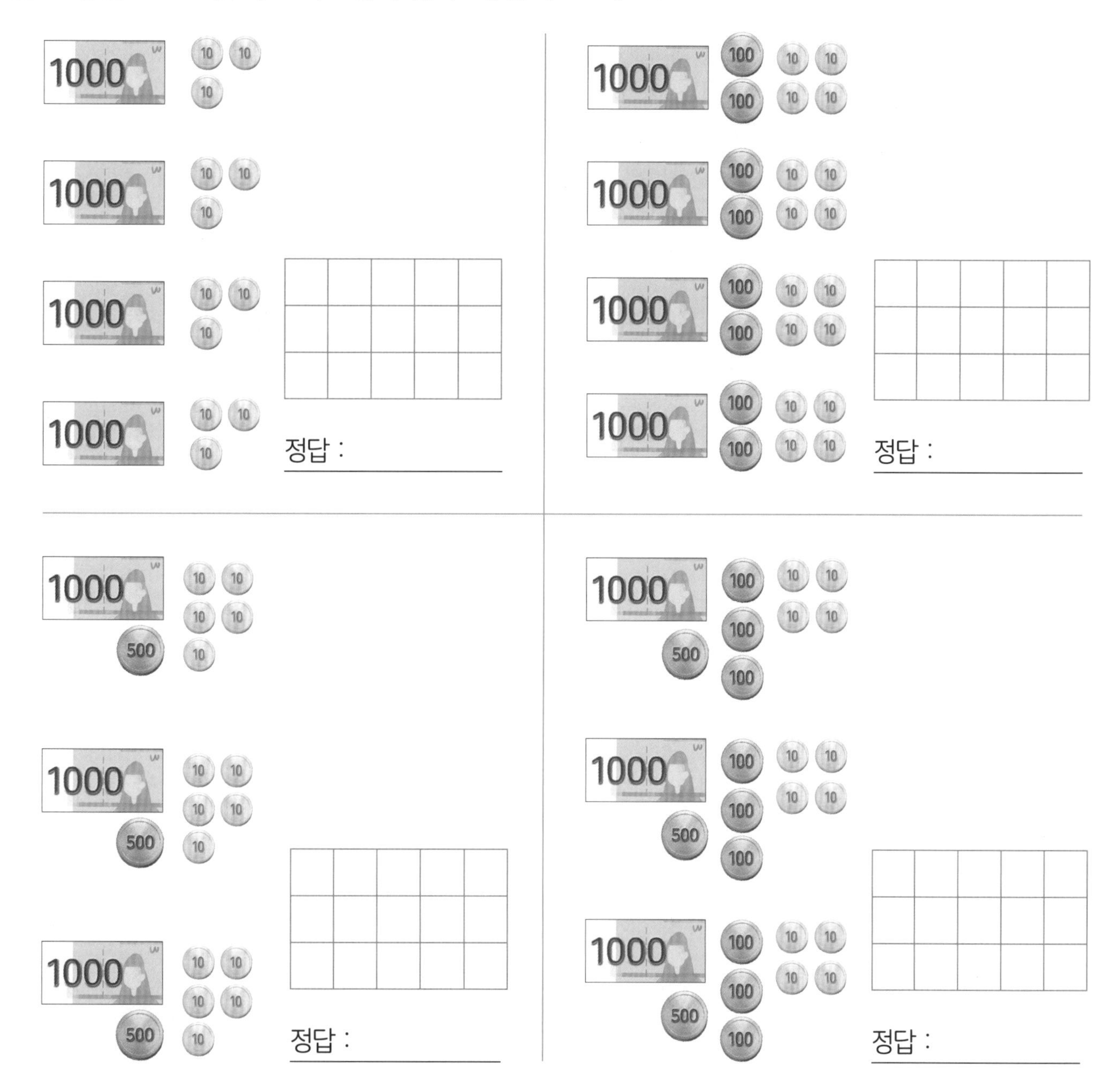

얼마나
잘 했나요?
실력이 자란 만큼 별을 색칠하세요.
정말 잘했어요.
꽤 잘했어요.
앞으로 더 노력할게요.

1 계산해 보세요.

4 × 7 = ________ 7 × 8 = ________ 9 × 5 = ________

4 × 2 = ________ 7 × 4 = ________ 9 × 2 = ________

4 × 5 = ________ 7 × 5 = ________ 9 × 8 = ________

4 × 4 = ________ 7 × 10 = ________ 9 × 4 = ________

2 규칙에 따라 빈칸을 채워 보세요.

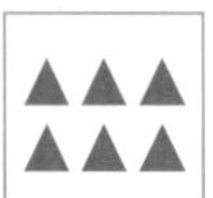
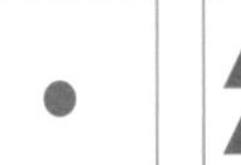

1

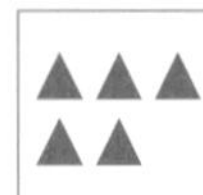

2

3 그림을 보고 세로셈으로 계산해 보세요.

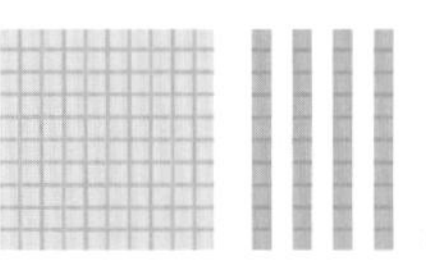
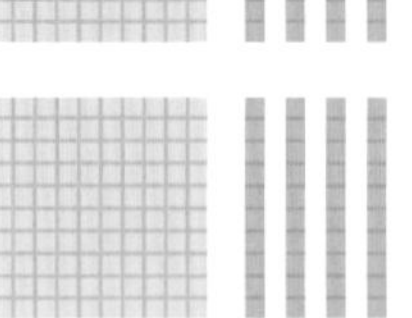
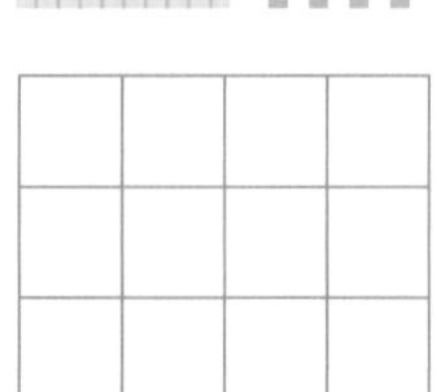

정답 : ________

4

8씩 뛰어 세기 한 수를 모두 X표 해 보세요.

1	2	3	4	5	6	7	8	9	10
11	12	13	14	15	16	17	18	19	20
21	22	23	24	25	26	27	28	29	30
31	32	33	34	35	36	37	38	39	40
41	42	43	44	45	46	47	48	49	50
51	52	53	54	55	56	57	58	59	60
61	62	63	64	65	66	67	68	69	70
71	72	73	74	75	76	77	78	79	80
81	82	83	84	85	86	87	88	89	90
91	92	93	94	95	96	97	98	99	100

5

세로셈으로 계산해 보세요.

	2	2
×		4

	4	8	5
×			2

	3	5	5
×			2

	1	4	8
×			4

스스로 문제를 만들어 풀어 보세요.

6

아래 글을 읽고 알맞은 주사위 눈을 빈칸에 그려 보세요.

- 주사위 3개의 눈을 모두 합하면 6이에요.
- 나란히 있는 2개의 주사위는 같은 눈이 아니에요.
- 주사위 3개의 눈을 모두 곱하면 4예요.

도전! 심화 평가
1단계

____월 ____일 ____요일

1. 세로셈으로 계산해 보세요.

31 × 3 | 32 × 4 | 118 × 5

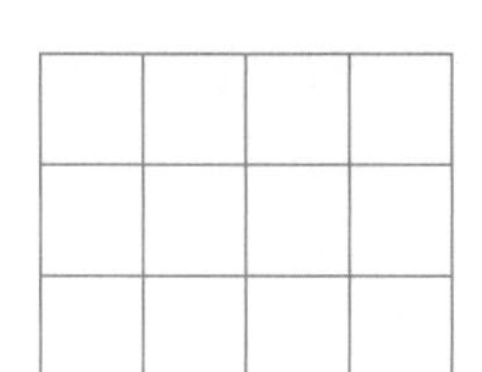
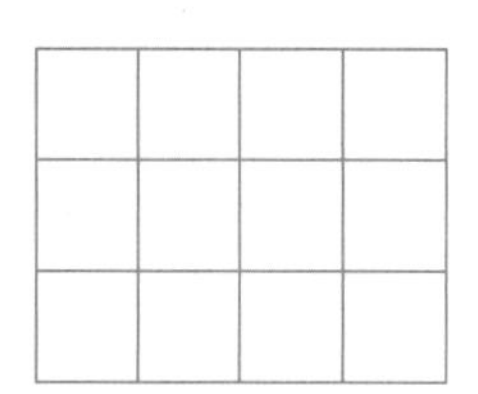
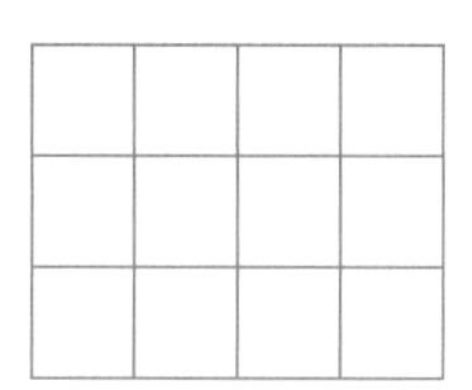

2. 그림을 보고 곱셈식을 세워 돈이 모두 얼마인지 계산해 보세요.

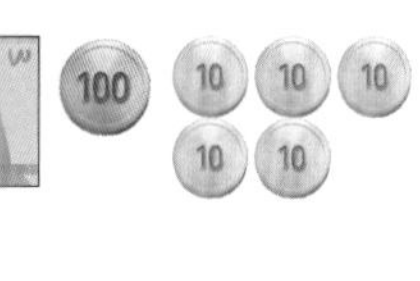
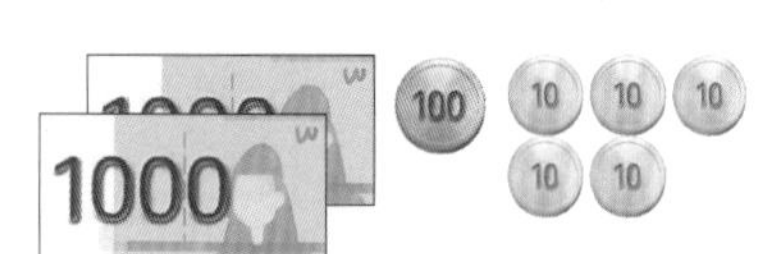

정답 :

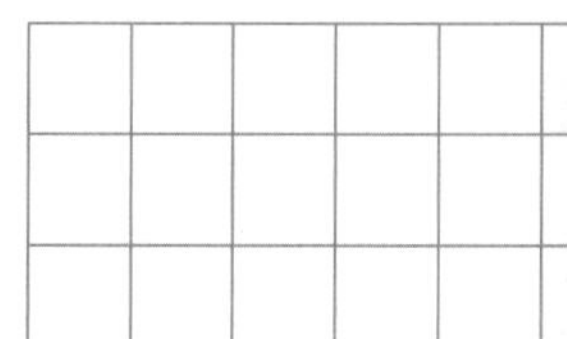

정답 :

3. 아래 글을 읽고 알맞은 식을 세워 답을 구해 보세요.

❶ 엠마의 아빠는 1주일에 5번 출근해요. 회사까지 왕복 85㎞라면 1주일 동안 엠마 아빠가 회사 출퇴근을 위해 이동하는 거리는 모두 몇 ㎞일까요?

식 :

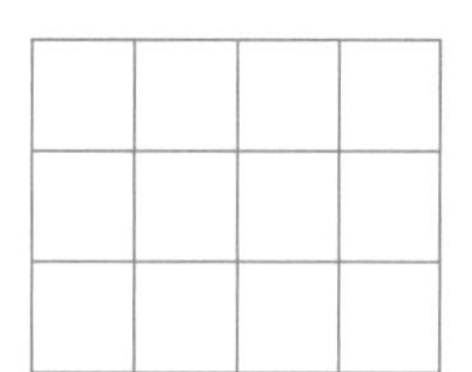

정답 :

❷ 올리의 엄마는 1주일 동안 매일 17㎞씩 자전거를 타요. 올리의 엄마가 1주일 동안 자전거를 타는 거리는 모두 몇 ㎞일까요?

식 :

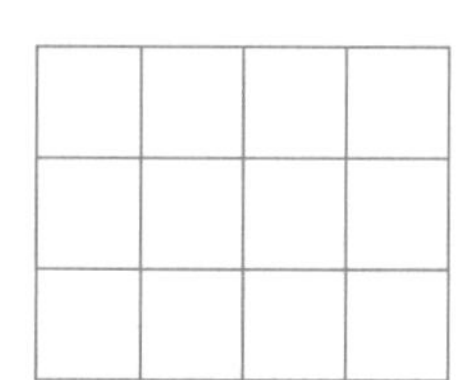

정답 :

____월 ____일 ____요일

1. 세로셈으로 계산해 보세요.

131 × 4

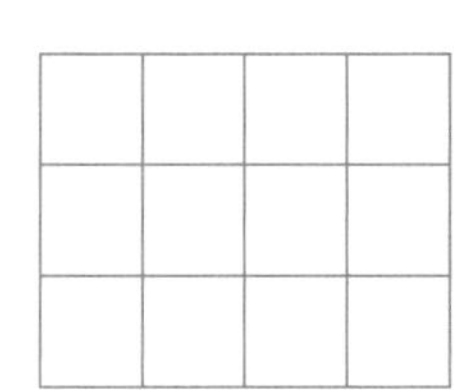

119 × 6

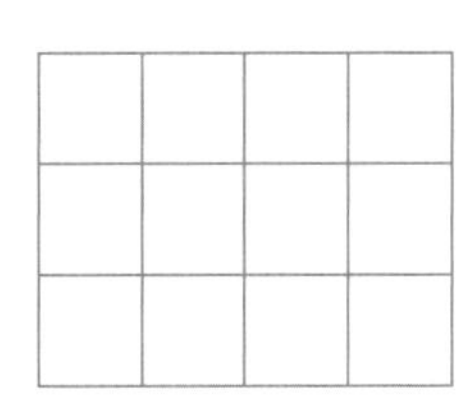

89 × 7

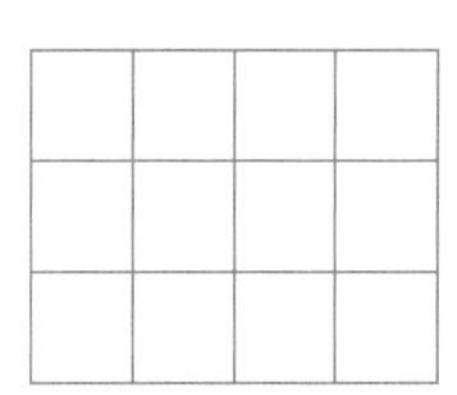

2. 아래 글을 읽고 알맞은 식을 세워 답을 구해 보세요.

❶ 알렉의 아빠는 1주일에 6번 37㎞씩 자전거를 타요. 알렉 아빠가 1주일 동안 자전거를 타는 거리는 모두 몇 ㎞일까요?

식 : ____________________

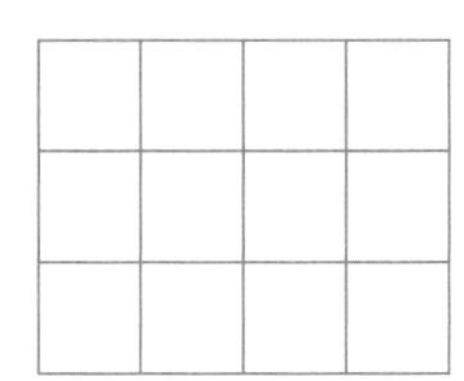

정답 : ____________________

❷ 알렉은 136쪽짜리 동화책이 6권 있어요. 6권은 모두 몇 쪽일까요?

식 : ____________________

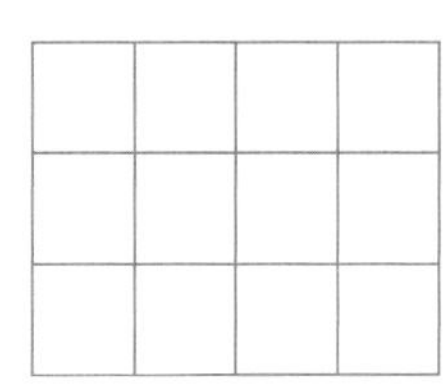

정답 : ____________________

3. 빈칸에 알맞은 수를 써넣어 보세요.

	2	3	□
×			4
	□	2	8

	1	□	3
×			□
	4	9	2

	1	5	1
×			□
	□	5	3

4. 왼쪽에서 오른쪽으로 동전 2개를 움직여 양쪽이 같은 금액이 되도록 만들어 보세요. 움직이는 동전에 X표 해 보세요.

*1유로는 100센트와 같아요.

도전! 심화 평가
3단계

____ 월 ____ 일 ____ 요일

1. 세로셈으로 계산해 보세요.

139 × 7

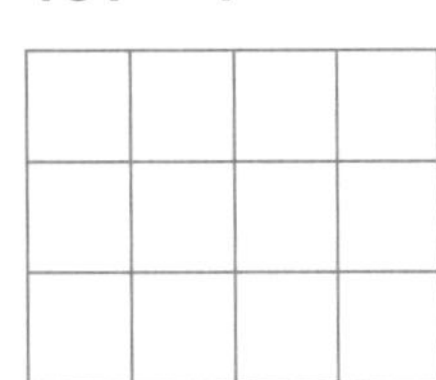

86 × 9

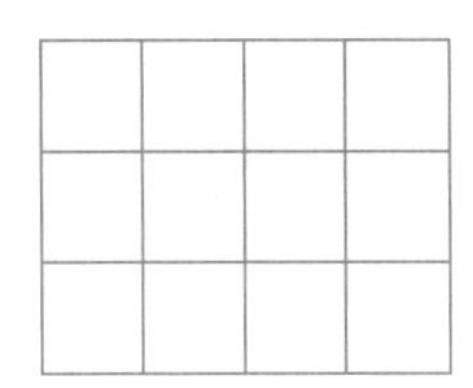

278 × 3

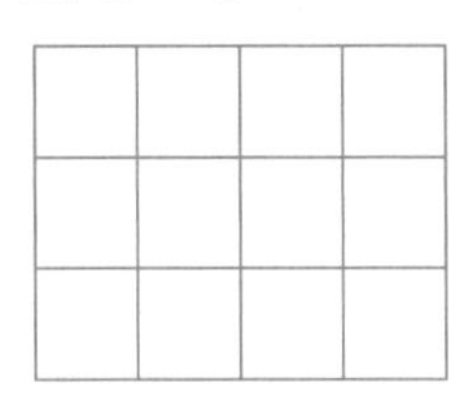

2. 아래 글을 읽고 계산한 후 예, 아니오에 표시해 보세요.

❶ 엠마의 아빠는 1000유로를 갖고 있어요. 329유로짜리 항공권을 3장 구입할 수 있을까요?

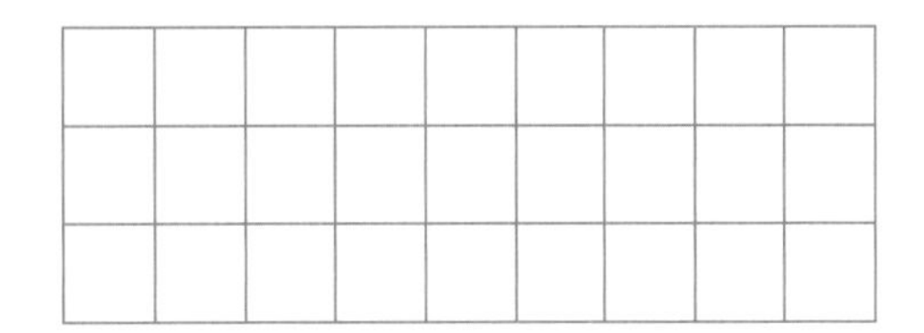

예 ☐ 아니오 ☐

❷ 어네스트는 500유로를 갖고 있어요. 84유로짜리 정원 의자를 6개 구입할 수 있을까요?

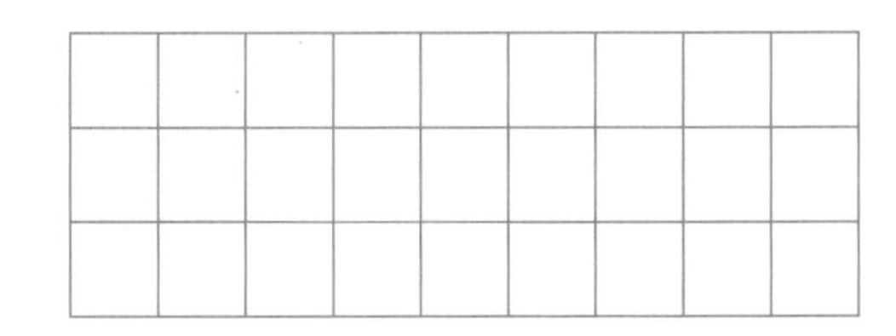

예 ☐ 아니오 ☐

3. 빈칸에 알맞은 수를 써넣어 보세요.

	2		7
×			
		5	4

	1	2	
×			
	8		1

		7	
×			
	5	5	2

4. 오른쪽에서 왼쪽으로 동전 2개를 움직이고, 왼쪽에서 오른쪽으로 또 다른 동전 2개를 움직여서 양쪽이 같은 금액이 되도록 만들어 보세요. 움직이는 동전에 X표 해 보세요.

단원 정리

____ 월 ____ 일 ____ 요일

★ 세로셈으로 곱셈하기

- 첫째, 일의 자리 수끼리 곱하세요.(3 x 1 = 3) 일의 자리 칸에 곱셈값 3을 쓰세요.
- 둘째, 십의 자리 수끼리 곱하세요.(3 x 3 = 9) 십의 자리 칸에 곱셈값 9를 쓰세요.
- 셋째, 백의 자리 수끼리 곱하세요.(3 x 2 = 6) 백의 자리 칸에 곱셈값 6을 쓰세요.

	백의 자리	십의 자리	일의 자리
	2	3	1
×			3
	6	9	3

2 3 1 × 3

정답 : 693

★ 받아 올림이 1번 있는 곱셈하기

- 먼저 일의 자리 수끼리 곱하세요.(4 x 4 = 16) 곱셈값 16에서 6을 일의 자리 칸에 쓰고 1(실제 값은 10)을 십의 자리 위에 쓰세요.
- 십의 자리 수끼리 곱한 후(4 x 2 = 8) 일의 자리에서 받아 올림한 수 1을 더하세요.(8 + 1 = 9) 그리고 더한 값 9를 십의 자리 칸에 쓰세요.
- 백의 자리 수끼리 곱한 후(4 x 1 = 4) 곱셈값 4를 백의 자리 칸에 쓰세요.

1 2 4 × 4

	백의 자리	십의 자리	일의 자리
		1	
	1	2	4
×			4
	4	9	6

정답 : 496

★ 받아 올림이 2번 있는 곱셈하기

- 먼저 일의 자리 수끼리 곱하세요.(2 x 7 = 14) 곱셈값 14에서 4는 일의 자리 칸에 쓰고 1(실제 값은 10)은 십의 자리 위에 쓰세요.
- 십의 자리 수끼리 곱한 후(2 x 6 = 12) 일의 자리에서 받아 올림한 수 1을 더하세요.(12 + 1 = 13). 그리고 더한 값 13 중 3은 십의 자리 칸에 쓰고 1(실제 값은 100)은 백의 자리 위에 쓰세요.
- 백의 자리 수끼리 곱한 후(2 x 1 = 2) 십의 자리에서 받아 올림한 수 1을 더하세요.(2 + 1 = 3) 그리고 더한 값 3을 백의 자리 칸에 쓰세요.

1 6 7 × 2

	백의 자리	십의 자리	일의 자리
	1	1	
	1	6	7
×			2
	3	3	4

정답 : 334

____월 ____일 ____요일

1. 시계를 보고 몇 시 몇 분인지 디지털시계에 나타내 보세요.

❶ 자명종 시계가 울려요.

❷ 선생님이 크리스마스 파티에 가기 위해 옷을 입어요.

❸ 크리스마스 캐럴이 연주돼요.

❹ 휴일이 시작돼요.

❺ 선생님이 짐을 싸요.

❻ 선생님이 탄 비행기가 이륙해요.

❼ 선생님이 목적지에 도착해요.

❽ 선생님이 잠자리에 들어요.

2. 다음 시각을 디지털시계에 나타내 보세요.

7시 15분에
일어나요.

7시 30분에
샤워를 해요.

8시 10분 전에
아침을 먹어요.

9시 정각에 스키
부츠를 신어요.

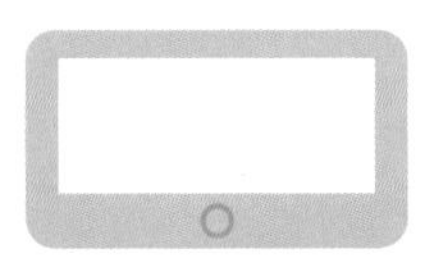

9시 25분에
스키를 타요.

12시 20분에
점심을 먹어요.

1시 5분에
낮잠을 자요.

2시 35분에
스키를 타러 가요.

3. 시계에서 시계로 이동할 때마다 15분이 걸려요. 길을 찾아보세요.

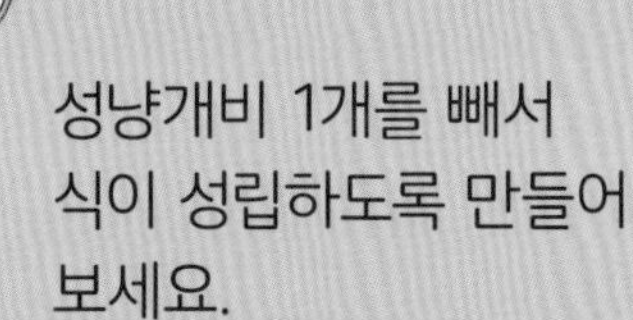

더 생각해 보아요!

성냥개비 1개를 빼서
식이 성립하도록 만들어
보세요.

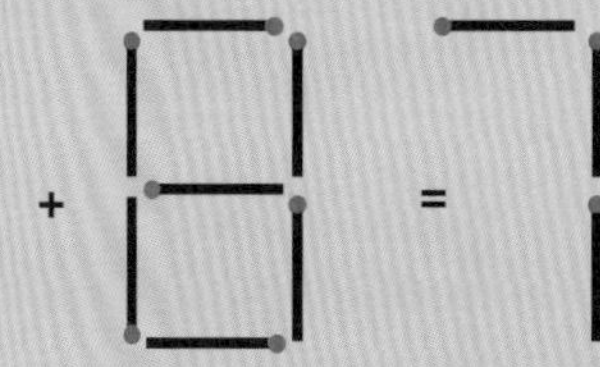

4. 조건에 맞게 색칠해 보세요.

정각 ●, 30분 이전 ●, 30분 ●, 30분 이후 ●

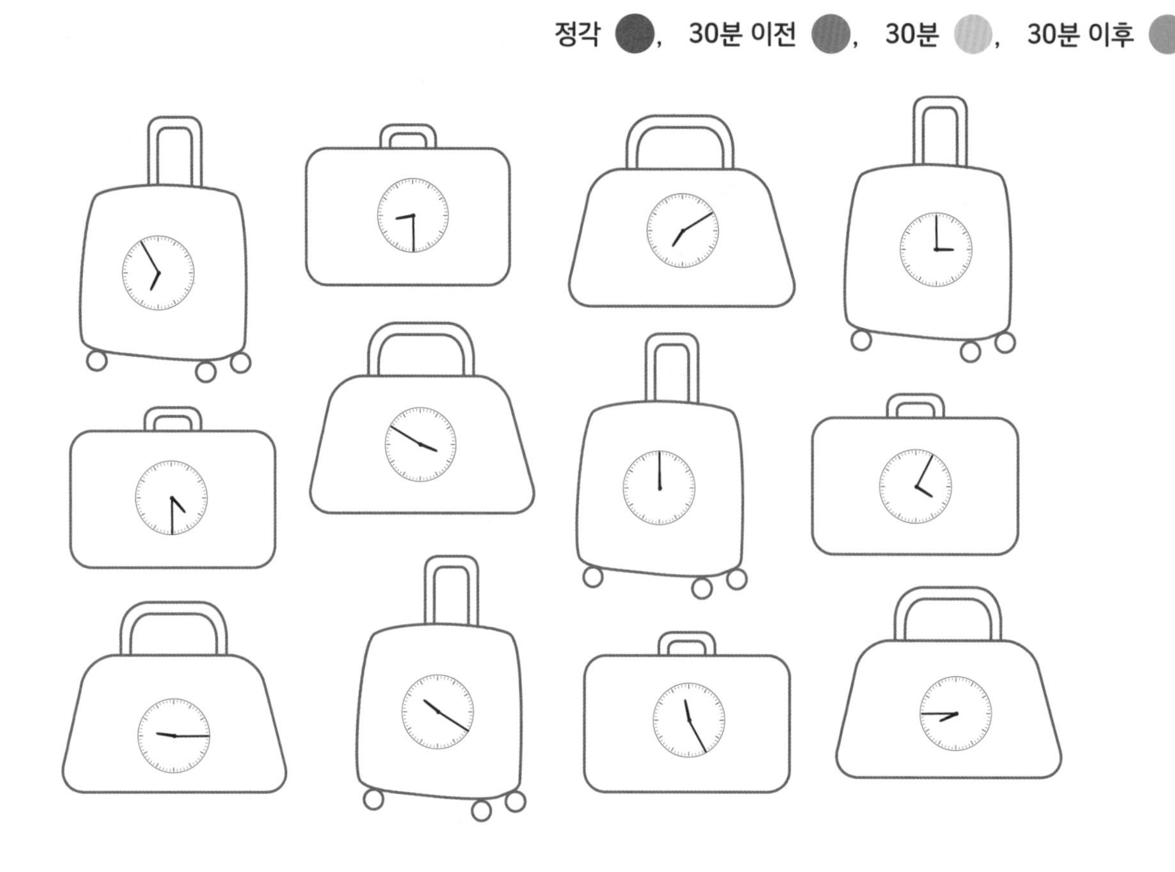

5. 같은 시각끼리 선으로 이어 보세요.

6. 아래 글을 읽고 시계의 주인이 누구인지 알아맞혀 보세요. 답을 2개 구해 보세요.

정답1 ________ ________ ________ ________

정답2 ________ ________ ________ ________

- 알렉의 시계는 15분 빨라요.
- 네아의 시계는 15분 느려요.
- 엠마의 시계는 정확하게 맞아요.
- 선생님의 시계는 정확하지 않아요.

한 번 더 연습해요!

1. 다음 표를 완성해 보세요.

출발 시각	도착 시각	여행 시간
13 : 00	13 : 30	
	14 : 15	45분
15 : 40		55분
	18 : 05	40분
19 : 35		50분
20 : 50	21 : 15	

2. 계산해 보세요.

에이다는 승마를 17시 10분에 시작해서 50분 동안 해요. 에이다가 승마를 마치는 시각은 몇 시 몇 분일까요?

정답 : ________

TV 프로그램이 18시 45분에 시작해서 19시 30분에 끝나요. 프로그램 상영 시간은 얼마일까요?

정답 : ________

세로셈 곱셈 복습

_____월 _____일 _____요일

1. 그림을 보고 세로셈으로 계산해 보세요.

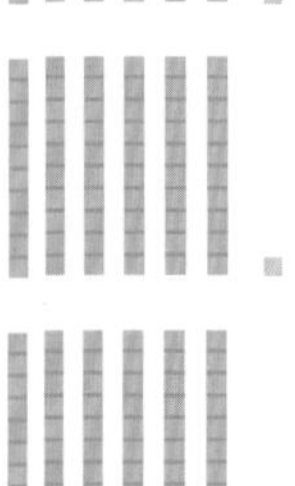
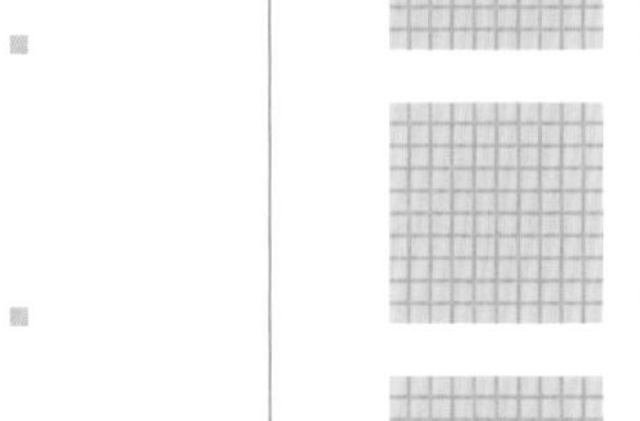
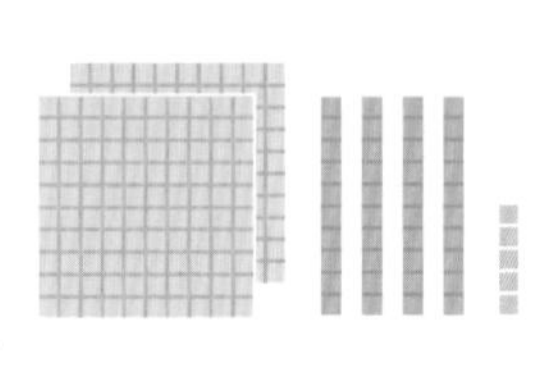
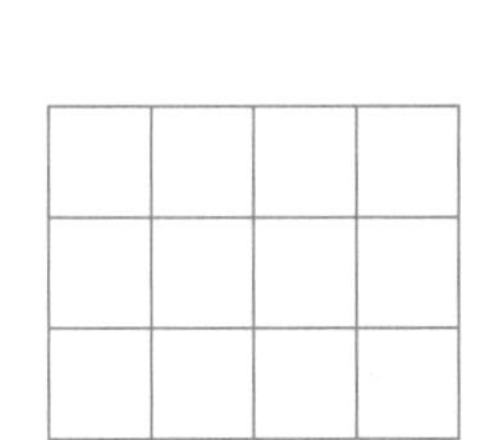
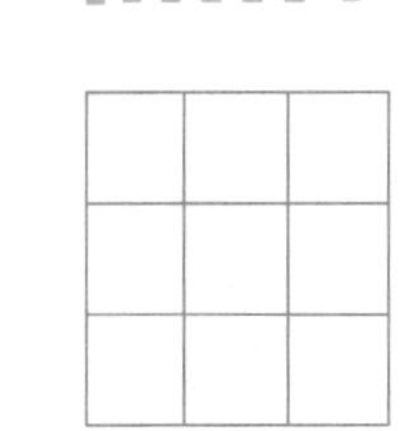
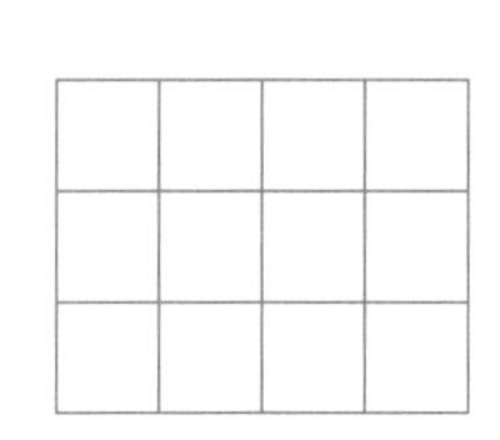
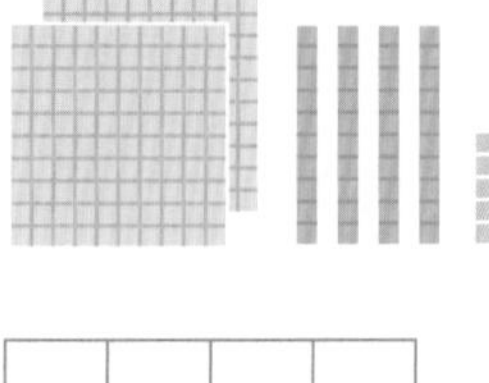
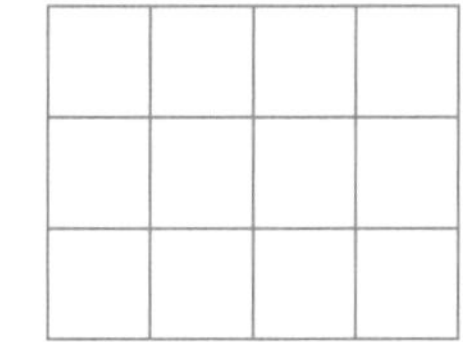

2. 그림을 보고 곱셈식을 세워 돈이 모두 얼마인지 계산해 보세요.

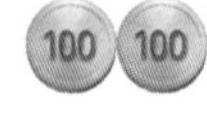

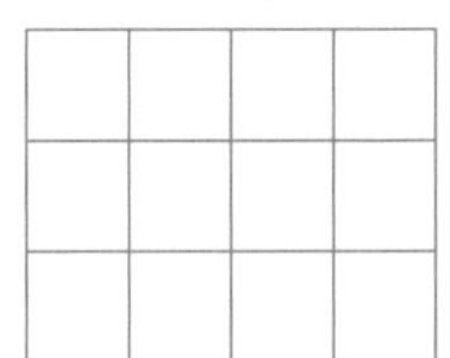

정답 : ____________

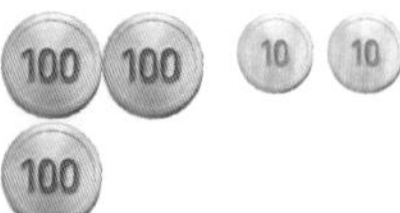

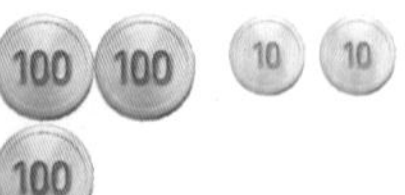

정답 : ____________

3. 아래 글을 읽고 식을 세워 물건값을 구한 후, 애벌레에서 찾아 ○표 해 보세요.

24 €
48 €
14 €
75 €
55 €

❶ 엠마는 봉제 인형을 4개 샀어요.

식 :

정답 :

❷ 루이스의 아빠는 썰매를 4개 샀어요.

식 :

정답 :

❸ 선생님은 스케이트를 3켤레 샀어요.

식 :

정답 :

❹ 앤의 아빠는 스케이트보드를 2개 샀어요.

식 :

정답 :

❺ 앤소니는 레고 세트를 6개 샀어요.

식 :

정답 :

56 € 72 € 96 € 110 €

225 € 256 € 288 €

더 생각해 보아요!

성냥개비 2개를 움직여서 식이 성립하도록 만들어 보세요.

1 + 8 = 7

4. 81쪽 3번의 그림을 보고 구매한 물건의 가격을 계산하여 ○표 해 보세요.

❶ 썰매 5개

120 €　150 €　225 €　300 €

❷ 스케이트보드 5개

150 €　275 €　425 €　520 €

❸ 레고 세트 4개

150 €　192 €　242 €　272 €

❹ 봉제 인형 12개

78 €　92 €　120 €　168 €

5. 지도를 보고 길을 찾아보세요. 그리고 다음 글을 읽고 문제의 답을 계산해 보세요.

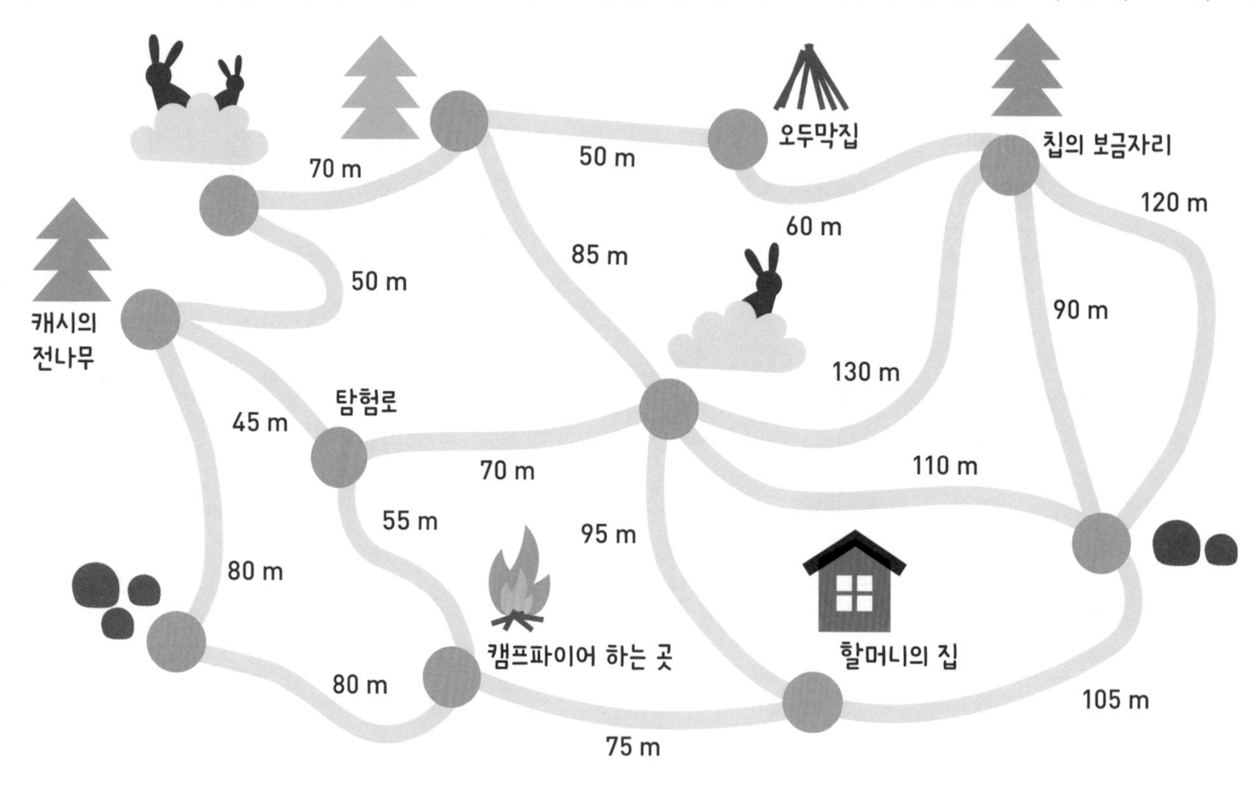

❶ 할머니의 집에서 캐시의 전나무까지 최단 거리는 몇 m일까요?

❷ 캐시의 전나무에서 칩의 보금자리까지 최단 거리는 몇 m일까요?

❸ 칩의 보금자리에서 캠프파이어 하는 곳까지 최단 거리는 몇 m일까요?

❹ 탐험로에서 오두막집까지 최단 거리는 몇 m일까요?

6. 칩이 캐시에게 갈 수 있도록 길을 찾아 주세요.

7. 아래 설명을 읽고 문제의 답을 구해 보세요.

표의 아무 칸에서 시작하여 1부터 차례대로 써 보세요. 단, 규칙이 있어요. 가로 또는 세로로는 2칸을, 대각선으로는 1칸을 건너뛸 수 있어요. 표의 빈칸을 60까지 채울 수 있어요. 마지막에 도달한 수에 ○표 해 보세요.

1회

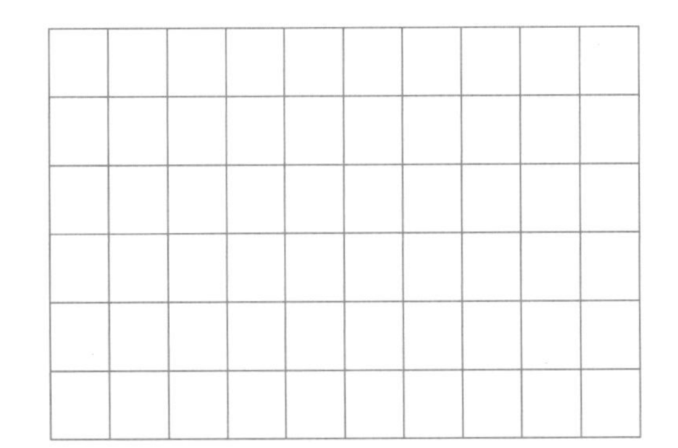

2회

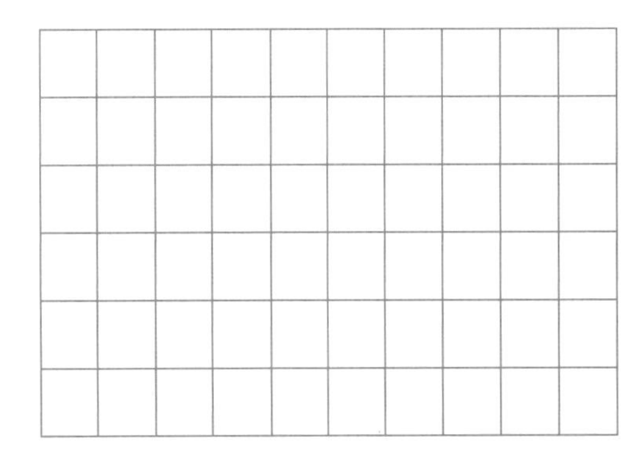

한 번 더 연습해요!

1. 세로셈으로 계산해 보세요.

48 × 2

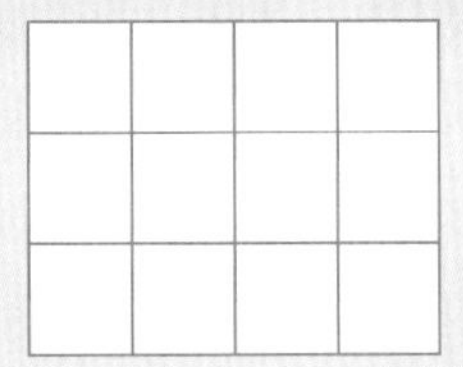

25 × 9

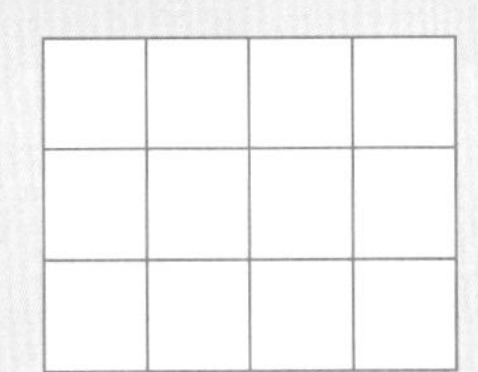

115 × 5

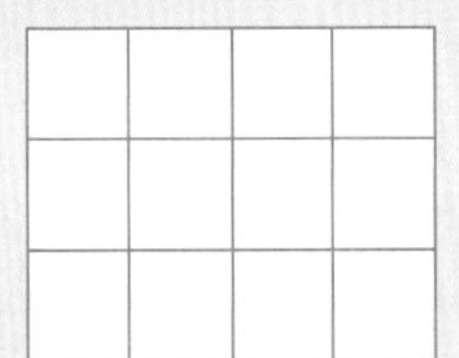

245 × 4

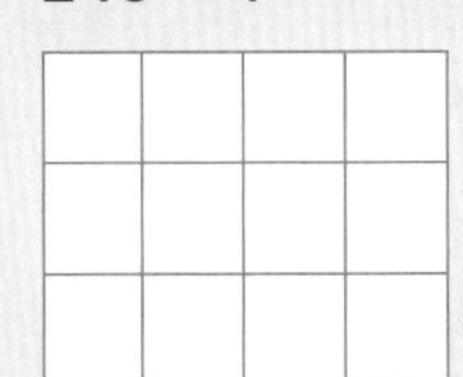

스파에서의 하루

인원 : 2명 준비물 : 주사위 1개, 91쪽 활동지

스파 시작 시각 : 14시 30분 (오후 2시 30분)

내용	주사위 눈	소요 시간(분)	끝나는 시각
목욕 / 사우나			
워터 슬라이드			
물놀이			
스팀 사우나			
스낵			
옥외 수영장			
바데풀			
음료			
샤워 / 유수풀			
목욕 / 사우나			

놀이 방법

1. 주사위를 굴려 나온 눈을 교재의 표에 기록하세요. 그 눈의 수에 5를 곱한 수가 소요 시간을 나타내요. 표에 있는 내용에 따라 소요 시간을 <보기>와 같이 써넣어 보세요.
2. 소요 시간을 스파 시작 시각에 더해 끝나는 시각을 계산하고 표에 기록하세요.
3. 다음 사람에게 순서가 돌아가고 같은 방식으로 진행해요.
4. 스파에서 시간을 가장 오래 보낸 사람이 놀이에서 이겨요.

<보기>

내용	주사위 눈	소요 시간(분)	끝나는 시각
목욕 / 사우나	3	3 × 5분 = 15분	오후 2시 45분

랠리 경주

인원 : 2~4명　준비물 : 주사위 1개, 모형 시계 또는 93쪽 활동지

12시에 출발	+ 25 분	+ 30 분	+ 35 분	+ 40 분	+ 30 분	+ 30 분
+ 20 분	+ 30 분	+ 40 분	+ 10 분	- 5 분	+ 30 분	+ 15 분
+ 15 분	+ 25 분	+ 30 분	- 5 분	+ 5 분	- 10 분	+ 30 분
+ 45 분	- 5 분	+ 15 분	- 5 분	+ 30 분	+ 20 분	+ 15 분
+ 20 분	- 5 분	- 5 분	- 10 분	+ 15 분	- 10 분	+ 10 분
+ 15 분	- 10 분	- 5 분	+ 10 분	- 5 분	- 5 분	- 5 분
도착						

놀이 방법

1. 시계의 시작 시각을 12시로 맞추고 주사위 눈의 수만큼 움직여요.
2. 게임판의 지시대로 분을 더하거나 빼서 시각을 표시해요.
   모형 시계가 없다면 97쪽 활동지에 시각을 표시하세요.
3. 차례를 정해 같은 방식으로 놀이를 진행해요.
4. 모든 사람이 결승선에 도착할 때까지 놀이는 계속돼요. 가장 빠른 시각을 나타낸 사람이 놀이에서 이겨요.

놀이 수학

승객이 더 많은 배는?

인원 : 2명　준비물 : 주사위 1개, 95쪽 활동지

1회

나가는 배

	1	2	3
×			

들어오는 배

		4	2
	×		

합계

+			

2회

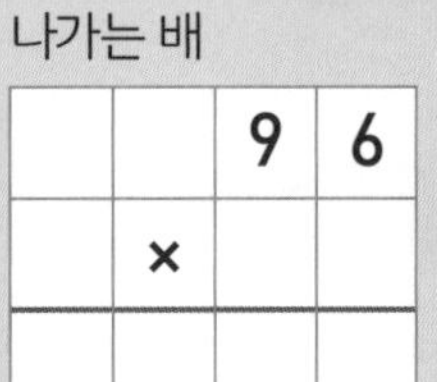

나가는 배

		9	6
	×		

들어오는 배

		6	8
	×		

합계

+			

3회

나가는 배

		5	2
	×		

들어오는 배

	1	1	4
×			

합계

+			

놀이 방법

1. 순서를 정해 주사위를 굴려요. 주사위 눈을 나가는 배나 들어오는 배 둘 중 하나의 곱하는 수에 적으세요.
2. 2개 식의 곱하는 수가 다 채워지면 곱셈식을 계산하고 그 결과를 함께 확인하세요.
3. 나가는 배와 들어오는 배의 승객 수를 더해서 표를 완성해 보세요.
4. 합이 더 큰 사람이 놀이에서 이겨요. 놀이는 3회까지 할 수 있어요.

저축을 해요

인원 : 2명　준비물 : 주사위 1개, 말 2개

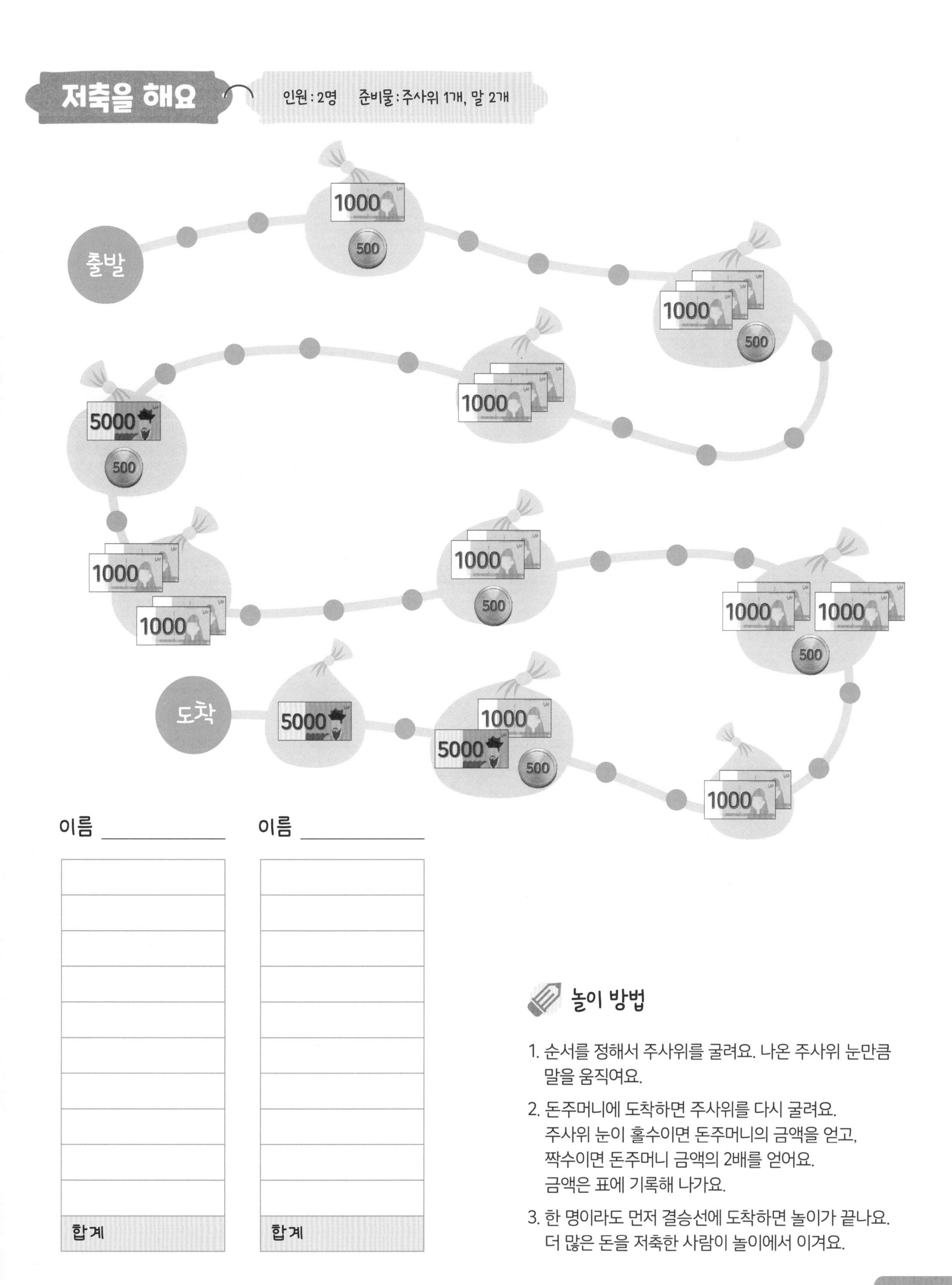

이름 ____________

합계

이름 ____________

합계

놀이 방법

1. 순서를 정해서 주사위를 굴려요. 나온 주사위 눈만큼 말을 움직여요.
2. 돈주머니에 도착하면 주사위를 다시 굴려요. 주사위 눈이 홀수이면 돈주머니의 금액을 얻고, 짝수이면 돈주머니 금액의 2배를 얻어요. 금액은 표에 기록해 나가요.
3. 한 명이라도 먼저 결승선에 도착하면 놀이가 끝나요. 더 많은 돈을 저축한 사람이 놀이에서 이겨요.

____월 ____일 ____요일

준비물 : 주사위 1개, 놀이 말

나만의 놀이를 만들어 보세요. 놀이 방법을 종이에 적고 직접 놀이해 보세요.

놀이 제목

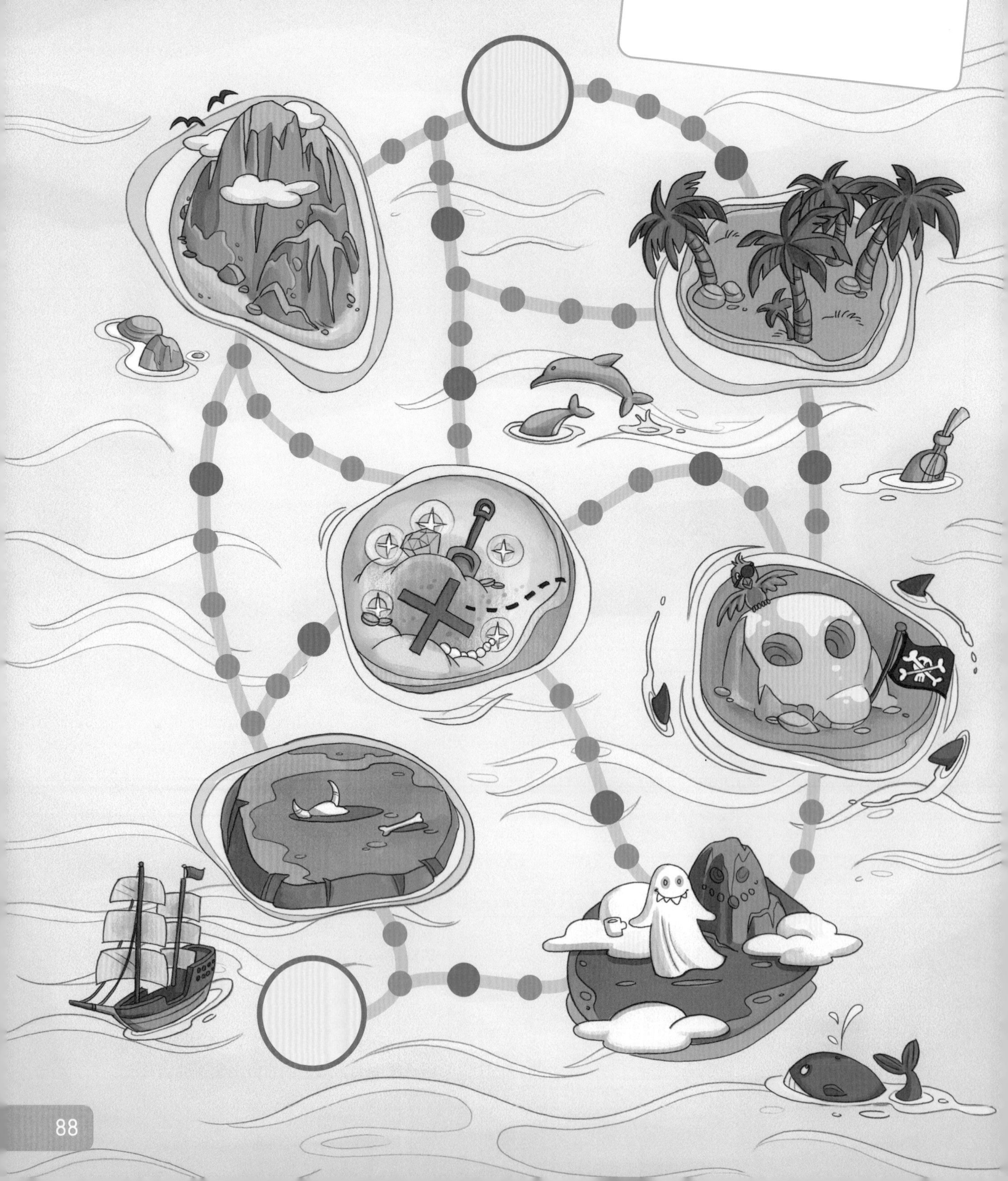

사진 퀴즈

우리 주변에서 곱셈식으로 나타낼 수 있는 것들을 찾아보세요. 사진을 찍어 부모님 또는 친구들에게 보여 준 후 곱셈 퀴즈를 내 보세요.

<예>

아파트 창문의 수
5 x 7 = 35 또는 7 x 5 = 35

자전거 타이어의 수
2 x 3 =6

꽃잎의 수
5 x 5 = 25

곱셈 랩 만들기

구구단 중 하나를 골라 곱셈 랩을 만들고,
가수가 되어 랩 공연을 해 보세요.

5 곱하기 5는 25지.
시작하기에 이보다 더 좋은 수는 없을걸?
그럼 말해 봐. 7 곱하기 5는 뭐지?
그건 당근 35지.

가게 놀이

친구 또는 부모님과 함께 계산원과 손님 역할을 나눠 맡아서 가게 놀이를 해 보세요. 손님이 물건을 다 구매하면 역할을 바꾸어 놀이해 보세요. 팔 물건과 종이, 연필, 놀이 카드에 있는 모형 돈을 준비해 주세요.

가게 놀이 예절

1. 손님을 친절하게 맞이해 주세요.
2. 감사합니다, 별말씀을요, 안녕히 계세요 등 예의 바르게 인사를 주고받아요.
3. 고객의 질문에 친절하게 대답해요.

진행 방법

1. 손님이 계산원에게 사고자 하는 물건을 얘기해요.
2. 계산원이 물건의 가격을 모두 합해서 계산해요.
3. 손님은 물건의 가격을 지급해요.
4. 계산원은 고객에게 산 물건, 영수증, 거스름돈을 줘요.
5. 손님은 거스름돈이 맞는지 확인해요.

_____월 _____일 _____요일

로봇 프로그래밍

〈지도 위의 기호〉

⊗ 통행 금지

↑ 일방 통행

〈통행 규칙〉

1 = 1칸 전진

2 = 제자리에서 우회전

3 = 제자리에서 좌회전

스프링
용접공장
볼트 거리
기계 부품 상점
충전소
메모리 하우스
용접공장
정비소

1. 통행 방법을 살펴보고 지도에서 길을 찾아 그려 보세요.

❶ 주황색 로봇은 정비소를 떠나 볼트 거리를 따라 움직여요. 코드가 111211121이면 로봇은 어느 곳에서 멈출까요?

____

❷ 주황색 로봇은 정비소를 떠나 볼트 거리를 따라 움직여요. 코드가 11121111131이면 로봇은 어느 곳에서 멈출까요?

____

❸ 파란색 로봇이 메모리 하우스에서 정비소로 가는 길을 그려 보세요. 통행 규칙을 찬찬히 살펴본 후 파란색 로봇이 가야 할 길의 코드를 설정해 보세요.

____

❹ 빨간색 로봇이 기계 부품 상점에서 용접공장으로 가는 길의 코드는 1112111121121121111이에요. 그런데 코드에 오류가 있어요. 코드의 오류를 찾아내 수정해 보세요.

____

84쪽 놀이 수학 <스파에서의 하루>에 활용하세요.

스파 시작 시각 : 14시 30분 (오후 2시 30분)

내용	주사위 눈	소요 시간(분)	끝나는 시각
목욕 / 사우나			
워터 슬라이드			
물놀이			
스팀 사우나			
스낵			
옥외 수영장			
바데풀			
음료			
샤워 / 유수풀			
목욕 / 사우나			

스파 시작 시각 : 14시 30분 (오후 2시 30분)

내용	주사위 눈	소요 시간(분)	끝나는 시각
목욕 / 사우나			
워터 슬라이드			
물놀이			
스팀 사우나			
스낵			
옥외 수영장			
바데풀			
음료			
샤워 / 유수풀			
목욕 / 사우나			

스파 시작 시각 : 14시 30분 (오후 2시 30분)

내용	주사위 눈	소요 시간(분)	끝나는 시각
목욕 / 사우나			
워터 슬라이드			
물놀이			
스팀 사우나			
스낵			
옥외 수영장			
바데풀			
음료			
샤워 / 유수풀			
목욕 / 사우나			

스파 시작 시각 : 14시 30분 (오후 2시 30분)

내용	주사위 눈	소요 시간(분)	끝나는 시각
목욕 / 사우나			
워터 슬라이드			
물놀이			
스팀 사우나			
스낵			
옥외 수영장			
바데풀			
음료			
샤워 / 유수풀			
목욕 / 사우나			

85쪽 놀이 수학 <랠리 경주>에 활용하세요.

85쪽 놀이 수학 <랠리 경주>에 활용하세요.

86쪽 놀이 수학 <승객이 더 많은 배는?>에 활용하세요.

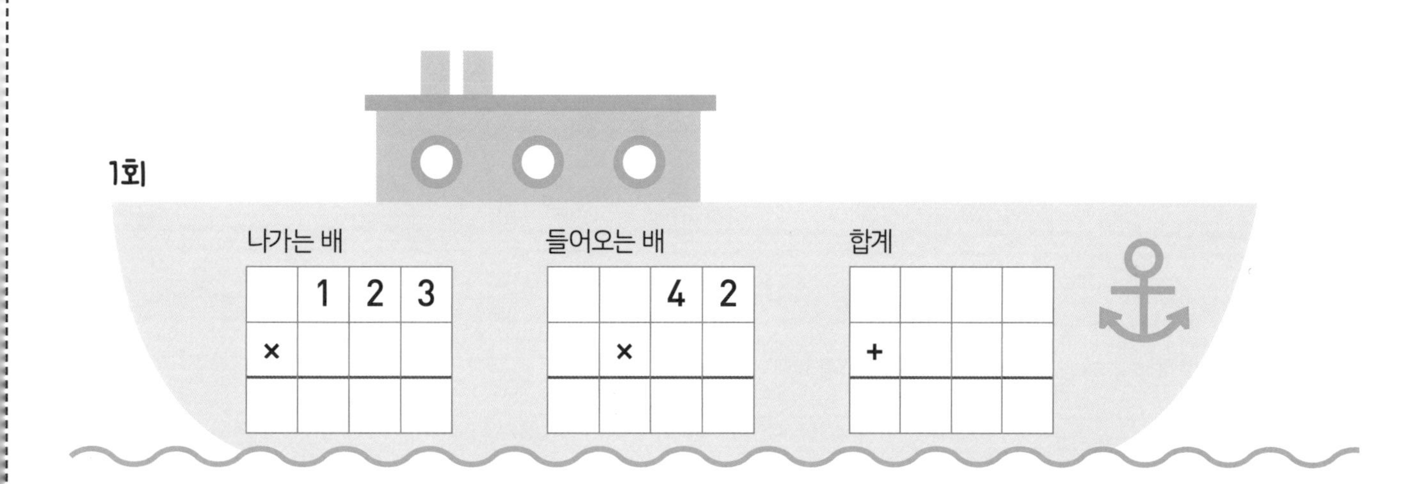

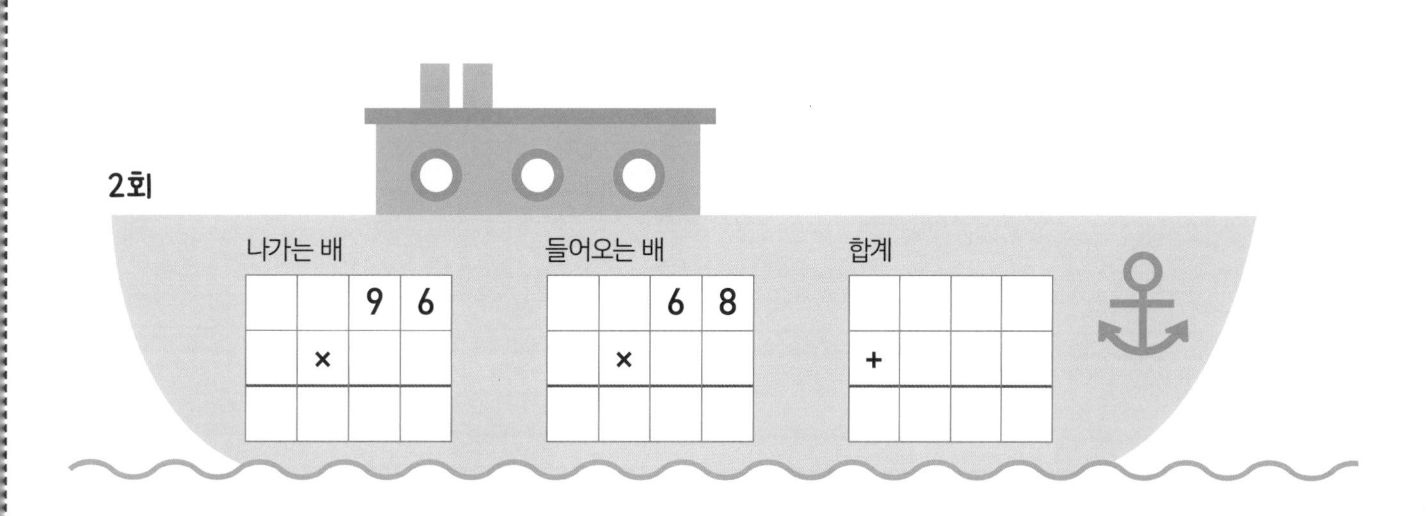

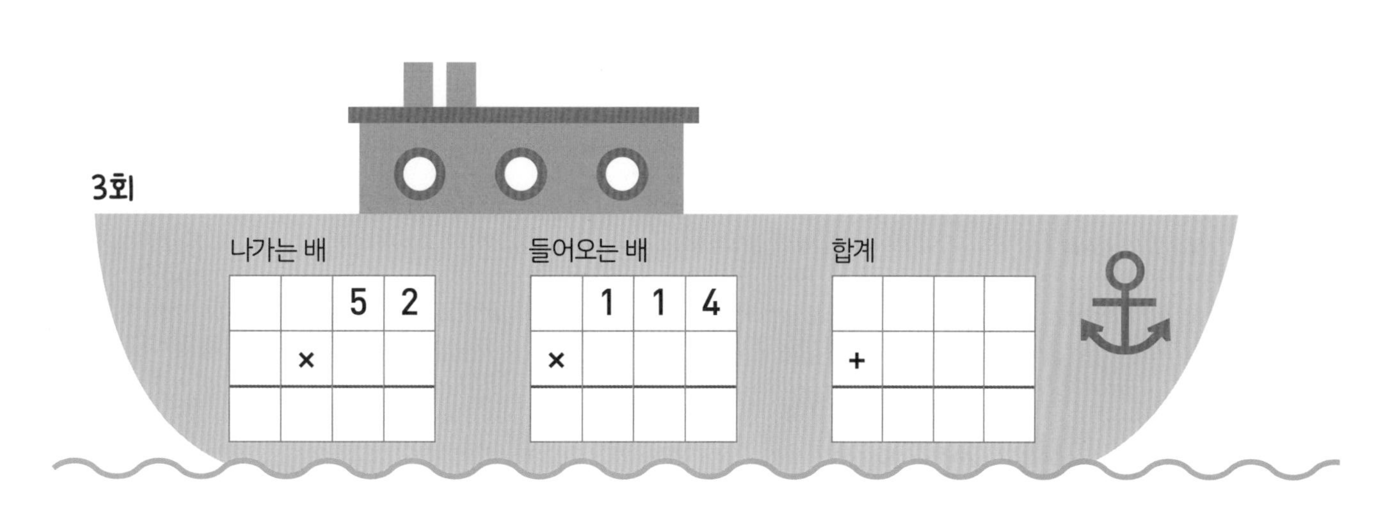

놀이 카드는 반복되어 사용될
준비물이니 잃어버리지 않도록
잘 보관해 주세요.

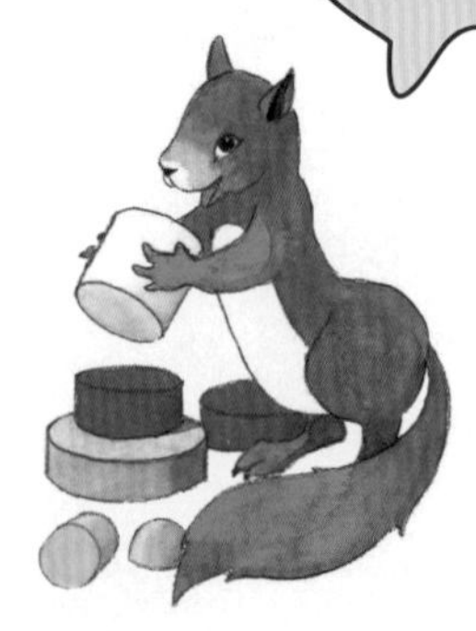

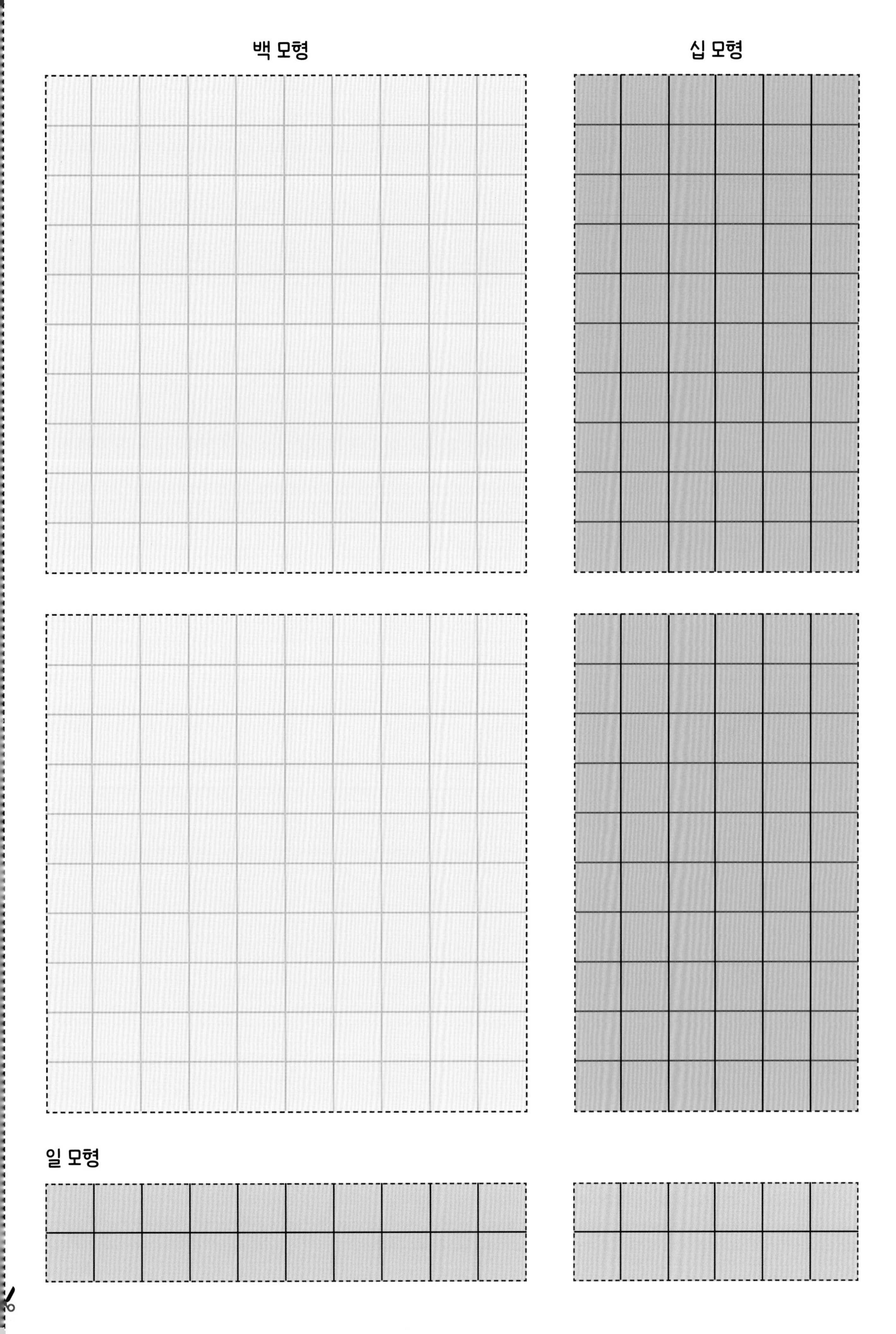
백 모형
십 모형
일 모형

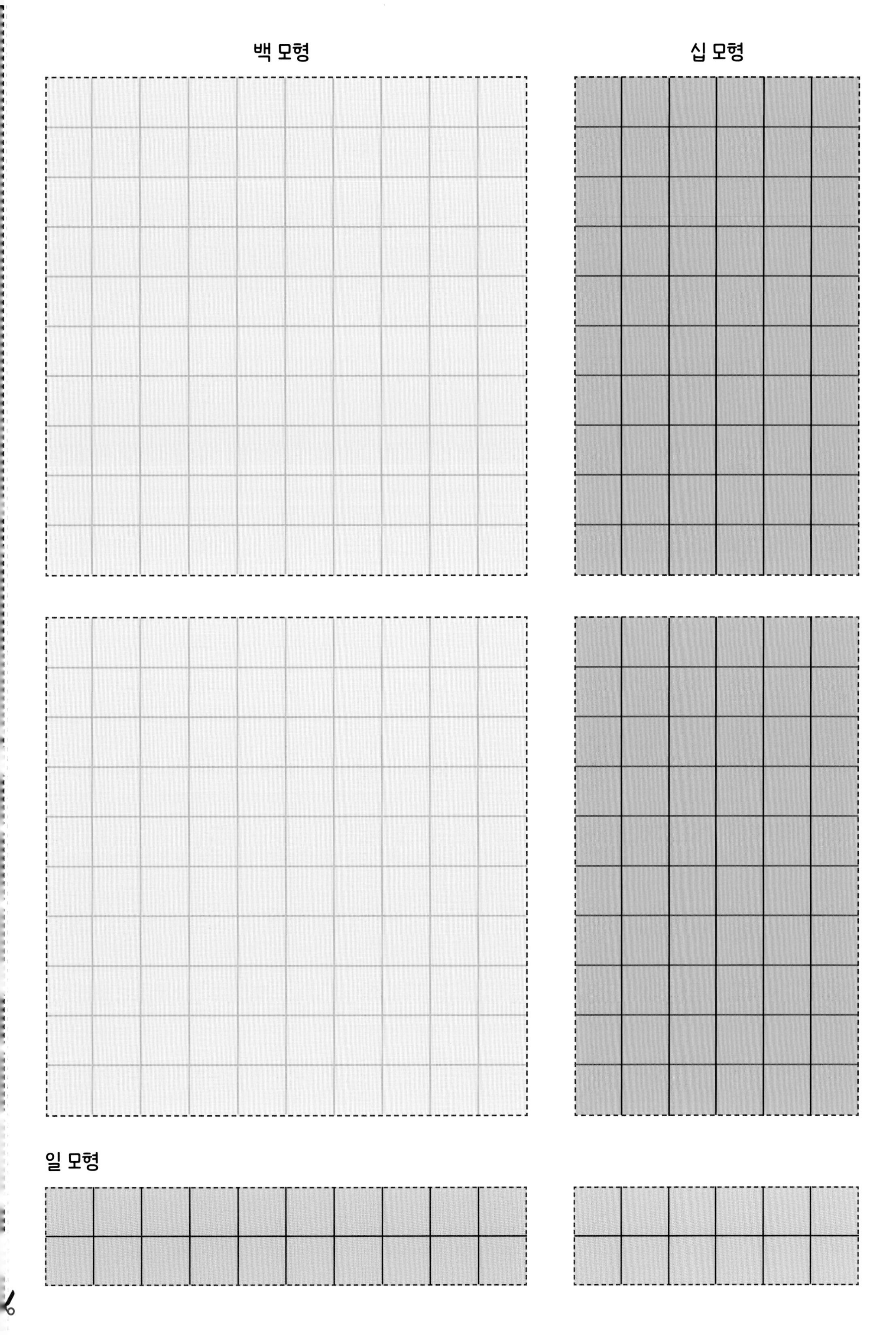
백 모형
십 모형
일 모형

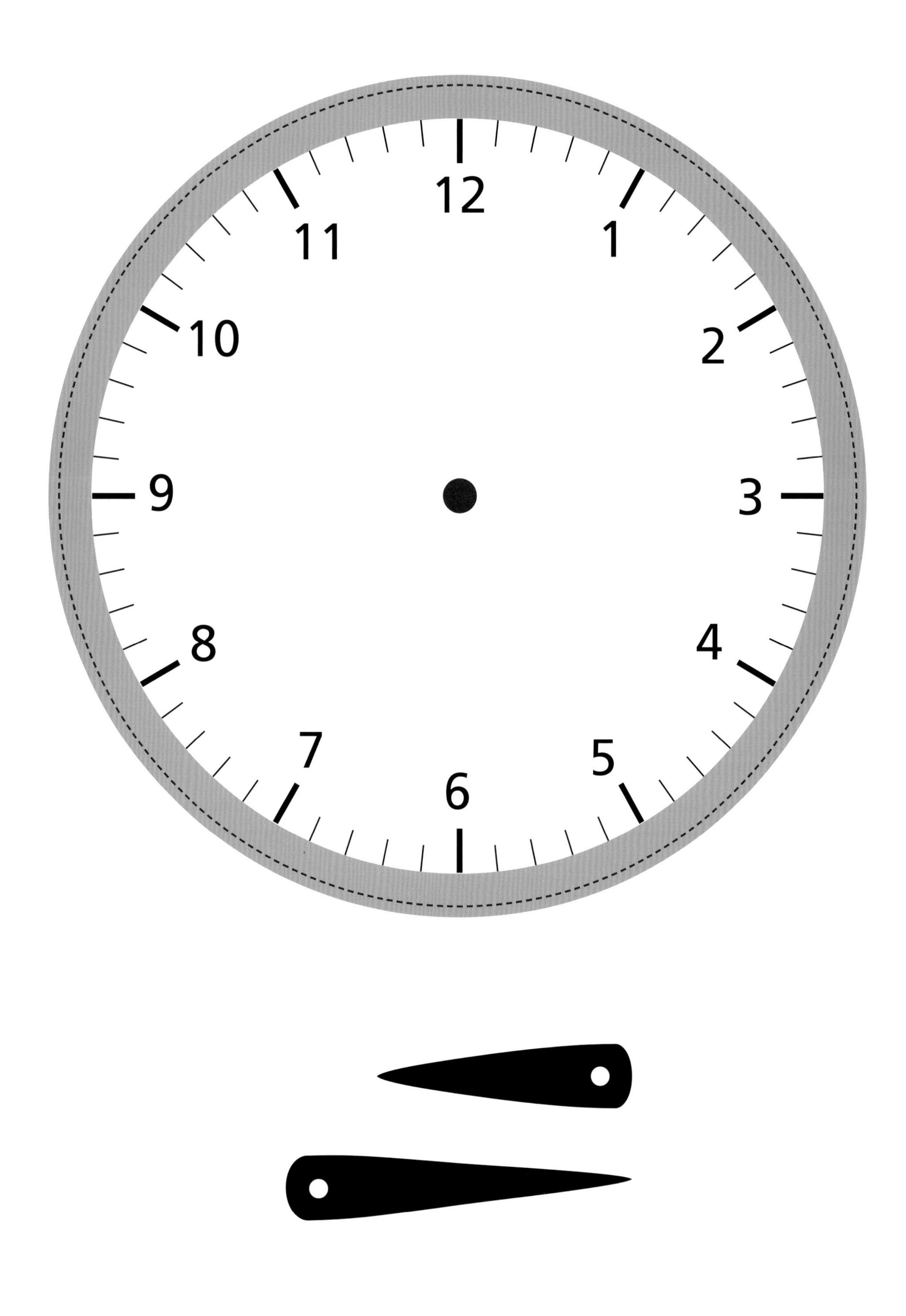
12
1
2
3
4
5
6
7
8
9
10
11

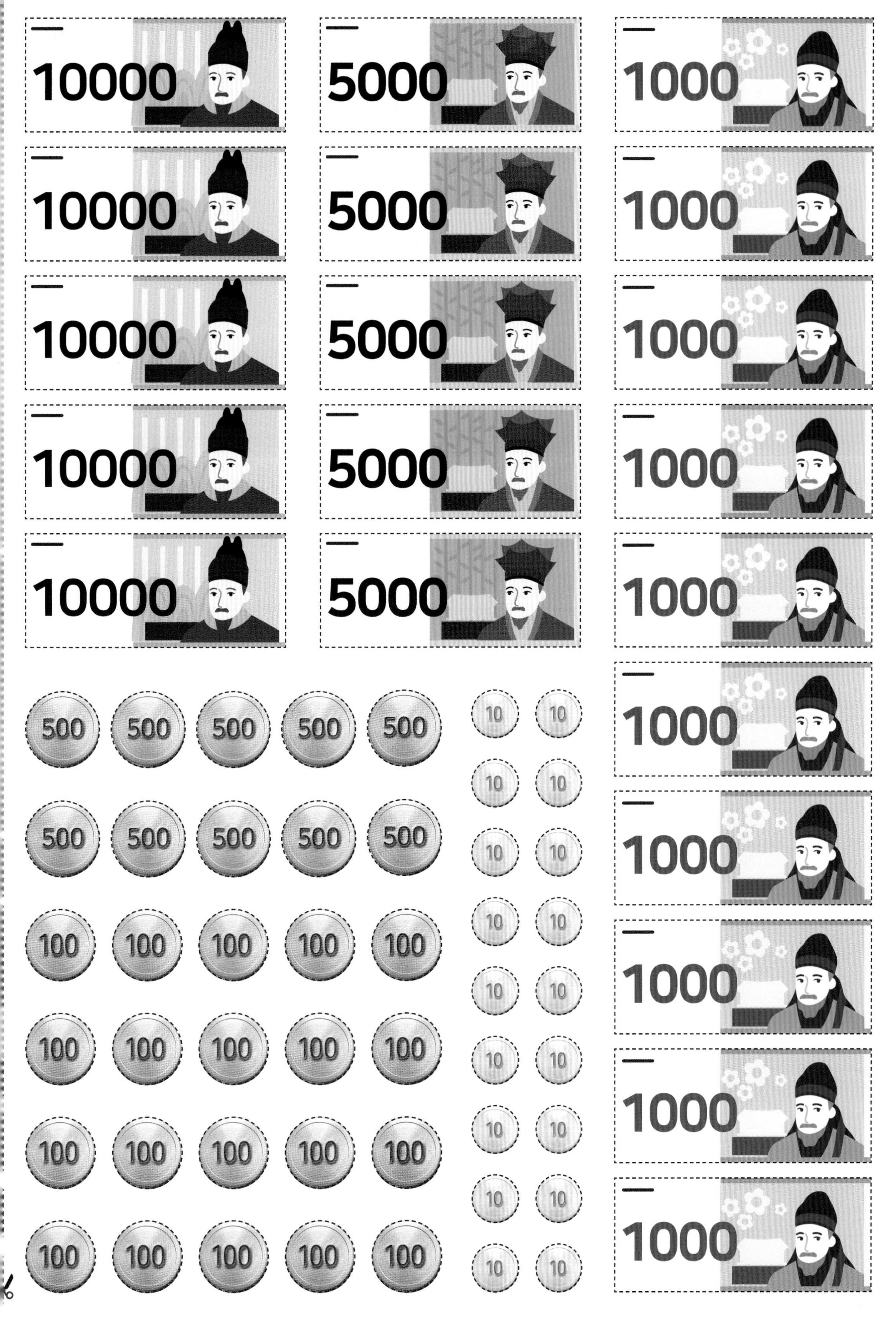
10000
5000
1000
10000
5000
1000
10000
5000
1000
10000
5000
1000
10000
5000
1000
500
500
500
500
500
10
10
1000
10
10
500
500
500
500
500
10
10
1000
10
10
100
100
100
100
100
10
10
1000
10
10
100
100
100
100
100
10
10
1000
10
10
100
100
100
100
100
10
10
1000
10
10
100
100
100
100
100
10
10
1000

10000
5000
1000
10000
5000
1000
10000
5000
1000
10000
5000
1000
10000
5000
1000
500
500
500
500
500
10
10
1000
10
10
500
500
500
500
500
10
10
1000
10
10
100
100
100
100
100
10
10
1000
10
10
100
100
100
100
100
10
10
1000
100
100
100
100
100
10
10
10
10
100
100
100
100
100
10
10
1000

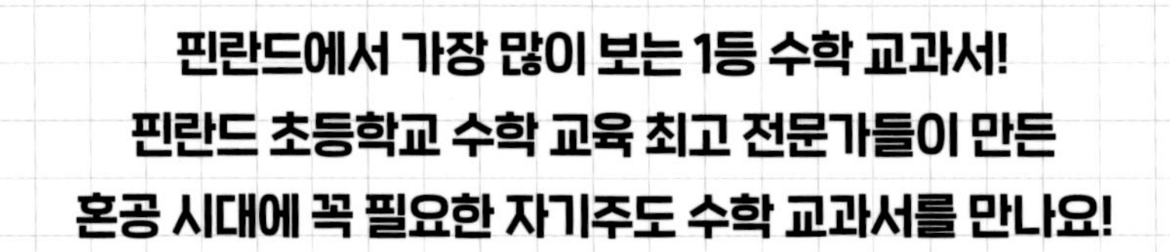

핀란드에서 가장 많이 보는 1등 수학 교과서!
핀란드 초등학교 수학 교육 최고 전문가들이 만든
혼공 시대에 꼭 필요한 자기주도 수학 교과서를 만나요!

123
456
789

핀란드 수학 교과서, 왜 특별할까?

수학적 구조를 발견하고 이해하게 하여 수학 공식을 암기할 필요가 없어요.

수학적 이야기가 풍부한 그림으로 수학 학습에 영감을 불어넣어요.

교구를 활용한 놀이를 통해 수학 개념을 이해시켜요.

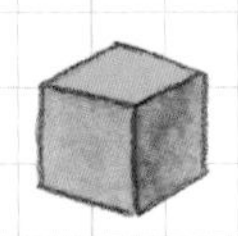

수학과 연계하여 컴퓨팅 사고와 문제 해결력을 키워 줘요.

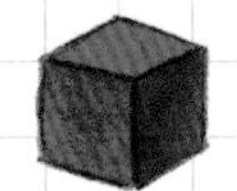

연산, 서술형, 응용과 심화, 사고력 문제가 한 권에 모두 들어 있어요.

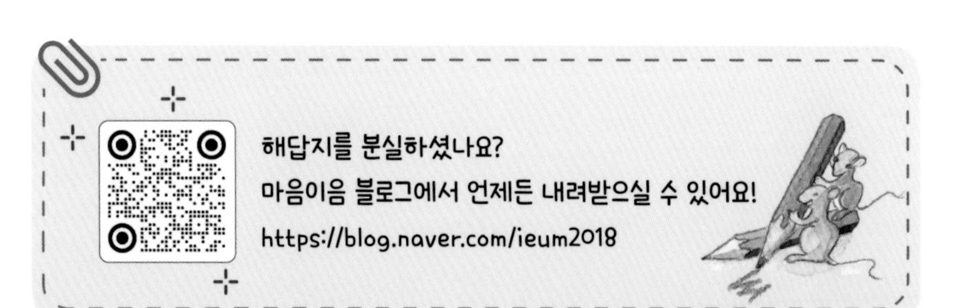

해답지를 분실하셨나요?
마음이음 블로그에서 언제든 내려받으실 수 있어요!
https://blog.naver.com/ieum2018

개별가 없음(세트로만 판매

64410
9 791189 010898

ISBN 979-11-89010-89-8
979-11-89010-87-4 (세트)

무형광 종이 인쇄로 아이들 눈을 지켜 줘요

핀란드 3학년 수학 교과서

정답과 해설

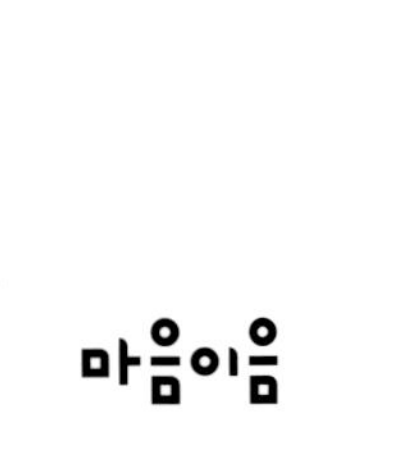

핀란드 3학년 수학 교과서 3-1

정답과 해설

1권

12-13쪽

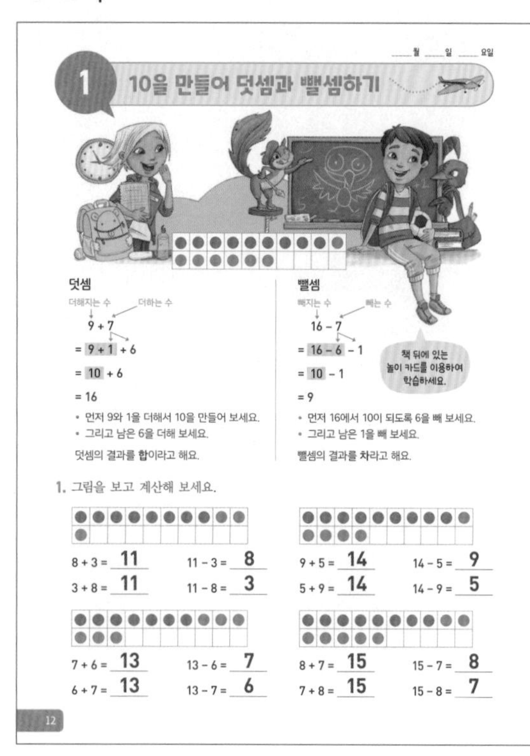

___월 ___일 ___요일

1 10을 만들어 덧셈과 뺄셈하기

덧셈

더해지는 수 — 더하는 수

9 + 7
= 9 + 1 + 6
= 10 + 6
= 16

- 먼저 9와 1을 더해서 10을 만들어 보세요.
- 그리고 남은 6을 더해 보세요.

덧셈의 결과를 **합**이라고 해요.

뺄셈

빼지는 수 — 빼는 수

16 − 7
= 16 − 6 − 1
= 10 − 1
= 9

- 먼저 16에서 10이 되도록 6을 빼 보세요.
- 그리고 남은 1을 빼 보세요.

뺄셈의 결과를 **차**라고 해요.

책 뒤에 있는 놀이 카드를 이용하여 학습하세요.

1. 그림을 보고 계산해 보세요.

8 + 3 = 11 11 − 3 = 8
3 + 8 = 11 11 − 8 = 3

9 + 5 = 14 14 − 5 = 9
5 + 9 = 14 14 − 9 = 5

7 + 6 = 13 13 − 6 = 7
6 + 7 = 13 13 − 7 = 6

8 + 7 = 15 15 − 7 = 8
7 + 8 = 15 15 − 8 = 7

12

2. 더해서 10을 만들어 보세요.

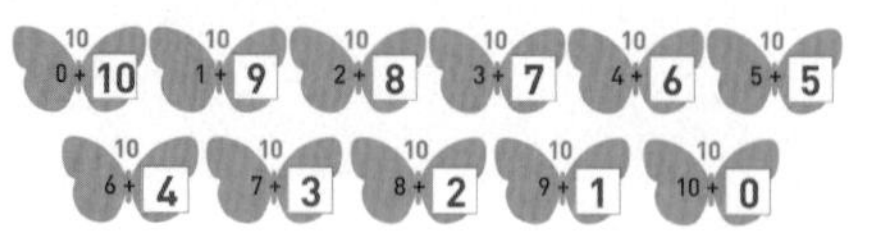

3. 아래 글을 읽고 알맞은 식을 세워 답을 구해 보세요.

❶ 5에 7을 더하면 얼마일까요?
식: 5 + 7 = 12
정답: 12

❷ 16에서 9를 빼면 얼마일까요?
식: 16 − 9 = 7
정답: 7

❸ 20과 18의 차는 얼마일까요?
식: 20 − 18 = 2
정답: 2

❹ 6과 14의 합은 얼마일까요?
식: 6 + 14 = 20
정답: 20

4. 아래 글을 읽고 알맞은 식을 세워 답을 구해 보세요.

❶ 알렉은 13유로짜리 학용품을 사려고 하는데 8유로를 가지고 있어요. 알렉이 학용품을 사려면 돈이 얼마 더 있어야 할까요?
식: 13 − 8 = 5
정답: 5유로

❷ 요나는 가방과 필통을 사려고 해요. 가방은 28유로이고, 필통은 8유로예요. 가방과 필통을 합해서 얼마일까요?
식: 28 + 8 = 36
정답: 36유로

더 생각해 보아요!
엄마는 집에 오는 길에 자동차 2대와 자전거 3대, 그리고 모터 자전거 1대를 보았어요. 엄마가 본 자동차와 자전거에는 모두 몇 개의 바퀴가 있을까요? 16개

부모님 가이드 | 12쪽

덧셈과 뺄셈을 하기 위해서는 10 만들기가 중요해요. 10을 만들기 위해 수를 가르고 모으는 활동이 필요해요. 덧셈과 뺄셈을 하기 위해 수를 가르고 모으는 활동을 통해 수를 조작하여 원하는 답을 구할 수 있어요.

더 생각해 보아요! | 13쪽

자동차(바퀴 4개) 2대=4×2=
자전거(바퀴 2개) 3대=2×3=
모터 자전거(바퀴 2개) 1대=2개
8+6+2=16, 16개

부모님 가이드 | 14쪽 6번

교과서에 나온 식 말고도 다른 식은 무엇이 있을까요? 11의 경우에는 0+11, 1+10, 2+9, 3+8, 4+7, 5+6, 6+5, 7+4, 8+3, 9+2, 10+1, 11+0이 나오겠네요. 수학에서는 정답을 맞히는 것도 중요하지만 정답을 구하는 과정도 중요해요. 이런 과정을 즐기면서 수학의 힘을 키울 수 있답니다.

14-15쪽

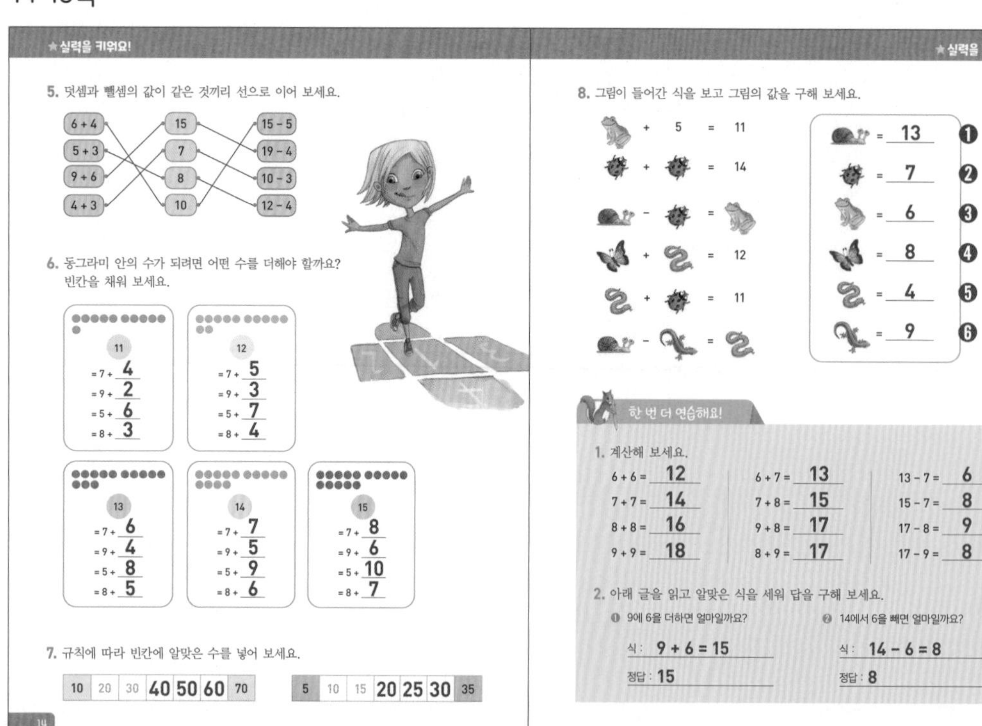

★실력을 키워요!

5. 덧셈과 뺄셈의 값이 같은 것끼리 선으로 이어 보세요.

6 + 4, 5 + 3, 9 + 6, 4 + 3 — 15, 7, 8, 10 — 15 − 5, 19 − 4, 10 − 3, 12 − 4

6. 동그라미 안의 수가 되려면 어떤 수를 더해야 할까요? 빈칸을 채워 보세요.

11: = 7 + 4, = 9 + 2, = 5 + 6, = 8 + 3
12: = 7 + 5, = 9 + 3, = 5 + 7, = 8 + 4
13: = 7 + 6, = 9 + 4, = 5 + 8, = 8 + 5
14: = 7 + 7, = 9 + 5, = 5 + 9, = 8 + 6
15: = 7 + 8, = 9 + 6, = 5 + 10, = 8 + 7

7. 규칙에 따라 빈칸에 알맞은 수를 넣어 보세요.

10	20	30	40	50	60	70

5	10	15	20	25	30	35

14

★실력을 키워요!

8. 그림이 들어간 식을 보고 그림의 값을 구해 보세요.

개구리 + 5 = 11
무당벌레 + 무당벌레 = 14
달팽이 − 무당벌레 = 개구리
나비 + 뱀 = 12
뱀 + 무당벌레 = 11
달팽이 − 도마뱀 = 뱀

달팽이 = 13 ❶
무당벌레 = 7 ❷
개구리 = 6 ❸
나비 = 8 ❹
뱀 = 4 ❺
도마뱀 = 9 ❻

한 번 더 연습해요!

1. 계산해 보세요.

6 + 6 = 12 6 + 7 = 13 13 − 7 = 6
7 + 7 = 14 7 + 8 = 15 15 − 7 = 8
8 + 8 = 16 9 + 8 = 17 17 − 8 = 9
9 + 9 = 18 8 + 9 = 17 17 − 9 = 8

2. 아래 글을 읽고 알맞은 식을 세워 답을 구해 보세요.

❶ 9에 6을 더하면 얼마일까요?
식: 9 + 6 = 15
정답: 15

❷ 14에서 6을 빼면 얼마일까요?
식: 14 − 6 = 8
정답: 8

15

15쪽 8번

❸ 개구리+5=11, 11−5=6, 개구리=6
❷ 무당벌레+무당벌레=14, 같은 수를 더해 14가 되는 수는 7, 무당벌레=7
❶ 달팽이−무당벌레=개구리, 달팽이−7=6, 6+7=13, 달팽이=13
❺ 뱀+무당벌레=11, 뱀+7=11, 11−7=4, 뱀=4
❹ 나비+뱀=12, 나비+4=12, 12−4=8, 나비=8
❻ 달팽이−도마뱀=뱀, 13−도마뱀=4, 13−4=9, 도마뱀=9

6-17쪽

_____ 월 _____ 일 _____ 요일

2 두 자리 수 덧셈

알렉은 승용차 29대와 승합차 14대를 보았어요. 알렉이 본 차는 모두 몇 대일까요?
책 뒤에 있는 놀이 카드를 이용하여 학습하세요.

29 + 14
= 20 + 9 + 10 + 4
= 20 + 10 + 9 + 4
= 20 + 10 + 9 + 1 + 3
= 30 + 10 + 3
= 43

정답 : 43대

1. 계산해 보세요.

16 + 3 = 19	14 + 15 = 29	26 + 14 = 40
16 + 4 = 20	14 + 16 = 30	26 + 15 = 41
16 + 5 = 21	14 + 17 = 31	26 + 16 = 42
17 + 27 = 44	19 + 17 = 36	23 + 18 = 41
38 + 27 = 65	49 + 17 = 66	43 + 18 = 61
59 + 27 = 86	57 + 5 = 62	47 + 8 = 55

2. 그림을 보고 덧셈값이 같은 것끼리 선으로 이어 보세요.

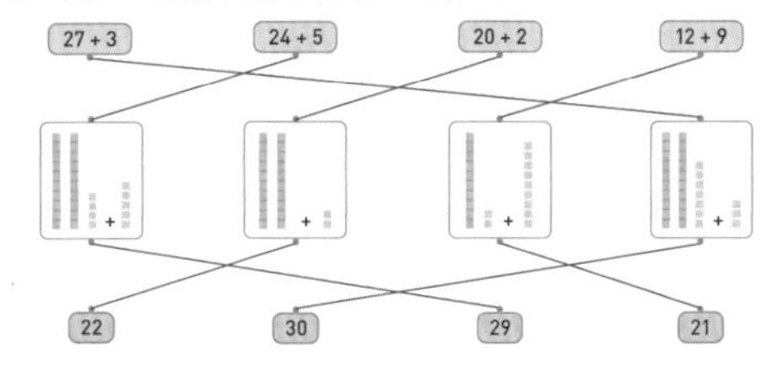

3. 아래 글을 읽고 알맞은 식을 세워 답을 구해 보세요.

❶ 집에 오는 길에 엄마는 큰 개 17마리와 작은 개 9마리를 보았어요. 엄마가 본 개는 모두 몇 마리일까요?

식 : 17 + 9 = 26

정답 : 26마리

❷ 공원에 긴 털 개 8마리와 짧은 털 개 5마리가 있어요. 공원에 있는 개는 모두 몇 마리일까요?

식 : 8 + 5 = 13

정답 : 13마리

❸ 도그쇼에 스페인 물새 사냥개 14마리, 포르투갈 물새 사냥개 19마리, 그리고 이탈리아 물새 사냥개 8마리가 있어요. 도그쇼에 있는 물새 사냥개는 모두 몇 마리일까요?

식 : 14 + 19 + 8 = 41

정답 : 41마리

❹ 도그쇼에 보스턴테리어 23마리와 폭스테리어 18마리가 있어요. 도그쇼에 있는 테리어는 모두 몇 마리일까요?

식 : 23 + 18 = 41

정답 : 41마리

더 생각해 보아요!

덧셈 피라미드를 완성해 보세요. 연속된 칸의 두 수의 합을 위 칸에 채워 보세요.

100
30 70
10 20 50
3 7 13 37

> **부모님 가이드 | 16쪽**
>
> 두 수의 덧셈을 할 때 몇십끼리 더하고, 일의 자리끼리 더해서 답을 구할 수 있어요. 몇십 몇을 십의 자리와 일의 자리로 수를 분할하면 십진법 원리를 더 잘 알 수 있지요. 예를 들어 36=30+6으로 분할해서 덧셈을 하면 더 쉽게 계산할 수 있어요.

8-19쪽

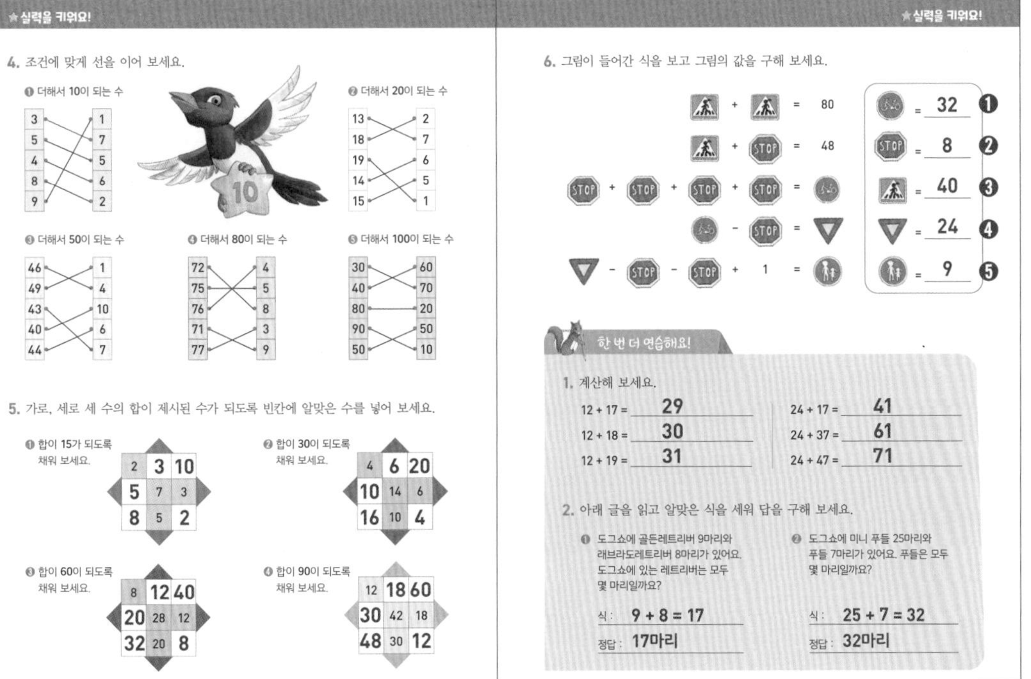
★실력을 키워요!

4. 조건에 맞게 선을 이어 보세요.

❶ 더해서 10이 되는 수 ❷ 더해서 20이 되는 수 ❸ 더해서 50이 되는 수 ❹ 더해서 80이 되는 수 ❺ 더해서 100이 되는 수

5. 가로, 세로 세 수의 합이 제시된 수가 되도록 빈칸에 알맞은 수를 넣어 보세요.

❶ 합이 15가 되도록 채워 보세요. ❷ 합이 30이 되도록 채워 보세요. ❸ 합이 60이 되도록 채워 보세요. ❹ 합이 90이 되도록 채워 보세요.

6. 그림이 들어간 식을 보고 그림의 값을 구해 보세요.

한 번 더 연습해요!

1. 계산해 보세요.

12 + 17 = 29	24 + 17 = 41
12 + 18 = 30	24 + 37 = 61
12 + 19 = 31	24 + 47 = 71

2. 아래 글을 읽고 알맞은 식을 세워 답을 구해 보세요.

❶ 도그쇼에 골든레트리버 9마리와 래브라도레트리버 8마리가 있어요. 도그쇼에 있는 레트리버는 모두 몇 마리일까요?

식 : 9 + 8 = 17

정답 : 17마리

❷ 도그쇼에 미니 푸들 25마리와 푸들 7마리가 있어요. 푸들은 모두 몇 마리일까요?

식 : 25 + 7 = 32

정답 : 32마리

18 19

18쪽 4번

두 자리 수의 덧셈이지만 결과값을 보면 일의 자리 덧셈만 해도 답을 바로 구할 수 있어요. 10의 보수만 찾으면 쉽게 해결할 수 있는 문제랍니다.

18쪽 5번

세 수의 합이 일정한 값이 될 때 두 수의 합부터 구하면 나머지 한 수를 쉽게 찾을 수 있어요. 또, 이렇게 찾은 수와 원래 있던 수의 합을 구해서 나머지 수도 쉽게 구할 수 있지요.

19쪽 6번

❸ [횡단보도]+[횡단보도]=80, 같은 수를 더해 80이 되는 수는 40, [횡단보도]=40

❷ [횡단보도]+STOP=48, 40+STOP=48, STOP=8

❶ STOP+STOP+STOP+STOP=[자전거], 8+8+8+8=[자전거], [자전거]=32

❹ [자전거]-STOP=▽, 32-8=24, ▽=24

❺ ▽-STOP-STOP+1=[어린이], 24-8-8+1=9, [어린이]=9

20-21쪽

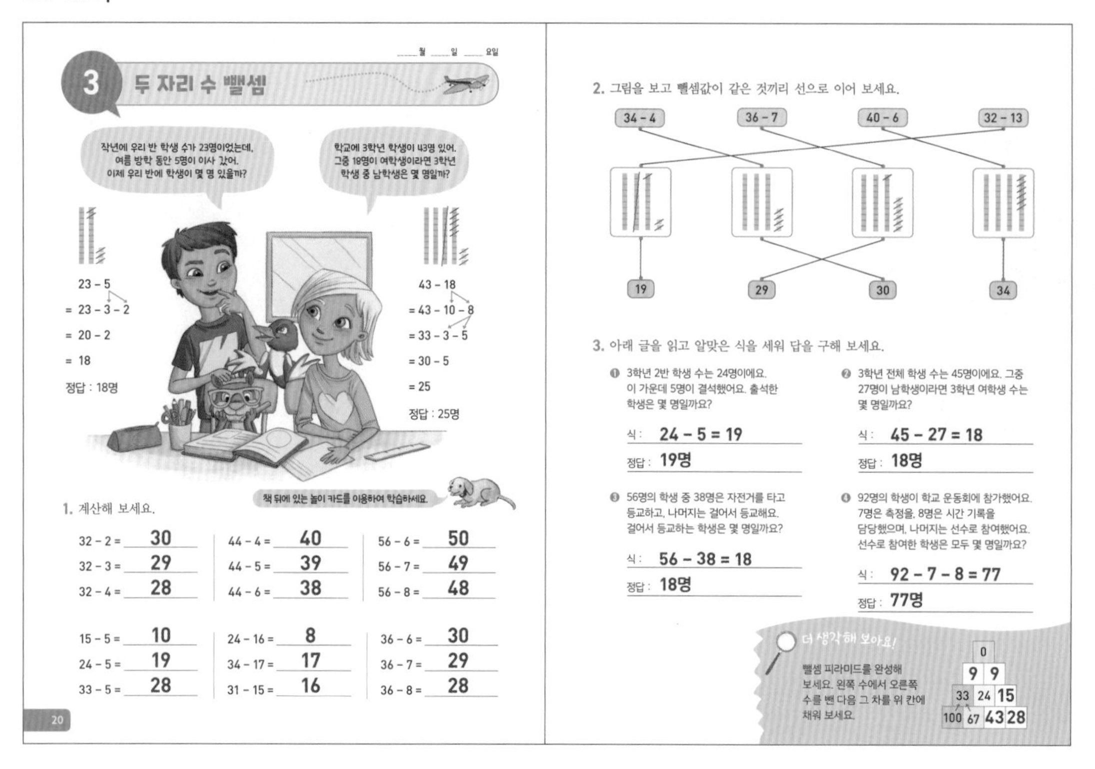
___월 ___일 ___요일

3 두 자리 수 뺄셈

작년에 우리 반 학생 수가 23명이었는데, 여름 방학 동안 5명이 이사 갔어. 이제 우리 반에 학생이 몇 명 있을까?

학교에 3학년 학생이 43명 있어. 그중 18명이 여학생이라면 3학년 학생 중 남학생은 몇 명일까?

23 − 5
= 23 − 3 − 2
= 20 − 2
= 18
정답 : 18명

43 − 18
= 43 − 10 − 8
= 33 − 3 − 5
= 30 − 5
= 25
정답 : 25명

책 뒤에 있는 놀이 카드를 이용하여 학습하세요.

1. 계산해 보세요.

32 − 2 = 30	44 − 4 = 40	56 − 6 = 50
32 − 3 = 29	44 − 5 = 39	56 − 7 = 49
32 − 4 = 28	44 − 6 = 38	56 − 8 = 48
15 − 5 = 10	24 − 16 = 8	36 − 6 = 30
24 − 5 = 19	34 − 17 = 17	36 − 7 = 29
33 − 5 = 28	31 − 15 = 16	36 − 8 = 28

20

2. 그림을 보고 뺄셈값이 같은 것끼리 선으로 이어 보세요.

34 − 4   36 − 7   40 − 6   32 − 13

19   29   30   34

3. 아래 글을 읽고 알맞은 식을 세워 답을 구해 보세요.

① 3학년 2반 학생 수는 24명이에요. 이 가운데 5명이 결석했어요. 출석한 학생은 몇 명일까요?
식 : 24 − 5 = 19
정답 : 19명

② 3학년 전체 학생 수는 45명이에요. 그중 27명이 남학생이라면 3학년 여학생 수는 몇 명일까요?
식 : 45 − 27 = 18
정답 : 18명

③ 56명의 학생 중 38명은 자전거를 타고 등교하고, 나머지는 걸어서 등교해요. 걸어서 등교하는 학생은 몇 명일까요?
식 : 56 − 38 = 18
정답 : 18명

④ 92명의 학생이 학교 운동회에 참가했어요. 7명은 측정을, 8명은 시간 기록을 담당했으며, 나머지는 선수로 참여했어요. 선수로 참여한 학생은 모두 몇 명일까요?
식 : 92 − 7 − 8 = 77
정답 : 77명

더 생각해 보아요!
뺄셈 피라미드를 완성해 보세요. 왼쪽 수에서 오른쪽 수를 뺀 다음 그 차를 위 칸에 채워 보세요.

0
9 9
33 24 15
100 67 43 28

부모님 가이드 | 22쪽 4번

수의 패턴을 찾는 것은 중요해요. 패턴, 즉 규칙을 찾는 것이 수학의 핵심이기 때문이에요.
또한 수를 거꾸로 뛰어 세기 하는 활동은 두뇌를 활성화시켜 줘요.

22-23쪽

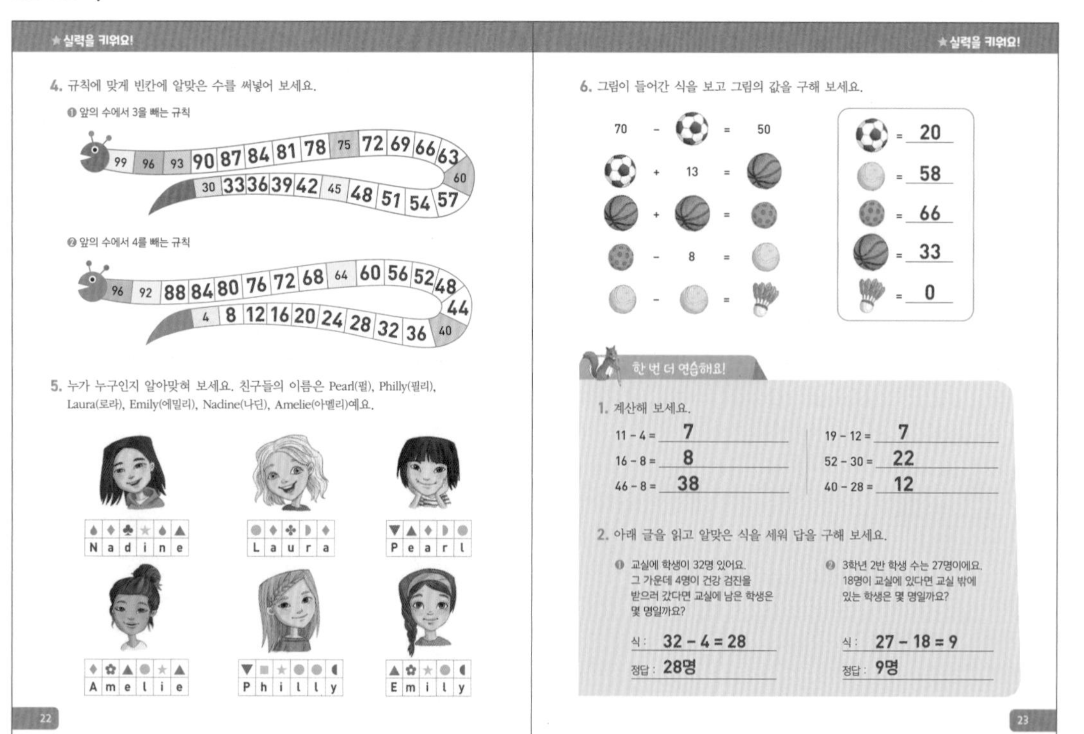
★실력을 키워요!

4. 규칙에 맞게 빈칸에 알맞은 수를 써넣어 보세요.

① 앞의 수에서 3을 빼는 규칙

99, 96, 93, 90, 87, 84, 81, 78, 75, 72, 69, 66, 63, 60, 57, 54, 51, 48, 45, 42, 39, 36, 33, 30

② 앞의 수에서 4를 빼는 규칙

96, 92, 88, 84, 80, 76, 72, 68, 64, 60, 56, 52, 48, 44, 40, 36, 32, 28, 24, 20, 16, 12, 8, 4

5. 누가 누구인지 알아맞혀 보세요. 친구들의 이름은 Pearl(펄), Philly(필리), Laura(로라), Emily(에밀리), Nadine(나딘), Amelie(아멜리)예요.

Nadine   Laura   Pearl
Amelie   Philly   Emily

22

6. 그림이 들어간 식을 보고 그림의 값을 구해 보세요.

70 − ⚽ = 50
⚽ + 13 = 🏀
🏀 + 🏀 = ●
● − 8 = ○
○ − ○ = 🏸

⚽ = 20
○ = 58
● = 66
🏀 = 33
🏸 = 0

한 번 더 연습해요!

1. 계산해 보세요.

11 − 4 = 7	19 − 12 = 7
16 − 8 = 8	52 − 30 = 22
46 − 8 = 38	40 − 28 = 12

2. 아래 글을 읽고 알맞은 식을 세워 답을 구해 보세요.

① 교실에 학생이 32명 있어요. 그 가운데 4명이 건강 검진을 받으러 갔다면 교실에 남은 학생은 몇 명일까요?
식 : 32 − 4 = 28
정답 : 28명

② 3학년 2반 학생 수는 27명이에요. 18명이 교실에 있다면 교실 밖에 있는 학생은 몇 명일까요?
식 : 27 − 18 = 9
정답 : 9명

23

22쪽 5번

5글자 이름 Pearl, Laura, Emily 중 같은 알파벳이 반복되어 나오는 이름은 Laura

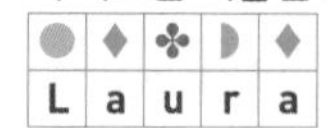

●	◆	♣	◗	◆
L	a	u	r	a

●=L이므로, ●로 끝나는 이름은 Pearl

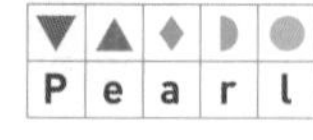

▼	▲	◆	◗	●
P	e	a	r	l

▼=P, P로 시작하는 6글자 이름은 Philly

▼	■	★	●	●	◖
P	h	i	l	l	y

▲=E, E로 시작하는 5글자 이름은 Emily

▲	✿	★	●	◖
E	m	i	l	y

◆=A, A로 시작하는 6글자 이름은 Amelie

◆	✿	▲	●	★	▲
A	m	e	l	i	e

남은 이름은 Nadine

♠	◆	♣	★	♠	▲
N	a	d	i	n	e

24-25쪽

연습 문제

____월 ____일 ____요일

1. 그림을 보고 계산해 보세요.

6 + 5 = 11　5 + 6 = 11　11 - 5 = 6　11 - 6 = 5

7 + 5 = 12　5 + 7 = 12　12 - 5 = 7　12 - 7 = 5

9 + 8 = 17　8 + 9 = 17　17 - 8 = 9　17 - 9 = 8

9 + 6 = 15　6 + 9 = 15　15 - 6 = 9　15 - 9 = 6

2. 계산한 후, 애벌레에서 답을 찾아 ○표 해 보세요.

7 + 3 = 10	8 + 8 = 16	10 - 6 = 4	14 - 7 = 7
27 + 3 = 30	48 + 8 = 56	60 - 6 = 54	54 - 7 = 47
47 + 3 = 50	78 + 8 = 86	90 - 6 = 84	84 - 7 = 77

④ ⑦ ⑩ ⑯ 24 ㉚ ㊼ ㊿ 54 56 77 79 84 86

3. 빈칸에 알맞은 수를 써넣어 보세요.

20: 13 + 7　30: 21 + 9　40: 34 + 6　50: 45 + 5

60: 52 + 8　70: 66 + 4　80: 79 + 1　90: 88 + 2

4. 아래 글을 읽고 알맞은 식을 세워 답을 구한 후, 애벌레에서 답을 찾아 ○표 해 보세요.

① 여학생 중 27명은 쉬는 시간에 줄넘기를 하고, 나머지 31명은 축구를 해요. 여학생은 모두 몇 명일까요?

식 : 27 + 31 = 58

정답 : 58명

② 쉬는 시간이 끝나고 18명은 교실로 돌아왔고, 나머지 13명은 아직 복도에 있어요. 이 반의 학생은 총 몇 명일까요?

식 : 18 + 13 = 31

정답 : 31명

③ 한 반에 학생이 32명 있어요. 그중 9명은 식당에 있고, 나머지는 운동장에 있어요. 운동장에 있는 학생은 몇 명일까요?

식 : 32 - 9 = 23

정답 : 23명

④ 엠마는 1주일 동안 쉬는 시간이 15번 있어요. 2주일 동안에는 쉬는 시간이 몇 번 있을까요?

식 : 15 + 15 = 30

정답 : 30번

㉓ ㉚ ㉛ 45 53 ㊽

더 생각해 보아요!

규칙에 맞게 네 번째 칸에는 어떤 모양이 올지 그려 보세요.

25

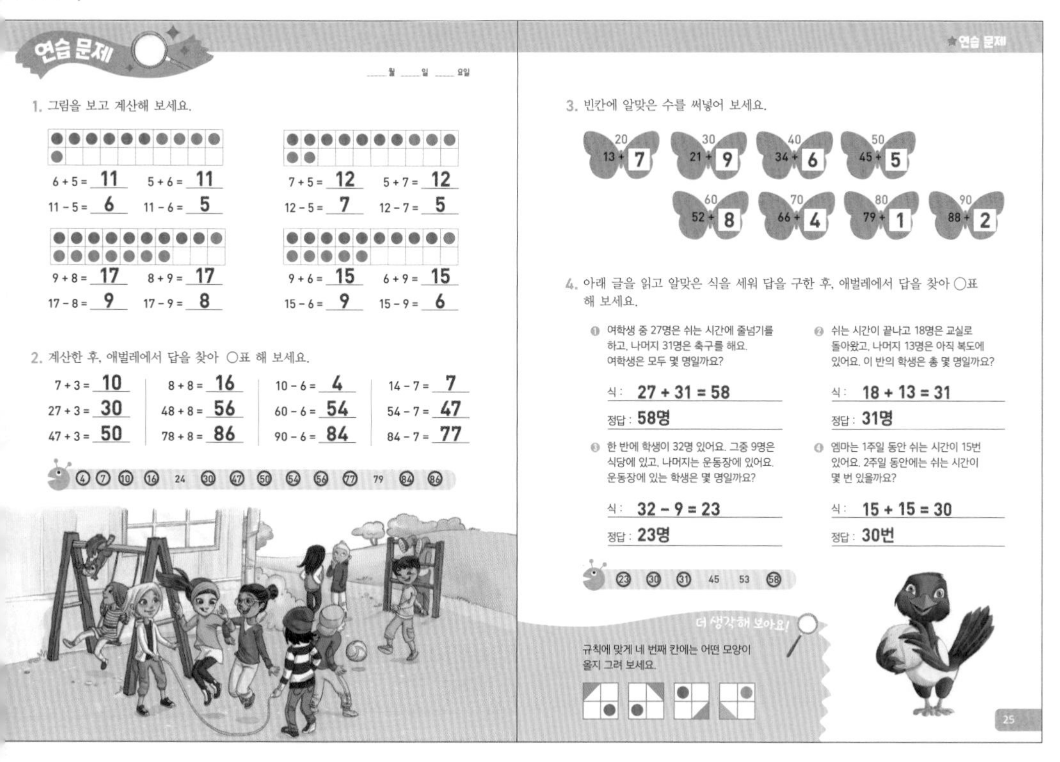

부모님 가이드 | 24쪽

덧셈과 뺄셈을 하기 위해서는 10을 만들기 위해 수를 가르는 활동이 필요해요. 시간이 걸리더라도 10 만드는 활동을 기본으로 하면 덧셈과 뺄셈에서 틀리는 일이 거의 없을 거예요.

26-27쪽

연습 문제

5. 알맞은 식이 되도록 선을 이은 후, 빈칸에 식을 쓰고 계산해 보세요.

더해지는 수: 38, 17, 15 / 더하는 수: 13, 6, 5 / 합: 43, 21, 30

38 + 5 = 43

17 + 13 = 30

15 + 6 = 21

빼지는 수: 36, 41, 28 / 빼는 수: 7, 26, 9 / 차: 34, 19, 10

36 - 26 = 10

41 - 7 = 34

28 - 9 = 19

6. 규칙에 맞게 빈칸에 알맞은 수를 써넣어 보세요.

① 앞의 수에 3을 더하는 규칙

4 7 10 13 16 19 22 25 28 31 34 37 40 43 46

② 앞의 수에서 6을 빼는 규칙

102 96 90 84 78 72 66 60 54 48 42 36 30 24 18

26

연습 문제

7. 가로, 세로 세 수의 합이 제시된 수가 되도록 빈칸에 알맞은 수를 써넣어 보세요.

① 합이 20이 되도록 채워 보세요.

5	5	10
8	10	2
7	5	8

② 합이 50이 되도록 채워 보세요.

10	18	22
30	12	8
10	20	20

③ 합이 70이 되도록 채워 보세요.

35	5	30
17	33	20
18	32	20

④ 합이 105가 되도록 채워 보세요.

32	48	25
15	12	78
58	45	2

한 번 더 연습해요!

1. 계산해 보세요.

13 + 7 = 20　24 - 3 = 21　32 + 30 = 62

45 + 5 = 50　24 - 5 = 19　21 + 48 = 69

2. 아래 글을 읽고 알맞은 식을 세워 답을 구해 보세요.

① 엠마는 축구 대회에서 봄에는 36골을, 가을에는 12골을 기록했어요. 엠마가 기록한 골은 모두 몇 골일까요?

식 : 36 + 12 = 48

정답 : 48골

② 주차장에 자전거가 62대 있어요. 그중 23대는 주행 거리계가 있어요. 주행 거리계가 없는 자전거는 모두 몇 대일까요?

식 : 62 - 23 = 39

정답 : 39대

27

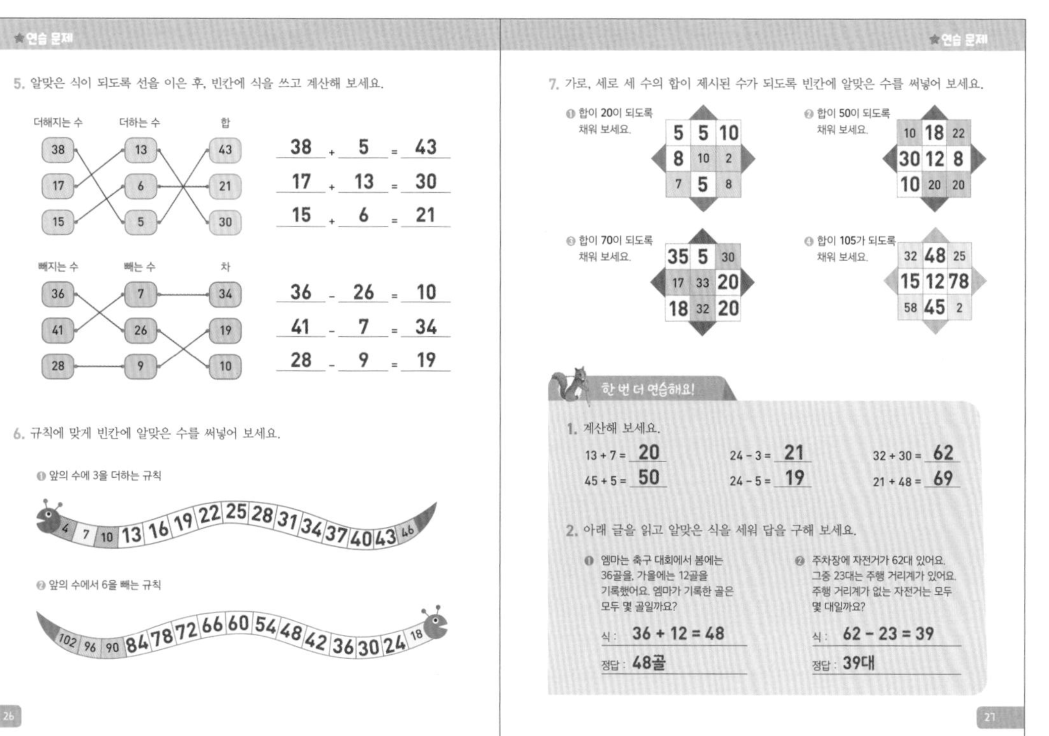

26쪽 5번

38과 어떤 수를 더하면 38보다 더 큰 수가 나오므로, 43만 조건에 해당돼요. 그러므로 답은 5가 나오네요.
남은 두 수도 이와 같은 방법으로 예상하며 더할 수를 따지게 되면 답을 쉽게 구할 수 있어요.

28-29쪽

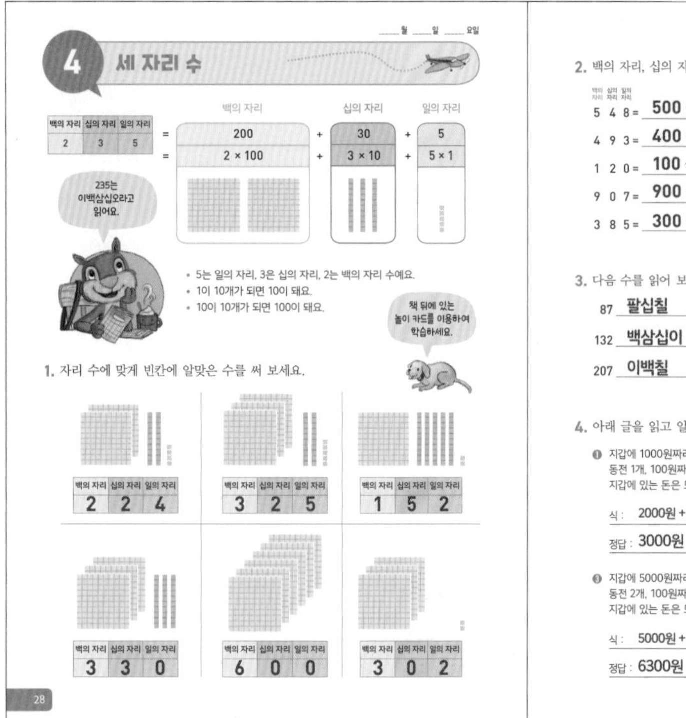

___월 ___일 ___요일

4 세 자리 수

백의 자리	십의 자리	일의 자리
2	3	5

= 200 (백의 자리) + 30 (십의 자리) + 5 (일의 자리)

= 2 × 100 + 3 × 10 + 5 × 1

235는 이백삼십오라고 읽어요.

- 5는 일의 자리, 3은 십의 자리, 2는 백의 자리 수예요.
- 1이 10개가 되면 10이 돼요.
- 10이 10개가 되면 100이 돼요.

책 뒤에 있는 놀이 카드를 이용하여 학습하세요.

1. 자리 수에 맞게 빈칸에 알맞은 수를 써 보세요.

백의 자리	십의 자리	일의 자리
2	2	4
3	2	5
1	5	2
3	3	0
6	0	0
3	0	2

28

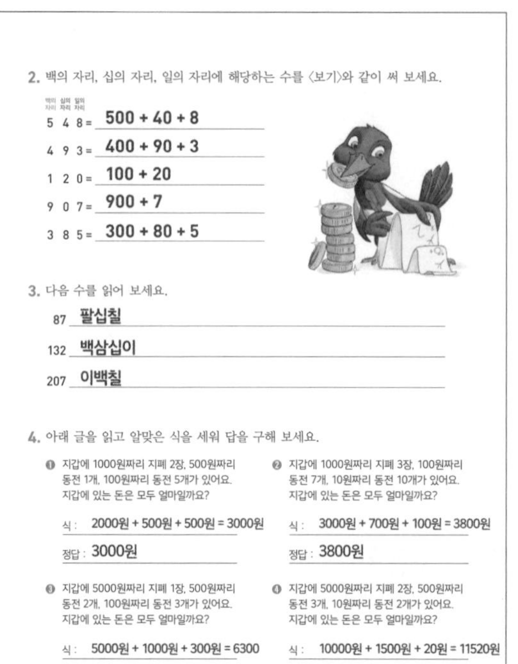

2. 백의 자리, 십의 자리, 일의 자리에 해당하는 수를 〈보기〉와 같이 써 보세요.

5 4 8 = 500 + 40 + 8

4 9 3 = 400 + 90 + 3

1 2 0 = 100 + 20

9 0 7 = 900 + 7

3 8 5 = 300 + 80 + 5

3. 다음 수를 읽어 보세요.

87 팔십칠

132 백삼십이

207 이백칠

4. 아래 글을 읽고 알맞은 식을 세워 답을 구해 보세요.

❶ 지갑에 1000원짜리 지폐 2장, 500원짜리 동전 1개, 100원짜리 동전 5개가 있어요. 지갑에 있는 돈은 모두 얼마일까요?

식 : 2000원 + 500원 + 500원 = 3000원

정답 : 3000원

❷ 지갑에 1000원짜리 지폐 3장, 100원짜리 동전 7개, 10원짜리 동전 10개가 있어요. 지갑에 있는 돈은 모두 얼마일까요?

식 : 3000원 + 700원 + 100원 = 3800원

정답 : 3800원

❸ 지갑에 5000원짜리 지폐 1장, 500원짜리 동전 2개, 100원짜리 동전 3개가 있어요. 지갑에 있는 돈은 모두 얼마일까요?

식 : 5000원 + 1000원 + 300원 = 6300

정답 : 6300원

❹ 지갑에 5000원짜리 지폐 2장, 500원짜리 동전 3개, 10원짜리 동전 2개가 있어요. 지갑에 있는 돈은 모두 얼마일까요?

식 : 10000원 + 1500원 + 20원 = 11520원

정답 : 11520원

29

부모님 가이드 | 28쪽

세 자리 수는 백의 자리 수+십의 자리 수+일의 자리 수로 구성돼요. 235=200+30+5로 구성되며, 더 나아가 200=2×100, 30=3×10, 5=5×1로 구성된다는 것을 알려 주세요. 이렇게 블록처럼 수를 분할하고 다시 합치는 조작 능력이 수학에서는 아주 중요해요.

30-31쪽

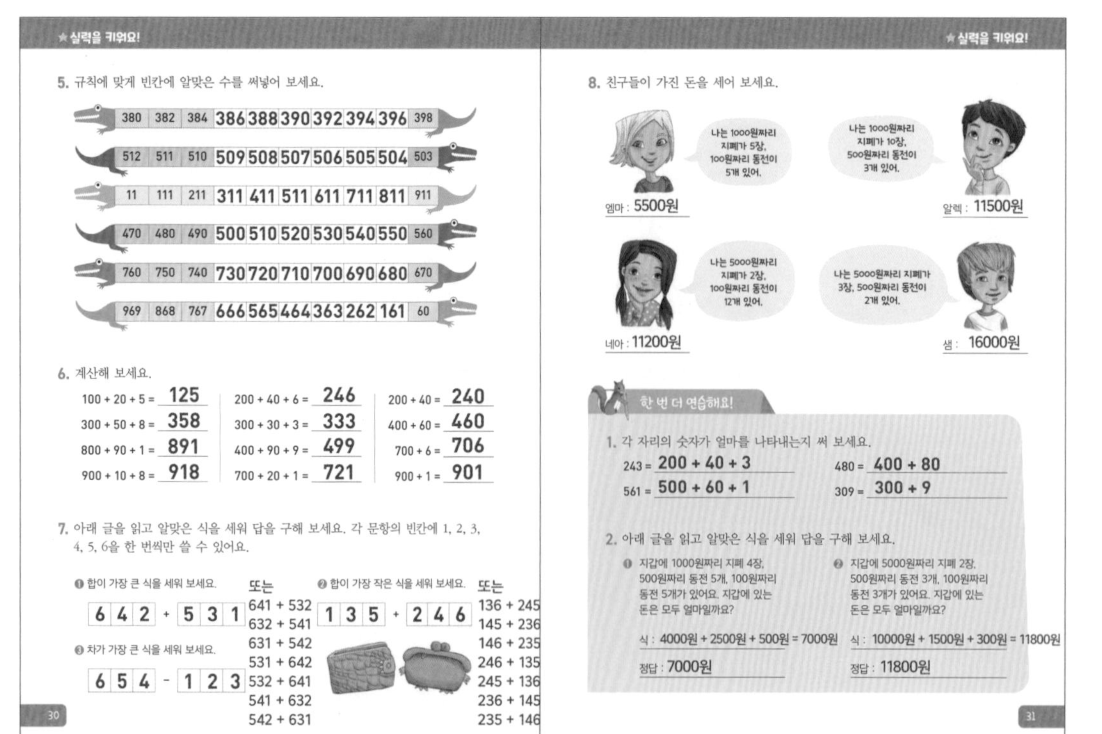

★실력을 키워요!

5. 규칙에 맞게 빈칸에 알맞은 수를 써넣어 보세요.

380 382 384 386 388 390 392 394 396 398

512 511 510 509 508 507 506 505 504 503

11 111 211 311 411 511 611 711 811 911

470 480 490 500 510 520 530 540 550 560

760 750 740 730 720 710 700 690 680 670

969 868 767 666 565 464 363 262 161 60

6. 계산해 보세요.

100 + 20 + 5 = 125	200 + 40 + 6 = 246	200 + 40 = 240
300 + 50 + 8 = 358	300 + 30 + 3 = 333	400 + 60 = 460
800 + 90 + 1 = 891	400 + 90 + 9 = 499	700 + 6 = 706
900 + 10 + 8 = 918	700 + 20 + 1 = 721	900 + 1 = 901

7. 아래 글을 읽고 알맞은 식을 세워 답을 구해 보세요. 각 문항의 빈칸에 1, 2, 3, 4, 5, 6을 한 번씩만 쓸 수 있어요.

❶ 합이 가장 큰 식을 세워 보세요.

6 4 2 + 5 3 1

또는 641 + 532, 632 + 541, 631 + 542, 531 + 642, 532 + 641, 541 + 632, 542 + 631

❷ 합이 가장 작은 식을 세워 보세요.

1 3 5 + 2 4 6

또는 136 + 245, 145 + 236, 146 + 235, 246 + 135, 245 + 136, 236 + 145, 235 + 146

❸ 차가 가장 큰 식을 세워 보세요.

6 5 4 - 1 2 3

30

★실력을 키워요!

8. 친구들이 가진 돈을 세어 보세요.

나는 1000원짜리 지폐가 5장, 100원짜리 동전이 5개 있어. — 엠마 : 5500원

나는 1000원짜리 지폐가 10장, 500원짜리 동전이 3개 있어. — 알렉 : 11500원

나는 5000원짜리 지폐가 2장, 100원짜리 동전이 12개 있어. — 네아 : 11200원

나는 5000원짜리 지폐가 3장, 500원짜리 동전이 2개 있어. — 샘 : 16000원

한 번 더 연습해요!

1. 각 자리의 숫자가 얼마를 나타내는지 써 보세요.

243 = 200 + 40 + 3

480 = 400 + 80

561 = 500 + 60 + 1

309 = 300 + 9

2. 아래 글을 읽고 알맞은 식을 세워 답을 구해 보세요.

❶ 지갑에 1000원짜리 지폐 4장, 500원짜리 동전 5개, 100원짜리 동전 5개가 있어요. 지갑에 있는 돈은 모두 얼마일까요?

식 : 4000원 + 2500원 + 500원 = 7000원

정답 : 7000원

❷ 지갑에 5000원짜리 지폐 2장, 500원짜리 동전 3개, 100원짜리 동전 3개가 있어요. 지갑에 있는 돈은 모두 얼마일까요?

식 : 10000원 + 1500원 + 300원 = 11800원

정답 : 11800원

31

30쪽 7번

❶ 두 수의 합이 가장 크게 나오려면 두 수 모두 백의 자리 수부터 가장 큰 수가 차례대로 나와야 해요. 따라서 처음의 수는 백의 자리 수가 6, 두 번째 수는 5가 되고, 십의 자리 수는 4, 3이 차례대로 들어가야 해요.

❷ 두 수의 합이 가장 작게 나오려면 두 수 모두 백의 자리 수부터 가장 작은 수가 차례대로 나와야 해요. 따라서 처음의 수는 백의 자리 수가 1, 두 번째 수는 2가 되고, 십의 자리 수는 3, 4가 차례대로 들어가야 해요.

❸ 빼지는 수는 백의 자리부터 가장 큰 수가 들어가고, 빼는 수는 백의 자리부터 가장 작은 수가 들어가야 해요.

2-33쪽

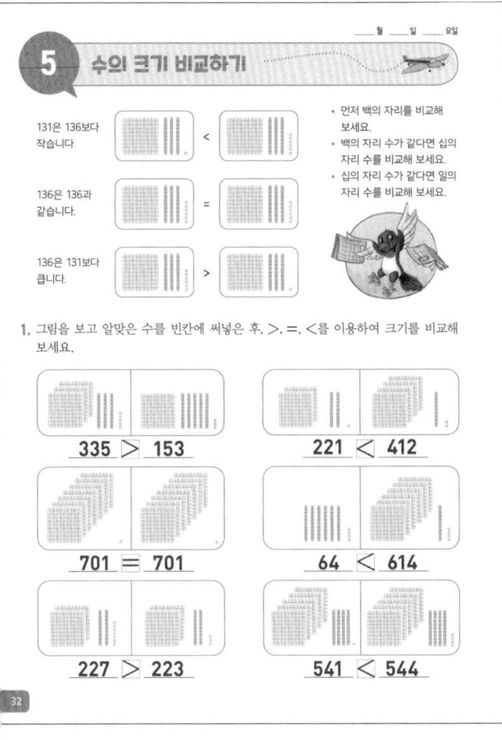

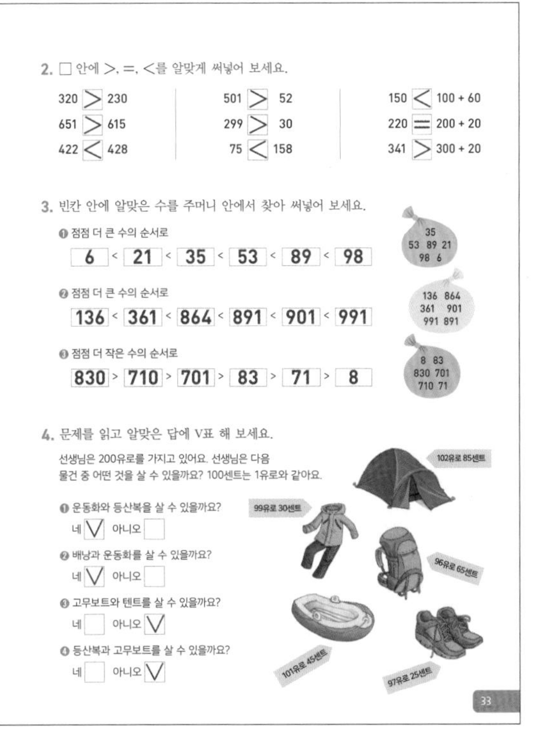

___월 ___일 ___요일

5 수의 크기 비교하기

131은 136보다 작습니다. <

136은 136과 같습니다. =

136은 131보다 큽니다. >

- 먼저 백의 자리를 비교해 보세요.
- 백의 자리 수가 같다면 십의 자리 수를 비교해 보세요.
- 십의 자리 수가 같다면 일의 자리 수를 비교해 보세요.

1. 그림을 보고 알맞은 수를 빈칸에 써넣은 후, >, =, <를 이용하여 크기를 비교해 보세요.

335 > 153　　221 < 412

701 = 701　　64 < 614

227 > 223　　541 < 544

2. □ 안에 >, =, <를 알맞게 써넣어 보세요.

320 > 230	501 > 52	150 < 100 + 60
651 > 615	299 > 30	220 = 200 + 20
422 < 428	75 < 158	341 > 300 + 20

3. 빈칸 안에 알맞은 수를 주머니 안에서 찾아 써넣어 보세요.

❶ 점점 더 큰 수의 순서로 (주머니: 35, 53, 89, 21, 98, 6)

6 < 21 < 35 < 53 < 89 < 98

❷ 점점 더 큰 수의 순서로 (주머니: 136, 864, 361, 901, 991, 891)

136 < 361 < 864 < 891 < 901 < 991

❸ 점점 더 작은 수의 순서로 (주머니: 8, 83, 830, 701, 710, 71)

830 > 710 > 701 > 83 > 71 > 8

4. 문제를 읽고 알맞은 답에 V표 해 보세요.

선생님은 200유로를 가지고 있어요. 선생님은 다음 물건 중 어떤 것을 살 수 있을까요? 100센트는 1유로와 같아요.

102유로 85센트 / 99유로 30센트 / 96유로 65센트 / 101유로 45센트 / 97유로 25센트

❶ 운동화와 등산복을 살 수 있을까요? 네 [V] 아니오 [ ]

❷ 배낭과 운동화를 살 수 있을까요? 네 [V] 아니오 [ ]

❸ 고무보트와 텐트를 살 수 있을까요? 네 [ ] 아니오 [V]

❹ 등산복과 고무보트를 살 수 있을까요? 네 [ ] 아니오 [V]

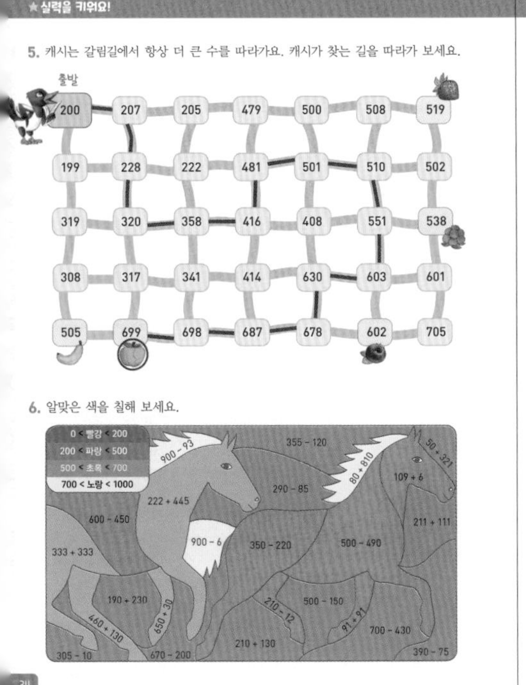

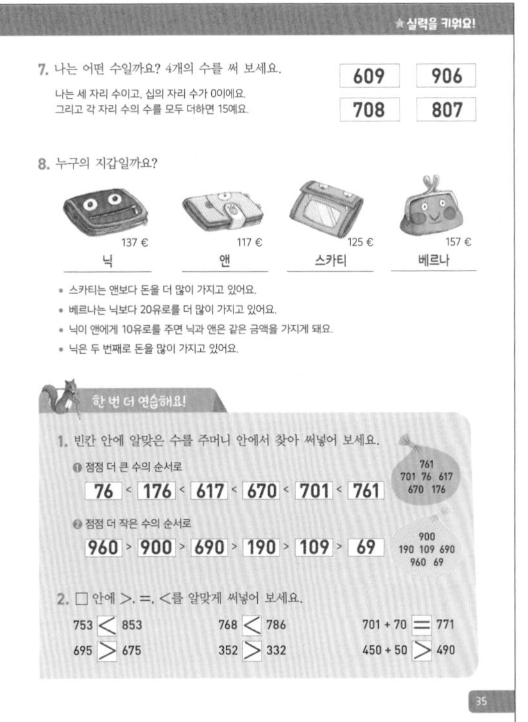

부모님 가이드 | 32쪽

두 수의 크기를 비교할 때는 가장 큰 수인 앞자리 수부터 차례대로 비교해요. 세 자리 수끼리 비교할 경우, 백의 자리 수부터 비교한 후 같으면 십의 자리 수를 비교하고, 십의 자리 수도 같으면 일의 자리 수를 비교해요.

33쪽 4번

100센트는 1유로와 같아요. 유로는 유로끼리, 센트는 센트끼리 더한 후, 100센트가 되면 1유로로 받아 올림해서 계산해요.

❶운동화와 등산복 : 97유로 25센트+99유로 30센트=196유로 55센트

❷배낭과 운동화 : 96유로 65센트+97유로 25센트=193유로 90센트

❸고무보트와 텐트 : 101유로 45센트+102유로 85센트=204유로 30센트(200유로가 넘어 살 수 없어요.)

❹등산복과 고무보트 : 99유로 30센트+101유로 45센트=200유로 75센트(200유로가 넘어 살 수 없어요.)

4-35쪽

★실력을 키워요!

5. 캐시는 갈림길에서 항상 더 큰 수를 따라가요. 캐시가 찾는 길을 따라가 보세요.

6. 알맞은 색을 칠해 보세요.

7. 나는 어떤 수일까요? 4개의 수를 써 보세요.

나는 세 자리 수이고, 십의 자리 수가 0이에요. 그리고 각 자리 수의 수를 모두 더하면 15예요.

609　906　708　807

8. 누구의 지갑일까요?

137 € 닉　117 € 앤　125 € 스카티　157 € 베르나

- 스카티는 앤보다 돈을 더 많이 가지고 있어요.
- 베르나는 닉보다 20유로를 더 많이 가지고 있어요.
- 닉이 앤에게 10유로를 주면 닉과 앤은 같은 금액을 가지게 돼요.
- 닉은 두 번째로 돈을 많이 가지고 있어요.

한 번 더 연습해요!

1. 빈칸 안에 알맞은 수를 주머니 안에서 찾아 써넣어 보세요.

❶ 점점 더 큰 수의 순서로 (주머니: 761, 701, 76, 617, 670, 176)

76 < 176 < 617 < 670 < 701 < 761

❷ 점점 더 작은 수의 순서로 (주머니: 900, 190, 109, 690, 960, 69)

960 > 900 > 690 > 190 > 109 > 69

2. □ 안에 >, =, <를 알맞게 써넣어 보세요.

753 < 853	768 < 786	701 + 70 = 771
695 > 675	352 > 332	450 + 50 > 490

35쪽 7번

십의 자리 수가 0이고 더해서 15가 되는 수는 6과 9, 7과 8
4개의 수를 만들면, 609, 906, 708, 807

36-37쪽

Miniature Poodle
(미니어처 푸들)

파란색-일의 자리 수가 0인 수
빨간색-십의 자리 수가 6인 수
노란색-백의 자리 수가 4인 수

★ 실력을 키워요!

9. 계산한 후, 정답에 해당하는 알파벳을 애벌레에서 찾아 써넣으세요.

20 - 4 =	16	M	12 - 7 =	5	P
9 + 6 =	15	I	6 + 6 =	12	O
16 - 8 =	8	N	20 - 8 =	12	O
7 + 8 =	15	I	5 + 6 =	11	D
16 - 10 =	6	A	8 + 6 =	14	L
9 + 9 =	18	T	9 + 8 =	17	E
12 - 3 =	9	U			
20 - 13 =	7	R			
9 + 8 =	17	E			

5	6	7	8	9	11	12	14	15	16	17	18
P	A	R	N	U	D	O	L	I	M	E	T

10. 서로 다른 모양이 되도록 빈칸을 색칠해 보세요.

❶ 2칸은 노란색, 2칸은 초록색으로 색칠해야 해요.

❷ 2칸은 초록색, 노란색과 파란색은 각각 1칸씩 색칠해야 해요.

★ 실력을 키워요!

11. 아래 표를 살펴보고 각각의 규칙을 찾아 파란색, 빨간색, 노란색으로 색칠해 보세요.

262	761	165	265	861	162	368	867	568
664	401	425	431	969	330	220	340	369
563	493	767	456	761	540	861	869	963
362	456	435	471	863	610	720	780	564
564	444	763	484	365	710	962	750	964
565	416	408	496	961	280	790	830	367
666	963	563	169	266	562	767	664	966

한 번 더 연습해요!

1. □ 안에 >, =, <를 알맞게 써넣어 보세요.

450 < 540	361 < 371	230 + 50 < 320
390 > 290	212 > 112	370 + 25 > 305
640 > 460	425 < 435	195 + 15 = 210

2. 아래 글을 읽고 알맞은 식을 세워 답을 구해 보세요.

❶ 알렉은 5000원짜리 지폐 1장, 500원짜리 동전 1개, 100원짜리 동전 5개가 있어요. 알렉이 가진 돈은 모두 얼마일까요?

식 : 5000원 + 500원 + 500원 = 6000원

정답 : 6000원

❷ 엄마는 5000원짜리 지폐 1장, 1000원짜리 지폐 3장, 500원짜리 동전 3개가 있어요. 엄마가 가진 돈은 모두 얼마일까요?

식 : 5000원 + 3000원 + 1500원 = 9500원

정답 : 9500원

36 37

38-39쪽

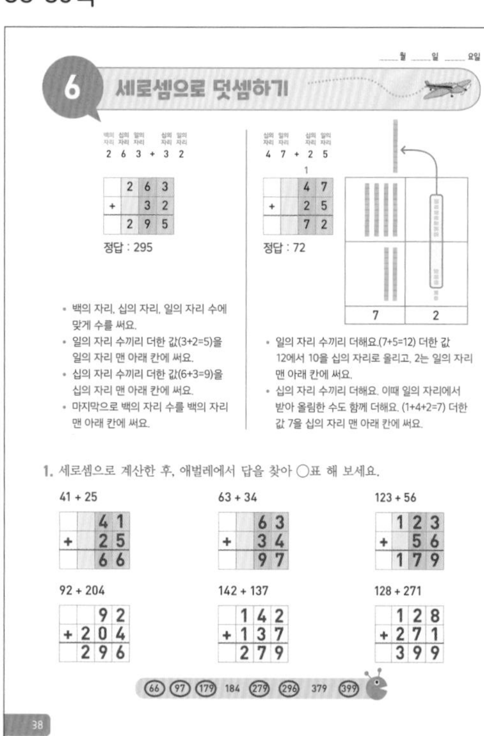

___월 ___일 ___요일

6 세로셈으로 덧셈하기

백의 자리 십의 자리 일의 자리 + 십의 자리 일의 자리
2 6 3 + 3 2

	백	십	일
	2	6	3
+		3	2
	2	9	5

정답 : 295

- 백의 자리, 십의 자리, 일의 자리 수에 맞게 수를 써요.
- 일의 자리 수끼리 더한 값(3+2=5)을 일의 자리 맨 아래 칸에 써요.
- 십의 자리 수끼리 더한 값(6+3=9)을 십의 자리 맨 아래 칸에 써요.
- 마지막으로 백의 자리 수를 백의 자리 맨 아래 칸에 써요.

십의 자리 일의 자리 + 십의 자리 일의 자리
4 7 + 2 5

		1	
		4	7
+		2	5
		7	2

정답 : 72

7 2

- 일의 자리 수끼리 더해요.(7+5=12) 더한 값 12에서 10을 십의 자리로 올리고, 2는 일의 자리 맨 아래 칸에 써요.
- 십의 자리 수끼리 더해요. 이때 일의 자리에서 받아 올림한 수도 함께 더해요. (1+4+2=7) 더한 값 7을 십의 자리 맨 아래 칸에 써요.

1. 세로셈으로 계산한 후, 애벌레에서 답을 찾아 ○표 해 보세요.

41 + 25 = 66, 63 + 34 = 97, 123 + 56 = 179

92 + 204 = 296, 142 + 137 = 279, 128 + 271 = 399

(66) (97) (179) 184 (279) (296) 379 (399)

2. 세로셈으로 계산한 후, 애벌레에서 답을 찾아 ○표 해 보세요.

35 + 27 = 62, 62 + 28 = 90, 119 + 132 = 251

3. 세로셈으로 계산한 후, 애벌레에서 답을 찾아 ○표 해 보세요.

❶ 교실 책장에 책이 78권 있어요. 선생님께서 새로운 책을 15권 더 가져다 놓으셨어요. 책장에 있는 책은 모두 몇 권일까요?

식 : 78 + 15

		1	
		7	8
+		1	5
		9	3

정답 : 93권

❷ 학교 식당에 물컵이 239개 있어요. 새 컵이 47개 더 생겼어요. 식당에 있는 물컵은 모두 몇 개일까요?

식 : 239 + 47

		1	
	2	3	9
+		4	7
	2	8	6

정답 : 286개

(62) 84 (90) (93)

(251) 263 (286)

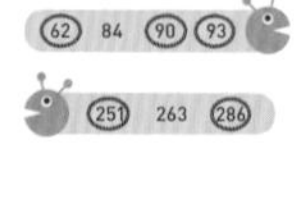

더 생각해 보아요!

나를 2번 더하면 628이 됩니다. 나는 어떤 수일까요?

314

38 39

36쪽 10번

❶ 초록색은 초, 노란색은 노로 표시하면
초초노노↔노노초초의 2가지, 초노초노↔노초노초의 2가지, 초노노초↔노초초노의 2가지로 6가지가 나와요.

❷ 초록색은 초, 노란색은 노, 파란색은 파로 표시하고, 네모 칸에 번호 1, 2, 3, 4를 붙이고 풀면 다음과 같아요.

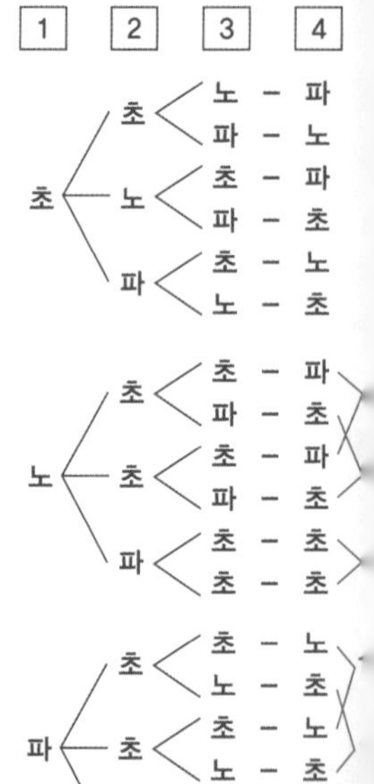

부모님 가이드 | 38쪽

세로셈 계산에서는 자릿값을 잘 맞추어야 해요.
같은 자리 수끼리 더했을 때 합이 10 또는 10보다 크면 바로 윗자리로 받아 올림을 해요.
네모 칸을 만들어서 계산하면 좀 더 쉽게 자릿값에 맞출 수 있어요.

더 생각해 보아요! | 39쪽

628을 같은 수로 가르기 하면 314

40-41쪽

★실력을 키워요!

4. 엄마의 엄마가 딴 버섯 개수가 바구니에 쓰여 있어요. 다음 글을 읽고 버섯의 개수를 구하면서 길을 찾아보세요.

- 엄마의 엄마는 새송이버섯 12개를 바구니에 담았어요.
- 그리고 깔때기 모양 살구버섯 23개를 발견해 담았어요.
- 또 전나무 아래에서 검은 살구버섯 20개를 땄어요.
- 숲길을 걷다가 새송이버섯 16개를 발견했지만 그중 2개는 상태가 좋지 않아서 따지 않았어요.
- 가는 길에 꾀꼬리버섯 8개를 담았고, 전나무 아래에서 전나무버섯 12개를 땄어요.
- 길을 걷다가 꾀꼬리버섯 7개를 발견해 담았어요.
- 엄마의 엄마는 식용 무당버섯 8개를 발견해서 그중 절반을 바구니에 담았어요.
- 한참 걷다가 버섯 서식지를 발견하고는 그곳에서 깔때기 모양 살구버섯 47개를 땄어요.
- 마지막으로 엄마의 엄마는 새송이버섯 22개를 담았어요.

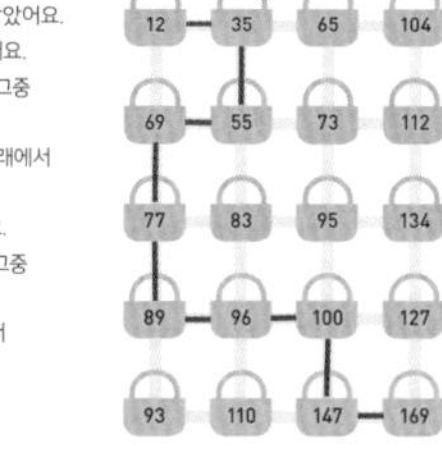

5. 아래 글을 읽고 인형의 이름, 만든 나라, 그리고 주인을 알아맞혀 보세요.

이름	고보	넬리	테디	커들스
만든 나라	독일	러시아	노르웨이	핀란드
주인	안드레아	피터	월터	소냐

❶ • 넬리는 고보와 테디 사이에 있어요.
❷ • 월터의 인형은 빨간 인형 옆에 있어요.
❸ • 커들스는 흰색이고 맨 끝에 있어요.
❹ • 노르웨이에서 만든 인형은 핀란드에서 만든 인형 옆에 있어요.
❺ • 안드레아의 인형은 독일에서 만들었어요.
❻ • 넬리는 피터의 인형이에요.
❼ • 소냐의 인형은 테디 옆에 있어요.
❽ • 빨간 인형은 러시아에서 만들었어요.
❾ • 테디는 노르웨이에서 만들었어요.
❿ • 고보는 독일에서 만들었어요.

40

★실력을 키워요!

6. 서로 다른 모양이 되도록 빈칸을 색칠해 보세요.

❶ 빨간색 또는 파란색으로 빈칸을 색칠하세요.

❷ 빨간색 또는 파란색으로 색칠하되, 세 칸을 같은 색으로 색칠해야 해요.

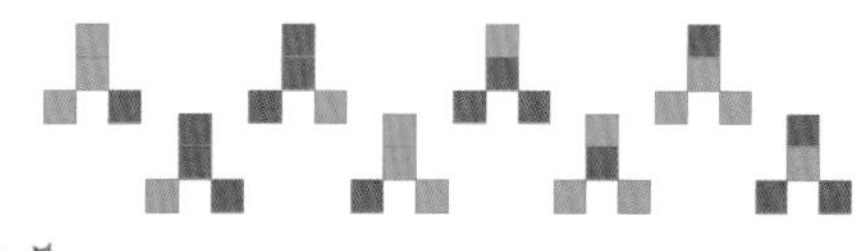

한 번 더 연습해요!

1. 세로셈으로 계산해 보세요.

142 + 46: 142 + 46 = 188

105 + 67: (받아올림 1) 105 + 67 = 172

138 + 159: (받아올림 1) 138 + 159 = 297

2. 아래 글을 읽고 알맞은 식을 세워 답을 구해 보세요.

❶ 선생님은 모눈 공책 28권과 줄 공책 37권을 가지고 있어요. 선생님이 가지고 있는 공책은 모두 몇 권일까요?

(받아올림 1) 28 + 37 = 65

정답 : **65권**

❷ 마트에 모눈 공책 231권과 줄 공책 129권이 있어요. 마트에 있는 공책은 모두 몇 권일까요?

(받아올림 1) 231 + 129 = 360

정답 : **360권**

41

40쪽 4번

12+23=35, 35+20=55, 55+16-2=69, 69+8=77, 77+12=89, 89+7=96, 96+4=100, 100+47=147, 147+22=169

MEMO

40쪽 5번

확실한 조건부터 찾아 답을 쓴 후, 남은 부분을 찾아가면 쉽게 답을 구할 수 있어요.

❸커들스는 흰색이고 맨 끝에 있어요.

❽빨간 인형은 러시아에서 만들었어요.

이름				커들스
만든 나라		러시아		
주인				

❶넬리는 고보와 테디 사이에 있어요.→커들스가 맨 끝이기 때문에 넬리는 남은 3칸 중 가운데

❻넬리는 피터의 인형이에요.

이름		넬리		커들스
만든 나라		러시아		
주인		피터		

❹노르웨이에서 만든 인형은 핀란드에서 만든 인형 옆에 있어요.→두 번째 인형이 러시아에서 만들어졌기 때문에 3번째 칸은 노르웨이 또는 핀란드

❺안드레아의 인형은 독일에서 만들었어요.

이름		넬리		커들스
만든 나라	독일	러시아		
주인	안드레아	피터		

❷월터의 인형은 빨간 인형 옆에 있어요.→빨간 인형 왼쪽이 안드레아이기 때문에 빨간 인형 오른쪽이 월터

❿고보는 독일에서 만들었어요.

이름	고보	넬리		커들스
만든 나라	독일	러시아		
주인	안드레아	피터	월터	

❾테디는 노르웨이에서 만들었어요.→남은 이름은 테디이며, 만든 나라는 노르웨이

이름	고보	넬리	테디	커들스
만든 나라	독일	러시아	노르웨이	
주인	안드레아	피터	월터	

❼소냐의 인형은 테디 옆에 있어요.

❹노르웨이에서 만든 인형은 핀란드에서 만든 인형 옆에 있어요.

이름	고보	넬리	테디	커들스
만든 나라	독일	러시아	노르웨이	핀란드
주인	안드레아	피터	월터	소냐

42-43쪽

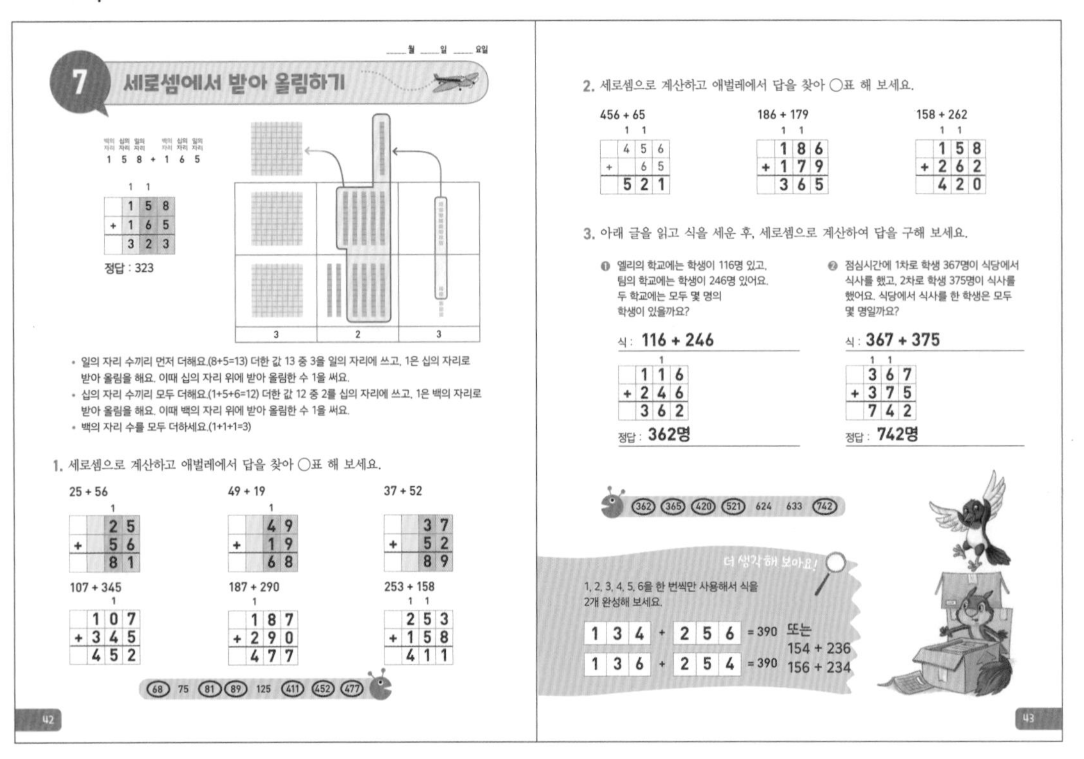
____월 ____일 ____요일

7 세로셈에서 받아 올림하기

158 + 165

	1	5	8
+	1	6	5
	3	2	3

정답 : 323

- 일의 자리 수끼리 먼저 더해요.(8+5=13) 더한 값 13 중 3을 일의 자리에 쓰고, 1은 십의 자리로 받아 올림을 해요. 이때 십의 자리 위에 받아 올림한 수 1을 써요.
- 십의 자리 수끼리 모두 더해요.(1+5+6=12) 더한 값 12 중 2를 십의 자리에 쓰고, 1은 백의 자리로 받아 올림을 해요. 이때 백의 자리 위에 받아 올림한 수 1을 써요.
- 백의 자리 수를 모두 더하세요.(1+1+1=3)

1. 세로셈으로 계산하고 애벌레에서 답을 찾아 ○표 해 보세요.

25 + 56 = 81, 49 + 19 = 68, 37 + 52 = 89

107 + 345 = 452, 187 + 290 = 477, 253 + 158 = 411

(68) 75 (81) (89) 125 (411) (452) (477)

2. 세로셈으로 계산하고 애벌레에서 답을 찾아 ○표 해 보세요.

456 + 65 = 521, 186 + 179 = 365, 158 + 262 = 420

3. 아래 글을 읽고 식을 세운 후, 세로셈으로 계산하여 답을 구해 보세요.

❶ 엘리의 학교에는 학생이 116명 있고, 팀의 학교에는 학생이 246명 있어요. 두 학교에는 모두 몇 명의 학생이 있을까요?

식 : 116 + 246

	1	1	6
+	2	4	6
	3	6	2

정답 : 362명

❷ 점심시간에 1차로 학생 367명이 식당에서 식사를 했고, 2차로 학생 375명이 식사를 했어요. 식당에서 식사를 한 학생은 모두 몇 명일까요?

식 : 367 + 375

	3	6	7
+	3	7	5
	7	4	2

정답 : 742명

(362) (365) (420) (521) 624 633 (742)

더 생각해 보아요!

1, 2, 3, 4, 5, 6을 한 번씩만 사용해서 식을 2개 완성해 보세요.

134 + 256 = 390 또는 154 + 236

136 + 254 = 390 156 + 234

42 43

더 생각해 보아요! | 43쪽

두 수를 더해 백의 자리 수가 3이 되는 수는 1과 2이며, 두 수를 더해 일의 자리 수가 0이 나오는 수는 4와 6이에요. 남은 두 수는 3과 5이고 이를 십의 자리 수에 넣어 주면 돼요. 십의 자리 수와 일의 자리 수를 서로 바꾸어 주면 2쌍의 답이 나와요.

44쪽 6번

백의 자리와 일의 자리 숫자가 같으므로, 1부터 순서대로 숫자를 대입한 후 10이 되는 수를 찾아 십의 자리에 넣어요. 6부터는 합이 10이 넘으므로 올 수 없어요.

1	8	1

2	6	2

3	4	3

4	2	4

5	0	5

44-45쪽

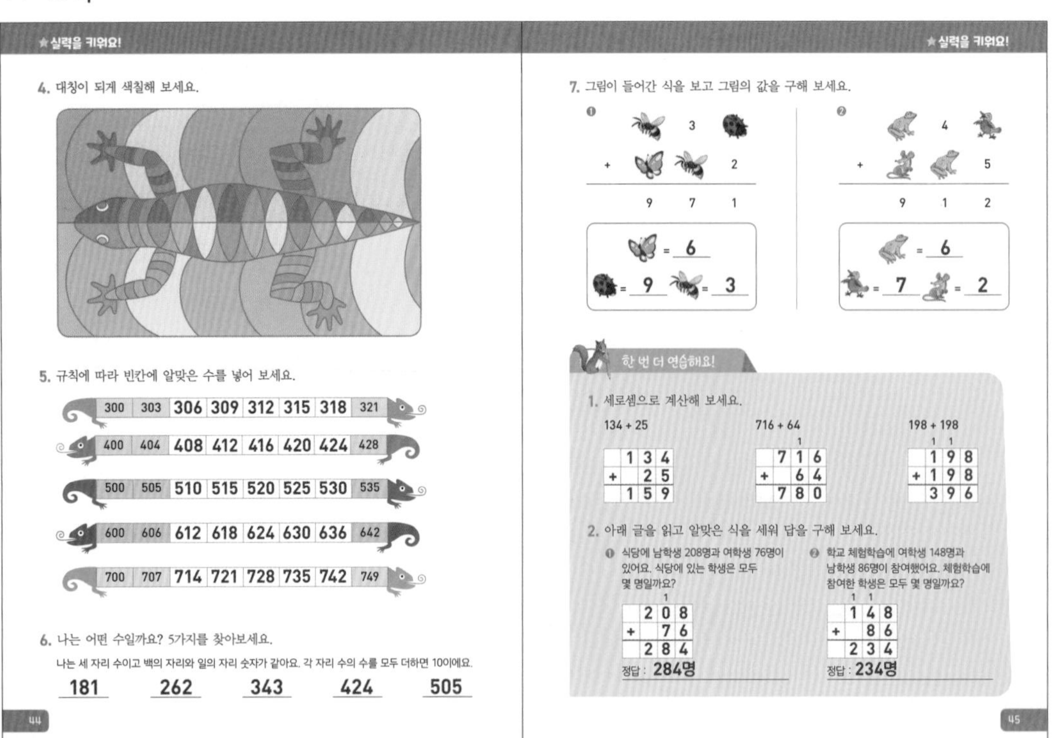
★실력을 키워요!

4. 대칭이 되게 색칠해 보세요.

5. 규칙에 따라 빈칸에 알맞은 수를 넣어 보세요.

300 303 306 309 312 315 318 321

400 404 408 412 416 420 424 428

500 505 510 515 520 525 530 535

600 606 612 618 624 630 636 642

700 707 714 721 728 735 742 749

6. 나는 어떤 수일까요? 5가지를 찾아보세요.

나는 세 자리 수이고 백의 자리와 일의 자리 숫자가 같아요. 각 자리 수의 수를 모두 더하면 10이에요.

181 262 343 424 505

7. 그림이 들어간 식을 보고 그림의 값을 구해 보세요.

❶ 나비 = 6, 무당벌레 = 9, 벌 = 3

❷ 개구리 = 6, 새 = 7, 쥐 = 2

한 번 더 연습해요!

1. 세로셈으로 계산해 보세요.

134 + 25 = 159, 716 + 64 = 780, 198 + 198 = 396

2. 아래 글을 읽고 알맞은 식을 세워 답을 구해 보세요.

❶ 식당에 남학생 208명과 여학생 76명이 있어요. 식당에 있는 학생은 모두 몇 명일까요?

	2	0	8
+		7	6
	2	8	4

정답 : 284명

❷ 학교 체험학습에 여학생 148명과 남학생 86명이 참여했어요. 체험학습에 참여한 학생은 모두 몇 명일까요?

	1	4	8
+		8	6
	2	3	4

정답 : 234명

44 45

45쪽 7번

❶ 일의 자리끼리 더한 값이 더하는 수보다 작으므로 받아 올림이 있음을 알 수 있어요.

무당벌레+2=11, 무당벌레=9

십의 자리에 받아 올림한 수 1을 더하면 1+3+벌=7

벌=3

백의 자리를 계산하면

3+나비=9, 나비=6

❷ 일의 자리끼리 더한 값이 더하는 수보다 작으므로 받아 올림이 있음을 알 수 있어요.

새+5=12, 새=7

십의 자리 또한 백의 자리로 받아 올림이 있음을 알 수 있어요. 일의 자리에서 받아 올림한 수 1을 더하는 걸 잊으면 안 돼요.

1+4+개구리=11, 개구리=6

백의 자리를 계산할 때 십의 자리에서 받아 올림한 수 1을 더해야 해요.

1+6+쥐=9, 쥐=2

6-47쪽

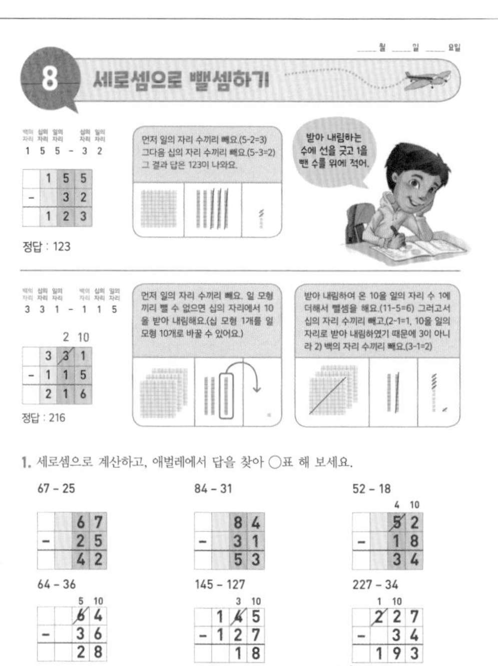

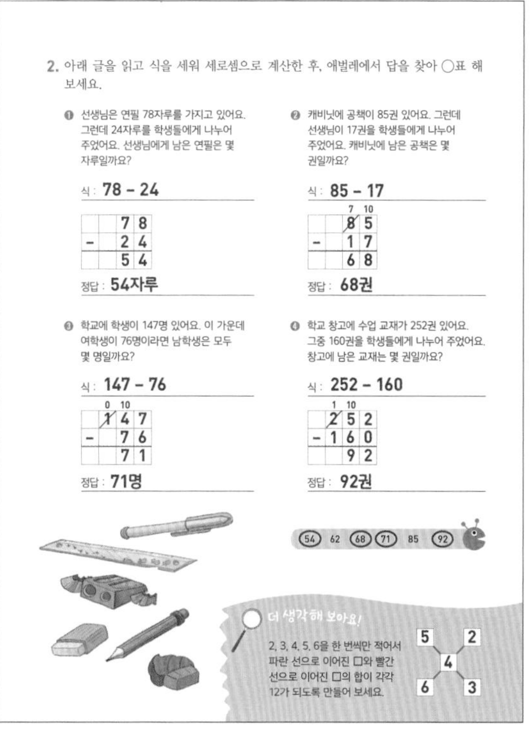

부모님 가이드 | 46쪽

세로셈 계산에서는 자릿값을 잘 맞추어야 해요.
뺄셈을 할 때 일의 자리 수가 모자라면 십의 자리에서 1을 빌려 와요. 이를 받아 내림이라고 해요. 십의 자리 수 1은 일의 자리에서는 10이 되지요.
또한 뺄셈을 할 때 십의 자리 수가 모자라면 백의 자리에서 1을 빌려 와요. 백의 자리 수 1은 십의 자리에서는 100이 된답니다.

8-49쪽

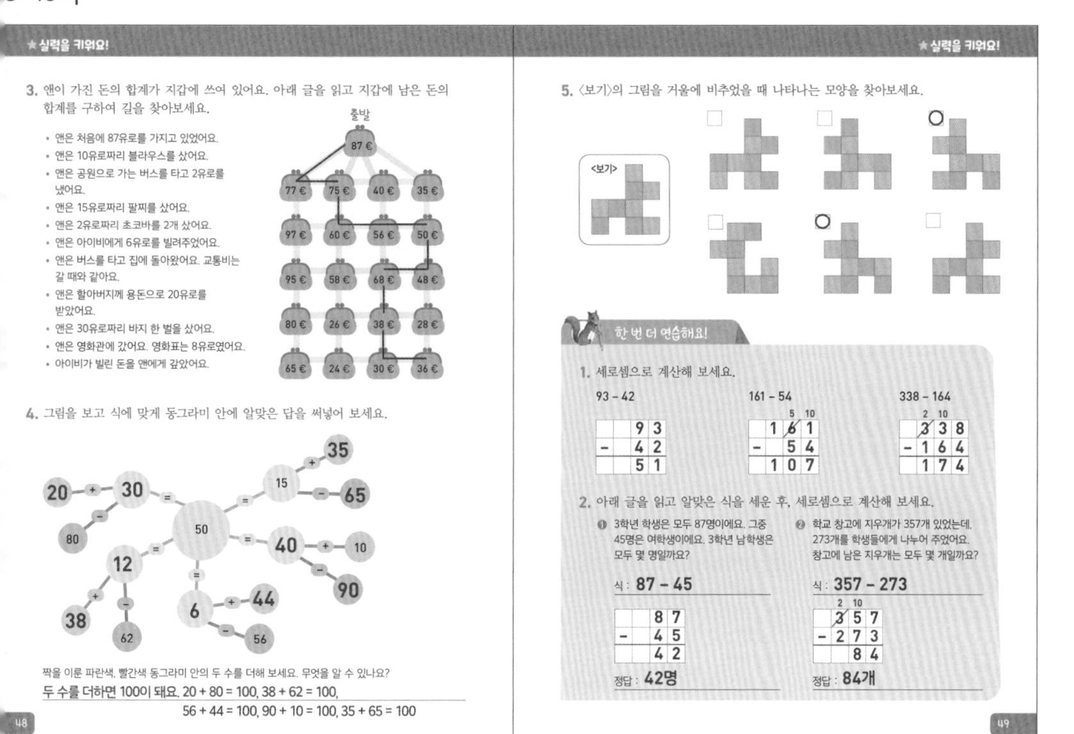

48쪽 3번

87-10=77, 77-2=75,
75-15=60, 60-4=56,
56-6=50, 50-2=48,
48+20=68, 68-30=38,
38-8=30, 30+6=36

50-51쪽

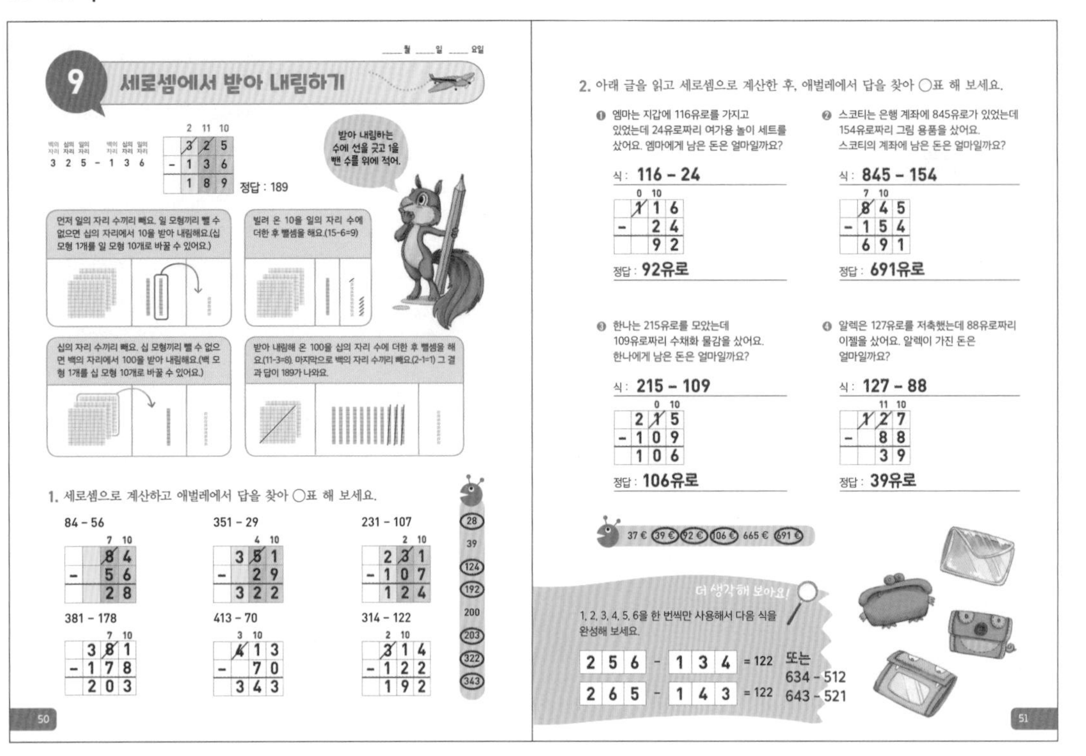

___월 ___일 ___요일

9 세로셈에서 받아 내림하기

백의 자리 십의 자리 일의 자리 3 2 5 - 백의 자리 십의 자리 일의 자리 1 3 6

	2	11	10
	3	2	5
-	1	3	6
	1	8	9

정답 : 189

받아 내림하는 수에 선을 긋고 1을 뺀 수를 위에 적어.

먼저 일의 자리 수끼리 빼요. 일 모형끼리 뺄 수 없으면 십의 자리에서 10을 받아 내림해요.(십 모형 1개를 일 모형 10개로 바꿀 수 있어요.)

빌려 온 10을 일의 자리 수에 더한 후 뺄셈을 해요.(15-6=9)

십의 자리 수끼리 빼요. 십 모형끼리 뺄 수 없으면 백의 자리에서 100을 받아 내림해요.(백 모형 1개를 십 모형 10개로 바꿀 수 있어요.)

받아 내림해 온 100을 십의 자리 수에 더한 후 뺄셈을 해요.(11-3=8). 마지막으로 백의 자리 수끼리 빼요.(2-1=1) 그 결과 답이 189가 나와요.

1. 세로셈으로 계산하고 애벌레에서 답을 찾아 ○표 해 보세요.

84 - 56 = 28 / 351 - 29 = 322 / 231 - 107 = 124

381 - 178 = 203 / 413 - 70 = 343 / 314 - 122 = 192

애벌레: 28, 39, 124, 192, 200, 203, 322, 343

2. 아래 글을 읽고 세로셈으로 계산한 후, 애벌레에서 답을 찾아 ○표 해 보세요.

① 엠마는 지갑에 116유로를 가지고 있었는데 24유로짜리 여가용 놀이 세트를 샀어요. 엠마에게 남은 돈은 얼마일까요?
식 : 116 - 24
정답 : 92유로

② 스코티는 은행 계좌에 845유로가 있었는데 154유로짜리 그림 용품을 샀어요. 스코티의 계좌에 남은 돈은 얼마일까요?
식 : 845 - 154
정답 : 691유로

③ 한나는 215유로를 모았는데 109유로짜리 수채화 물감을 샀어요. 한나에게 남은 돈은 얼마일까요?
식 : 215 - 109
정답 : 106유로

④ 알렉은 127유로를 저축했는데 88유로짜리 이젤을 샀어요. 알렉이 가진 돈은 얼마일까요?
식 : 127 - 88
정답 : 39유로

37 € 39 € 92 € 106 € 665 € 691 €

더 생각해 보아요!
1, 2, 3, 4, 5, 6을 한 번씩만 사용해서 다음 식을 완성해 보세요.

256 - 134 = 122 또는 634 - 512
265 - 143 = 122 643 - 521

50 51

더 생각해 보아요! | 51쪽

일의 자리가 2이므로, 차가 2
숫자를 짝지어 나열해 보면 3
1, 4와 2, 5와 3, 6과 4예요.

• 방법1
십의 자리와 일의 자리가 2
므로, 차가 2가 되어야 해요.
과 1을 일의 자리에 넣고 남
수 중 2 차이 나는 수 4와 2
십의 자리에 넣은 후, 남은
5와 6을 백의 자리에 넣어
가 1이 되게 하되, 빼지는 수
커야 하므로 6이 앞의 수에
고 5는 뒤의 수에 와요.
따라서 643-521
일의 자리와 십의 자리 수
바꿔도 답이 돼요. 634-512

• 방법2
2 차이 나는 수 중 5와 3을
의 자리에 넣고, 남은 수 중
차이 나는 수 6과 4를 십
자리에 넣은 후, 남은 수 2
1을 넣어 백의 자리가 1 차
나게 하되, 빼지는 수가 커
하므로 2가 앞의 수에 오고
은 뒤의 수에 와요.
따라서 265-143
일의 자리와 십의 자리 수
바꿔도 답이 돼요. 256-134

52-53쪽

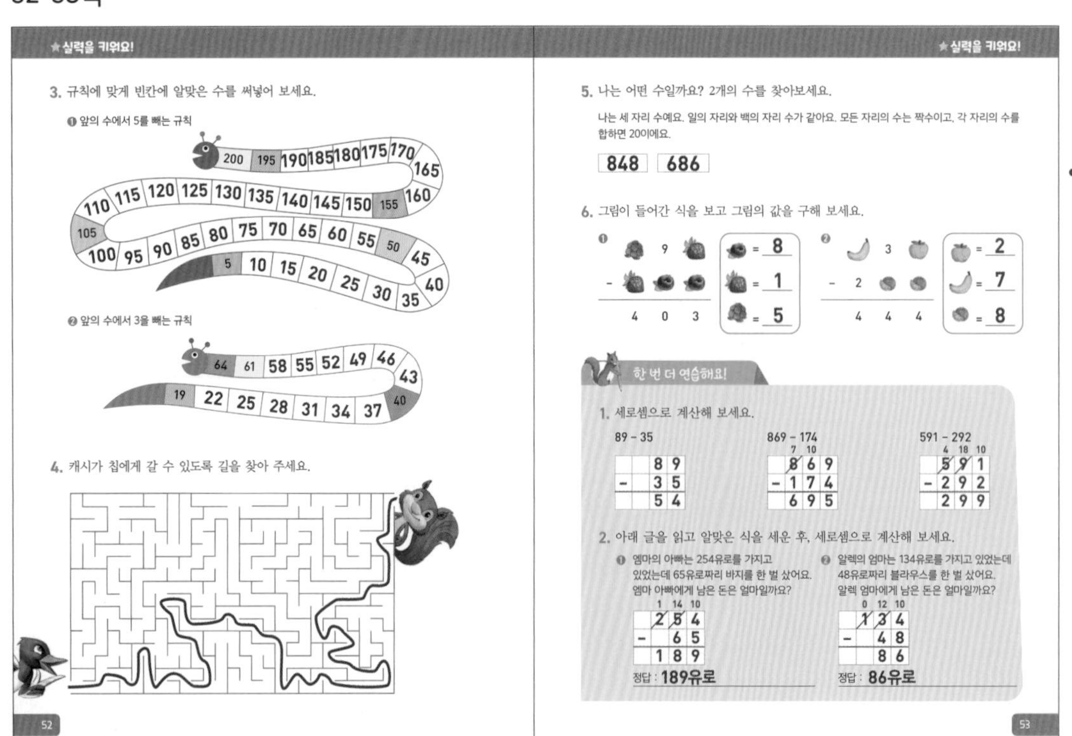

★실력을 키워요!

3. 규칙에 맞게 빈칸에 알맞은 수를 써넣어 보세요.

① 앞의 수에서 5를 빼는 규칙
200, 195, 190, 185, 180, 175, 170, 165, 160, 155, 150, 145, 140, 135, 130, 125, 120, 115, 110, 105, 100, 95, 90, 85, 80, 75, 70, 65, 60, 55, 50, 45, 40, 35, 30, 25, 20, 15, 10, 5

② 앞의 수에서 3을 빼는 규칙
64, 61, 58, 55, 52, 49, 46, 43, 40, 37, 34, 31, 28, 25, 22, 19

4. 캐시가 침에게 갈 수 있도록 길을 찾아 주세요.

5. 나는 어떤 수일까요? 2개의 수를 찾아보세요.
나는 세 자리 수예요. 일의 자리와 백의 자리 수가 같아요. 모든 자리의 수는 짝수이고, 각 자리의 수를 합하면 20이에요.

848 686

6. 그림이 들어간 식을 보고 그림의 값을 구해 보세요.

① = 8, = 1, = 5 (식의 차 : 4 0 3)

② = 2, = 7, = 8 (식의 차 : 4 4 4)

한 번 더 연습해요!

1. 세로셈으로 계산해 보세요.

89 - 35 = 54 / 869 - 174 = 695 / 591 - 292 = 299

2. 아래 글을 읽고 알맞은 식을 세운 후, 세로셈으로 계산해 보세요.

① 엠마의 아빠는 254유로를 가지고 있었는데 65유로짜리 바지를 한 벌 샀어요. 엠마 아빠에게 남은 돈은 얼마일까요?
254 - 65 = 189
정답 : 189유로

② 알렉의 엄마는 134유로를 가지고 있었는데 48유로짜리 블라우스를 한 벌 샀어요. 알렉 엄마에게 남은 돈은 얼마일까요?
134 - 48 = 86
정답 : 86유로

52 53

4-55쪽

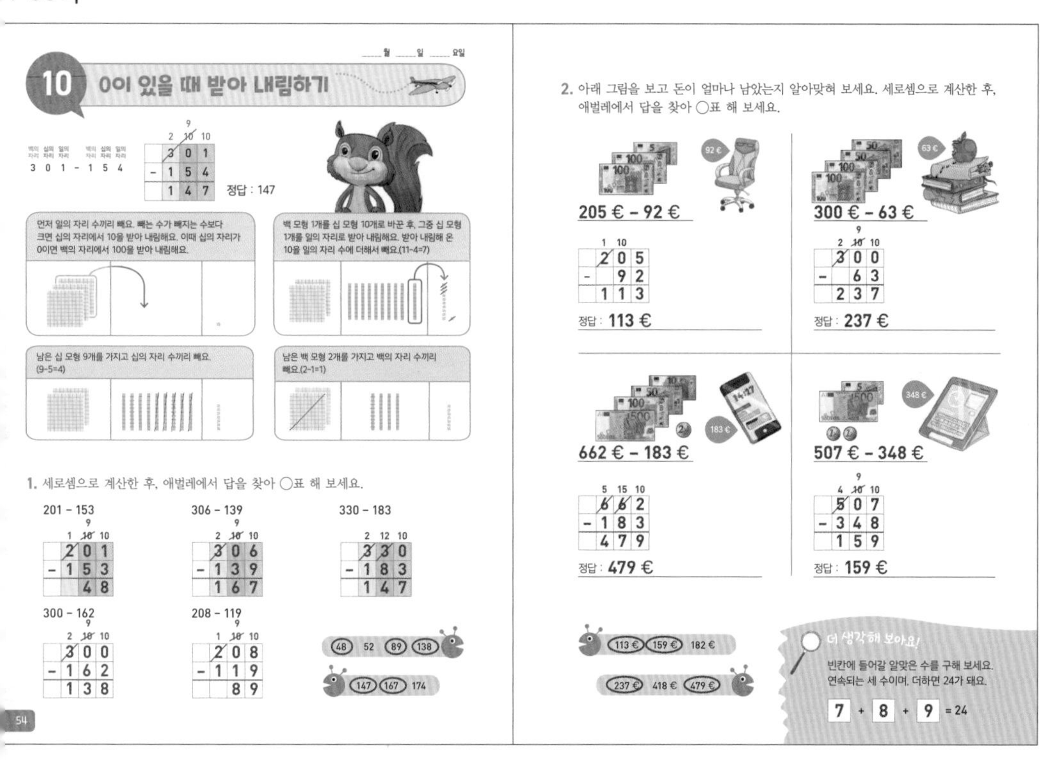

10 0이 있을 때 받아 내림하기

___월 ___일 ___요일

3 0 1 - 1 5 4

정답 : 147

먼저 일의 자리 수끼리 빼요. 빼는 수가 빼지는 수보다 크면 십의 자리에서 10을 받아 내림해요. 이때 십의 자리가 0이면 백의 자리에서 100을 받아 내림해요.

백 모형 1개를 십 모형 10개로 바꾼 후, 그중 십 모형 1개를 일의 자리로 받아 내림해요. 받아 내림해 온 10을 일의 자리 수에 더해서 빼요.(11-4=7)

남은 십 모형 9개를 가지고 십의 자리 수끼리 빼요. (9-5=4)

남은 백 모형 2개를 가지고 백의 자리 수끼리 빼요.(2-1=1)

1. 세로셈으로 계산한 후, 애벌레에서 답을 찾아 ○표 해 보세요.

201 - 153 = 48

306 - 139 = 167

330 - 183 = 147

300 - 162 = 138

208 - 119 = 89

48 52 89 138

147 167 174

54

2. 아래 그림을 보고 돈이 얼마나 남았는지 알아맞혀 보세요. 세로셈으로 계산한 후, 애벌레에서 답을 찾아 ○표 해 보세요.

205 € - 92 € 정답 : 113 €

300 € - 63 € 정답 : 237 €

662 € - 183 € 정답 : 479 €

507 € - 348 € 정답 : 159 €

113 € 159 € 182 €

237 € 418 € 479 €

더 생각해 보아요!

빈칸에 들어갈 알맞은 수를 구해 보세요. 연속되는 세 수이며, 더하면 24가 돼요.

7 + 8 + 9 = 24

53쪽 5번

일의 자리 수와 백의 자리 수가 같으면서 짝수이고, 각 자리의 수를 합해 20이 되려면 십의 자리 수도 짝수가 되어야 해요. 짝수는 0, 2, 4, 6, 8인데 가장 큰 수인 8부터 일의 자리와 백의 자리에 넣고 20이 되는 수가 어떤 수인지 구해 봐요.

[8|4|8], [6|8|6]

[4| |4]의 경우 가운데 8을 넣어도 20이 안 되므로 4 이하의 수는 해당되지 않아요.

53쪽 6번

❶ 십의 자리 수를 보면 9에서 ●를 빼면 0이므로 ●는 9나 8을 넣을 수 있어요. 9를 넣으면 십의 자리에서 일의 자리로 받아 내림하면 십의 자리가 8이 되므로 0이 나오지 않아요. ●에 8을 넣으면 딸기는 1이 되고, ●는 5가 돼요.

❷ 십의 자리를 보면 3-●는 3보다 큰 4가 나오므로 바나나는 십의 자리에 1을 받아 내림해야 해요. ●-1-2=4, ●=7
십의 자리는 1을 빌려와 13이 되며, 일의 자리로 받아 내림이 없을 경우, ●=9가 되면 답이 맞지 않아요. 일의 자리로 받아 내림을 해야 하므로 13-1-●=4, ●=8
일의 자리는 십의 자리에서 받아 내림한 10을 더해야 하므로 10+●-8=4, ●=2

56-57쪽

★실력을 키워요!

3. 계산한 후 정답에 해당하는 알파벳을 찾아 □ 안에 써넣어 보세요.

34 + 56 = **90** O
90 - 11 = **79** N
61 - 10 = **51** E

35 - 6 = **29** T
55 - 12 = **43** W
72 + 18 = **90** O

51 - 22 = **29** T
26 - 13 = **13** H
40 - 16 = **24** R
29 + 22 = **51** E
38 + 13 = **51** E

13	24	29	43	51	79	90
H	R	T	W	E	N	O

4. 아래 글을 읽고 각 선물의 내용, 가격, 선물한 사람, 그리고 받은 사람을 알아맞혀 보세요.

내용	블라우스	장신구	카메라
가격	30유로	50유로	100유로
선물한 사람	앨리스	엘리	루이스
받은 사람	엄마	할머니	할아버지

❶ • 루이스는 파란색 선물을 주었어요.
❷ • 앨리스는 엄마에게 선물을 주었어요.
❸ • 엘리는 50유로를 주고 선물을 샀어요.
❹ • 할머니는 보석이 달린 장신구를 선물로 받았어요.
❺ • 루이스는 100유로짜리 선물을 샀어요.
❻ • 할머니는 빨간색 선물을 받았어요.
❼ • 할아버지는 카메라를 선물로 받았어요.
❽ • 블라우스는 30유로예요.

56

★실력을 키워요!

5. □ 안에 알맞은 수를 넣어 가로와 세로 모두 식을 완성해 보세요.

❶
95 - 65 = 30
- -
70 - **15** = 55
= =
25 50

❷
72 - 12 = 60
- -
7 - **7** = 0
= =
65 5

한 번 더 연습해요!

1. 세로셈으로 계산해 보세요.

901 - 465 = 436 (받아내림: 8, 9, 10)

801 - 533 = 268 (받아내림: 7, 9, 10)

200 - 87 = 113 (받아내림: 1, 9, 10)

2. 아래 글을 읽고 답을 구해 보세요.

❶ 올리버는 생일날 아빠에게 5유로를 받았어요. 올리버는 엄마에게 꽃을 8유로어치 사 드렸더니 10유로가 남았어요. 올리버가 맨 처음에 가진 돈은 얼마였을까요?

식 :

정답 : **13유로**

❷ 앤은 16유로, 아트는 10유로를 가지고 있어요. 앤은 아트에게 8유로를 주었고, 미아로부터 12유로를 받았어요. 앤과 아트가 가진 돈이 같아지려면 앤은 아트에게 얼마를 주어야 할까요?

식 :

정답 : **1유로**

57

한 번 더 연습해요! | 57쪽 2번

❶ □+5-8=10, □=13유로
❷ 앤이 가진 돈 : 16-8+12=
유로
아트가 가진 돈 : 10+8=
유로
앤이 아트에게 1유로를 주
각각 19유로씩 갖게 돼요.

MEMO

56쪽 4번

확실한 조건부터 답을 쓰고 남은 조건에 맞추어 답을 찾으면 쉽게 답을 구할 수 있어요.

❶루이스는 파란색 선물을 주었어요.
❺루이스는 100유로짜리 선물을 샀어요.
❻할머니는 빨간색 선물을 받았어요.
❹할머니는 보석이 달린 장신구를 선물로 받았어요.

내용		장신구	
가격			100유로
선물한 사람			루이스
받은 사람		할머니	

❷앨리스는 엄마에게 선물을 주었어요.→루이스와 할머니는 조건에 안 맞으니 남은 건 노란색 선물이에요.

내용		장신구	
가격			100유로
선물한 사람	앨리스		루이스
받은 사람	엄마	할머니	

❼할아버지는 카메라를 선물로 받았어요.
❸엘리는 50유로를 주고 선물을 샀어요.

내용		장신구	카메라
가격		50유로	100유로
선물한 사람	앨리스	엘리	루이스
받은 사람	엄마	할머니	할아버지

❽블라우스는 30유로예요.

내용	블라우스	장신구	카메라
가격	30유로	50유로	100유로
선물한 사람	앨리스	엘리	루이스
받은 사람	엄마	할머니	할아버지

8-59쪽

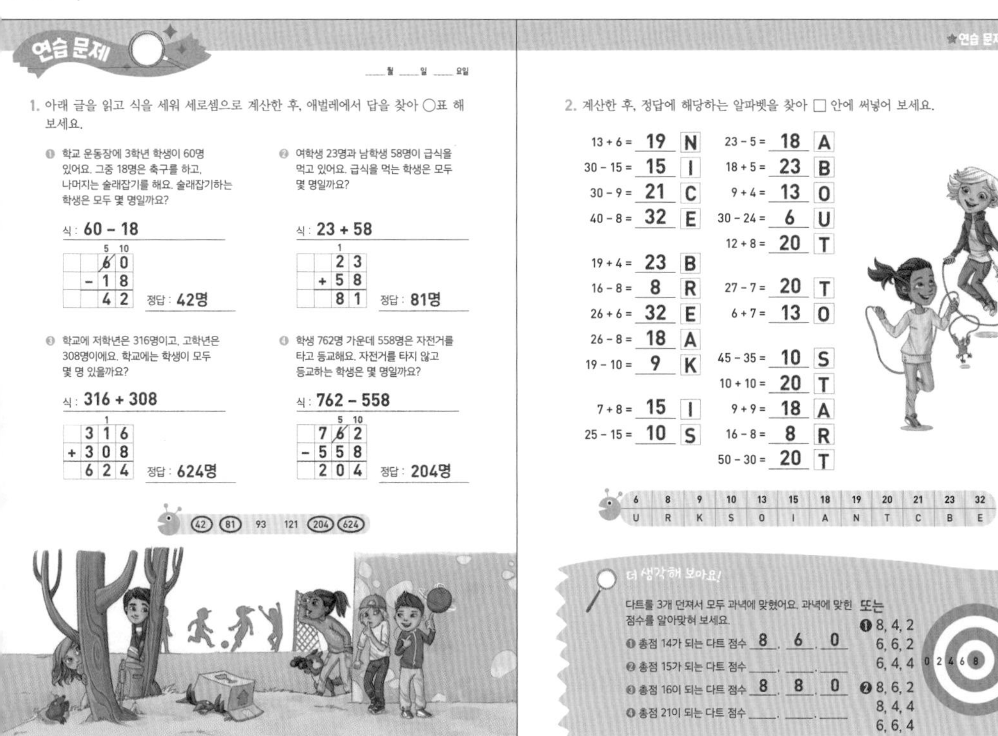

연습 문제

___월 ___일 ___요일

1. 아래 글을 읽고 식을 세워 세로셈으로 계산한 후, 애벌레에서 답을 찾아 ○표 해 보세요.

❶ 학교 운동장에 3학년 학생이 60명 있어요. 그중 18명은 축구를 하고, 나머지는 술래잡기를 해요. 술래잡기하는 학생은 모두 몇 명일까요?

식 : 60 − 18

	6	0
−	1	8
	4	2

정답 : 42명

❷ 여학생 23명과 남학생 58명이 급식을 먹고 있어요. 급식을 먹는 학생은 모두 몇 명일까요?

식 : 23 + 58

	2	3
+	5	8
	8	1

정답 : 81명

❸ 학교에 저학년은 316명이고, 고학년은 308명이에요. 학교에는 학생이 모두 몇 명 있을까요?

식 : 316 + 308

	3	1	6
+	3	0	8
	6	2	4

정답 : 624명

❹ 학생 762명 가운데 558명은 자전거를 타고 등교해요. 자전거를 타지 않고 등교하는 학생은 몇 명일까요?

식 : 762 − 558

	7	6	2
−	5	5	8
	2	0	4

정답 : 204명

(42) (81) 93 121 (204) (624)

2. 계산한 후, 정답에 해당하는 알파벳을 찾아 □ 안에 써넣어 보세요.

13 + 6 = 19 N
30 − 15 = 15 I
30 − 9 = 21 C
40 − 8 = 32 E

19 + 4 = 23 B
16 − 8 = 8 R
26 + 6 = 32 E
26 − 8 = 18 A
19 − 10 = 9 K

7 + 8 = 15 I
25 − 15 = 10 S

23 − 5 = 18 A
18 + 5 = 23 B
9 + 4 = 13 O
30 − 24 = 6 U
12 + 8 = 20 T

27 − 7 = 20 T
6 + 7 = 13 O

45 − 35 = 10 S
10 + 10 = 20 T
9 + 9 = 18 A
16 − 8 = 8 R
50 − 30 = 20 T

6	8	9	10	13	15	18	19	20	21	23	32
U	R	K	S	O	I	A	N	T	C	B	E

더 생각해 보아요!

다트를 3개 던져서 모두 과녁에 맞혔어요. 과녁에 맞힌 점수를 알아맞혀 보세요.

❶ 총점 14가 되는 다트 점수 8, 6, 0
❷ 총점 15가 되는 다트 점수 ___, ___, ___
❸ 총점 16이 되는 다트 점수 8, 8, 0
❹ 총점 21이 되는 다트 점수 ___, ___, ___

또는
❶ 8, 4, 2
6, 6, 2
6, 4, 4
❸ 8, 6, 2
8, 4, 4
6, 6, 4

59쪽 2번

Nice Break is about to Start.
(쉬는 시간이 곧 시작된다.)

더 생각해 보아요! | 59쪽

홀수는 나올 수 없어요. 짝수의 합은 짝수가 나와야 하니까요.

MEMO

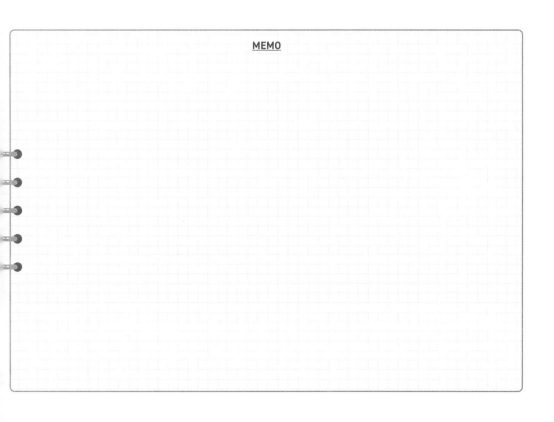

60-61쪽

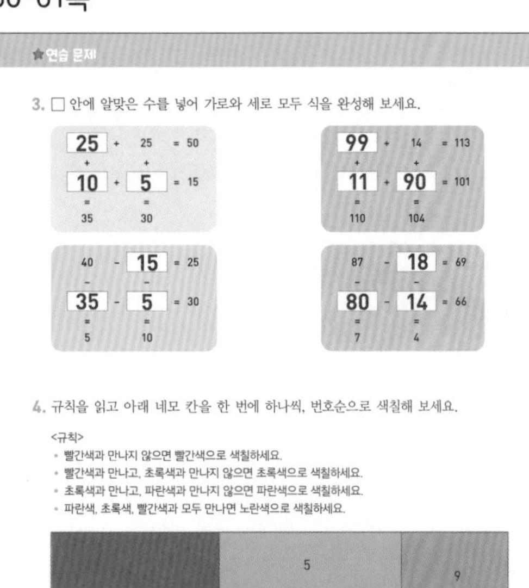

연습 문제

3. □ 안에 알맞은 수를 넣어 가로와 세로 모두 식을 완성해 보세요.

25	+	25	=	50
+		+		
10	+	5	=	15
=		=		
35		30		

99	+	14	=	113
+		+		
11	+	90	=	101
=		=		
110		104		

40	-	15	=	25
-		-		
35	-	5	=	30
=		=		
5		10		

87	-	18	=	69
-		-		
80	-	14	=	66
=		=		
7		4		

4. 규칙을 읽고 아래 네모 칸을 한 번에 하나씩, 번호순으로 색칠해 보세요.

<규칙>
- 빨간색과 만나지 않으면 빨간색으로 색칠하세요.
- 빨간색과 만나고, 초록색과 만나지 않으면 초록색으로 색칠하세요.
- 초록색과 만나고, 파란색과 만나지 않으면 파란색으로 색칠하세요.
- 파란색, 초록색, 빨간색과 모두 만나면 노란색으로 색칠하세요.

60

연습 문제

5. 아래 글을 읽고 각 자동차의 운전자, 차 안에 있는 반려동물, 그리고 목적지를 알아맞혀 보세요.

운전자	베르나	킴	메이	레오	제이미
반려동물	고양이	기니피그	토끼	개	햄스터
목적지	전시회	오두막집	집	공원	은행

❶ 검정색 차 안에 개가 있어요.
❷ 킴은 기니피그와 같이 있어요.
❸ 고양이는 전시회에 가고 있어요.
❹ 레오는 공원에 가고 있어요.
❺ 킴은 오두막집으로 가고 있어요.
❻ 제이미의 차에 토끼는 없어요.
❼ 회색 차는 은행으로 가고 있어요.
❽ 노란색 차는 집으로 가고 있어요.
❾ 햄스터는 은행으로 가고 있어요.
❿ 메이는 집으로 가고 있어요.
⓫ 베르나는 빨간색 차를 운전해요.
⓬ 레오가 운전하는 차를 뒤따라오는 차 안에 토끼가 있어요.

한 번 더 연습해요!

1. 세로셈으로 계산해 보세요.

348 + 539 = 887

653 − 276 = 377

803 − 546 = 257

2. 아래 글을 읽고 알맞은 식을 세운 후, 세로셈으로 계산해 보세요.

학생 518명 중 497명이 교통안전 반사경을 사용해요. 반사경을 사용하지 않는 학생은 몇 명일까요?

식 : 518 − 497 정답 : 21명

61

60쪽 3번

어떤 수를 더하여 답이 나오는 문제는 덧셈 문제이지만 계산은 뺄셈을 해 줘야 답이 나와요.
어떤 수를 빼서 답이 나오는 문제는 뺄셈 문제이지만 계산은 덧셈을 해 줘야 답이 나와요.
덧셈과 뺄셈은 서로 역연산의 관계이기 때문이지요.

MEMO

61쪽 5번

확실한 조건부터 답을 쓰고 남은 조건에 맞추어 답을 찾으면 쉽게 문제를 풀 수 있어요.

❶검정색 차 안에 개가 있어요.
❼회색 차는 은행으로 가고 있어요.
❽노란색 차는 집으로 가고 있어요.
❾햄스터는 은행으로 가고 있어요.
❿메이는 집으로 가고 있어요.
⓫베르나는 빨간색 차를 운전해요.

운전자	베르나		메이		
반려동물				개	햄스터
목적지			집		은행

❺킴은 오두막집으로 가고 있어요.
❷킴은 기니피그와 같이 있어요.
→ 위 두 조건을 통해 파란색 차의 운전자가 킴임을 알 수 있어요.

운전자	베르나	킴	메이		
반려동물		기니피그		개	햄스터
목적지		오두막집	집		은행

❹레오는 공원에 가고 있어요.

운전자	베르나	킴	메이	레오	
반려동물		기니피그		개	햄스터
목적지		오두막집	집	공원	은행

❸고양이는 전시회에 가고 있어요.
⓬레오가 운전하는 차를 뒤따라오는 차 안에 토끼가 있어요.
❻제이미의 차에 토끼는 없어요.

운전자	베르나	킴	메이	레오	제이미
반려동물	고양이	기니피그	토끼	개	햄스터
목적지	전시회	오두막집	집	공원	은행

2-63쪽

____월 ____일 ____요일

11 세 수의 계산

246 - 91 - 75 → 정답 : 80

98 + 106 - 37 → 정답 : 167

왼쪽에서 오른쪽으로 순서대로 계산해 보세요.

1. 세로셈으로 계산한 후, 애벌레에서 답을 찾아 ○표 해 보세요.

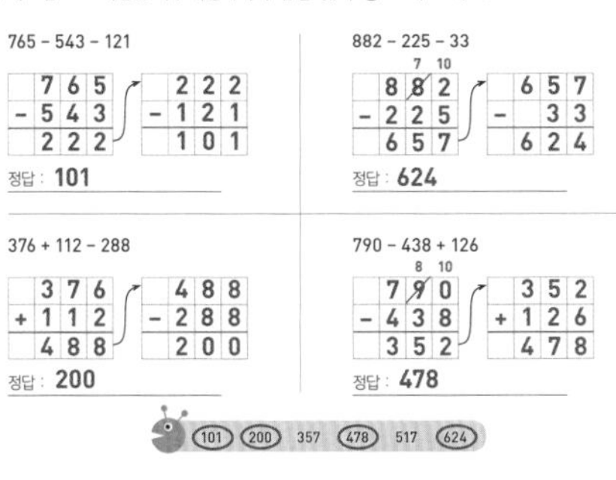

765 - 543 - 121 → 765 - 543 = 222, 222 - 121 = 101 정답 : 101

882 - 225 - 33 → 882 - 225 = 657, 657 - 33 = 624 정답 : 624

376 + 112 - 288 → 376 + 112 = 488, 488 - 288 = 200 정답 : 200

790 - 438 + 126 → 790 - 438 = 352, 352 + 126 = 478 정답 : 478

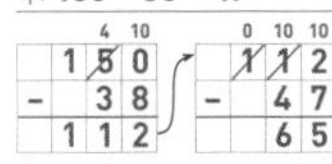

(101) (200) 357 (478) 517 (624)

2. 아래 글을 읽고 식을 세워 세로셈으로 계산한 후, 애벌레에서 답을 찾아 ○표 해 보세요.

❶ 학교 식당에 빵이 657개 있었어요. 월요일에 학생들이 275개를 먹었고, 화요일에 280개를 먹었어요. 식당에 남은 빵은 모두 몇 개일까요?

식 : 657 - 275 - 280

657 - 275 = 382, 382 - 280 = 102

정답 : 102개

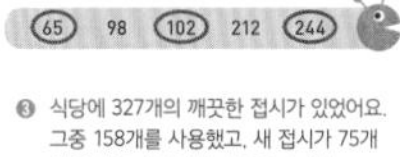

(65) 98 (102) 212 (244)

❷ 식당에서 150인분 완두콩 수프를 만들었어요. 점심시간에 1차로 학생들이 38인분을 먹었고, 2차로 47인분을 먹었어요. 남은 수프는 몇 인분일까요?

식 : 150 - 38 - 47

150 - 38 = 112, 112 - 47 = 65

정답 : 65인분

❸ 식당에 327개의 깨끗한 접시가 있었어요. 그중 158개를 사용했고, 새 접시가 75개 더 왔어요. 식당에서 사용할 수 있는 깨끗한 접시는 모두 몇 개일까요?

식 : 327 - 158 + 75

327 - 158 = 169, 169 + 75 = 244

정답 : 244개

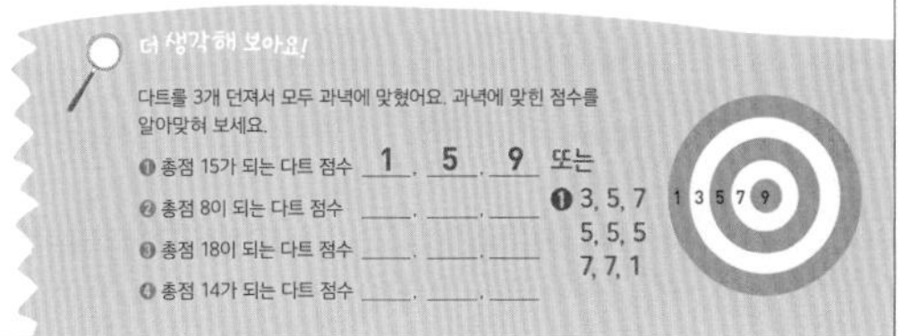

더 생각해 보아요!

다트를 3개 던져서 모두 과녁에 맞혔어요. 과녁에 맞힌 점수를 알아맞혀 보세요.

❶ 총점 15가 되는 다트 점수 1, 5, 9 또는 ❶ 3, 5, 7 / 5, 5, 5 / 7, 7, 1

❷ 총점 8이 되는 다트 점수 ____, ____, ____

❸ 총점 18이 되는 다트 점수 ____, ____, ____

❹ 총점 14가 되는 다트 점수 ____, ____, ____

부모님 가이드 | 62쪽

세 수를 계산할 때는 앞에서부터 2개의 식을 먼저 풀어 답을 구해요. 여기에서 나온 답과 마지막 수를 계산하면 답을 구할 수 있어요.

더 생각해 보아요! | 63쪽

①총점 15가 되는 다트 점수 1, 5, 9 또는 3, 5, 7 / 5, 5, 5 / 7, 7, 1

홀수를 3번 더하면 짝수가 나올 수 없으므로 ②, ③, ④는 가능하지 않아요.

4-65쪽

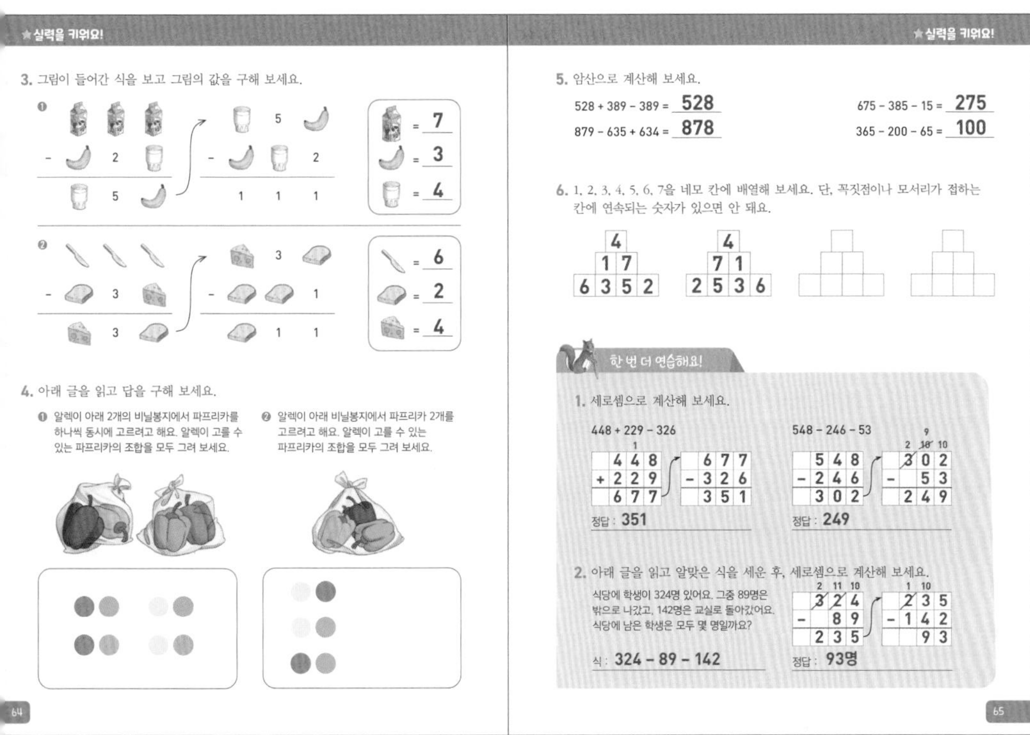

★실력을 키워요!

3. 그림이 들어간 식을 보고 그림의 값을 구해 보세요.

❶ 우유 = 7, 바나나 = 3, 컵 = 4

❷ 칼 = 6, 빵 = 2, 치즈 = 4

4. 아래 글을 읽고 답을 구해 보세요.

❶ 알렉이 아래 2개의 비닐봉지에서 파프리카를 하나씩 동시에 고르려고 해요. 알렉이 고를 수 있는 파프리카의 조합을 모두 그려 보세요.

❷ 알렉이 아래 비닐봉지에서 파프리카 2개를 고르려고 해요. 알렉이 고를 수 있는 파프리카의 조합을 모두 그려 보세요.

5. 암산으로 계산해 보세요.

528 + 389 - 389 = 528

879 - 635 + 634 = 878

675 - 385 - 15 = 275

365 - 200 - 65 = 100

6. 1, 2, 3, 4, 5, 6, 7을 네모 칸에 배열해 보세요. 단, 꼭짓점이나 모서리가 접하는 칸에 연속되는 숫자가 있으면 안 돼요.

4 / 1 7 / 6 3 5 2

4 / 7 1 / 2 5 3 6

한 번 더 연습해요!

1. 세로셈으로 계산해 보세요.

448 + 229 - 326 → 448 + 229 = 677, 677 - 326 = 351 정답 : 351

548 - 246 - 53 → 548 - 246 = 302, 302 - 53 = 249 정답 : 249

2. 아래 글을 읽고 알맞은 식을 세운 후, 세로셈으로 계산해 보세요.

식당에 학생이 324명 있어요. 그중 89명은 밖으로 나갔고, 142명은 교실로 돌아갔어요. 식당에 남은 학생은 모두 몇 명일까요?

식 : 324 - 89 - 142

324 - 89 = 235, 235 - 142 = 93

정답 : 93명

64쪽 3번

❶ 첫 번째 식에서 십의 자리 수끼리 셈을 보면 우유-2=5이므로 우유=7

첫 번째 식에서 일의 자리 수와 백의 자리 수를 보면 바나나와 컵을 더한 수가 7이 나와야 하고,

두 번째 식을 통해 컵은 바나나보다 1이 커야 하므로 바나나=3, 컵=4가 돼요.

❷ 첫 번째 식에서 십의 자리 수를 보고 칼-3=3이므로 칼=6

첫 번째 식에서 백의 자리 수와 일의 자리 수를 보면 빵과 치즈를 더한 수가 6이 나와야 하고,

두 번째 식을 통해 치즈는 빵의 2배이므로 치즈=4, 빵=2가 돼요.

65쪽 6번

가장 많이 접하는 가운데 두 칸에 들어갈 수는 위아래 대각선으로 어떤 수와도 연속되면 안 되기 때문에 가장 차이가 큰 1과 7을 넣어요. 그리고 남은 칸에 2, 3, 4, 5, 6을 넣으면 완성할 수 있어요.

66-67쪽

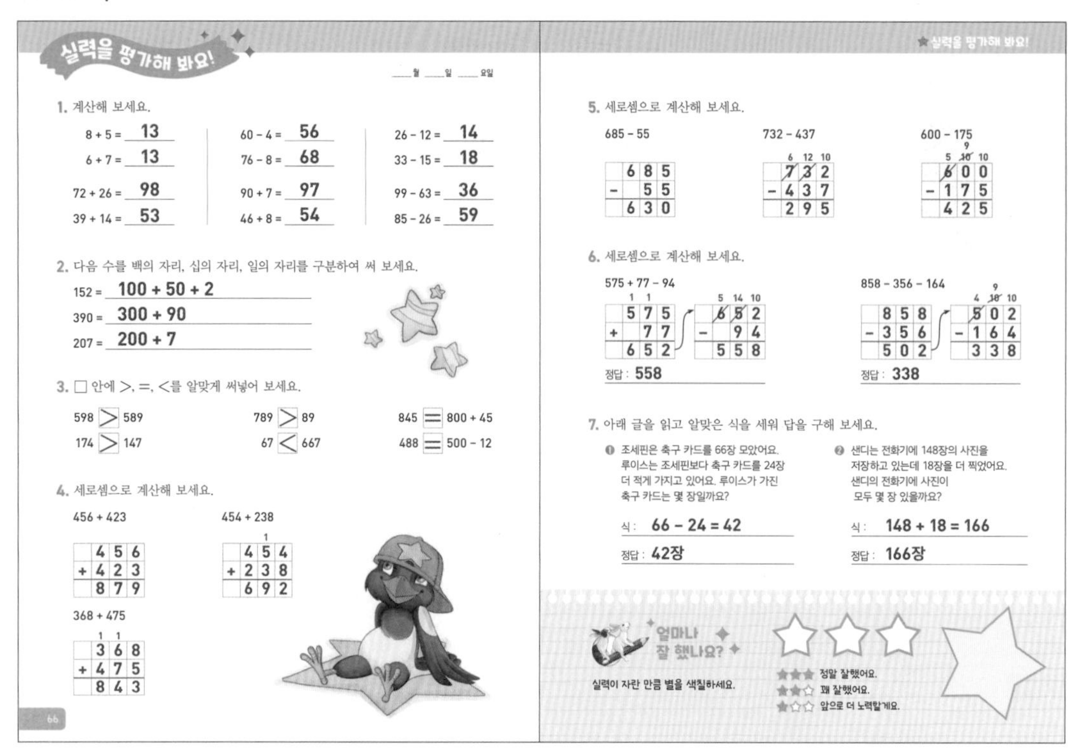

실력을 평가해 봐요!

___월 ___일 ___요일

1. 계산해 보세요.

8 + 5 = 13 | 6 + 7 = 13 | 72 + 26 = 98 | 39 + 14 = 53

60 − 4 = 56 | 76 − 8 = 68 | 90 + 7 = 97 | 46 + 8 = 54

26 − 12 = 14 | 33 − 15 = 18 | 99 − 63 = 36 | 85 − 26 = 59

2. 다음 수를 백의 자리, 십의 자리, 일의 자리를 구분하여 써 보세요.

152 = 100 + 50 + 2

390 = 300 + 90

207 = 200 + 7

3. □ 안에 >, =, <를 알맞게 써넣어 보세요.

598 > 589 | 789 > 89 | 845 = 800 + 45

174 > 147 | 67 < 667 | 488 = 500 − 12

4. 세로셈으로 계산해 보세요.

456 + 423 = 879

454 + 238 = 692

368 + 475 = 843

5. 세로셈으로 계산해 보세요.

685 − 55 = 630

732 − 437 = 295

600 − 175 = 425

6. 세로셈으로 계산해 보세요.

575 + 77 − 94: 575 + 77 = 652, 652 − 94 = 558

정답 : 558

858 − 356 − 164: 858 − 356 = 502, 502 − 164 = 338

정답 : 338

7. 아래 글을 읽고 알맞은 식을 세워 답을 구해 보세요.

❶ 조세핀은 축구 카드를 66장 모았어요. 루이스는 조세핀보다 축구 카드를 24장 더 적게 가지고 있어요. 루이스가 가진 축구 카드는 몇 장일까요?

식 : 66 − 24 = 42

정답 : 42장

❷ 샌디는 전화기에 148장의 사진을 저장하고 있는데 18장을 더 찍었어요. 샌디의 전화기에 사진이 모두 몇 장 있을까요?

식 : 148 + 18 = 166

정답 : 166장

얼마나 잘 했나요?

실력이 자란 만큼 별을 색칠하세요.

★★★ 정말 잘했어요.
★★☆ 꽤 잘했어요.
★☆☆ 앞으로 더 노력할게요.

68-69쪽

단원 평가

1 계산해 보세요.

15 + 9 = 24
13 + 7 = 20
18 + 7 = 25
17 + 4 = 21
16 + 6 = 22
14 + 8 = 22
17 + 9 = 26
19 + 9 = 28

2 규칙에 따라 빈칸에 알맞은 수를 써넣어 보세요.

742	741	740	739	738	737	736
600	595	590	585	580	575	570

스스로 규칙을 정하고 그 규칙에 맞게 알맞은 수를 써넣어 보세요.

3 빈칸에 알맞은 수를 써넣어 보세요.

90 + 100 = 190 | 60 + 80 = 140
210 + 130 = 340 | 100 + 139 = 239
150 − 75 = 75 | 230 − 50 = 180
310 − 65 = 245 | 180 − 120 = 60

4 >, =, <중 알맞은 것을 빈칸에 써넣어 보세요.

540 > 450 | 110 > 101
303 < 330 | 150 = 100 + 50
500 > 55 | 235 = 250 − 15

5 세로셈으로 계산해 보세요.

429 + 257 = 686
530 − 418 = 112
306 − 217 = 89
500 − 147 = 353

6 계산해 보세요.

500 + 10 + 4 = 514
300 + 70 + 2 = 372
800 + 1 = 801
600 + 40 = 640

7 그림을 보고 점수를 계산해 보세요. 몇 점일까요?

5점 | 14점 | 16 점 또는 24점

68쪽 2번

내 마음대로 규칙을 만들 때 점점 커질지 아니면 점점 작아질지, 또 얼마씩 뛰어 세기 할지 정한 후 수를 써 가면 된답니다.

69쪽 7번

마지막 그림이 16점인 경우

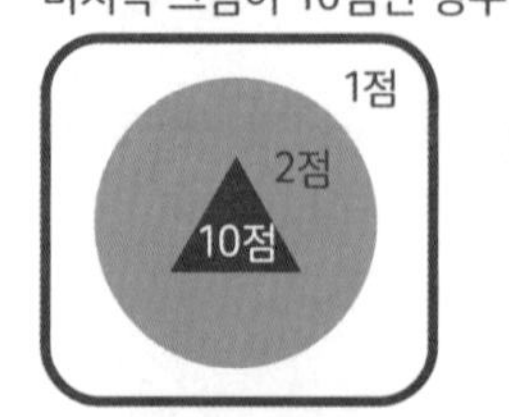

마지막 그림이 24점인 경우

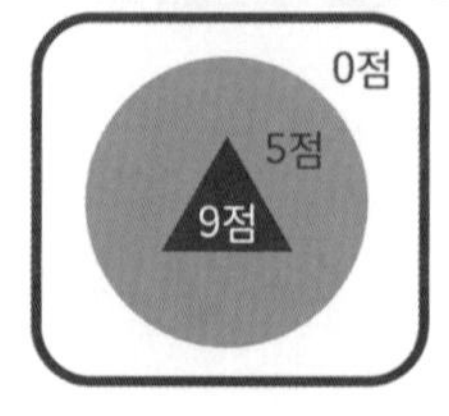

0-71쪽

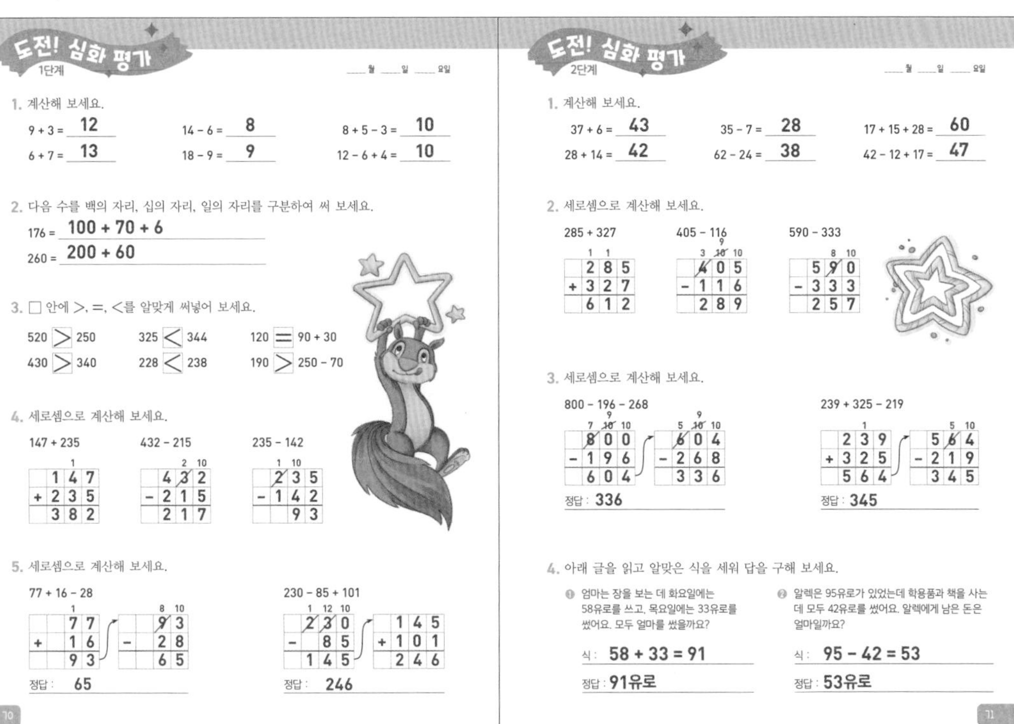

도전! 심화 평가 1단계

___월 ___일 ___요일

1. 계산해 보세요.

9 + 3 = 12　　14 - 6 = 8　　8 + 5 - 3 = 10

6 + 7 = 13　　18 - 9 = 9　　12 - 6 + 4 = 10

2. 다음 수를 백의 자리, 십의 자리, 일의 자리를 구분하여 써 보세요.

176 = 100 + 70 + 6

260 = 200 + 60

3. □ 안에 >, =, <를 알맞게 써넣어 보세요.

520 > 250　　325 < 344　　120 = 90 + 30

430 > 340　　228 < 238　　190 > 250 - 70

4. 세로셈으로 계산해 보세요.

147 + 235 = 382　　432 - 215 = 217　　235 - 142 = 93

5. 세로셈으로 계산해 보세요.

77 + 16 - 28: 77 + 16 = 93, 93 - 28 = 65　정답: 65

230 - 85 + 101: 230 - 85 = 145, 145 + 101 = 246　정답: 246

도전! 심화 평가 2단계

___월 ___일 ___요일

1. 계산해 보세요.

37 + 6 = 43　　35 - 7 = 28　　17 + 15 + 28 = 60

28 + 14 = 42　　62 - 24 = 38　　42 - 12 + 17 = 47

2. 세로셈으로 계산해 보세요.

285 + 327 = 612　　405 - 116 = 289　　590 - 333 = 257

3. 세로셈으로 계산해 보세요.

800 - 196 - 268: 800 - 196 = 604, 604 - 268 = 336　정답: 336

239 + 325 - 219: 239 + 325 = 564, 564 - 219 = 345　정답: 345

4. 아래 글을 읽고 알맞은 식을 세워 답을 구해 보세요.

❶ 엄마는 장을 보는 데 화요일에는 58유로를 쓰고, 목요일에는 33유로를 썼어요. 모두 얼마를 썼을까요?

식: 58 + 33 = 91　정답: 91유로

❷ 알렉은 95유로가 있었는데 학용품과 책을 사는 데 모두 42유로를 썼어요. 알렉에게 남은 돈은 얼마일까요?

식: 95 - 42 = 53　정답: 53유로

70　71

2-73쪽

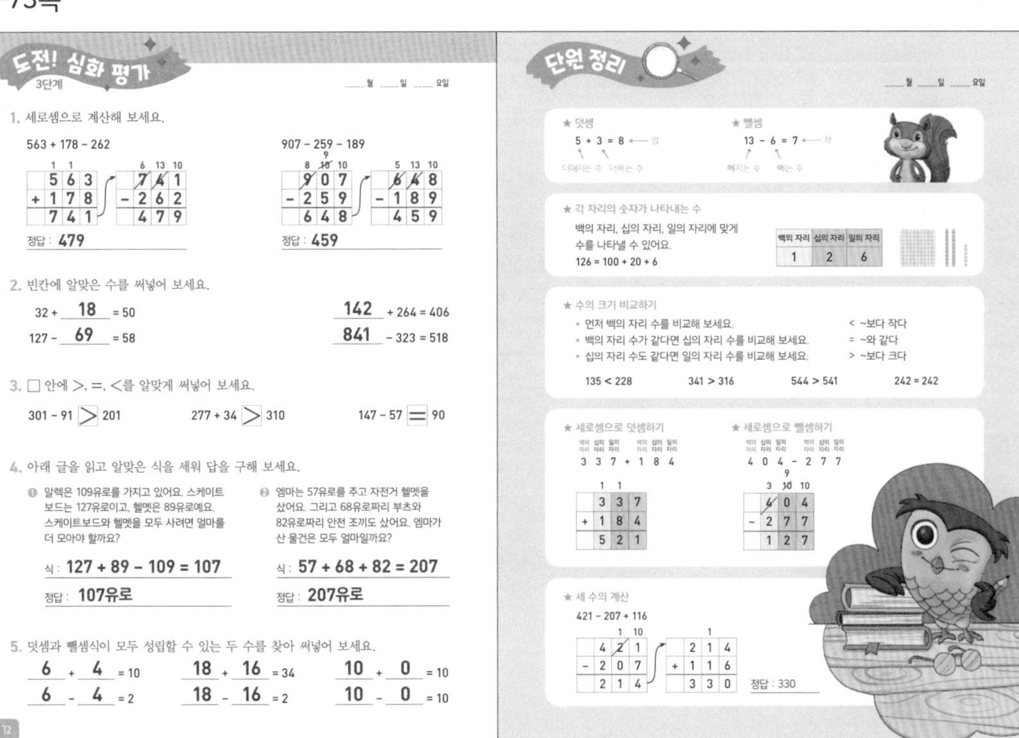

도전! 심화 평가 3단계

___월 ___일 ___요일

1. 세로셈으로 계산해 보세요.

563 + 178 - 262: 563 + 178 = 741, 741 - 262 = 479　정답: 479

907 - 259 - 189: 907 - 259 = 648, 648 - 189 = 459　정답: 459

2. 빈칸에 알맞은 수를 써넣어 보세요.

32 + 18 = 50　　142 + 264 = 406

127 - 69 = 58　　841 - 323 = 518

3. □ 안에 >, =, <를 알맞게 써넣어 보세요.

301 - 91 > 201　　277 + 34 > 310　　147 - 57 = 90

4. 아래 글을 읽고 알맞은 식을 세워 답을 구해 보세요.

❶ 알렉은 109유로를 가지고 있어요. 스케이트보드는 127유로이고, 헬멧은 89유로예요. 스케이트보드와 헬멧을 모두 사려면 얼마를 더 모아야 할까요?

식: 127 + 89 - 109 = 107　정답: 107유로

❷ 엄마는 57유로를 주고 자전거 헬멧을 샀어요. 그리고 68유로짜리 부츠와 82유로짜리 안전 조끼도 샀어요. 엄마가 산 물건은 모두 얼마일까요?

식: 57 + 68 + 82 = 207　정답: 207유로

5. 덧셈과 뺄셈식이 모두 성립할 수 있는 두 수를 찾아 써넣어 보세요.

6 + 4 = 10　　18 + 16 = 34　　10 + 0 = 10

6 - 4 = 2　　18 - 16 = 2　　10 - 0 = 10

72

단원 정리

___월 ___일 ___요일

★ 덧셈: 5 + 3 = 8 ← 합 (더해지는 수, 더하는 수)

★ 뺄셈: 13 - 6 = 7 ← 차 (빼지는 수, 빼는 수)

★ 각 자리의 숫자가 나타내는 수

백의 자리, 십의 자리, 일의 자리에 맞게 수를 나타낼 수 있어요.

126 = 100 + 20 + 6

백의 자리	십의 자리	일의 자리
1	2	6

★ 수의 크기 비교하기

- 먼저 백의 자리 수를 비교해 보세요.
- 백의 자리 수가 같다면 십의 자리 수를 비교해 보세요.
- 십의 자리 수도 같다면 일의 자리 수를 비교해 보세요.

< ~보다 작다　= ~와 같다　> ~보다 크다

135 < 228　　341 > 316　　544 > 541　　242 = 242

★ 세로셈으로 덧셈하기: 337 + 184 = 521

★ 세로셈으로 뺄셈하기: 404 - 277 = 127

★ 세 수의 계산

421 - 207 + 116: 421 - 207 = 214, 214 + 116 = 330　정답: 330

74-75쪽

___월 ___일 ___요일

13 덧셈과 곱셈의 관계

더하는 수
4 + 4 + 4 = 12 ← 합
4 × 3 = 12 ← 곱
곱해지는 수 곱하는 수

1. 주사위 눈을 보고 덧셈식과 곱셈식으로 나타내 계산해 보세요.

5 + 5 + 5 = 15
5 × 3 = 15

2 + 2 + 2 = 6
2 × 3 = 6

4 + 4 + 4 = 12
4 × 3 = 12

5 + 5 + 5 + 5 = 20
5 × 4 = 20

5 + 5 + 5 + 5 + 5 = 25
5 × 5 = 25

4 + 4 + 4 + 4 = 16
4 × 4 = 16

74

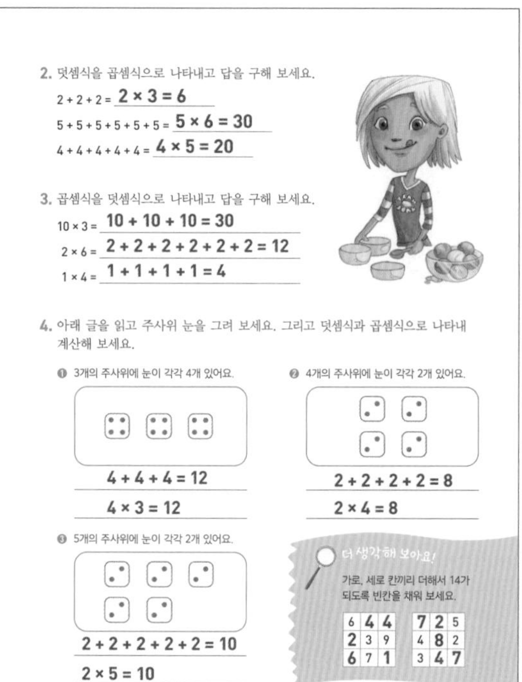

2. 덧셈식을 곱셈식으로 나타내고 답을 구해 보세요.

2 + 2 + 2 = 2 × 3 = 6
5 + 5 + 5 + 5 + 5 + 5 = 5 × 6 = 30
4 + 4 + 4 + 4 + 4 = 4 × 5 = 20

3. 곱셈식을 덧셈식으로 나타내고 답을 구해 보세요.

10 × 3 = 10 + 10 + 10 = 30
2 × 6 = 2 + 2 + 2 + 2 + 2 + 2 = 12
1 × 4 = 1 + 1 + 1 + 1 = 4

4. 아래 글을 읽고 주사위 눈을 그려 보세요. 그리고 덧셈식과 곱셈식으로 나타내 계산해 보세요.

❶ 3개의 주사위에 눈이 각각 4개 있어요.
4 + 4 + 4 = 12
4 × 3 = 12

❷ 4개의 주사위에 눈이 각각 2개 있어요.
2 + 2 + 2 + 2 = 8
2 × 4 = 8

❸ 5개의 주사위에 눈이 각각 2개 있어요.
2 + 2 + 2 + 2 + 2 = 10
2 × 5 = 10

더 생각해 보아요!
가로, 세로 칸끼리 더해서 14가 되도록 빈칸을 채워 보세요.

6	4	4
2	3	9
6	7	1

7	2	5
4	8	2
3	4	7

75

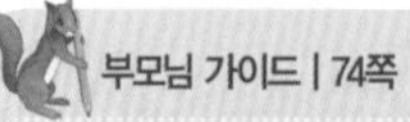

한국, 인도 등 몇몇 나라에서만 구구단을 외우고 그 외 나라에서는 구구단 암기를 중요하게 생각하지 않아요. 대신 구구단 원리를 익히는 데 집중하지요. 구구단의 원리를 알면 암기가 필요 없기 때문이에요.
4+4+4=12, 4×3=12에서 4는 단위가 돼요. 4씩 3개가 있다는 것을 식으로 나타내면 4×3=12예요.
구구단에서 단위가 아주 중요해요. 이 단위가 몇 개 있는가를 곱셈으로 나타내기 때문이에요.
더 나아가 분자가 1인 분수, 예를 들어 $\frac{1}{4}$, $\frac{1}{5}$ 등을 단위분수라고 하는데 $\frac{3}{4}$은 $\frac{1}{4}$을 단위로 해서 3개가 있는 것이지요. 이렇게 단위를 파악하면 수학을 이해하는 데 큰 도움이 된답니다.

76-77쪽

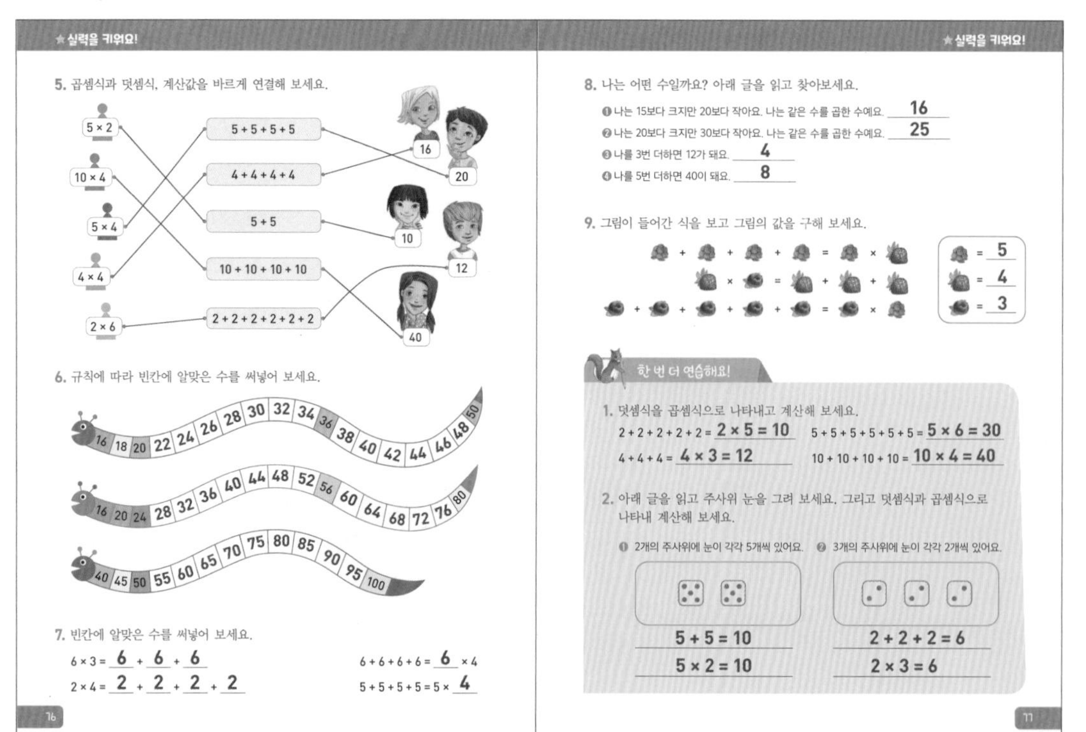

★실력을 키워요!

5. 곱셈식과 덧셈식, 계산값을 바르게 연결해 보세요.

5 × 2 — 5 + 5 — 10
10 × 4 — 10 + 10 + 10 + 10 — 40
5 × 4 — 5 + 5 + 5 + 5 — 20
4 × 4 — 4 + 4 + 4 + 4 — 16
2 × 6 — 2 + 2 + 2 + 2 + 2 + 2 — 12

6. 규칙에 따라 빈칸에 알맞은 수를 써넣어 보세요.

16, 18, 20, 22, 24, 26, 28, 30, 32, 34, 36, 38, 40, 42, 44, 46, 48, 50
16, 20, 24, 28, 32, 36, 40, 44, 48, 52, 56, 60, 64, 68, 72, 76, 80
40, 45, 50, 55, 60, 65, 70, 75, 80, 85, 90, 95, 100

7. 빈칸에 알맞은 수를 써넣어 보세요.

6 × 3 = 6 + 6 + 6
2 × 4 = 2 + 2 + 2 + 2
6 + 6 + 6 + 6 = 6 × 4
5 + 5 + 5 + 5 = 5 × 4

76

★실력을 키워요!

8. 나는 어떤 수일까요? 아래 글을 읽고 찾아보세요.

❶ 나는 15보다 크지만 20보다 작아요. 나는 같은 수를 곱한 수예요. 16
❷ 나는 20보다 크지만 30보다 작아요. 나는 같은 수를 곱한 수예요. 25
❸ 나를 3번 더하면 12가 돼요. 4
❹ 나를 5번 더하면 40이 돼요. 8

9. 그림이 들어간 식을 보고 그림의 값을 구해 보세요.

= 5
= 4
= 3

한 번 더 연습해요!

1. 덧셈식을 곱셈식으로 나타내고 계산해 보세요.

2 + 2 + 2 + 2 + 2 = 2 × 5 = 10
5 + 5 + 5 + 5 + 5 + 5 = 5 × 6 = 30
4 + 4 + 4 = 4 × 3 = 12
10 + 10 + 10 + 10 = 10 × 4 = 40

2. 아래 글을 읽고 주사위 눈을 그려 보세요. 그리고 덧셈식과 곱셈식으로 나타내 계산해 보세요.

❶ 2개의 주사위에 눈이 각각 5개씩 있어요.
5 + 5 = 10
5 × 2 = 10

❷ 3개의 주사위에 눈이 각각 2개씩 있어요.
2 + 2 + 2 = 6
2 × 3 = 6

77

77쪽 8번

❶ 4×4=16
❷ 5×5=25
❸ 4+4+4=12, 4×3=12
❹ 8+8+8+8+8=40, 8×5=4

77쪽 9번

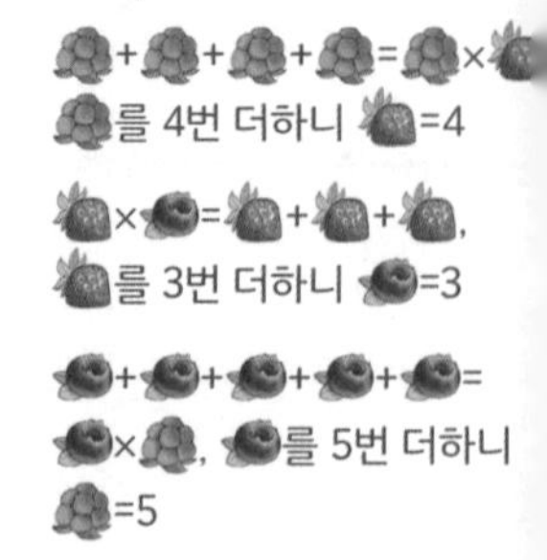

78-79쪽

____월 ____일 ____요일

14 5단과 10단

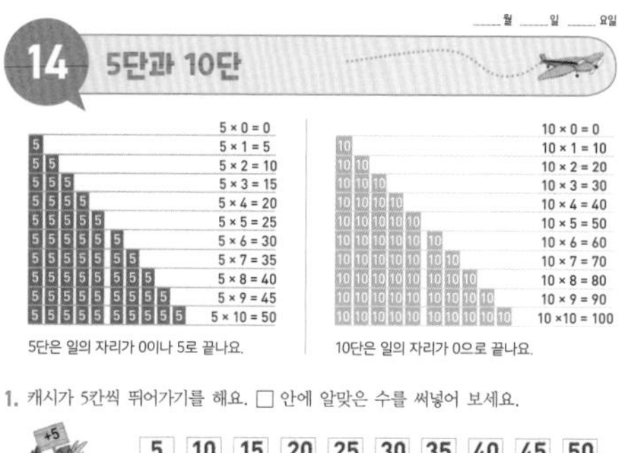

5 × 0 = 0
5 × 1 = 5
5 × 2 = 10
5 × 3 = 15
5 × 4 = 20
5 × 5 = 25
5 × 6 = 30
5 × 7 = 35
5 × 8 = 40
5 × 9 = 45
5 × 10 = 50
10 × 0 = 0
10 × 1 = 10
10 × 2 = 20
10 × 3 = 30
10 × 4 = 40
10 × 5 = 50
10 × 6 = 60
10 × 7 = 70
10 × 8 = 80
10 × 9 = 90
10 × 10 = 100

5단은 일의 자리가 0이나 5로 끝나요. 10단은 일의 자리가 0으로 끝나요.

1. 캐시가 5칸씩 뛰어가기를 해요. □ 안에 알맞은 수를 써넣어 보세요.

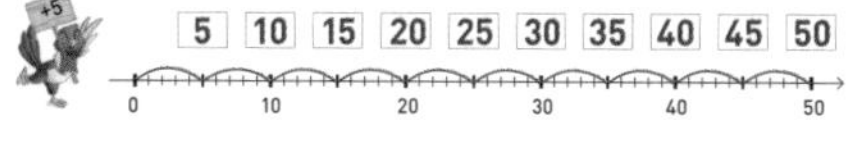

2. 계산해 보세요.

5 × 2 = 10　5 × 3 = 15　5 × 4 = 20　5 × 5 = 25
5 × 4 = 20　5 × 6 = 30　5 × 8 = 40　5 × 10 = 50

3. 캐시가 10칸씩 뛰어가기를 해요. □ 안에 알맞은 수를 써넣어 보세요.

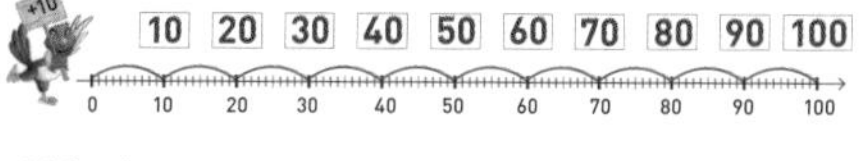

4. 계산해 보세요.

10 × 2 = 20　10 × 3 = 30　10 × 4 = 40　10 × 5 = 50
10 × 4 = 40　10 × 6 = 60　10 × 8 = 80　10 × 10 = 100

78

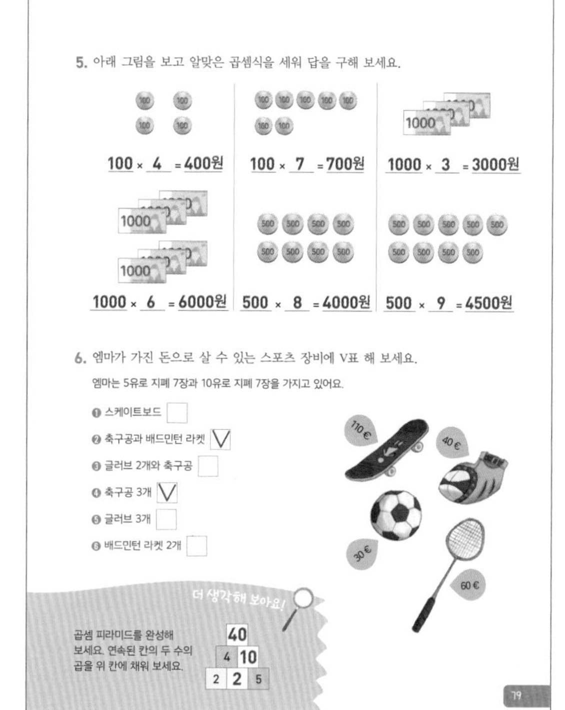

5. 아래 그림을 보고 알맞은 곱셈식을 세워 답을 구해 보세요.
100 × 4 = 400원
100 × 7 = 700원
1000 × 3 = 3000원
1000 × 6 = 6000원
500 × 8 = 4000원
500 × 9 = 4500원
6. 엠마가 가진 돈으로 살 수 있는 스포츠 장비에 V표 해 보세요.
엠마는 5유로 지폐 7장과 10유로 지폐 7장을 가지고 있어요.
❶ 스케이트보드
❷ 축구공과 배드민턴 라켓 V
❸ 글러브 2개와 축구공
❹ 축구공 3개 V
❺ 글러브 3개
❻ 배드민턴 라켓 2개
110 €
40 €
30 €
60 €
더 생각해 보아요!
곱셈 피라미드를 완성해 보세요. 연속된 칸의 두 수의 곱을 위 칸에 채워 보세요.
40
4 10
2 2 5

79

부모님 가이드 | 78쪽

예로부터 수를 셀 때 우리 몸과 관련된 것을 중심으로 세었기 때문에 다섯 손가락의 5단과, 두 손의 손가락을 모두 합한 10단은 구구단에서 가장 쉽게 익힐 수 있어요. 5단의 특징은 5와 0이 계속 반복되고, 10단의 특징은 1단에 0만 붙이면 되니까요. 0단부터 시작하면 0을 곱하면 0이 된다는 것을 바로 알 수 있어요.

79쪽 6번

5유로×7=35유로
10유로×7=70유로
35+70=105유로
구입하는 물건값을 더했을 때 105유로가 넘지 않으면 돼요.

80-81쪽

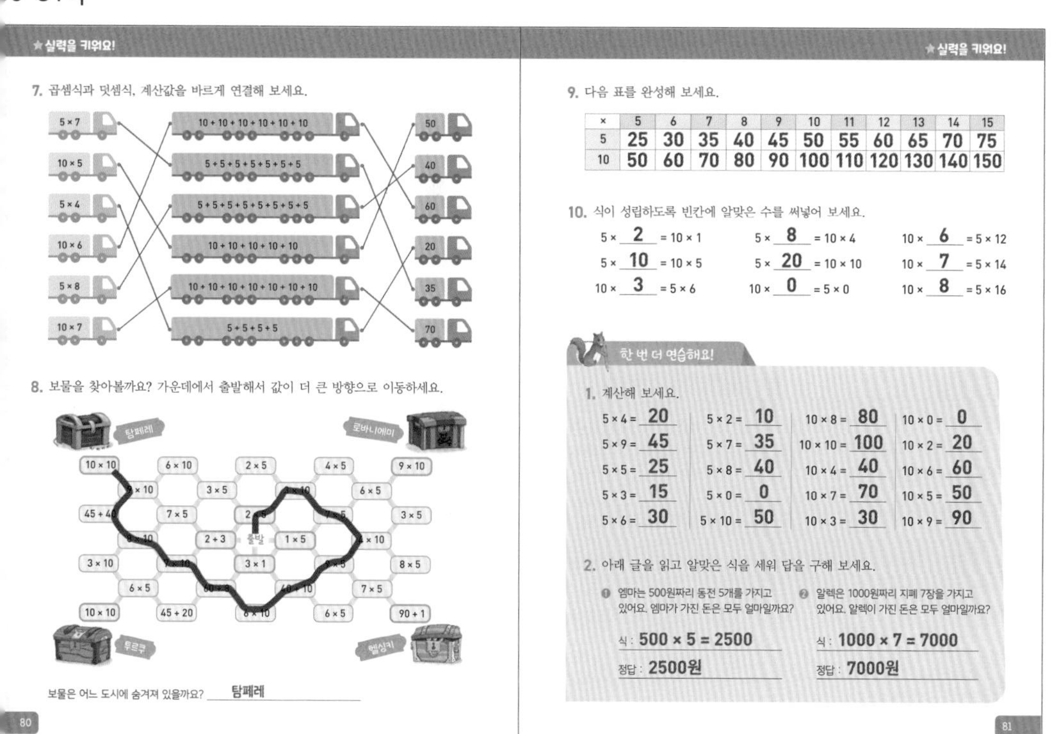

실력을 키워요!
7. 곱셈식과 덧셈식, 계산값을 바르게 연결해 보세요.
8. 보물을 찾아볼까요? 가운데에서 출발해서 값이 더 큰 방향으로 이동하세요.
보물은 어느 도시에 숨겨져 있을까요? 탐페레
9. 다음 표를 완성해 보세요.
10. 식이 성립하도록 빈칸에 알맞은 수를 써넣어 보세요.
5 × 2 = 10 × 1
5 × 10 = 10 × 5
10 × 3 = 5 × 6
5 × 8 = 10 × 4
5 × 20 = 10 × 10
10 × 0 = 5 × 0
10 × 6 = 5 × 12
10 × 7 = 5 × 14
10 × 8 = 5 × 16
한 번 더 연습해요!
1. 계산해 보세요.
2. 아래 글을 읽고 알맞은 식을 세워 답을 구해 보세요.
식: 500 × 5 = 2500
정답: 2500원
식: 1000 × 7 = 7000
정답: 7000원
80
81

82-83쪽

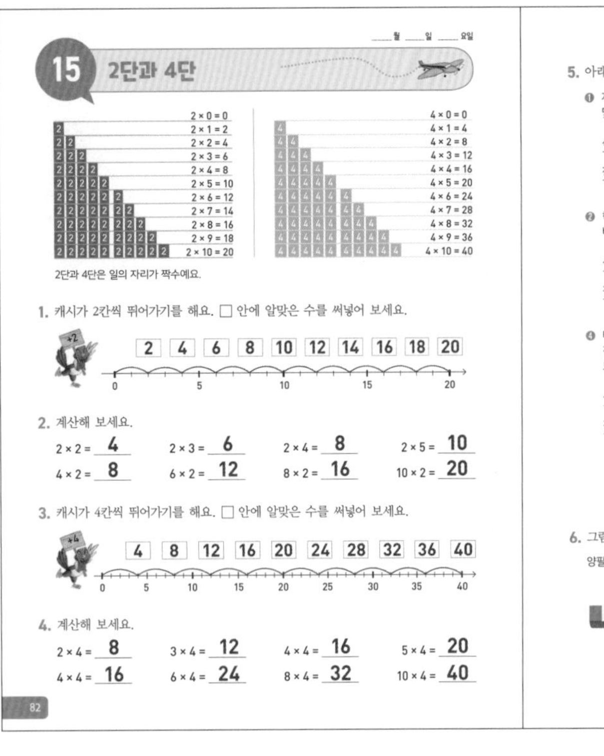

___월 ___일 ___요일

15 2단과 4단

2단	4단
2 × 0 = 0	4 × 0 = 0
2 × 1 = 2	4 × 1 = 4
2 × 2 = 4	4 × 2 = 8
2 × 3 = 6	4 × 3 = 12
2 × 4 = 8	4 × 4 = 16
2 × 5 = 10	4 × 5 = 20
2 × 6 = 12	4 × 6 = 24
2 × 7 = 14	4 × 7 = 28
2 × 8 = 16	4 × 8 = 32
2 × 9 = 18	4 × 9 = 36
2 × 10 = 20	4 × 10 = 40

2단과 4단은 일의 자리가 짝수예요.

1. 캐시가 2칸씩 뛰어가기를 해요. □ 안에 알맞은 수를 써넣어 보세요.

2 4 6 8 10 12 14 16 18 20

2. 계산해 보세요.

2 × 2 = 4 2 × 3 = 6 2 × 4 = 8 2 × 5 = 10
4 × 2 = 8 6 × 2 = 12 8 × 2 = 16 10 × 2 = 20

3. 캐시가 4칸씩 뛰어가기를 해요. □ 안에 알맞은 수를 써넣어 보세요.

4 8 12 16 20 24 28 32 36 40

4. 계산해 보세요.

2 × 4 = 8 3 × 4 = 12 4 × 4 = 16 5 × 4 = 20
4 × 4 = 16 6 × 4 = 24 8 × 4 = 32 10 × 4 = 40

82

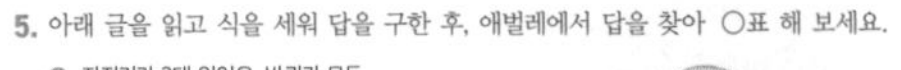

5. 아래 글을 읽고 식을 세워 답을 구한 후, 애벌레에서 답을 찾아 ○표 해 보세요.

❶ 자전거가 3대 있어요. 바퀴가 모두 몇 개일까요?
식: 2 × 3 = 6
정답: 6개

❷ 학교 주차장에 자동차가 9대 있어요. 바퀴는 모두 몇 개일까요?
식: 4 × 9 = 36
정답: 36개

❸ 까치 6마리가 선생님 차의 지붕에 앉았어요. 까치 6마리의 다리는 모두 몇 개일까요?
식: 2 × 6 = 12
정답: 12개

❹ 타이어를 교체하기 위해 자동차 7대가 정비소에 운송되었어요. 교체된 타이어는 모두 몇 개일까요?
식: 4 × 7 = 28
정답: 28개

❺ 자전거 주차대가 5개 있어요. 각 주차대에 4대의 자전거를 주차할 수 있어요. 주차대에 주차할 수 있는 자전거는 모두 몇 대일까요?
식: 4 × 5 = 20
정답: 20대

(6) (12) 18 (20) 24 (28) (36)

6. 그림이 들어간 식을 보고 그림의 값을 구해 보세요.
양팔 저울이 수평을 이루고 있어요. 색깔이 같은 건 같은 값을 가져요.

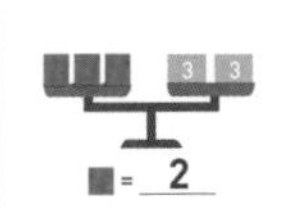
■ = 5

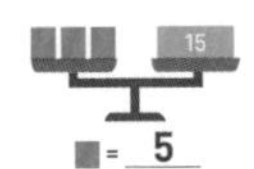
■ = 2

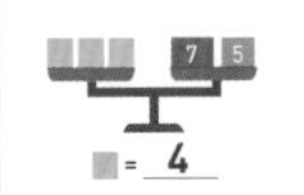
■ = 4

83

부모님 가이드 | 82쪽

2단은 짝수이고 일상생활에서 짝으로 된 것이 많아 익숙한 수예요. 또한 개수를 셀 때 2, 4, 6… 으로 세는 것이 더 빠르기 때문에 2단은 아주 많이 쓰이지요.
4단은 2단의 2배로 이루어진 수랍니다.

83쪽 6번

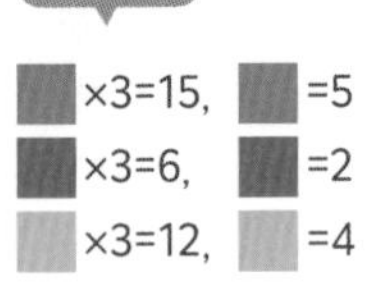

84-85쪽

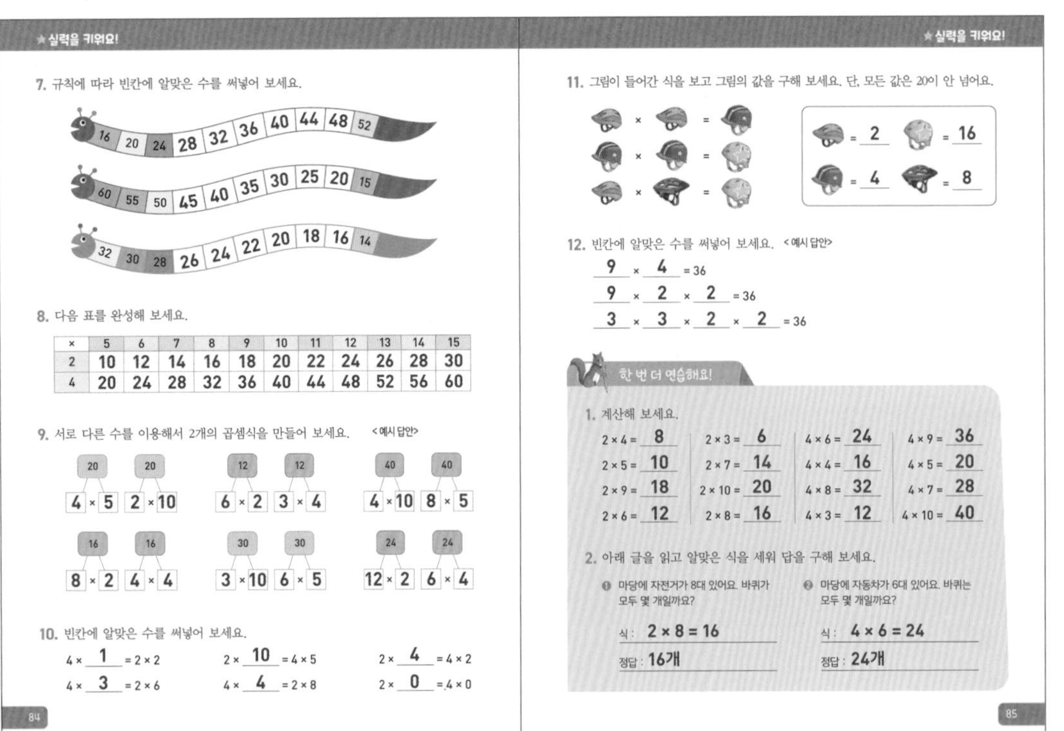

★실력을 키워요!

7. 규칙에 따라 빈칸에 알맞은 수를 써넣어 보세요.

16 20 24 28 32 36 40 44 48 52
60 55 50 45 40 35 30 25 20 15
32 30 28 26 24 22 20 18 16 14

8. 다음 표를 완성해 보세요.

×	5	6	7	8	9	10	11	12	13	14	15
2	10	12	14	16	18	20	22	24	26	28	30
4	20	24	28	32	36	40	44	48	52	56	60

9. 서로 다른 수를 이용해서 2개의 곱셈식을 만들어 보세요. <예시 답안>

20: 4 × 5, 2 × 10
12: 6 × 2, 3 × 4
40: 4 × 10, 8 × 5
16: 8 × 2, 4 × 4
30: 3 × 10, 6 × 5
24: 12 × 2, 6 × 4

10. 빈칸에 알맞은 수를 써넣어 보세요.

4 × 1 = 2 × 2 2 × 10 = 4 × 5 2 × 4 = 4 × 2
4 × 3 = 2 × 6 4 × 4 = 2 × 8 2 × 0 = 4 × 0

84

★실력을 키워요!

11. 그림이 들어간 식을 보고 그림의 값을 구해 보세요. 단, 모든 값은 20이 안 넘어요.

= 2 = 16
= 4 = 8

12. 빈칸에 알맞은 수를 써넣어 보세요. <예시 답안>

9 × 4 = 36
9 × 2 × 2 = 36
3 × 3 × 2 × 2 = 36

한 번 더 연습해요!

1. 계산해 보세요.

2 × 4 = 8 2 × 3 = 6 4 × 6 = 24 4 × 9 = 36
2 × 5 = 10 2 × 7 = 14 4 × 4 = 16 4 × 5 = 20
2 × 9 = 18 2 × 10 = 20 4 × 8 = 32 4 × 7 = 28
2 × 6 = 12 2 × 8 = 16 4 × 3 = 12 4 × 10 = 40

2. 아래 글을 읽고 알맞은 식을 세워 답을 구해 보세요.

❶ 마당에 자전거가 8대 있어요. 바퀴가 모두 몇 개일까요?
식: 2 × 8 = 16
정답: 16개

❷ 마당에 자동차가 6대 있어요. 바퀴는 모두 몇 개일까요?
식: 4 × 6 = 24
정답: 24개

85

84쪽 9번

여러 가지 답이 나올 수 있어요. 예를 들어 두 수를 곱해 24가 나오려면 1×24, 2×12, 3×8, 4×6, 6×4, 8×3, 12×2, 24×1 모두 가능해요. 문제에는 2가지만 구해 보라고 하지만 나오는 경우를 모두 구하는 것이 좋아요. 답을 구하는 것보다 수학적 구조를 파악하는 것이 수학 실력을 키우는 데 좋기 때문이지요.

85쪽 11번

간단한 수부터 넣어 퍼즐을 맞추듯 풀어 가는 것이 좋아요. 작은 수인 1이나 2부터 넣어 가며 식을 채워 나가면 좋은데 1은 곱해도 1이 나오므로 2부터 넣어 보세요.

×=, =2를 넣으면
2×2=4, =4
×=, 4×4=16,
=16
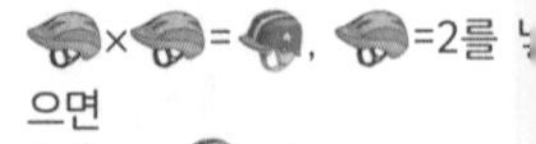
×=, 2×=16
=8

6-87쪽

___월 ___일 ___요일

15 3단

1. 캐시가 3칸씩 뛰어가기를 해요. □ 안에 알맞은 수를 써넣어 보세요.

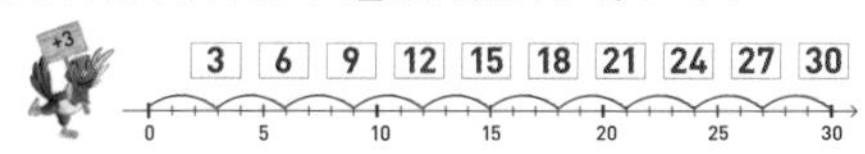

2. 3씩 뛰어 세기 한 수에 O표 해 보세요.

1	2	(3)	4	5	(6)	7	8	(9)	10
11	(12)	13	14	(15)	16	17	(18)	19	20
(21)	22	23	(24)	25	26	(27)	28	29	(30)
31	32	(33)	34	35	(36)	37	38	(39)	40
41	(42)	43	44	(45)	46	47	(48)	49	50

3. 계산해 보세요.

3 × 2 = 6 3 × 3 = 9 3 × 4 = 12 3 × 5 = 15

3 × 4 = 12 3 × 6 = 18 3 × 8 = 24 3 × 10 = 30

4. 아래 글을 읽고 식을 세워 답을 구한 후, 애벌레에서 답을 찾아 ○표 해 보세요.

① 학생들이 3명씩 6모둠 있어요. 학생들은 모두 몇 명일까요?

식 : 3 × 6 = 18

정답 : 18명

② 학생 4명이 각자 3번씩 멀리뛰기를 했어요. 학생들은 멀리뛰기를 모두 몇 번 했을까요?

식 : 3 × 4 = 12

정답 : 12번

③ 학생 8명이 각자 3번씩 팔 벌려 뛰기를 했어요. 학생들은 팔 벌려 뛰기를 모두 몇 번 했을까요?

식 : 3 × 8 = 24

정답 : 24번

④ 학생 7명이 각자 3번씩 한 발로 뛰기를 했어요. 학생들은 한 발로 뛰기를 모두 몇 번 했을까요?

식 : 3 × 7 = 21

정답 : 21번

⑤ 학생 9명이 스쿼트를 각자 3번씩 했어요. 학생들은 스쿼트를 모두 몇 번 했을까요?

식 : 3 × 9 = 27

정답 : 27번

⑥ 학생 5명이 전력 달리기를 각자 3번씩 달렸어요. 학생들은 전력 달리기를 모두 몇 번 했을까요?

식 : 3 × 5 = 15

정답 : 15번

(12) (15) (18) 20 (21) (24) (27) 36

5. 계산해 보세요.

3 × 11 = 33 3 × 13 = 39

3 × 14 = 42 3 × 16 = 48

더 생각해 보아요!

v × v = 3, t × t = 2, j × j = 4일 때
다음 곱셈식을 계산해 보세요.

v × v × v × v = 9 t × t × j × j = 8

v × v × t × t = 6 j × j × t × t × v × v = 24

부모님 가이드 | 86쪽

3단을 익힐 때는 삼각형을 그리면서 삼각형의 개수가 1개씩 늘어날 때마다 변의 수가 어떻게 늘어나는지를 함께 비교해 보는 것도 좋아요.

더 생각해 보아요! | 87쪽

v×v×v×v=3×3=9

t×t×j×j=2×4=8

v×v×t×t=3×2=6

j×j×t×t×v×v=4×2×3=24

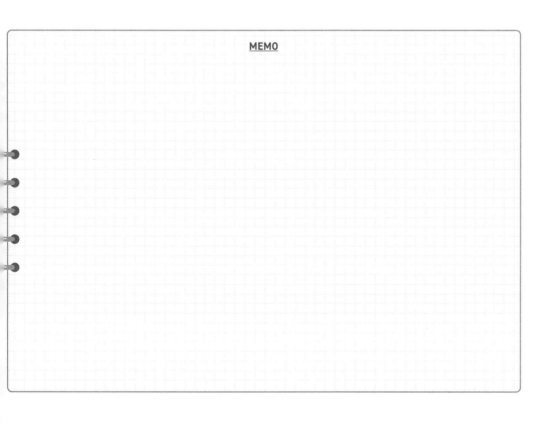

88-89쪽

6. 규칙에 따라 빈칸에 알맞은 수를 써넣어 보세요.

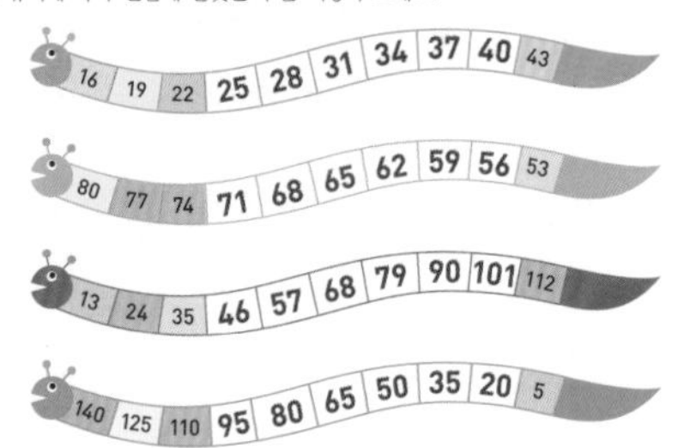

7. 암산으로 다음 표를 완성해 보세요.

배드민턴 코트 예약 비용은 3유로예요. 알렉이 매달 배드민턴 코트 예약으로 쓴 돈은 얼마일까요?

월	배드민턴 코트 예약 횟수	가격
8월	5	15유로
9월	3	9유로
10월	2	6유로
11월	4	12유로
12월	7	21유로

8. 빈칸에 알맞은 수를 써넣어 보세요.

3 × 2 = 6 × 1
3 × 4 = 6 × 2
3 × 6 = 9 × 2

3 × 8 = 6 × 4
3 × 0 = 0 × 5
3 × 10 = 6 × 5

3 × 9 = 3 × 3 × 3
3 × 12 = 9 × 4
3 × 14 = 7 × 3 × 2

9. 아래 글을 읽고 친구들의 이름, 학년, 가지고 있는 카드 개수를 알아맞혀 보세요.

이름	쉘리	마리안	네타	에밀리
카드 개수	8장	5장	4장	10장
학년	3학년	3학년	4학년	5학년

1. 마리안은 쉘리와 네타 사이에 있어요.
2. 4학년 학생이 카드를 4장 가지고 있어요.
3. 에밀리는 쉘리보다 카드를 2장 더 가지고 있어요.
4. 에밀리는 5학년이며 맨 오른쪽에 있어요.
5. 쉘리는 에밀리 옆에 있지 않아요.
6. 쉘리는 3학년이며 또 다른 3학년 학생 옆에 있어요.
7. 쉘리는 네타보다 카드를 2배 더 많이 가지고 있어요.
8. 쉘리 옆에 있는 여학생은 에밀리가 가진 카드 수의 절반을 가지고 있어요.

한 번 더 연습해요!

1. 계산해 보세요.

3 × 5 = 15　　3 × 6 = 18　　3 × 2 × 10 = 60
3 × 4 = 12　　3 × 10 = 30　　3 × 5 × 2 = 30

2. 아래 글을 읽고 알맞은 식을 세워 답을 구해 보세요.

① 수영장 입장료는 3유로예요. 알렉의 엄마는 수영을 4번 하러 가요. 알렉의 엄마가 입장료로 내는 돈은 모두 얼마일까요?

식: 3 × 4 = 12
정답: 12유로

② 테니스 경기 비용은 10유로예요. 엄마의 아빠는 테니스 경기를 5번 해요. 엄마의 아빠가 테니스 경기에 내는 돈은 모두 얼마일까요?

식: 10 × 5 = 50
정답: 50유로

MEMO

89쪽 9번

④에밀리는 5학년이며 맨 오른쪽에 있어요.

이름				에밀리
카드 개수				
학년				5학년

①마리안은 쉘리와 네타 사이에 있어요.

⑤쉘리는 에밀리 옆에 있지 않아요.→마리안이 중간에 있어야 하므로 쉘리는 맨 앞이에요.

⑥쉘리는 3학년이며 또 다른 3학년 학생 옆에 있어요.

이름	쉘리	마리안	네타	에밀리
카드 개수				
학년	3학년	3학년		5학년

②4학년 학생이 카드를 4장 가지고 있어요.

⑦쉘리는 네타보다 카드를 2배 더 많이 가지고 있어요.

이름	쉘리	마리안	네타	에밀리
카드 개수	8장		4장	
학년	3학년	3학년	4학년	5학년

③에밀리는 쉘리보다 카드를 2장 더 가지고 있어요.

⑧쉘리 옆에 있는 여학생은 에밀리가 가진 카드 수의 절반을 가지고 있어요.

이름	쉘리	마리안	네타	에밀리
카드 개수	8장	5장	4장	10장
학년	3학년	3학년	4학년	5학년

90-91쪽

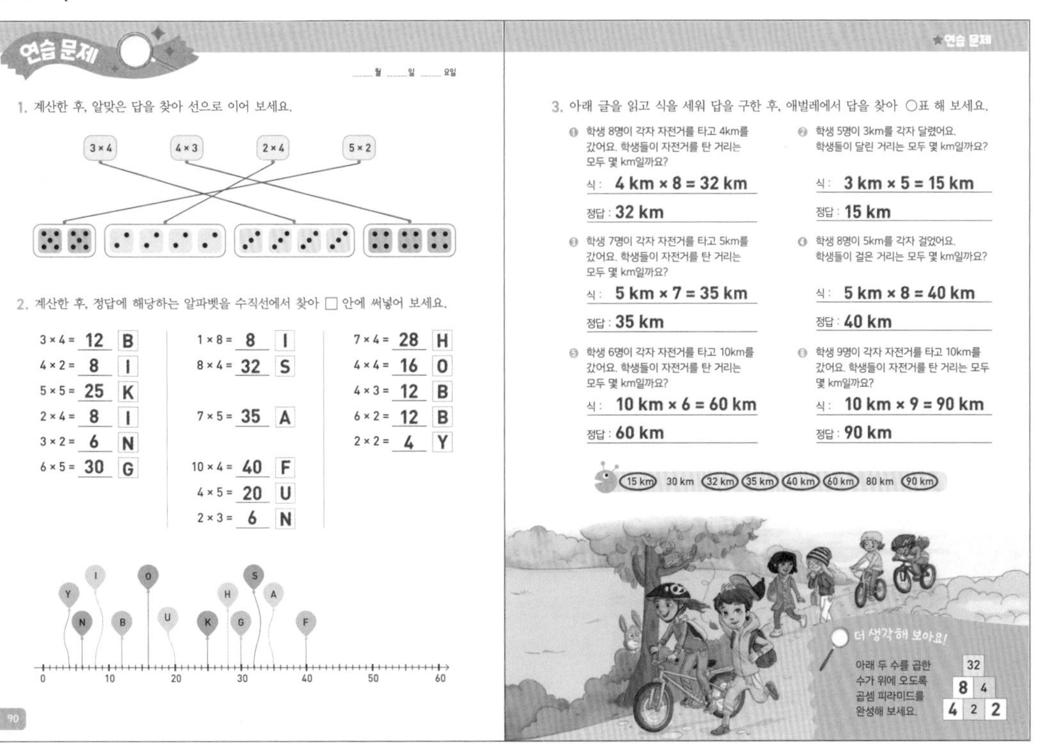

연습 문제 ___월 ___일 ___요일

1. 계산한 후, 알맞은 답을 찾아 선으로 이어 보세요.

3 × 4　4 × 3　2 × 4　5 × 2

2. 계산한 후, 정답에 해당하는 알파벳을 수직선에서 찾아 □ 안에 써넣어 보세요.

3 × 4 = 12 B	1 × 8 = 8 I	7 × 4 = 28 H
4 × 2 = 8 I	8 × 4 = 32 S	4 × 4 = 16 O
5 × 5 = 25 K		4 × 3 = 12 B
2 × 4 = 8 I	7 × 5 = 35 A	6 × 2 = 12 B
3 × 2 = 6 N		2 × 2 = 4 Y
6 × 5 = 30 G	10 × 4 = 40 F	
	4 × 5 = 20 U	
	2 × 3 = 6 N	

90

★연습 문제

3. 아래 글을 읽고 식을 세워 답을 구한 후, 애벌레에서 답을 찾아 ○표 해 보세요.

❶ 학생 8명이 각자 자전거를 타고 4km를 갔어요. 학생들이 자전거를 탄 거리는 모두 몇 km일까요?
식: 4 km × 8 = 32 km
정답: 32 km

❷ 학생 5명이 3km를 각자 달렸어요. 학생들이 달린 거리는 모두 몇 km일까요?
식: 3 km × 5 = 15 km
정답: 15 km

❸ 학생 7명이 각자 자전거를 타고 5km를 갔어요. 학생들이 자전거를 탄 거리는 모두 몇 km일까요?
식: 5 km × 7 = 35 km
정답: 35 km

❹ 학생 8명이 5km를 각자 걸었어요. 학생들이 걸은 거리는 모두 몇 km일까요?
식: 5 km × 8 = 40 km
정답: 40 km

❺ 학생 6명이 각자 자전거를 타고 10km를 갔어요. 학생들이 자전거를 탄 거리는 모두 몇 km일까요?
식: 10 km × 6 = 60 km
정답: 60 km

❻ 학생 9명이 각자 자전거를 타고 10km를 갔어요. 학생들이 자전거를 탄 거리는 모두 몇 km일까요?
식: 10 km × 9 = 90 km
정답: 90 km

15 km　30 km　32 km　35 km　40 km　60 km　80 km　90 km

더 생각해 보아요!
아래 두 수를 곱한 수가 위에 오도록 곱셈 피라미드를 완성해 보세요.

32
8 4
4 2 2

90쪽 1번

곱셈에서 앞에 오는 수인 곱해지는 수는 단위가 되고, 뒤에 오는 곱하는 수는 단위가 몇 개인지 나타내요.
곱셈에서 교환법칙이 성립되어 앞의 수와 뒤의 수를 바꾸어 곱해도 결과값이 같기 때문에 앞에 오는 수인 단위를 소홀히 여기는 경우가 많아요. 그러나 단위가 몇 개인가는 수학에서 중요하기 때문에 꼭 구분하도록 하세요.
3×4를 예를 들면, 3을 기본 단위로 해서 4개가 있는 거예요.

90쪽 2번

Biking is a fun hobby.
(자전거 타는 건 즐거운 취미다.)

92-93쪽

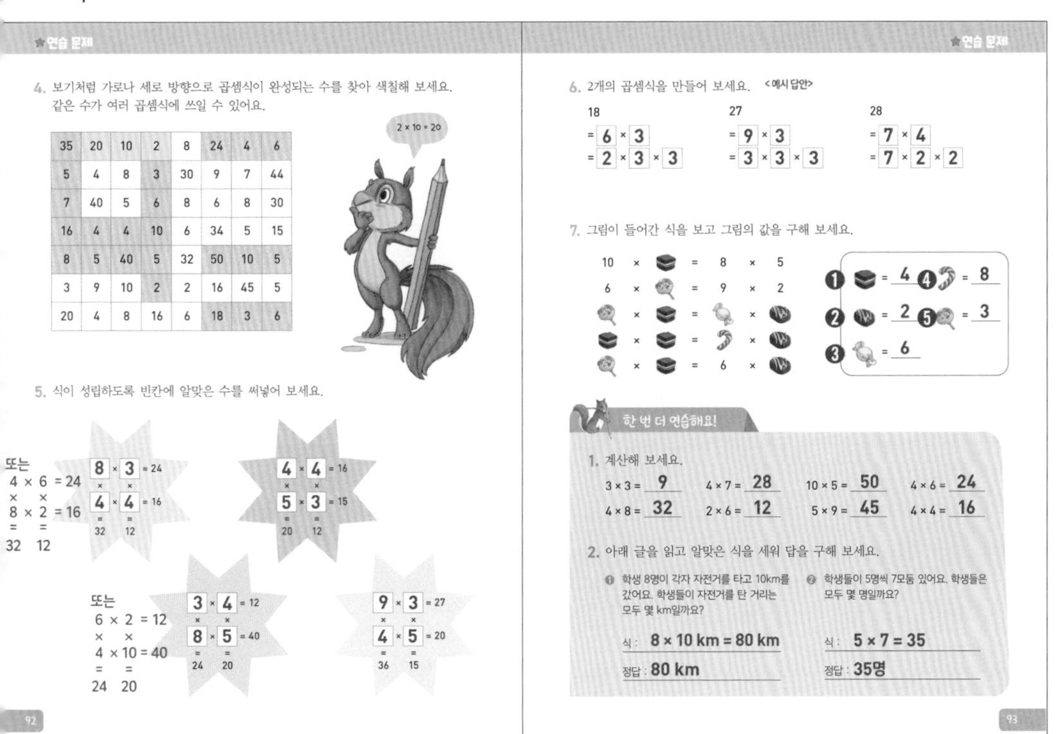

★연습 문제

4. 보기처럼 가로나 세로 방향으로 곱셈식이 완성되는 수를 찾아 색칠해 보세요. 같은 수가 여러 곱셈식에 쓰일 수 있어요.

35	20	10	2	8	24	4	6
5	4	8	3	30	9	7	44
7	40	5	6	8	6	8	30
16	4	4	10	6	34	5	15
8	5	40	5	32	50	10	5
3	9	10	2	2	16	45	5
20	4	8	16	6	18	3	6

5. 식이 성립하도록 빈칸에 알맞은 수를 써넣어 보세요.

8 × 3 = 24, 4 × 4 = 16, 32 12
또는 4 × 6 = 24, 8 × 2 = 16, 32 12

4 × 4 = 16, 5 × 3 = 15, 20 12

3 × 4 = 12, 8 × 5 = 40, 24 20
또는 6 × 2 = 12, 4 × 10 = 40, 24 20

9 × 3 = 27, 4 × 5 = 20, 36 15

92

★연습 문제

6. 2개의 곱셈식을 만들어 보세요. <예시 답안>

18 = 6 × 3 = 2 × 3 × 3
27 = 9 × 3 = 3 × 3 × 3
28 = 7 × 4 = 7 × 2 × 2

7. 그림이 들어간 식을 보고 그림의 값을 구해 보세요.

10 × [그림] = 8 × 5
6 × [그림] = 9 × 2
[그림] × [그림] = [그림] × [그림]
[그림] × [그림] = [그림] × [그림]
[그림] × [그림] = 6 × [그림]

❶ = 4　❹ = 8
❷ = 2　❺ = 3
❸ = 6

한 번 더 연습해요!

1. 계산해 보세요.

3 × 3 = 9　4 × 7 = 28　10 × 5 = 50　4 × 6 = 24
4 × 8 = 32　2 × 6 = 12　5 × 9 = 45　4 × 4 = 16

2. 아래 글을 읽고 알맞은 식을 세워 답을 구해 보세요.

❶ 학생 8명이 각자 자전거를 타고 10km를 갔어요. 학생들이 자전거를 탄 거리는 모두 몇 km일까요?
식: 8 × 10 km = 80 km
정답: 80 km

❷ 학생들이 5명씩 7모둠 있어요. 학생들은 모두 몇 명일까요?
식: 5 × 7 = 35
정답: 35명

93

93쪽 6번

여러 가지 답이 나올 수 있어요. 예를 들어 18이 나올 수 있는 곱셈식은
1×18, 2×9, 3×6, 6×3, 9×2, 18×1이 있으며,
이 가운데 2×9=2×3×3으로도 나타낼 수 있어요.
이런 식으로 나머지 식도 두 수의 곱, 세 수의 곱으로 나타낼 수 있어요.

93쪽 7번

❶ 10× =40, =4

❺ 6× =18, =3

❷ × =6× ,
3×4=6× , =2

❸ × = × ,
3×4= ×2, =6

❹ × = × ,
4×4= ×2, =8

94-95쪽

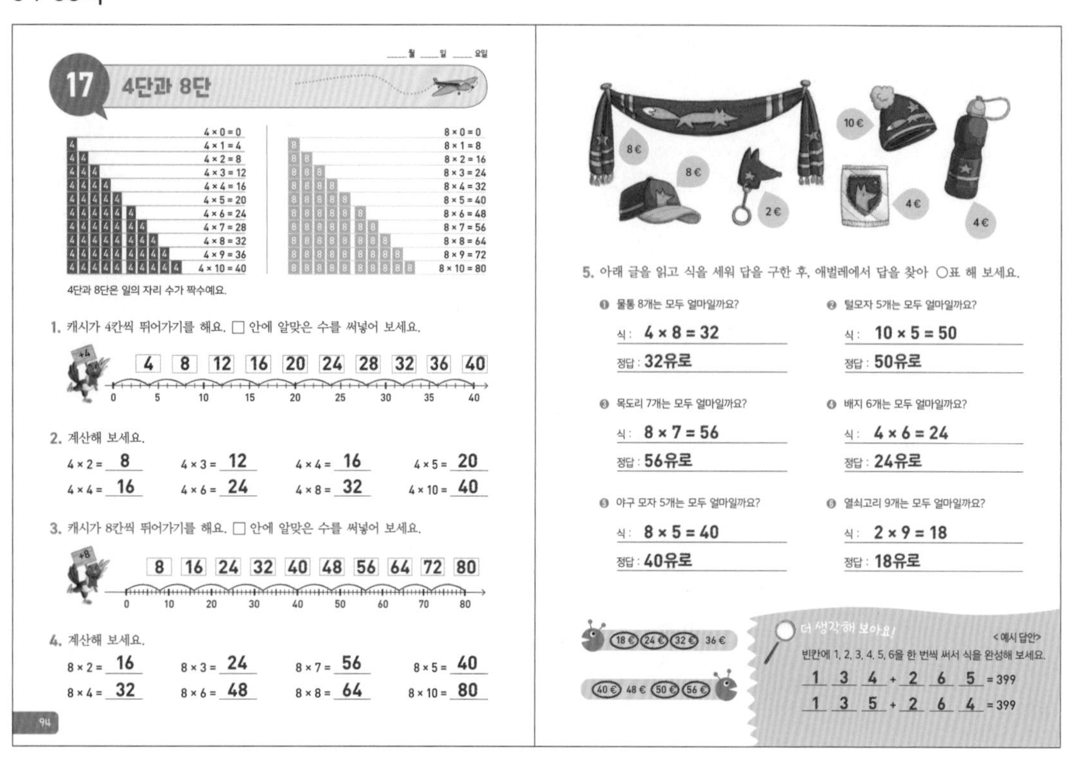
___월 ___일 ___요일

17 4단과 8단

4 × 0 = 0
4 × 1 = 4
4 × 2 = 8
4 × 3 = 12
4 × 4 = 16
4 × 5 = 20
4 × 6 = 24
4 × 7 = 28
4 × 8 = 32
4 × 9 = 36
4 × 10 = 40

8 × 0 = 0
8 × 1 = 8
8 × 2 = 16
8 × 3 = 24
8 × 4 = 32
8 × 5 = 40
8 × 6 = 48
8 × 7 = 56
8 × 8 = 64
8 × 9 = 72
8 × 10 = 80

4단과 8단은 일의 자리 수가 짝수예요.

1. 캐시가 4칸씩 뛰어가기를 해요. □ 안에 알맞은 수를 써넣어 보세요.

4 8 12 16 20 24 28 32 36 40

2. 계산해 보세요.

4 × 2 = 8 4 × 3 = 12 4 × 4 = 16 4 × 5 = 20
4 × 4 = 16 4 × 6 = 24 4 × 8 = 32 4 × 10 = 40

3. 캐시가 8칸씩 뛰어가기를 해요. □ 안에 알맞은 수를 써넣어 보세요.

8 16 24 32 40 48 56 64 72 80

4. 계산해 보세요.

8 × 2 = 16 8 × 3 = 24 8 × 7 = 56 8 × 5 = 40
8 × 4 = 32 8 × 6 = 48 8 × 8 = 64 8 × 10 = 80

94

5. 아래 글을 읽고 식을 세워 답을 구한 후, 애벌레에서 답을 찾아 ○표 해 보세요.

❶ 물통 8개는 모두 얼마일까요?
식: 4 × 8 = 32
정답: 32유로

❷ 털모자 5개는 모두 얼마일까요?
식: 10 × 5 = 50
정답: 50유로

❸ 목도리 7개는 모두 얼마일까요?
식: 8 × 7 = 56
정답: 56유로

❹ 배지 6개는 모두 얼마일까요?
식: 4 × 6 = 24
정답: 24유로

❺ 야구 모자 5개는 모두 얼마일까요?
식: 8 × 5 = 40
정답: 40유로

❻ 열쇠고리 9개는 모두 얼마일까요?
식: 2 × 9 = 18
정답: 18유로

18€ 24€ 32€ 36€
40€ 48€ 50€ 56€

더 생각해 보아요! <예시 답안>
빈칸에 1, 2, 3, 4, 5, 6을 한 번씩 써서 식을 완성해 보세요.
134 + 265 = 399
135 + 264 = 399

더 생각해 보아요! | 95쪽

두 수를 더해 백의 자리 수가 3이 되는 수는 1과 2예요. 1과 2를 뺀 나머지 수 가운데 두 수를 더해 일의 자리 수가 9가 되는 수는 4와 5, 또는 3과 6이에요. 이 두 쌍의 수를 일의 자리, 또는 십의 자리에 넣어 주면 돼요.
134+265=399, 백의 자리 수만 바꾸면 234+165=399
십의 자리 수와 일의 자리 수를 서로 바꾸면
143+256=399, 백의 자리 수만 바꾸면 243+156=399

96-97쪽

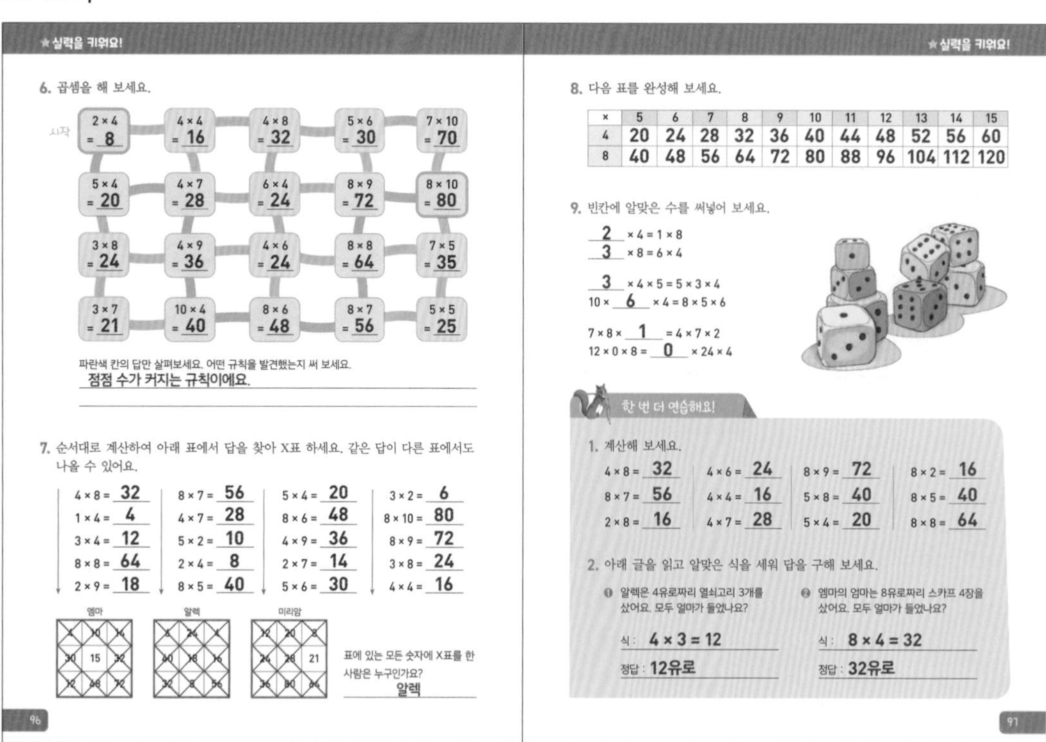
★실력을 키워요!

6. 곱셈을 해 보세요.

시작
2 × 4 = 8 / 4 × 4 = 16 / 4 × 8 = 32 / 5 × 6 = 30 / 7 × 10 = 70
5 × 4 = 20 / 4 × 7 = 28 / 6 × 4 = 24 / 8 × 9 = 72 / 8 × 10 = 80
3 × 8 = 24 / 4 × 9 = 36 / 4 × 6 = 24 / 8 × 8 = 64 / 7 × 5 = 35
3 × 7 = 21 / 10 × 4 = 40 / 8 × 6 = 48 / 8 × 7 = 56 / 5 × 5 = 25

파란색 칸의 답만 살펴보세요. 어떤 규칙을 발견했는지 써 보세요.
점점 수가 커지는 규칙이에요.

7. 순서대로 계산하여 아래 표에서 답을 찾아 X표 하세요. 같은 답이 다른 표에서도 나올 수 있어요.

4 × 8 = 32 / 1 × 4 = 4 / 3 × 4 = 12 / 8 × 8 = 64 / 2 × 9 = 18
8 × 7 = 56 / 4 × 7 = 28 / 5 × 2 = 10 / 2 × 4 = 8 / 8 × 5 = 40
5 × 4 = 20 / 8 × 6 = 48 / 4 × 9 = 36 / 2 × 7 = 14 / 5 × 6 = 30
3 × 2 = 6 / 8 × 10 = 80 / 8 × 9 = 72 / 3 × 8 = 24 / 4 × 4 = 16

엠마 / 알렉 / 미리암

표에 있는 모든 숫자에 X표를 한 사람은 누구인가요?
알렉

96

★실력을 키워요!

8. 다음 표를 완성해 보세요.

×	5	6	7	8	9	10	11	12	13	14	15
4	20	24	28	32	36	40	44	48	52	56	60
8	40	48	56	64	72	80	88	96	104	112	120

9. 빈칸에 알맞은 수를 써넣어 보세요.

2 × 4 = 1 × 8
3 × 8 = 6 × 4
3 × 4 × 5 = 5 × 3 × 4
10 × 6 × 4 = 8 × 5 × 6
7 × 8 × 1 = 4 × 7 × 2
12 × 0 × 8 = 0 × 24 × 4

한 번 더 연습해요!

1. 계산해 보세요.

4 × 8 = 32 4 × 6 = 24 8 × 9 = 72 8 × 2 = 16
8 × 7 = 56 4 × 4 = 16 5 × 8 = 40 8 × 5 = 40
2 × 8 = 16 4 × 7 = 28 5 × 4 = 20 8 × 8 = 64

2. 아래 글을 읽고 알맞은 식을 세워 답을 구해 보세요.

❶ 알렉은 4유로짜리 열쇠고리 3개를 샀어요. 모두 얼마가 들었나요?
식: 4 × 3 = 12
정답: 12유로

❷ 엠마의 엄마는 8유로짜리 스카프 4장을 샀어요. 모두 얼마가 들었나요?
식: 8 × 4 = 32
정답: 32유로

97

98-99쪽

18 6단

____월 ____일 ____요일

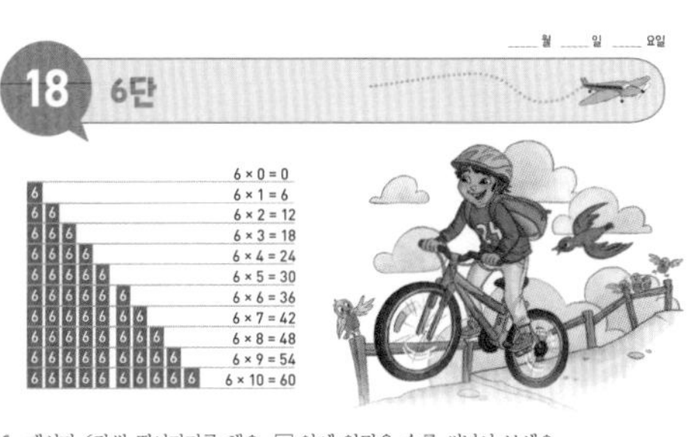

6 × 0 = 0
6 × 1 = 6
6 × 2 = 12
6 × 3 = 18
6 × 4 = 24
6 × 5 = 30
6 × 6 = 36
6 × 7 = 42
6 × 8 = 48
6 × 9 = 54
6 × 10 = 60

1. 캐시가 6칸씩 뛰어가기를 해요. □ 안에 알맞은 수를 써넣어 보세요.

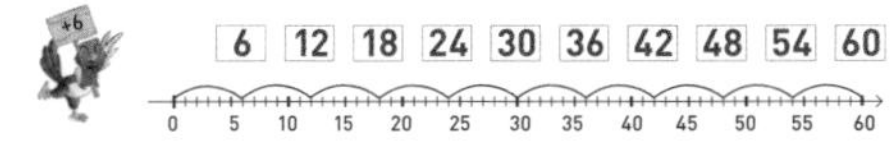

2. 3씩 뛰어 세기 한 수에 빨간색으로 ○표 하고, 6씩 뛰어 세기 한 수에 파란색으로 ○표 해 보세요.

1	2	(3)	4	5	(6)	7	8	(9)	10	11	(12)	13	14	(15)
16	17	(18)	19	20	(21)	22	23	(24)	25	26	(27)	28	29	(30)
31	32	(33)	34	35	(36)	37	38	(39)	40	41	(42)	43	44	(45)
46	47	(48)	49	50	(51)	52	53	(54)	55	56	(57)	58	59	(60)
61	62	(63)	64	65	(66)	67	68	(69)	70	71	(72)	73	74	(75)

3. 계산해 보세요.

3 × 5 = 15　3 × 7 = 21　3 × 0 = 0　3 × 9 = 27
6 × 5 = 30　6 × 7 = 42　6 × 0 = 0　6 × 9 = 54

4. 아래 글을 읽고 알맞은 식을 세워 답을 구해 보세요.

❶ 메리와 아서는 각자 도서관에서 6권씩 책을 빌렸어요. 메리와 아서가 빌린 책은 모두 몇 권일까요?

식: 6 × 2 = 12
정답: 12권

❷ 루이스는 자전거를 하루에 6km씩 일주일에 5일을 타요. 루이스가 일주일에 자전거를 타는 거리는 모두 몇 km일까요?

식: 6 × 5 = 30
정답: 30km

5. 계산해 보세요.

6 × 2 = 12　6 × 3 = 18　6 × 4 = 24　6 × 5 = 30
6 × 4 = 24　6 × 6 = 36　6 × 8 = 48　6 × 10 = 60

6. 다음 표를 완성해 보세요.

×	5	6	7	8	9	10	11	12	13	14	15
3	15	18	21	24	27	30	33	36	39	42	45
6	30	36	42	48	54	60	66	72	78	84	90

더 생각해 보아요!

빈칸에 2, 3, 4, 8을 넣어 서로 다른 2개의 곱셈식을 만들어 보세요.

8 × 3 = 24
8 × 4 = 32
또는
3 × 8 = 24
4 × 8 = 32

98　99

부모님 가이드 | 98쪽

6단을 익힐 때 육각형을 그리면서 육각형의 변의 수가 늘어나는 것과 연관 지으면 6단을 쉽게 익힐 수 있어요. 6단은 3단을 2배한 값과 같아요.

100-101쪽

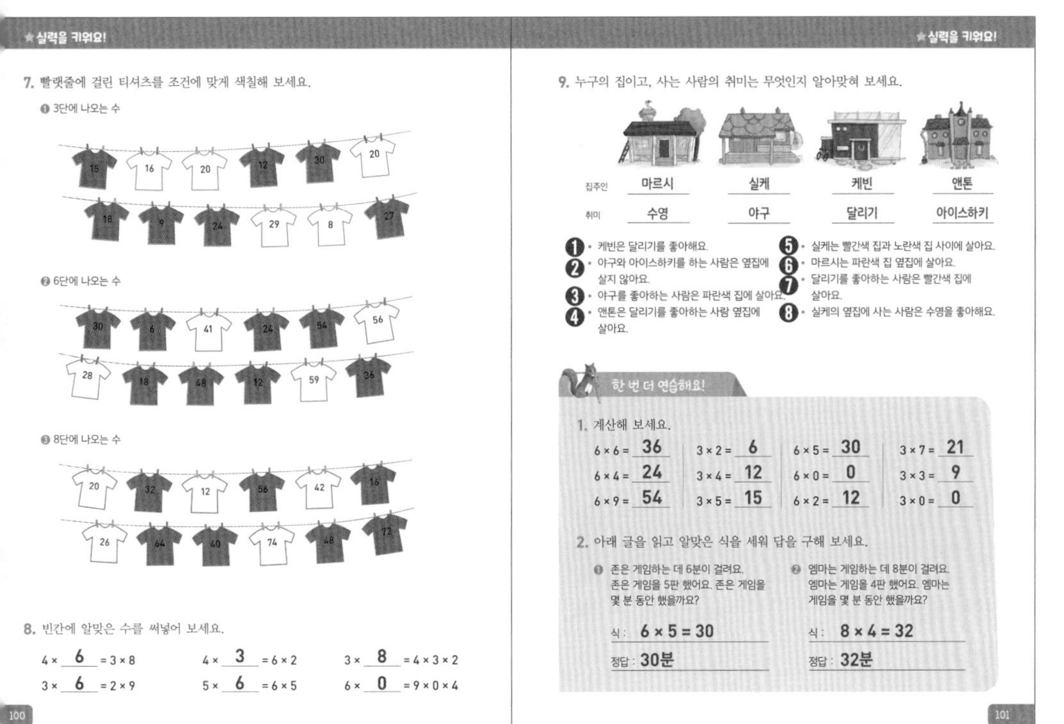

★실력을 키워요!

7. 빨랫줄에 걸린 티셔츠를 조건에 맞게 색칠해 보세요.

❶ 3단에 나오는 수
15 16 20 12 30 20 / 18 9 24 29 8 27

❷ 6단에 나오는 수
30 6 41 24 54 56 / 28 18 48 12 59 36

❸ 8단에 나오는 수
20 32 12 56 42 16 / 26 64 40 74 48 72

8. 빈칸에 알맞은 수를 써넣어 보세요.

4 × 6 = 3 × 8　4 × 3 = 6 × 2　3 × 8 = 4 × 3 × 2
3 × 6 = 2 × 9　5 × 6 = 6 × 5　6 × 0 = 9 × 0 × 4

9. 누구의 집이고, 사는 사람의 취미는 무엇인지 알아맞혀 보세요.

집주인	마르시	실케	케빈	앤톤
취미	수영	야구	달리기	아이스하키

❶ 케빈은 달리기를 좋아해요.
❷ 야구와 아이스하키를 하는 사람은 옆집에 살지 않아요.
❸ 야구를 좋아하는 사람은 파란색 집에 살아요.
❹ 앤톤은 달리기를 좋아하는 사람 옆집에 살아요.
❺ 실케는 빨간색 집과 노란색 집 사이에 살아요.
❻ 마르시는 파란색 집 옆집에 살아요.
❼ 달리기를 좋아하는 사람은 빨간색 집에 살아요.
❽ 실케의 옆집에 사는 사람은 수영을 좋아해요.

한 번 더 연습해요!

1. 계산해 보세요.

6 × 6 = 36　3 × 2 = 6　6 × 5 = 30　3 × 7 = 21
6 × 4 = 24　3 × 4 = 12　6 × 0 = 0　3 × 3 = 9
6 × 9 = 54　3 × 5 = 15　6 × 2 = 12　3 × 0 = 0

2. 아래 글을 읽고 알맞은 식을 세워 답을 구해 보세요.

❶ 존은 게임하는 데 6분이 걸려요. 존은 게임을 5판 했어요. 존은 게임을 몇 분 동안 했을까요?

식: 6 × 5 = 30
정답: 30분

❷ 엠마는 게임하는 데 8분이 걸려요. 엠마는 게임을 4판 했어요. 엠마는 게임을 몇 분 동안 했을까요?

식: 8 × 4 = 32
정답: 32분

100　101

101쪽 9번

❸ 야구를 좋아하는 사람은 파란색 집에 살아요.
❺ 실케는 빨간색 집과 노란색 집 사이에 살아요.
❼ 달리기를 좋아하는 사람은 빨간색 집에 살아요.

집주인		실케		
취미		야구	달리기	

❶ 케빈은 달리기를 좋아해요.
❽ 실케의 옆집에 사는 사람은 수영을 좋아해요.
❹ 앤톤은 달리기를 좋아하는 사람 옆집에 살아요.

집주인		실케	케빈	앤톤
취미	수영	야구	달리기	

❷ 야구와 아이스하키를 하는 사람은 옆집에 살지 않아요.
❻ 마르시는 파란색 집 옆집에 살아요.

집주인	마르시	실케	케빈	앤톤
취미	수영	야구	달리기	아이스하키

정답

102-103쪽

★실력을 키워요!

10. 규칙에 따라 빈칸에 알맞은 수를 써넣어 보세요.

4 8 12 16 20 24 28 32 36 40
6 12 18 24 30 36 42 48 54 60
8 16 24 32 40 48 56 64 72 80

11. 계산해 보세요.

3×5= 15	6×2= 12	4×9= 36	8×3= 24
3×3= 9	6×9= 54	4×5= 20	8×7= 56
3×7= 21	6×6= 36	4×6= 24	8×5= 40

12. 계산한 후, 정답에 해당하는 알파벳을 애벌레에 써넣어 보세요.

3×6= 18 P	4×7= 28 N	2×8= 16 E	4×10= 40 H
8×10= 80 D	8×9= 72 L	4×3= 12 W	8×7= 56 I
5×4= 20 L	4×6= 24 Y	6×10= 60 E	6×7= 42 E
3×9= 27 O	6×8= 48 F	4×8= 32 T	3×7= 21 A

12 16 18 20 21 24 27 28 32 40 42 48 56 60 72 80
W E P L A Y O N T H E F I E L D

13. 아래 글을 읽고 알맞은 식을 세워 답을 구해 보세요.

❶ 오토는 팔 굽혀 펴기를 8번씩 4세트를 했어요. 오토는 팔 굽혀 펴기를 모두 몇 번 했을까요?

식 : 8 × 4 = 32

정답 : 32번

❷ 에시는 6km씩 3번 달리기를 했어요. 에시가 달린 거리는 모두 몇 km일까요?

식 : 6 × 3 = 18

정답 : 18km

102

도전! 심화 평가 1단계 ___월 ___일 ___요일

1. 점을 이어 보세요.

❶ 6단을 따라 점을 이어 보세요.

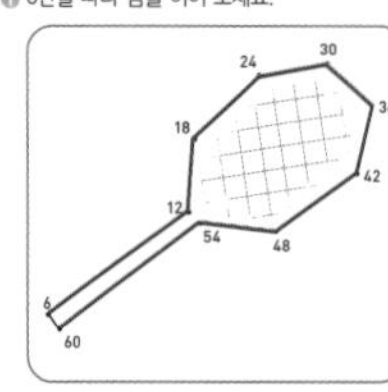

❷ 8단을 따라 점을 이어 보세요.

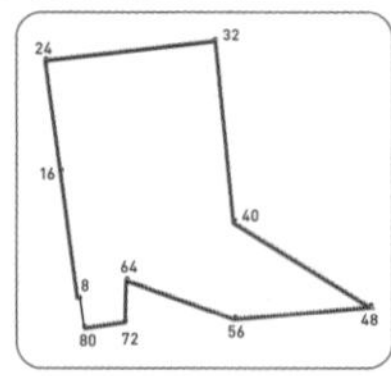

2. 계산해 보세요.

2×4= 8	3×4= 12	4×4= 16	5×4= 20
4×4= 16	6×4= 24	8×4= 32	4×10= 40
2×6= 12	3×6= 18	4×6= 24	5×6= 30

3. 아래 글을 읽고 알맞은 식을 세워 답을 구해 보세요.

❶ 농구 경기 학생 입장료가 6유로예요. 학생 4명의 입장료는 얼마일까요?

식 : 6 × 4 = 24

정답 : 24유로

❷ 축구 경기 학생 입장료는 8유로예요. 학생 3명의 입장료는 얼마일까요?

식 : 8 × 3 = 24

정답 : 24유로

4. 같은 수를 두 번 곱해서 다음과 같은 수가 되었어요. 나는 어떤 수일까요?

16 4 36 6
64 8 100 10

103

102쪽 12번

We play on the field.
(우리는 운동장에서 논다.)

104-105쪽

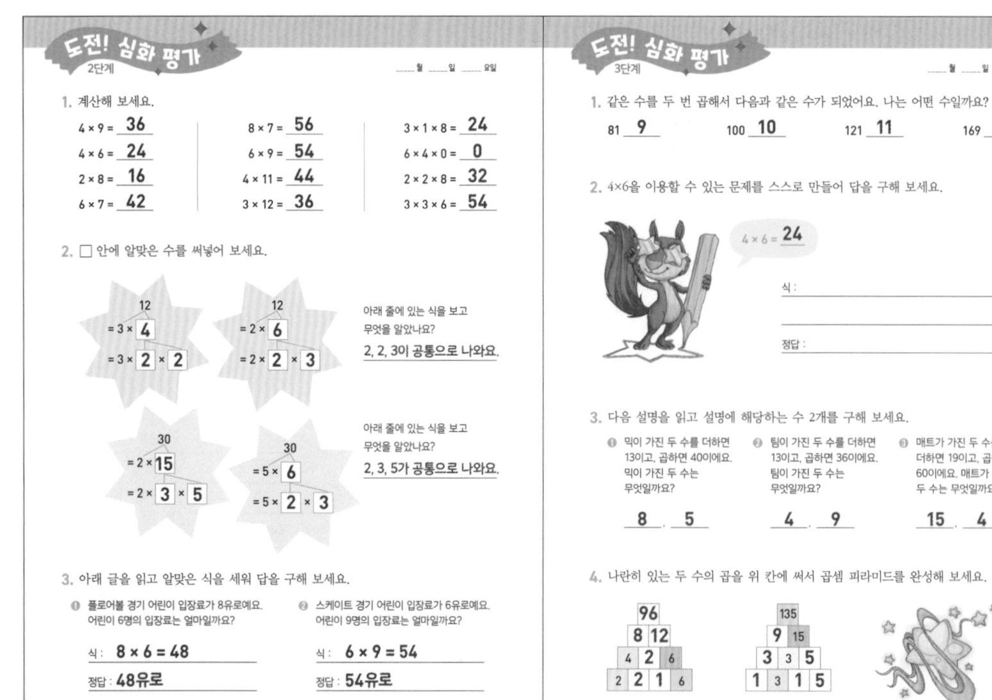
도전! 심화 평가 2단계 ___월 ___일 ___요일

1. 계산해 보세요.

4×9= 36	8×7= 56	3×1×8= 24
4×6= 24	6×9= 54	6×4×0= 0
2×8= 16	4×11= 44	2×2×8= 32
6×7= 42	3×12= 36	3×3×6= 54

2. □ 안에 알맞은 수를 써넣어 보세요.

12 = 3 × 4 = 3 × 2 × 2
12 = 2 × 6 = 2 × 2 × 3

아래 줄에 있는 식을 보고 무엇을 알았나요?
2, 2, 3이 공통으로 나와요.

30 = 2 × 15 = 2 × 3 × 5
30 = 5 × 6 = 5 × 2 × 3

아래 줄에 있는 식을 보고 무엇을 알았나요?
2, 3, 5가 공통으로 나와요.

3. 아래 글을 읽고 알맞은 식을 세워 답을 구해 보세요.

❶ 플로어볼 경기 어린이 입장료가 8유로예요. 어린이 6명의 입장료는 얼마일까요?

식 : 8 × 6 = 48

정답 : 48유로

❷ 스케이트 경기 어린이 입장료가 6유로예요. 어린이 9명의 입장료는 얼마일까요?

식 : 6 × 9 = 54

정답 : 54유로

104

도전! 심화 평가 3단계 ___월 ___일 ___요일

1. 같은 수를 두 번 곱해서 다음과 같은 수가 되었어요. 나는 어떤 수일까요?

81 9 100 10 121 11 169 13

2. 4×6을 이용할 수 있는 문제를 스스로 만들어 답을 구해 보세요.

4 × 6 = 24

식 :

정답 :

3. 다음 설명을 읽고 설명에 해당하는 수 2개를 구해 보세요.

❶ 믹이 가진 두 수를 더하면 13이고, 곱하면 40이에요. 믹이 가진 두 수는 무엇일까요? 8, 5

❷ 팀이 가진 두 수를 더하면 13이고, 곱하면 36이에요. 팀이 가진 두 수는 무엇일까요? 4, 9

❸ 매트가 가진 두 수를 더하면 19이고, 곱하면 60이에요. 매트가 가진 두 수는 무엇일까요? 15, 4

4. 나란히 있는 두 수의 곱을 위 칸에 써서 곱셈 피라미드를 완성해 보세요.

96
8 12
4 2 6
2 2 1 6

135
9 15
3 3 5
1 3 1 5

105

105쪽 3번

❶ 두 수를 더해 13이 되는 는 1과 12, 2와 11, 3과 1 4와 9, 5와 8, 6과 7
이 가운데 곱해서 40이 는 수는 5와 8

❷ 두 수를 더해 13이 되는 는 1과 12, 2와 11, 3과 1 4와 9, 5와 8, 6과 7
이 가운데 곱해서 36이 는 수는 4와 9

❸ 두 수를 더해 19가 되는 는 1과 18, 2와 17, 3과 1 4와 15, 5와 14, 6과 13, 과 12, 8과 11, 9와 10
이 가운데 곱해서 60이 는 수는 4와 15

105쪽 4번

바로 옆의 수와 곱한 값을 칸에 쓰는 문제인데 이를 통 위에서부터 수를 분해하는 정을 볼 수 있어요.
수를 분해해서 원하는 값을 하는 것에 익숙해지면 수를 유롭게 조작할 수 있답니다.

06-107쪽

19 9단

____월 ____일 ____요일

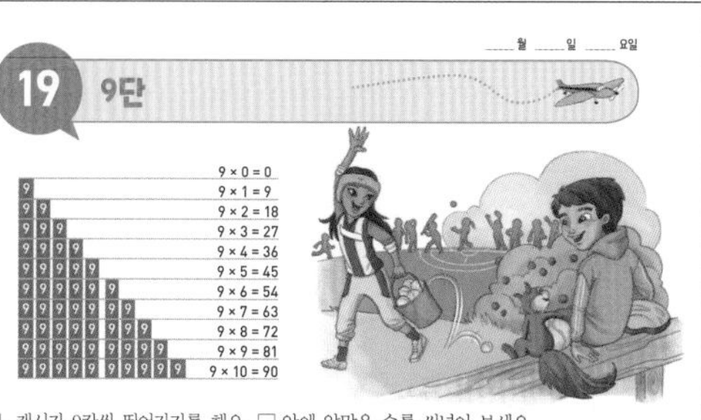

9 × 0 = 0
9 × 1 = 9
9 × 2 = 18
9 × 3 = 27
9 × 4 = 36
9 × 5 = 45
9 × 6 = 54
9 × 7 = 63
9 × 8 = 72
9 × 9 = 81
9 × 10 = 90

1. 캐시가 9칸씩 뛰어가기를 해요. □ 안에 알맞은 수를 써넣어 보세요.

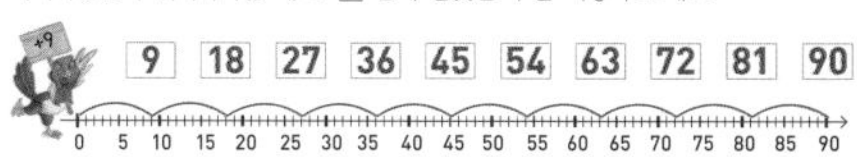

2. 계산해 보세요.

9 × 2 = 18　9 × 3 = 27　9 × 4 = 36　9 × 5 = 45

9 × 4 = 36　9 × 6 = 54　9 × 8 = 72　9 × 10 = 90

3. 다음 표를 완성해 보세요.

×	0	1	2	3	4	5	6	7	8	9	10
10	0	10	20	30	40	50	60	70	80	90	100
9	0	9	18	27	36	45	54	63	72	81	90

4. 곱셈식을 세워 답을 구해 보세요. 각 팀에는 9명의 선수가 있어요.

❶ 2팀이라면 선수는 모두 몇 명일까요?
9 × 2 = 18　18명

❷ 7팀이라면 선수는 모두 몇 명일까요?
9 × 7 = 63　63명

106

5. 아래 글을 읽고 식을 세워 답을 구한 후, 애벌레에서 찾아 ○표 해 보세요.

❶ 학교 창고에 상자가 3개 있어요. 각 상자에는 글러브가 9개씩 들어 있어요. 창고에 있는 글러브는 모두 몇 개일까요?
식: 9 × 3 = 27
정답: 27개

❷ 사물함에 상자가 5개 있어요. 각 상자에는 공이 9개씩 들어 있어요. 사물함에 있는 공은 모두 몇 개일까요?
식: 9 × 5 = 45
정답: 45개

❸ 학생 2명이 각각 운동 조끼를 9벌씩 받았어요. 학생 2명이 받은 운동 조끼는 모두 몇 벌일까요?
식: 9 × 2 = 18
정답: 18벌

❹ 한 팀에는 선수가 9명씩 있어요. 8팀에 있는 선수는 모두 몇 명일까요?
식: 9 × 8 = 72
정답: 72명

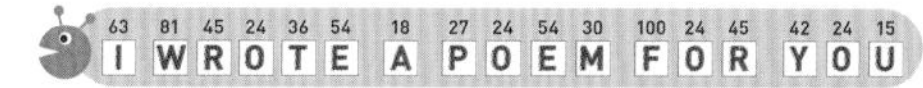

6. 계산한 후, 정답에 해당하는 알파벳을 애벌레에 써넣어 보세요.

5 × 9 = 45 R　4 × 9 = 36 T　8 × 3 = 24 O　9 × 5 = 45 R　7 × 6 = 42 Y

7 × 9 = 63 I　9 × 6 = 54 E　6 × 5 = 30 M　5 × 3 = 15 U

4 × 6 = 24 O　3 × 9 = 27 P　6 × 4 = 24 O　3 × 8 = 24 O

9 × 2 = 18 A　6 × 9 = 54 E　10 × 10 = 100 F　9 × 9 = 81 W

63	81	45	24	36	54	18	27	24	54	30	100	24	45	42	24	15
I	W	R	O	T	E	A	P	O	E	M	F	O	R	Y	O	U

더 생각해 보아요!

빈칸에 1, 2, 3, 4를 넣어 곱셈식과 덧셈식을 만들어 보세요.

3 × 4 = 12

1 + 4 = 2 + 3

107쪽 6번

I wrote a poem for you.
(나는 너를 위해 시를 썼어.)

08-109쪽

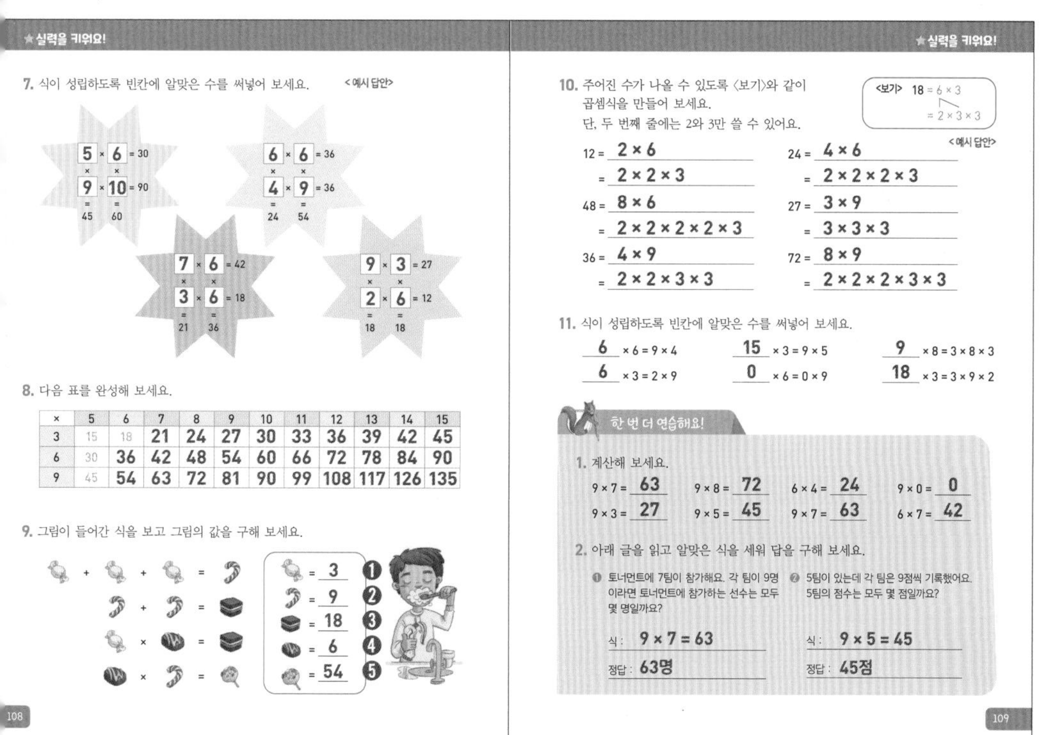

★실력을 키워요!

7. 식이 성립하도록 빈칸에 알맞은 수를 써넣어 보세요. <예시 답안>

5 × 6 = 30, 9 × 10 = 90, 5 × 9 = 45, 6 × 10 = 60

6 × 6 = 36, 4 × 9 = 36, 6 × 4 = 24, 6 × 9 = 54

7 × 6 = 42, 3 × 6 = 18, 7 × 3 = 21, 6 × 6 = 36

9 × 3 = 27, 2 × 6 = 12, 9 × 2 = 18, 3 × 6 = 18

8. 다음 표를 완성해 보세요.

×	5	6	7	8	9	10	11	12	13	14	15
3	15	18	21	24	27	30	33	36	39	42	45
6	30	36	42	48	54	60	66	72	78	84	90
9	45	54	63	72	81	90	99	108	117	126	135

9. 그림이 들어간 식을 보고 그림의 값을 구해 보세요.

❶ = 3　❷ = 9　❸ = 18　❹ = 6　❺ = 54

108

★실력을 키워요!

10. 주어진 수가 나올 수 있도록 〈보기〉와 같이 곱셈식을 만들어 보세요. 단, 두 번째 줄에는 2와 3만 쓸 수 있어요.

<보기> 18 = 6 × 3 = 2 × 3 × 3

<예시 답안>

12 = 2 × 6 = 2 × 2 × 3

24 = 4 × 6 = 2 × 2 × 2 × 3

48 = 8 × 6 = 2 × 2 × 2 × 2 × 3

27 = 3 × 9 = 3 × 3 × 3

36 = 4 × 9 = 2 × 2 × 3 × 3

72 = 8 × 9 = 2 × 2 × 2 × 3 × 3

11. 식이 성립하도록 빈칸에 알맞은 수를 써넣어 보세요.

6 × 6 = 9 × 4　15 × 3 = 9 × 5　9 × 8 = 3 × 8 × 3

6 × 3 = 2 × 9　0 × 6 = 0 × 9　18 × 3 = 3 × 9 × 2

한 번 더 연습해요!

1. 계산해 보세요.

9 × 7 = 63　9 × 8 = 72　6 × 4 = 24　9 × 0 = 0

9 × 3 = 27　9 × 5 = 45　9 × 7 = 63　6 × 7 = 42

2. 아래 글을 읽고 알맞은 식을 세워 답을 구해 보세요.

❶ 토너먼트에 7팀이 참가해요. 각 팀이 9명이라면 토너먼트에 참가하는 선수는 모두 몇 명일까요?
식: 9 × 7 = 63
정답: 63명

❷ 5팀이 있는데 각 팀은 9점씩 기록했어요. 5팀의 점수는 모두 몇 점일까요?
식: 9 × 5 = 45
정답: 45점

109

108쪽 9번

❷ (상자)=18이므로 (지팡이)+(지팡이)=18, (지팡이)=9

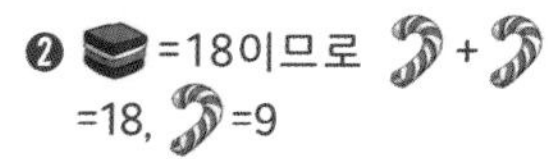

❶ (사탕)+(사탕)+(사탕)=(지팡이), (사탕)+(사탕)+(사탕)=9, (사탕)=3

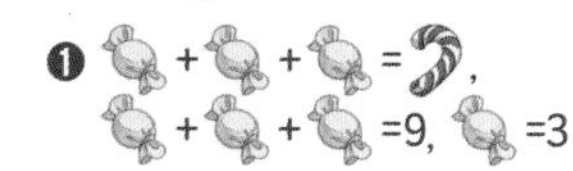

❹ (사탕)×(초콜릿)=(상자), 3×(초콜릿)=18, (초콜릿)=6

❺ (초콜릿)×(지팡이)=(막대사탕), 6×9=54, (막대사탕)=54

110-111쪽

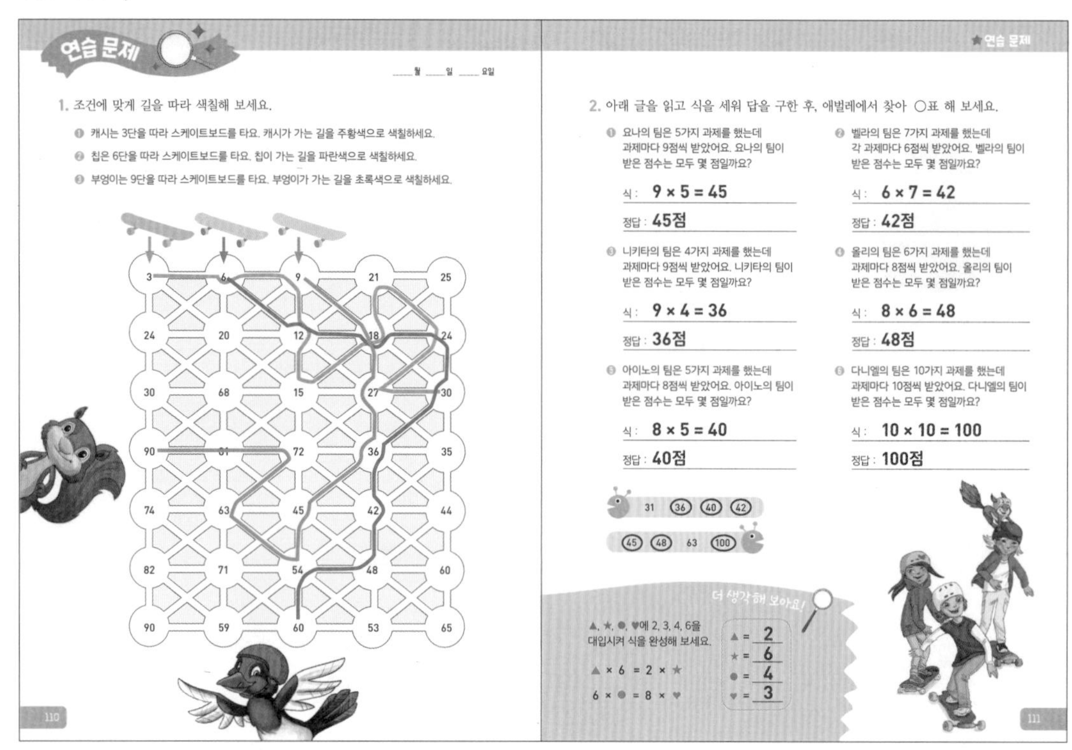

연습 문제

___월 ___일 ___요일

1. 조건에 맞게 길을 따라 색칠해 보세요.

❶ 캐시는 3단을 따라 스케이트보드를 타요. 캐시가 가는 길을 주황색으로 색칠하세요.
❷ 칩은 6단을 따라 스케이트보드를 타요. 칩이 가는 길을 파란색으로 색칠하세요.
❸ 부엉이는 9단을 따라 스케이트보드를 타요. 부엉이가 가는 길을 초록색으로 색칠하세요.

2. 아래 글을 읽고 식을 세워 답을 구한 후, 애벌레에서 찾아 ○표 해 보세요.

❶ 요나의 팀은 5가지 과제를 했는데 과제마다 9점씩 받았어요. 요나의 팀이 받은 점수는 모두 몇 점일까요?
식: 9 × 5 = 45
정답: 45점

❷ 벨라의 팀은 7가지 과제를 했는데 각 과제마다 6점씩 받았어요. 벨라의 팀이 받은 점수는 모두 몇 점일까요?
식: 6 × 7 = 42
정답: 42점

❸ 니키타의 팀은 4가지 과제를 했는데 과제마다 9점씩 받았어요. 니키타의 팀이 받은 점수는 모두 몇 점일까요?
식: 9 × 4 = 36
정답: 36점

❹ 올리의 팀은 6가지 과제를 했는데 과제마다 8점씩 받았어요. 올리의 팀이 받은 점수는 모두 몇 점일까요?
식: 8 × 6 = 48
정답: 48점

❺ 아이노의 팀은 5가지 과제를 했는데 과제마다 8점씩 받았어요. 아이노의 팀이 받은 점수는 모두 몇 점일까요?
식: 8 × 5 = 40
정답: 40점

❻ 다니엘의 팀은 10가지 과제를 했는데 과제마다 10점씩 받았어요. 다니엘의 팀이 받은 점수는 모두 몇 점일까요?
식: 10 × 10 = 100
정답: 100점

31 (36) (40) (42)
(45) (48) 63 (100)

더 생각해 보아요!

▲, ★, ●, ♥에 2, 3, 4, 6을 대입시켜 식을 완성해 보세요.

▲ × 6 = 2 × ★
6 × ● = 8 × ♥

▲ = 2
★ = 6
● = 4
♥ = 3

110 111

112-113쪽

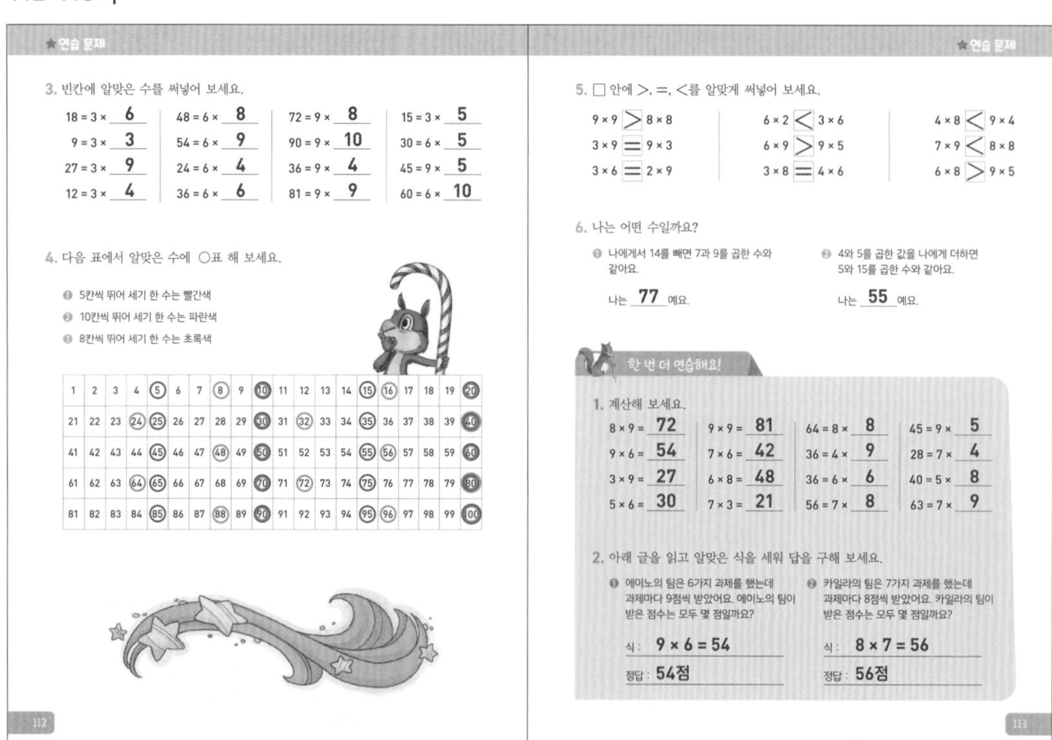

연습 문제

3. 빈칸에 알맞은 수를 써넣어 보세요.

18 = 3 × 6	48 = 6 × 8	72 = 9 × 8	15 = 3 × 5
9 = 3 × 3	54 = 6 × 9	90 = 9 × 10	30 = 6 × 5
27 = 3 × 9	24 = 6 × 4	36 = 9 × 4	45 = 9 × 5
12 = 3 × 4	36 = 6 × 6	81 = 9 × 9	60 = 6 × 10

4. 다음 표에서 알맞은 수에 ○표 해 보세요.

❶ 5칸씩 뛰어 세기 한 수는 빨간색
❷ 10칸씩 뛰어 세기 한 수는 파란색
❸ 8칸씩 뛰어 세기 한 수는 초록색

1	2	3	4	5	6	7	8	9	10	11	12	13	14	15	16	17	18	19	20
21	22	23	24	25	26	27	28	29	30	31	32	33	34	35	36	37	38	39	40
41	42	43	44	45	46	47	48	49	50	51	52	53	54	55	56	57	58	59	60
61	62	63	64	65	66	67	68	69	70	71	72	73	74	75	76	77	78	79	80
81	82	83	84	85	86	87	88	89	90	91	92	93	94	95	96	97	98	99	100

5. □ 안에 >, =, <를 알맞게 써넣어 보세요.

9 × 9 > 8 × 8	6 × 2 < 3 × 6	4 × 8 < 9 × 4
3 × 9 = 9 × 3	6 × 9 > 9 × 5	7 × 9 < 8 × 8
3 × 6 = 2 × 9	3 × 8 = 4 × 6	6 × 8 > 9 × 5

6. 나는 어떤 수일까요?

❶ 나에게서 14를 빼면 7과 9를 곱한 수와 같아요.
나는 77 예요.

❷ 4와 5를 곱한 값을 나에게 더하면 5와 15를 곱한 수와 같아요.
나는 55 예요.

한 번 더 연습해요!

1. 계산해 보세요.

8 × 9 = 72	9 × 9 = 81	64 = 8 × 8	45 = 9 × 5
9 × 6 = 54	7 × 6 = 42	36 = 4 × 9	28 = 7 × 4
3 × 9 = 27	6 × 8 = 48	36 = 6 × 6	40 = 5 × 8
5 × 6 = 30	7 × 3 = 21	56 = 7 × 8	63 = 7 × 9

2. 아래 글을 읽고 알맞은 식을 세워 답을 구해 보세요.

❶ 에이노의 팀은 6가지 과제를 했는데 과제마다 9점씩 받았어요. 에이노의 팀이 받은 점수는 모두 몇 점일까요?
식: 9 × 6 = 54
정답: 54점

❷ 카일라의 팀은 7가지 과제를 했는데 과제마다 8점씩 받았어요. 카일라의 팀이 받은 점수는 모두 몇 점일까요?
식: 8 × 7 = 56
정답: 56점

112 113

113쪽 6번

❶ □-14=7×9, □=63+14, □=77

❷ □+20=5×15, □+20=7
□=75-20, □=55

14-115쪽

____월 ____일 ____요일

20 7단

1. 캐시가 7칸씩 뛰어가기를 해요. □ 안에 알맞은 수를 써넣어 보세요.

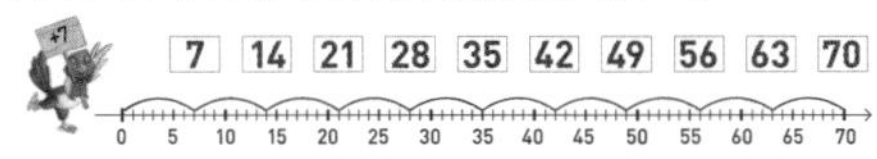

2. 계산해 보세요.

7 × 2 = **14** 7 × 3 = **21** 7 × 4 = **28** 7 × 5 = **35**

7 × 4 = **28** 7 × 6 = **42** 7 × 8 = **56** 7 × 10 = **70**

3. 다음 표를 완성해 보세요.

×	0	1	2	3	4	5	6	7	8	9	10
5	0	5	10	15	20	25	30	35	40	45	50
2	0	2	4	6	8	10	12	14	16	18	20
7	0	7	14	21	28	35	42	49	56	63	70

4. 곱셈식을 세워 답을 구해 보세요. 1주일은 7일이에요.

❶ 3주이면 며칠일까요? **7 × 3 = 21 21일**

❷ 7주이면 며칠일까요? **7 × 7 = 49 49일**

5. 아래 글을 읽고 식을 세워 답을 구한 후, 애벌레에서 찾아 ○표 해 보세요.

❶ 스튜어트는 한 달에 책을 7권씩 읽어요. 스튜어트가 4달 동안 읽는 책은 모두 몇 권일까요?

식: **7 × 4 = 28**

정답: **28권**

❷ 1주일은 7일이에요. 린다의 가족은 2주 동안 해외여행을 떠나요. 린다 가족의 여행은 며칠 걸릴까요?

식: **7 × 2 = 14**

정답: **14일**

❸ 피터의 할머니는 3주 동안 여행을 가요. 할머니의 여행은 며칠 걸릴까요?

식: **7 × 3 = 21**

정답: **21일**

❹ 이웃 아기가 태어난 지 9주가 되었어요. 아기는 태어난 지 며칠이 된 걸까요?

식: **7 × 9 = 63**

정답: **63일**

❺ 엠마의 아빠는 하루에 7시간을 자요. 엠마의 아빠가 6일 동안 잔 시간은 얼마일까요?

식: **7 × 6 = 42**

정답: **42시간**

❻ 알렉의 엄마는 하루에 7시간을 일해요. 알렉의 엄마는 5일 동안 몇 시간을 일할까요?

식: **7 × 5 = 35**

정답: **35시간**

(14) (21) (28) (35)
(42) 49 56 (63)

더 생각해 보아요!

오늘은 화요일이에요. 오늘부터 15일 후는 무슨 요일일까요?

수요일

더 생각해 보아요! | 115쪽

일주일은 7일, 2주일은 14일이에요. 2주 후는 화요일이므로, 하루 뒤인 15일 후는 수요일이에요.

16-117쪽

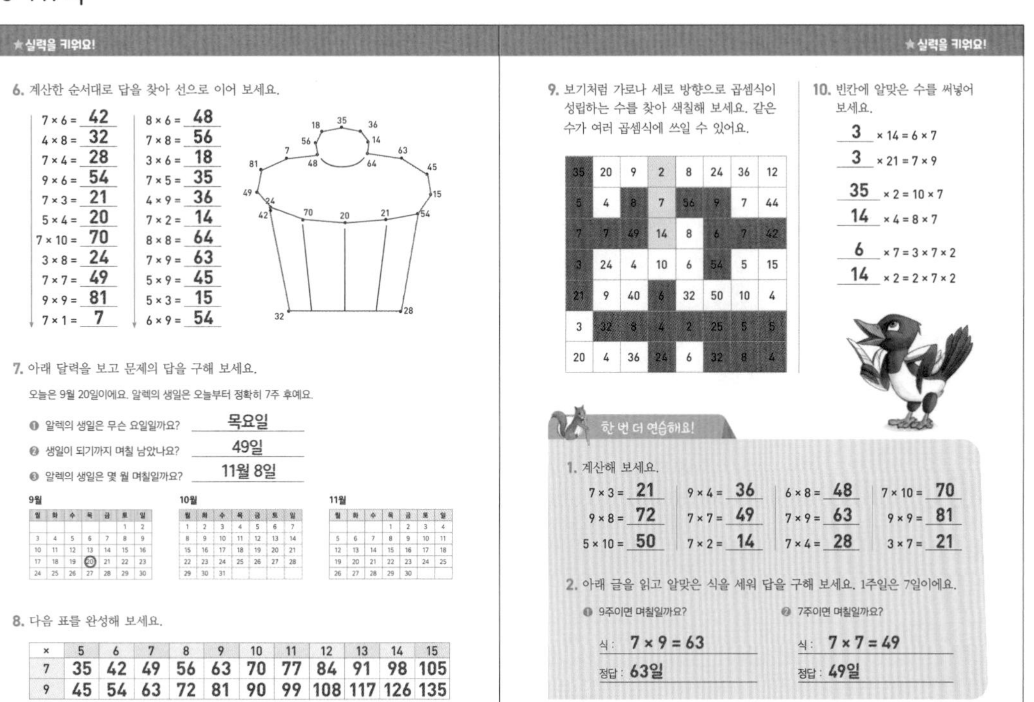

★실력을 키워요!

6. 계산한 순서대로 답을 찾아 선으로 이어 보세요.

7 × 6 = **42**
4 × 8 = **32**
7 × 4 = **28**
9 × 6 = **54**
7 × 3 = **21**
5 × 4 = **20**
7 × 10 = **70**
3 × 8 = **24**
7 × 7 = **49**
9 × 9 = **81**
7 × 1 = **7**

8 × 6 = **48**
7 × 8 = **56**
3 × 6 = **18**
7 × 5 = **35**
4 × 9 = **36**
7 × 2 = **14**
8 × 8 = **64**
7 × 9 = **63**
5 × 9 = **45**
5 × 3 = **15**
6 × 9 = **54**

7. 아래 달력을 보고 문제의 답을 구해 보세요.

오늘은 9월 20일이에요. 알렉의 생일은 오늘부터 정확히 7주 후예요.

❶ 알렉의 생일은 무슨 요일일까요? **목요일**

❷ 생일이 되기까지 며칠 남았나요? **49일**

❸ 알렉의 생일은 몇 월 며칠일까요? **11월 8일**

9월

월	화	수	목	금	토	일
					1	2
3	4	5	6	7	8	9
10	11	12	13	14	15	16
17	18	19	(20)	21	22	23
24	25	26	27	28	29	30

10월

월	화	수	목	금	토	일
1	2	3	4	5	6	7
8	9	10	11	12	13	14
15	16	17	18	19	20	21
22	23	24	25	26	27	28
29	30	31				

11월

월	화	수	목	금	토	일
			1	2	3	4
5	6	7	8	9	10	11
12	13	14	15	16	17	18
19	20	21	22	23	24	25
26	27	28	29	30		

8. 다음 표를 완성해 보세요.

×	5	6	7	8	9	10	11	12	13	14	15
7	35	42	49	56	63	70	77	84	91	98	105
9	45	54	63	72	81	90	99	108	117	126	135

★실력을 키워요!

9. 보기처럼 가로나 세로 방향으로 곱셈식이 성립하는 수를 찾아 색칠해 보세요. 같은 수가 여러 곱셈식에 쓰일 수 있어요.

35	20	9	2	8	24	36	12
5	4	8	7	56	9	7	44
7	7	49	14	8	6	7	42
3	24	4	10	6	54	5	15
21	9	40	6	32	50	10	4
3	32	8	4	2	25	5	5
20	4	36	24	6	32	8	4

10. 빈칸에 알맞은 수를 써넣어 보세요.

3 × 14 = 6 × 7
3 × 21 = 7 × 9
35 × 2 = 10 × 7
14 × 4 = 8 × 7
6 × 7 = 3 × 7 × 2
14 × 2 = 2 × 7 × 2

한 번 더 연습해요!

1. 계산해 보세요.

7 × 3 = **21** 9 × 4 = **36** 6 × 8 = **48** 7 × 10 = **70**

9 × 8 = **72** 7 × 7 = **49** 7 × 9 = **63** 9 × 9 = **81**

5 × 10 = **50** 7 × 2 = **14** 7 × 4 = **28** 3 × 7 = **21**

2. 아래 글을 읽고 알맞은 식을 세워 답을 구해 보세요. 1주일은 7일이에요.

❶ 9주이면 며칠일까요?

식: **7 × 9 = 63**

정답: **63일**

❷ 7주이면 며칠일까요?

식: **7 × 7 = 49**

정답: **49일**

116쪽 7번

달력을 문제에 사용한 이유는 일주일이 7일이라서 7단 문제와 연결 지을 수 있기 때문이에요.

❷ 생일이 7주 후이므로 7×7=49, 49일

118-119쪽

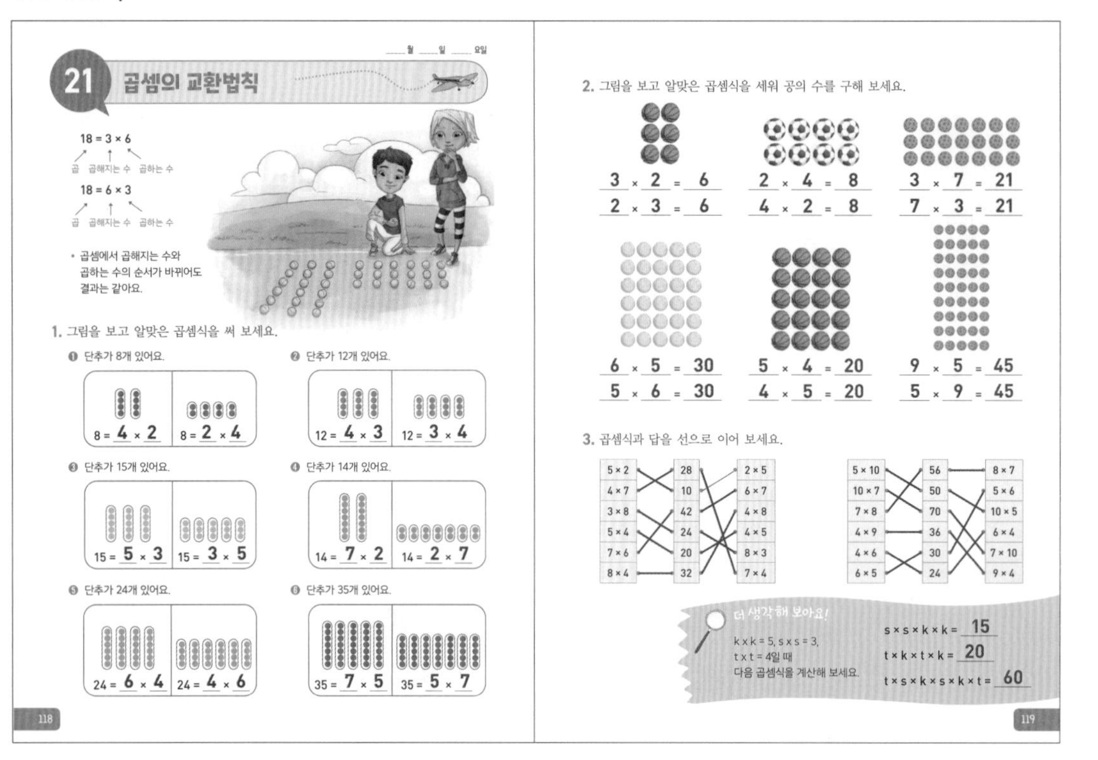

___월 ___일 ___요일

21 곱셈의 교환법칙

18 = 3 × 6
곱 곱해지는 수 곱하는 수

18 = 6 × 3
곱 곱해지는 수 곱하는 수

• 곱셈에서 곱해지는 수와 곱하는 수의 순서가 바뀌어도 결과는 같아요.

1. 그림을 보고 알맞은 곱셈식을 써 보세요.

① 단추가 8개 있어요. 8 = 4 × 2, 8 = 2 × 4
② 단추가 12개 있어요. 12 = 4 × 3, 12 = 3 × 4
③ 단추가 15개 있어요. 15 = 5 × 3, 15 = 3 × 5
④ 단추가 14개 있어요. 14 = 7 × 2, 14 = 2 × 7
⑤ 단추가 24개 있어요. 24 = 6 × 4, 24 = 4 × 6
⑥ 단추가 35개 있어요. 35 = 7 × 5, 35 = 5 × 7

118

2. 그림을 보고 알맞은 곱셈식을 세워 공의 수를 구해 보세요.

3 × 2 = 6, 2 × 3 = 6
2 × 4 = 8, 4 × 2 = 8
3 × 7 = 21, 7 × 3 = 21
6 × 5 = 30, 5 × 6 = 30
5 × 4 = 20, 4 × 5 = 20
9 × 5 = 45, 5 × 9 = 45

3. 곱셈식과 답을 선으로 이어 보세요.

5 × 2	28	2 × 5
4 × 7	10	6 × 7
3 × 8	42	4 × 8
5 × 4	24	4 × 5
7 × 6	20	8 × 3
8 × 4	32	7 × 4

5 × 10	56	8 × 7
10 × 7	50	5 × 6
7 × 8	70	10 × 5
4 × 9	36	6 × 4
4 × 6	30	7 × 10
6 × 5	24	9 × 4

더 생각해 보아요!
k × k = 5, s × s = 3, t × t = 4일 때 다음 곱셈식을 계산해 보세요.
s × s × k × k = 15
t × k × t × k = 20
t × s × k × s × k × t = 60

119

120-121쪽

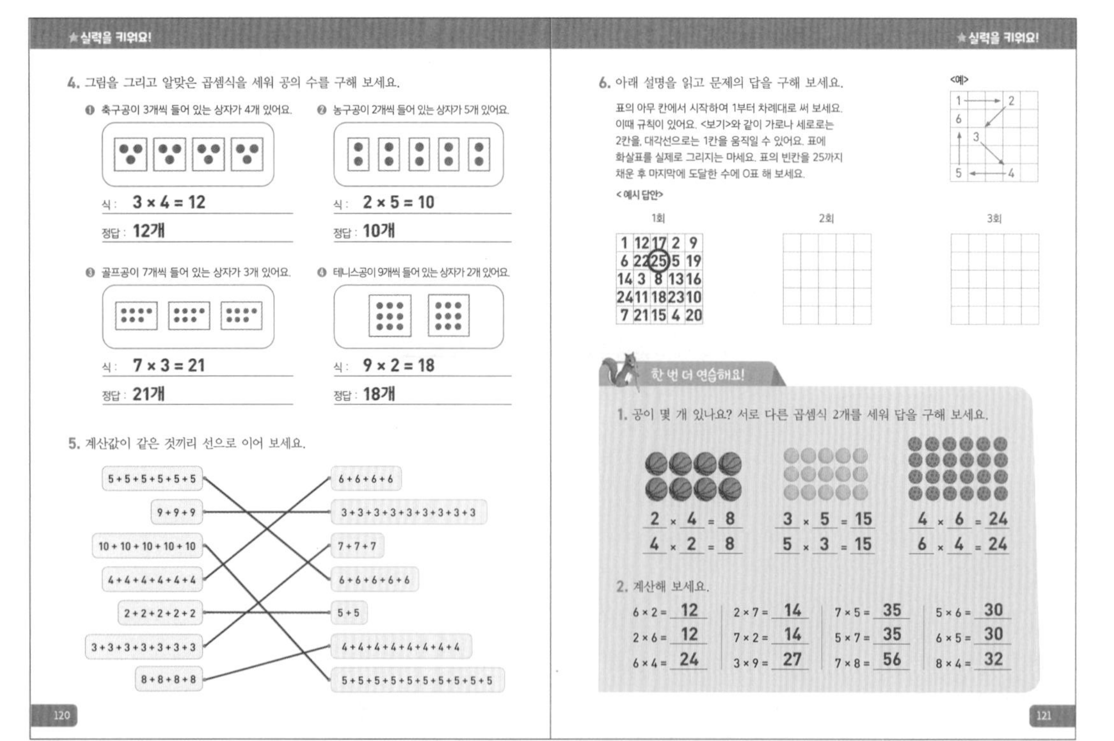

★실력을 키워요!

4. 그림을 그리고 알맞은 곱셈식을 세워 공의 수를 구해 보세요.

① 축구공이 3개씩 들어 있는 상자가 4개 있어요.
식: 3 × 4 = 12
정답: 12개

② 농구공이 2개씩 들어 있는 상자가 5개 있어요.
식: 2 × 5 = 10
정답: 10개

③ 골프공이 7개씩 들어 있는 상자가 3개 있어요.
식: 7 × 3 = 21
정답: 21개

④ 테니스공이 9개씩 들어 있는 상자가 2개 있어요.
식: 9 × 2 = 18
정답: 18개

5. 계산값이 같은 것끼리 선으로 이어 보세요.

5+5+5+5+5+5	6+6+6+6
9+9+9	3+3+3+3+3+3+3+3+3
10+10+10+10+10	7+7+7
4+4+4+4+4+4+4	6+6+6+6+6
2+2+2+2+2	5+5
3+3+3+3+3+3+3	4+4+4+4+4+4+4+4
8+8+8+8	5+5+5+5+5+5+5+5+5+5

120

★실력을 키워요!

6. 아래 설명을 읽고 문제의 답을 구해 보세요.

표의 아무 칸에서 시작하여 1부터 차례대로 써 보세요. 이때 규칙이 있어요. <보기>와 같이 가로나 세로로는 2칸을, 대각선으로는 1칸을 움직일 수 있어요. 표에 화살표를 실제로 그리지는 마세요. 표의 빈칸을 25까지 채운 후 마지막에 도달한 수에 O표 해 보세요.

<예>

<예시 답안>

1회

1	12	17	2	9
6	22	(25)	5	19
14	3	8	13	16
24	11	18	23	10
7	21	15	4	20

2회

3회

한 번 더 연습해요!

1. 공이 몇 개 있나요? 서로 다른 곱셈식 2개를 세워 답을 구해 보세요.

2 × 4 = 8, 4 × 2 = 8
3 × 5 = 15, 5 × 3 = 15
4 × 6 = 24, 6 × 4 = 24

2. 계산해 보세요.

6 × 2 = 12, 2 × 6 = 12, 6 × 4 = 24
2 × 7 = 14, 7 × 2 = 14, 3 × 9 = 27
7 × 5 = 35, 5 × 7 = 35, 7 × 8 = 56
5 × 6 = 30, 6 × 5 = 30, 8 × 4 = 32

121

120쪽 5번

보통 답을 구할 때 5+5+5+
+5+5=5×6=30, 6+6+6+6+
=6×5=30으로 답이 30으
같다는 데만 중점을 둘 때가
어요. 그런데 수를 더 깊게
해하면 30이라는 표면적인
보다는 5×6=6×5라서 교환
칙이 성립한다는 것도 알 수
고, 이를 이용하여 답을 더
리 찾을 수 있어요. 예를 들면
7+7+7=7×3을 통해 3이 7
씩 더해진 식을 찾게 되어 양
을 굳이 계산하지 않아도 한
값을 통해 다른 쪽 값을 유추
수 있어요. 유추를 통해 시간
절약할 수 있으니 훨씬 효율
인 방법이 되겠지요?

121쪽 6번

선대칭시키거나 회전시키면
거리는 유지돼요. 그러므로
나의 정답을 찾으면 그 정답
선대칭시키거나 회전시키면
여러 가지 경우의 답을 찾을
있어요.

1	12	17	2	9
6	22	(25)	5	19
14	3	8	13	16
24	11	18	23	10
7	21	15	4	20

7	24	14	6	1
21	11	3	22	12
15	18	8	(25)	17
4	23	13	5	2
20	10	16	19	9

20	4	15	21	7
10	23	18	11	24
16	13	8	3	14
19	5	(25)	22	6
9	2	17	12	1

22-123쪽

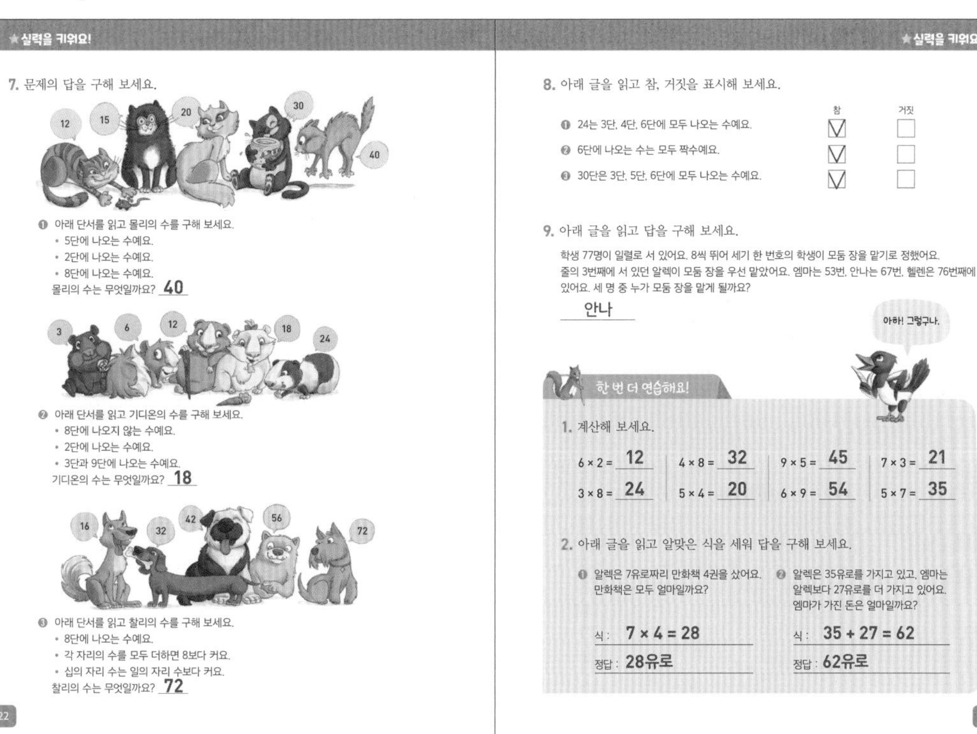

★실력을 키워요!

7. 문제의 답을 구해 보세요.

❶ 아래 단서를 읽고 몰리의 수를 구해 보세요.

- 5단에 나오는 수예요.
- 2단에 나오는 수예요.
- 8단에 나오는 수예요.

몰리의 수는 무엇일까요? **40**

❷ 아래 단서를 읽고 기디온의 수를 구해 보세요.

- 8단에 나오지 않는 수예요.
- 2단에 나오는 수예요.
- 3단과 9단에 나오는 수예요.

기디온의 수는 무엇일까요? **18**

❸ 아래 단서를 읽고 찰리의 수를 구해 보세요.

- 8단에 나오는 수예요.
- 각 자리의 수를 모두 더하면 8보다 커요.
- 십의 자리 수는 일의 자리 수보다 커요.

찰리의 수는 무엇일까요? **72**

122

★실력을 키워요!

8. 아래 글을 읽고 참, 거짓을 표시해 보세요.

	참	거짓
❶ 24는 3단, 4단, 6단에 모두 나오는 수예요.	√	
❷ 6단에 나오는 수는 모두 짝수예요.	√	
❸ 30단은 3단, 5단, 6단에 모두 나오는 수예요.	√	

9. 아래 글을 읽고 답을 구해 보세요.

학생 77명이 일렬로 서 있어요. 8씩 뛰어 세기 한 번호의 학생이 모둠 장을 맡기로 정했어요. 줄의 3번째에 서 있던 알렉이 모둠 장을 우선 맡았어요. 엠마는 53번, 안나는 67번, 헬렌은 76번째에 있어요. 세 명 중 누가 모둠 장을 맡게 될까요?

안나

한 번 더 연습해요!

1. 계산해 보세요.

$6 \times 2 =$ **12**　$4 \times 8 =$ **32**　$9 \times 5 =$ **45**　$7 \times 3 =$ **21**

$3 \times 8 =$ **24**　$5 \times 4 =$ **20**　$6 \times 9 =$ **54**　$5 \times 7 =$ **35**

2. 아래 글을 읽고 알맞은 식을 세워 답을 구해 보세요.

❶ 알렉은 7유로짜리 만화책 4권을 샀어요. 만화책은 모두 얼마일까요?

식 : **7 × 4 = 28**

정답 : **28유로**

❷ 알렉은 35유로를 가지고 있고, 엠마는 알렉보다 27유로를 더 가지고 있어요. 엠마가 가진 돈은 얼마일까요?

식 : **35 + 27 = 62**

정답 : **62유로**

123

122쪽 7번

논리적 추론을 통해 수학의 힘을 키울 수 있어요. 한국의 경우 초등에서 논리 추론 문제를 소홀하게 다루는 반면, 핀란드나 북유럽 수학에서는 논리적 추론 문제 비중이 높답니다. 어려운 문제를 만나 인지적 갈등을 겪을 때 뇌가 활성화되고 발달하기 때문에 좋은 문제라고 할 수 있으니 도전해 보세요. 그리고 정답을 못 맞히더라도 바로 답을 알려 주지 말고 오래도록 끈기 있게 고민하며 풀 수 있도록 시간을 주고 기회를 주세요. 이러한 과정은 학생들이 홀로 수학과 당당하게 맞서는 기회가 될 테니까요.

❶ 5단과 2단, 8단에 나오는 수는 40(5×8, 2×20, 8×5)

❷ 2단에 나오는 수이므로 홀수인 3은 탈락, 3단과 9단에 나오는 수이므로 9단이 아닌 6, 12, 24 탈락, 남은 건 18

❸ 8단에 나오는 수이므로 42 탈락, 각 자리의 수를 모두 더하면 8보다 커야 하므로 16, 32 탈락, 남은 수 56과 72 가운데 십의 자리 수가 1의 자리 수보다 큰 건 72

123쪽 9번

알렉이 3번째에 있으므로, 8단에 3을 더한 수를 찾으면 돼요. 해당되는 번호는 67번인 안나예요.

24-125쪽

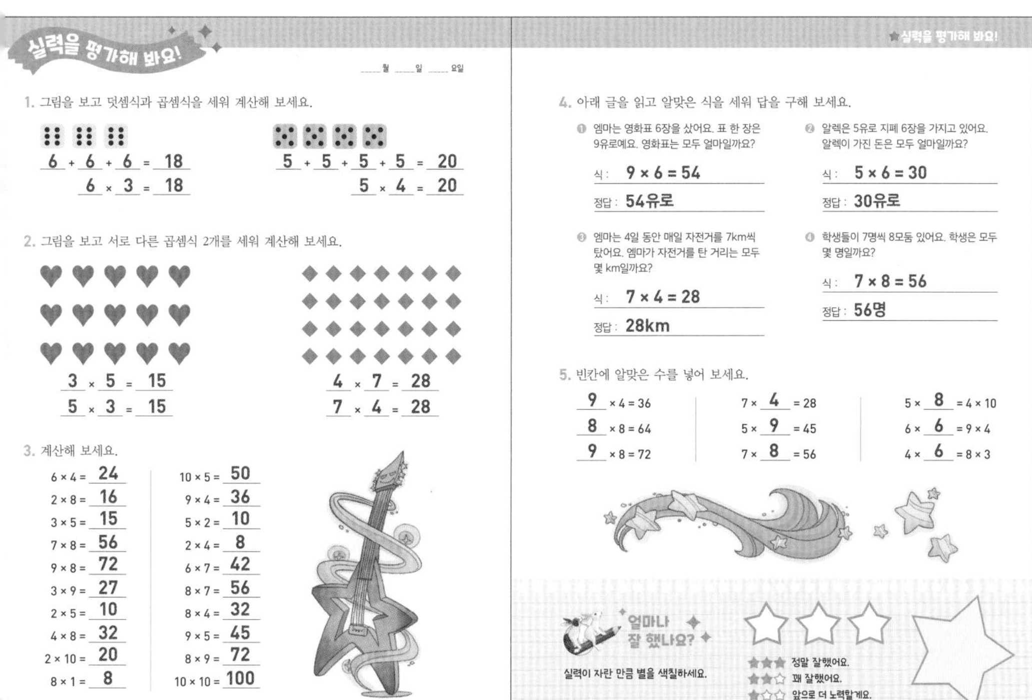

실력을 평가해 봐요!

____월 ____일 ____요일

1. 그림을 보고 덧셈식과 곱셈식을 세워 계산해 보세요.

6 + **6** + **6** = **18**　　**5** + **5** + **5** + **5** = **20**

6 × **3** = **18**　　**5** × **4** = **20**

2. 그림을 보고 서로 다른 곱셈식 2개를 세워 계산해 보세요.

3 × **5** = **15**　　**4** × **7** = **28**

5 × **3** = **15**　　**7** × **4** = **28**

3. 계산해 보세요.

$6 \times 4 =$ **24**	$10 \times 5 =$ **50**
$2 \times 8 =$ **16**	$9 \times 4 =$ **36**
$3 \times 5 =$ **15**	$5 \times 2 =$ **10**
$7 \times 8 =$ **56**	$2 \times 4 =$ **8**
$9 \times 8 =$ **72**	$6 \times 7 =$ **42**
$3 \times 9 =$ **27**	$8 \times 7 =$ **56**
$2 \times 5 =$ **10**	$8 \times 4 =$ **32**
$4 \times 8 =$ **32**	$9 \times 5 =$ **45**
$2 \times 10 =$ **20**	$8 \times 9 =$ **72**
$8 \times 1 =$ **8**	$10 \times 10 =$ **100**

124

★실력을 평가해 봐요!

4. 아래 글을 읽고 알맞은 식을 세워 답을 구해 보세요.

❶ 엠마는 영화표 6장을 샀어요. 표 한 장은 9유로예요. 영화표는 모두 얼마일까요?

식 : **9 × 6 = 54**

정답 : **54유로**

❷ 알렉은 5유로 지폐 6장을 가지고 있어요. 알렉이 가진 돈은 모두 얼마일까요?

식 : **5 × 6 = 30**

정답 : **30유로**

❸ 엠마는 4일 동안 매일 자전거를 7km씩 탔어요. 엠마가 자전거를 탄 거리는 모두 몇 km일까요?

식 : **7 × 4 = 28**

정답 : **28km**

❹ 학생들이 7명씩 8모둠 있어요. 학생은 모두 몇 명일까요?

식 : **7 × 8 = 56**

정답 : **56명**

5. 빈칸에 알맞은 수를 넣어 보세요.

9 × 4 = 36	7 × **4** = 28	5 × **8** = 4 × 10
8 × 8 = 64	5 × **9** = 45	6 × **6** = 9 × 4
9 × 8 = 72	7 × **8** = 56	4 × **6** = 8 × 3

얼마나 잘 했나요?

실력이 자란 만큼 별을 색칠하세요.

★★★ 정말 잘했어요.

★★☆ 꽤 잘했어요.

★☆☆ 앞으로 더 노력할게요.

126-127쪽

단원 평가

1 다음 표를 완성해 보세요.

×	4	5	6	7	8	9	10
6	24	30	36	42	48	54	60
7	28	35	42	49	56	63	70
8	32	40	48	56	64	72	80
9	36	45	54	63	72	81	90
10	40	50	60	70	80	90	100

2 계산해 보세요.

5 × 9 = 45　　9 × 2 = 18
4 × 8 = 32　　3 × 9 = 27
7 × 5 = 35　　9 × 10 = 90
3 × 7 = 21　　10 × 10 = 100

3 다음 표를 완성해 보세요.

① 규칙에 맞게 빈칸에 알맞은 수를 써넣어 보세요.

10, 15, 20, 25, 30, 35, 40, 45, 50

72, 64, 56, 48, 40, 32, 24, 16, 8

② 다음 수를 보고 어떤 규칙이 있는지 설명해 보세요.

71, 64, 57, 50, 43, 36, 29, 22, 15

앞의 수에서 7씩 작아지는 규칙이에요.

4 식이 성립하도록 빈칸에 알맞은 수를 써넣어 보세요.

54 = 6 × 9　　8 × 8 = 64
48 = 8 × 6　　9 × 5 = 45 또는 5 × 9 = 45
63 = 9 × 7　　7 × 8 = 56 또는 8 × 7 = 56

5 그림이 들어간 식을 보고 그림의 값을 구해 보세요.

× =
× = 36
× = 36
× = 27

= 3, = 4, = 12, = 9

6 그림이 들어간 식을 보고 그림의 값을 구해 보세요.

♥ × ♥ × ♥ = ★　　★ = 8
▲ + ▲ = ★　　▲ = 4
♥ × ♥ = ▲　　♥ = 2

126　127

127쪽 5번

가장 많이 나오는 축구공이 는 식부터 가능한 수를 찾아 니다.

× =27, 곱해서 27 나오는 곱셈식은 3×9 또는 9×

=9일 경우, × =3 =4이므로, 첫 번째 식 × = 이 성립하지 않아요.

그러므로 =3, =9

× =36, 3× =36, =12

× = , 3× =12 =4

127쪽 6번

작은 수인 1이나 2부터 넣 가며 식을 채워 나가면 좋은 1은 곱해도 1이 나오므로 되고 2부터 넣어 보면서 식 성립하는지 확인해 보세요.

♥=2를 넣어 보면

2×2×2=8, ★=8

▲+▲=8, ▲=4

128-129쪽

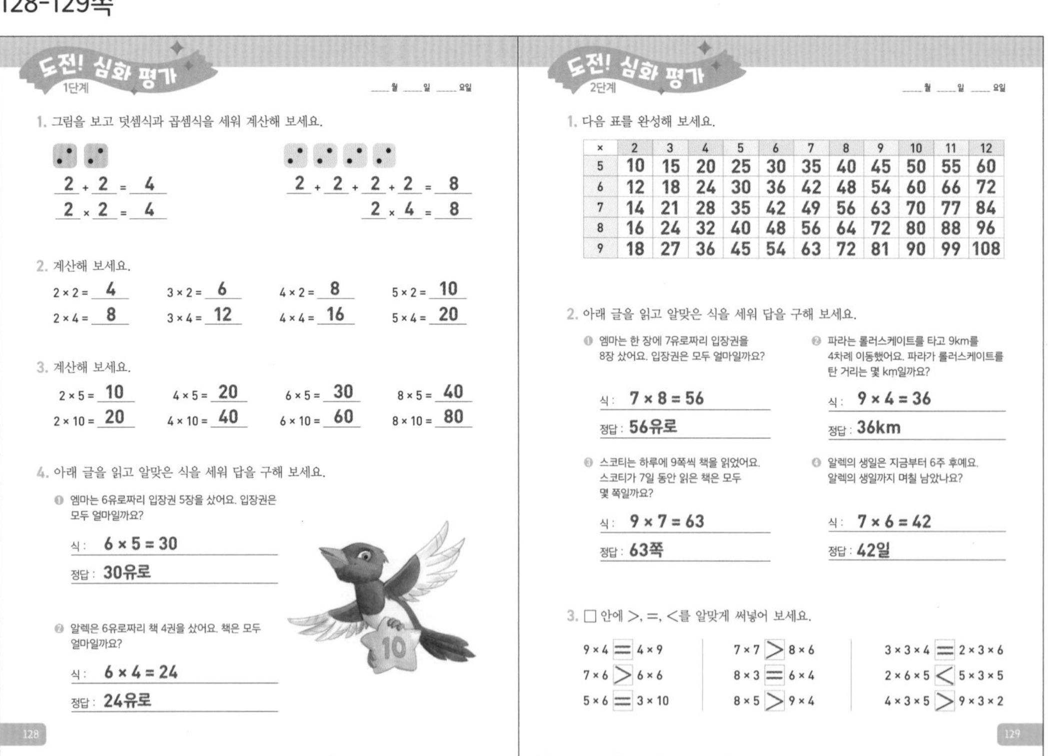

도전! 심화 평가 1단계　　___월 ___일 ___요일

1. 그림을 보고 덧셈식과 곱셈식을 세워 계산해 보세요.

2 + 2 = 4
2 × 2 = 4

2 + 2 + 2 + 2 = 8
2 × 4 = 8

2. 계산해 보세요.

2 × 2 = 4　3 × 2 = 6　4 × 2 = 8　5 × 2 = 10
2 × 4 = 8　3 × 4 = 12　4 × 4 = 16　5 × 4 = 20

3. 계산해 보세요.

2 × 5 = 10　4 × 5 = 20　6 × 5 = 30　8 × 5 = 40
2 × 10 = 20　4 × 10 = 40　6 × 10 = 60　8 × 10 = 80

4. 아래 글을 읽고 알맞은 식을 세워 답을 구해 보세요.

① 엠마는 6유로짜리 입장권 5장을 샀어요. 입장권은 모두 얼마일까요?

식: 6 × 5 = 30
정답: 30유로

② 알렉은 6유로짜리 책 4권을 샀어요. 책은 모두 얼마일까요?

식: 6 × 4 = 24
정답: 24유로

128

도전! 심화 평가 2단계　　___월 ___일 ___요일

1. 다음 표를 완성해 보세요.

×	2	3	4	5	6	7	8	9	10	11	12
5	10	15	20	25	30	35	40	45	50	55	60
6	12	18	24	30	36	42	48	54	60	66	72
7	14	21	28	35	42	49	56	63	70	77	84
8	16	24	32	40	48	56	64	72	80	88	96
9	18	27	36	45	54	63	72	81	90	99	108

2. 아래 글을 읽고 알맞은 식을 세워 답을 구해 보세요.

① 엠마는 한 장에 7유로짜리 입장권을 8장 샀어요. 입장권은 모두 얼마일까요?

식: 7 × 8 = 56
정답: 56유로

② 파라는 롤러스케이트를 타고 9km를 4차례 이동했어요. 파라가 롤러스케이트를 탄 거리는 몇 km일까요?

식: 9 × 4 = 36
정답: 36km

③ 스코티는 하루에 9쪽씩 책을 읽었어요. 스코티가 7일 동안 읽은 책은 모두 몇 쪽일까요?

식: 9 × 7 = 63
정답: 63쪽

④ 알렉의 생일은 지금부터 6주 후예요. 알렉의 생일까지 며칠 남았나요?

식: 7 × 6 = 42
정답: 42일

3. □ 안에 >, =, <를 알맞게 써넣어 보세요.

9 × 4 = 4 × 9　　7 × 7 > 8 × 6　　3 × 3 × 4 = 2 × 3 × 6
7 × 6 > 6 × 6　　8 × 3 = 6 × 4　　2 × 6 × 5 < 5 × 3 × 5
5 × 6 = 3 × 10　　8 × 5 > 9 × 4　　4 × 3 × 5 > 9 × 3 × 2

129

129쪽 1번

구구단을 통해 답을 채우는 에서 나아가 4단은 2단의 2 9단은 3단의 3배라는 점, 서 다른 단의 곱을 통해 교환법 이 성립하는 점 등, 수학적으 발견할 수 있는 사실을 찾아 는 것도 아주 중요해요. 빠르 계산하는 것보다 원리를 찾 가는 느린 사고를 할 때 수학 힘이 자란답니다.

30-131쪽

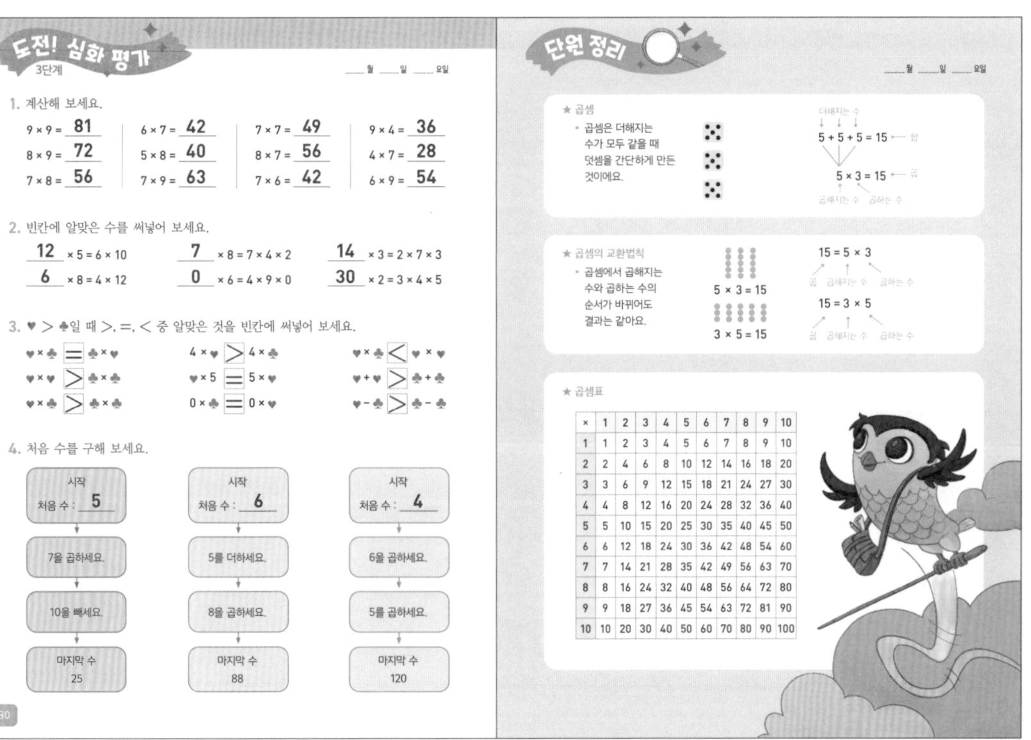

도전! 심화 평가 3단계 ___월 ___일 ___요일

1. 계산해 보세요.

9×9= 81 / 8×9= 72 / 7×8= 56
6×7= 42 / 5×8= 40 / 7×9= 63
7×7= 49 / 8×7= 56 / 7×6= 42
9×4= 36 / 4×7= 28 / 6×9= 54

2. 빈칸에 알맞은 수를 써넣어 보세요.

12 ×5=6×10 / 6 ×8=4×12
7 ×8=7×4×2 / 0 ×6=4×9×0
14 ×3=2×7×3 / 30 ×2=3×4×5

3. ♥ > ♣일 때 >, =, < 중 알맞은 것을 빈칸에 써넣어 보세요.

♥×♣ = ♣×♥ / ♥×♥ > ♣×♣ / ♥×♣ > ♣×♣
4×♥ > 4×♣ / ♥×5 = 5×♥ / 0×♣ = 0×♥
♥×♣ < ♥×♥ / ♥+♥ > ♣+♣ / ♥-♣ > ♣-♣

4. 처음 수를 구해 보세요.

시작 처음 수: 5 → 7을 곱하세요. → 10을 빼세요. → 마지막 수 25
시작 처음 수: 6 → 5를 더하세요. → 8을 곱하세요. → 마지막 수 88
시작 처음 수: 4 → 6을 곱하세요. → 5를 곱하세요. → 마지막 수 120

130

단원 정리 ___월 ___일 ___요일

★ 곱셈
- 곱셈은 더해지는 수가 모두 같을 때 덧셈을 간단하게 만든 것이에요.

더해지는 수
5+5+5=15 ← 합
5×3=15 ← 곱
곱해지는 수 곱하는 수

★ 곱셈의 교환법칙
- 곱셈에서 곱해지는 수와 곱하는 수의 순서가 바뀌어도 결과는 같아요.

5×3=15
3×5=15
15=5×3 (곱, 곱해지는 수, 곱하는 수)
15=3×5 (곱, 곱해지는 수, 곱하는 수)

★ 곱셈표

×	1	2	3	4	5	6	7	8	9	10
1	1	2	3	4	5	6	7	8	9	10
2	2	4	6	8	10	12	14	16	18	20
3	3	6	9	12	15	18	21	24	27	30
4	4	8	12	16	20	24	28	32	36	40
5	5	10	15	20	25	30	35	40	45	50
6	6	12	18	24	30	36	42	48	54	60
7	7	14	21	28	35	42	49	56	63	70
8	8	16	24	32	40	48	56	64	72	80
9	9	18	27	36	45	54	63	72	81	90
10	10	20	30	40	50	60	70	80	90	100

130쪽 3번

♥와 ♣에 숫자를 대입해서 풀면 더 쉽게 답을 구할 수 있어요.

130쪽 4번

처음 수를 구하려면 마지막 수를 가지고 반대로 계산해야 하므로 덧셈은 뺄셈, 뺄셈은 덧셈, 곱셈은 나눗셈, 나눗셈은 곱셈으로 계산해야 해요.

❶ 25+10=35, 35÷7=5, 처음 수는 5
❷ 88÷8=11, 11-5=6, 처음 수는 6
❸ 120÷5=24, 24÷6=4, 처음 수는 4

32-133쪽

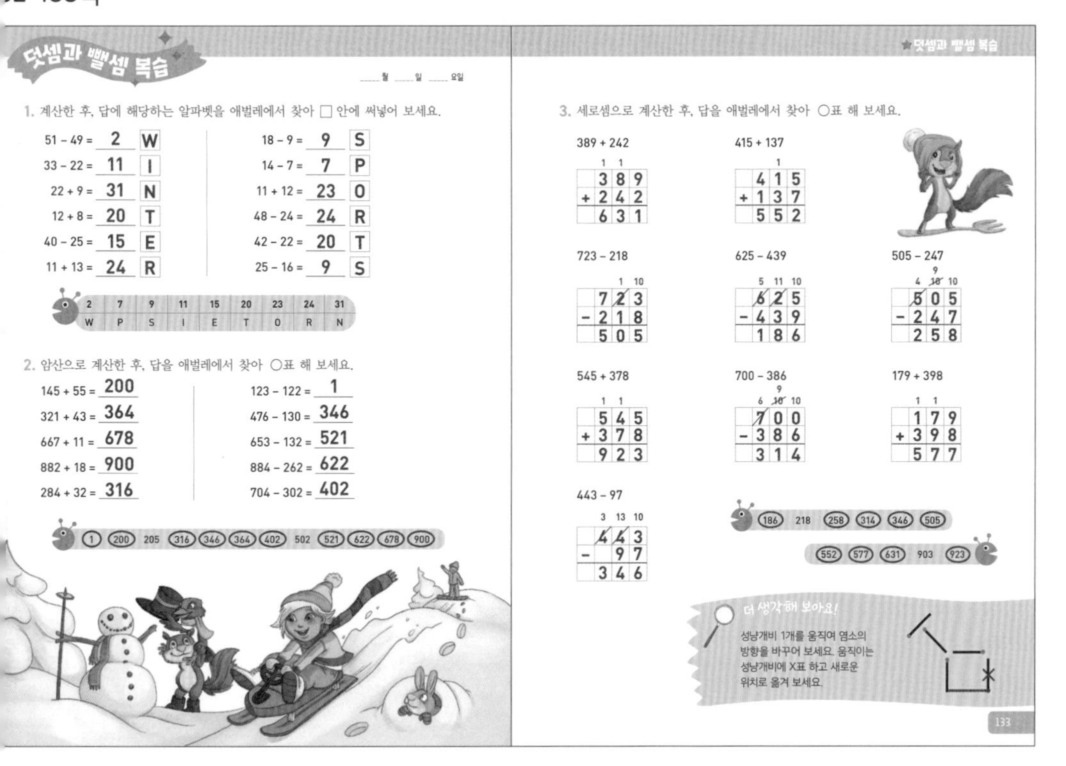

덧셈과 뺄셈 복습 ___월 ___일 ___요일

1. 계산한 후, 답에 해당하는 알파벳을 애벌레에서 찾아 □ 안에 써넣어 보세요.

51-49= 2 W / 33-22= 11 I / 22+9= 31 N / 12+8= 20 T / 40-25= 15 E / 11+13= 24 R
18-9= 9 S / 14-7= 7 P / 11+12= 23 O / 48-24= 24 R / 42-22= 20 T / 25-16= 9 S

2	7	9	11	15	20	23	24	31
W	P	S	I	E	T	O	R	N

2. 암산으로 계산한 후, 답을 애벌레에서 찾아 ○표 해 보세요.

145+55= 200 / 321+43= 364 / 667+11= 678 / 882+18= 900 / 284+32= 316
123-122= 1 / 476-130= 346 / 653-132= 521 / 884-262= 622 / 704-302= 402

1 200 205 316 346 364 402 502 521 622 678 900

★덧셈과 뺄셈 복습

3. 세로셈으로 계산한 후, 답을 애벌레에서 찾아 ○표 해 보세요.

389+242 = 631
415+137 = 552
723-218 = 505
625-439 = 186
505-247 = 258
545+378 = 923
700-386 = 314
179+398 = 577
443-97 = 346

186 218 258 314 346 505
552 577 631 903 923

더 생각해 보아요!
성냥개비 1개를 움직여 염소의 방향을 바꾸어 보세요. 움직이는 성냥개비에 X표 하고 새로운 위치로 옮겨 보세요.

133

132쪽 1번

Winter Sports
(겨울 스포츠)

134-135쪽

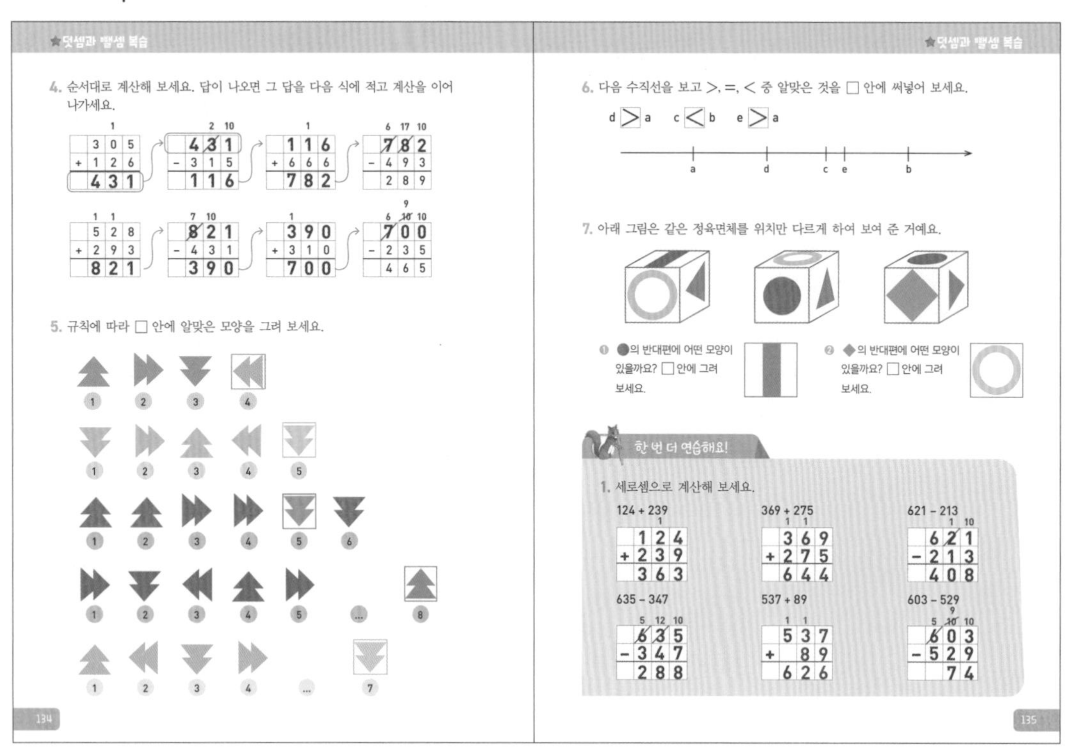

4. 순서대로 계산해 보세요. 답이 나오면 그 답을 다음 식에 적고 계산을 이어 나가세요.

$305 + 126 = 431$ → $431 - 315 = 116$ → $116 + 666 = 782$ → $782 - 493 = 289$

$528 + 293 = 821$ → $821 - 431 = 390$ → $390 + 310 = 700$ → $700 - 235 = 465$

5. 규칙에 따라 □ 안에 알맞은 모양을 그려 보세요.

6. 다음 수직선을 보고 >, =, < 중 알맞은 것을 □ 안에 써넣어 보세요.

$d > a$ $c < b$ $e > a$

a d c e b

7. 아래 그림은 같은 정육면체를 위치만 다르게 하여 보여 준 거예요.

① ●의 반대편에 어떤 모양이 있을까요? □ 안에 그려 보세요.

② ◆의 반대편에 어떤 모양이 있을까요? □ 안에 그려 보세요.

한 번 더 연습해요!

1. 세로셈으로 계산해 보세요.

$124 + 239 = 363$ $369 + 275 = 644$ $621 - 213 = 408$

$635 - 347 = 288$ $537 + 89 = 626$ $603 - 529 = 74$

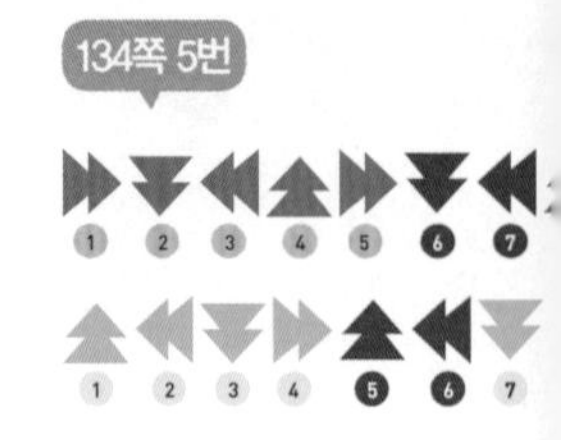

136-137쪽

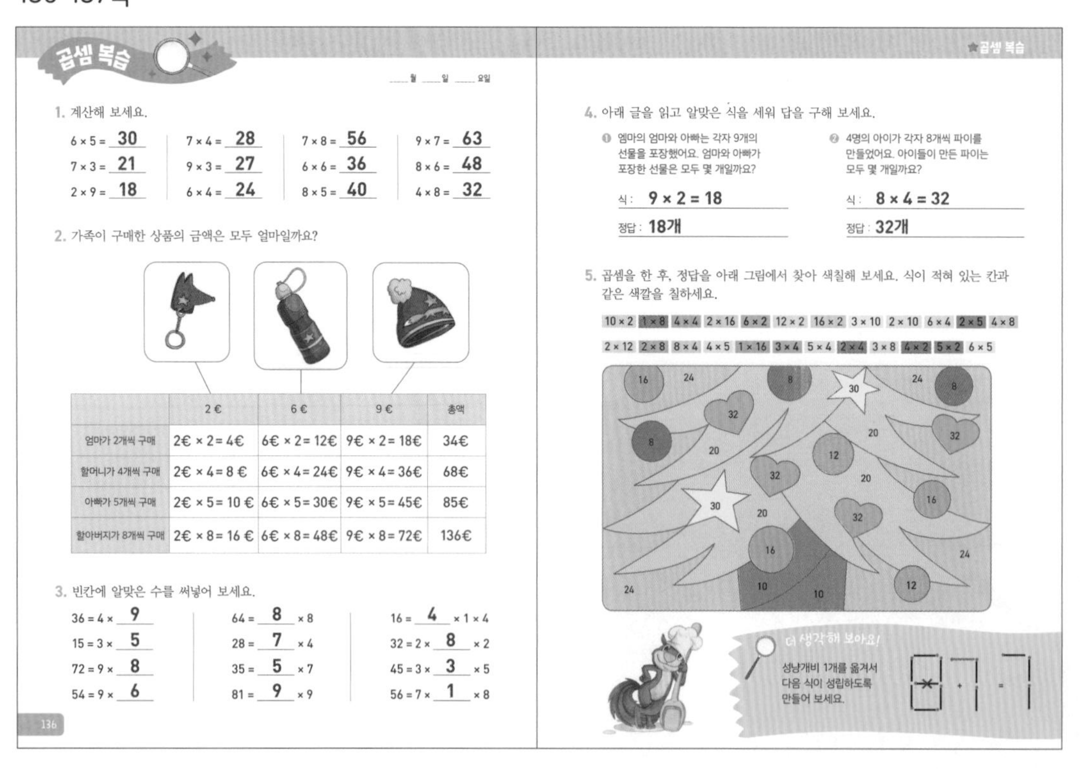

곱셈 복습

___월 ___일 ___요일

1. 계산해 보세요.

$6 \times 5 = 30$	$7 \times 4 = 28$	$7 \times 8 = 56$	$9 \times 7 = 63$
$7 \times 3 = 21$	$9 \times 3 = 27$	$6 \times 6 = 36$	$8 \times 6 = 48$
$2 \times 9 = 18$	$6 \times 4 = 24$	$8 \times 5 = 40$	$4 \times 8 = 32$

2. 가족이 구매한 상품의 금액은 모두 얼마일까요?

	2€	6€	9€	총액
엄마가 2개씩 구매	2€ × 2 = 4€	6€ × 2 = 12€	9€ × 2 = 18€	34€
할머니가 4개씩 구매	2€ × 4 = 8€	6€ × 4 = 24€	9€ × 4 = 36€	68€
아빠가 5개씩 구매	2€ × 5 = 10€	6€ × 5 = 30€	9€ × 5 = 45€	85€
할아버지가 8개씩 구매	2€ × 8 = 16€	6€ × 8 = 48€	9€ × 8 = 72€	136€

3. 빈칸에 알맞은 수를 써넣어 보세요.

$36 = 4 \times 9$	$64 = 8 \times 8$	$16 = 4 \times 1 \times 4$
$15 = 3 \times 5$	$28 = 7 \times 4$	$32 = 2 \times 8 \times 2$
$72 = 9 \times 8$	$35 = 5 \times 7$	$45 = 3 \times 3 \times 5$
$54 = 9 \times 6$	$81 = 9 \times 9$	$56 = 7 \times 1 \times 8$

4. 아래 글을 읽고 알맞은 식을 세워 답을 구해 보세요.

① 엄마의 엄마와 아빠는 각자 9개의 선물을 포장했어요. 엄마와 아빠가 포장한 선물은 모두 몇 개일까요?

식: $9 \times 2 = 18$

정답: 18개

② 4명의 아이가 각자 8개씩 파이를 만들었어요. 아이들이 만든 파이는 모두 몇 개일까요?

식: $8 \times 4 = 32$

정답: 32개

5. 곱셈을 한 후, 정답을 아래 그림에서 찾아 색칠해 보세요. 식이 적혀 있는 칸과 같은 색깔을 칠하세요.

10 × 2 | 1 × 8 | 4 × 4 | 2 × 16 | 6 × 2 | 12 × 2 | 16 × 2 | 3 × 10 | 2 × 10 | 6 × 4 | 2 × 5 | 4 × 8

2 × 12 | 2 × 8 | 8 × 4 | 4 × 5 | 1 × 16 | 3 × 4 | 5 × 4 | 2 × 4 | 3 × 8 | 4 × 2 | 5 × 2 | 6 × 5

더 생각해 보아요!

성냥개비 1개를 옮겨서 다음 식이 성립하도록 만들어 보세요.

138-139쪽

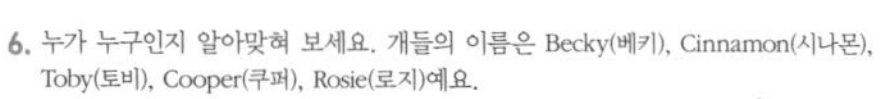

곱셈 복습

6. 누가 누구인지 알아맞혀 보세요. 개들의 이름은 Becky(베키), Cinnamon(시나몬), Toby(토비), Cooper(쿠퍼), Rosie(로지)예요.

ROSIE

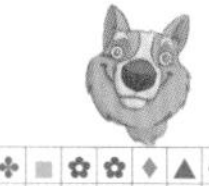

CINNAMON

COOPER

TOBY

BECKY

7. □ 안에 >, =, <를 알맞게 써넣어 보세요.

6×4 > 5×4	6×2 > 5×2	2×4 = 4×2
4×4 < 4×5	4×6 < 3×9	6×7 > 5×8
8×3 < 6×5	5×9 < 6×8	9×4 < 8×5

8. 빈칸에 알맞은 수를 써넣어 보세요. <예시 답안>

6 × 2 = 12
9 × 5 = 45
7 × 4 = 28
9 × 8 = 72
8 × 8 = 64
7 × 8 = 56

138

곱셈 복습

9. 아래 단서를 읽고 친구들의 이름과 가지고 있는 영화표의 수를 알아맞혀 보세요.

이름	메리	모나	시에나	네아	티아
영화표 수	7장	3장	6장	6장	4장

❶ 시에나 옆에 앉은 사람은 가장 적은 표를 가지고 있어요.
❷ 티아는 빨간 티셔츠를 입고 있는데, 시에나의 표와 합쳐서 총 10장을 가지고 있어요.
❸ 메리와 모나는 총 10장의 표를 가지고 있어요.
❹ 메리와 모나는 서로 옆에 앉아 있어요.
❺ 네아와 시에나는 표 12장을 똑같이 나누어 가졌어요.
❻ 친구들은 총 26장의 표를 가지고 있어요.
❼ 모나는 네아가 가진 표의 절반을 가지고 있어요.
❽ 시에나는 그림에서 가운데에 있어요.

한 번 더 연습해요!

1. 아래 글을 읽고 그림으로 나타내고, 알맞은 식을 세워 답을 구해 보세요.

❶ 엄마, 알렉, 그리고 파라는 각자 5개씩 비스킷을 만들었어요. 아이들이 만든 비스킷은 모두 몇 개일까요?

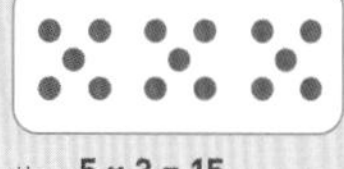

식: 5 × 3 = 15
정답: 15개

❷ 4팀이 토너먼트 대결을 해요. 각 팀은 6명씩 있어요. 토너먼트에 참가하는 선수는 모두 몇 명일까요?

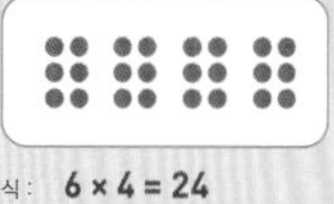

식: 6 × 4 = 24
정답: 24명

139

138쪽 8번

정답이 여러 개입니다. 찾을 수 있는 곱셈식을 모두 만들어 보세요.

MEMO

139쪽 9번

❽ 시에나는 그림에서 가운데에 있어요.

❷ 티아는 빨간 티셔츠를 입고 있는데, 시에나의 표와 합쳐서 총 10장의 표를 가지고 있어요.

❺ 네아와 시에나는 표 12장을 똑같이 나누어 가졌어요.→시에나 6장

이름			시에나		티아
영화표 수			6장		4장

❹ 메리와 모나는 서로 옆에 앉아 있어요.→그러므로 시에나와 티아 사이는 네아예요.

이름			시에나	네아	티아
영화표 수			6장	6장	4장

❼ 모나는 네아가 가진 표의 절반을 가지고 있어요.→네아가 6장을 가지고 있으므로 모나는 3장을 가졌어요.

❸ 메리와 모나는 총 10장의 표를 가지고 있어요.→모나가 3장을 가지고 있으므로 메리는 7장을 가졌어요.

❶ 시에나 옆에 앉은 사람은 가장 적은 표를 가지고 있어요.→3장이 가장 적으므로 시에나 옆은 모나예요.

이름	메리	모나	시에나	네아	티아
영화표 수	7장	3장	6장	6장	4장

핀란드 3학년 수학 교과서 3-1

정답과 해설

2권

8-9쪽

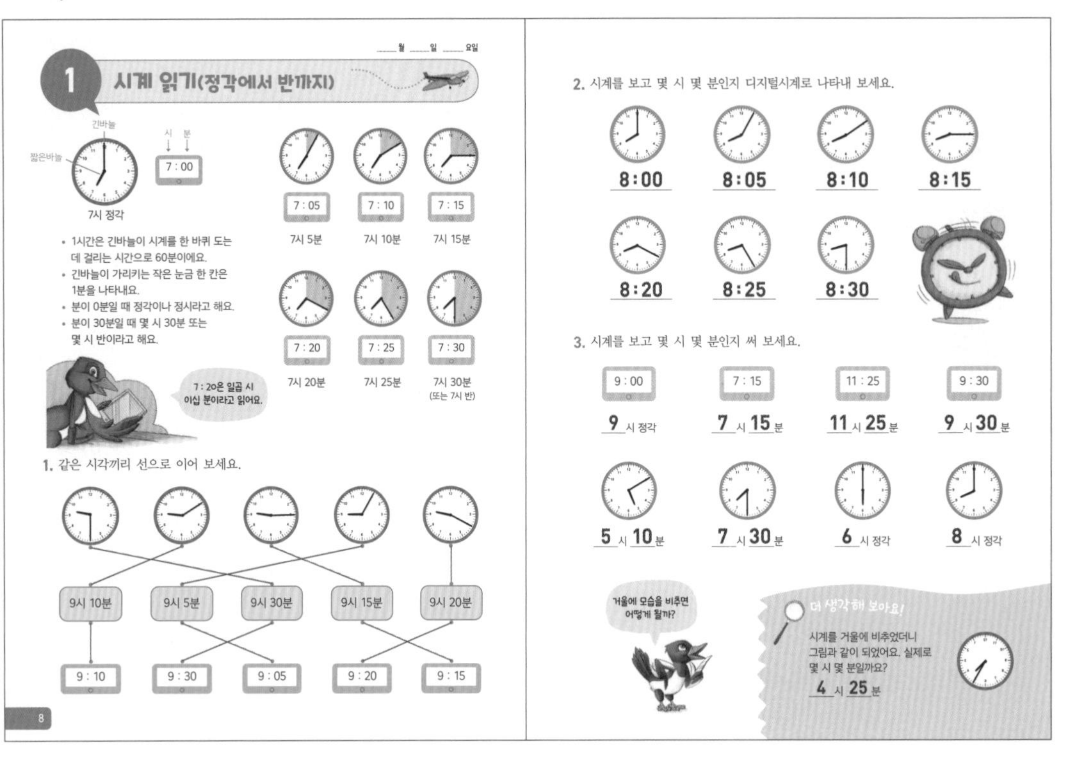

부모님 가이드 | 8쪽

시계를 보고 정확하게 몇 시 몇 분으로 나타내는 것을 배우게 돼요. 긴바늘이 많이 지나갈수록 짧은바늘도 그 비율만큼 움직이기 때문에 아이들이 혼동할 때가 많아요. 때문에 짧은바늘을 정확하게 읽으면서 긴바늘을 읽게 하면 정확하게 시계를 읽을 수 있어요. 예를 들어 5시 50분일 경우 짧은바늘이 6에 가까워서 아이들이 6시 50분이라고 읽는 경우가 있는데 아직 6시가 되지 않았기 때문에 5시라고 읽어야 한다는 점을 강조해 주세요.

10-11쪽

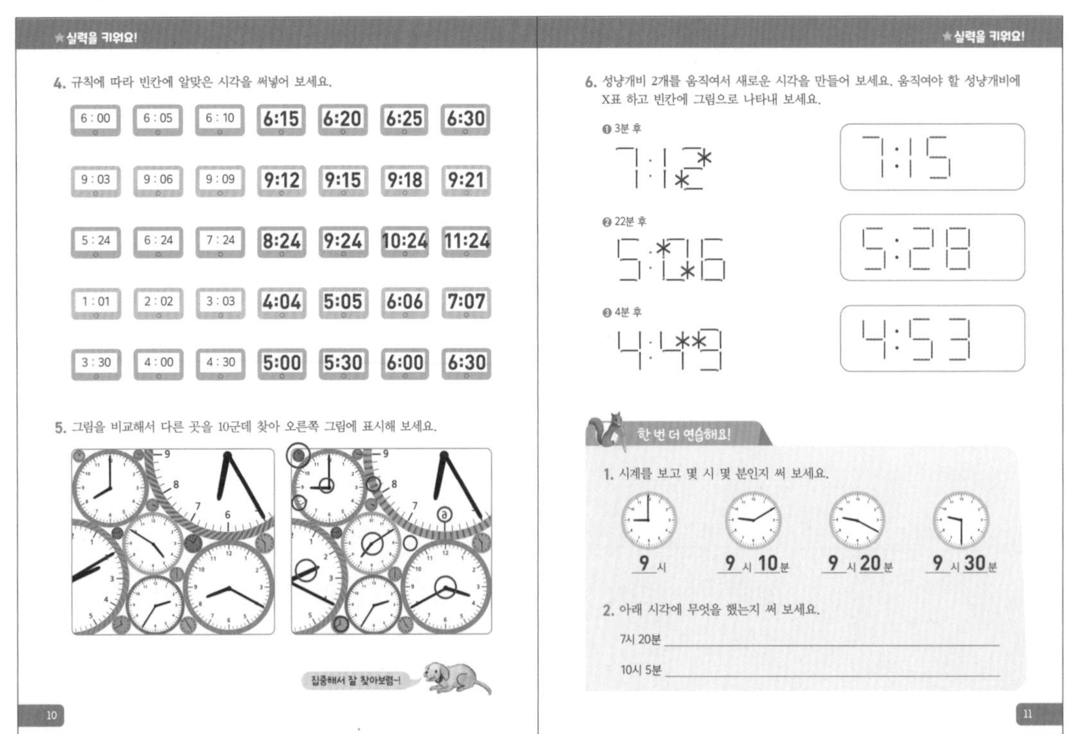

11쪽 6번

시간 계산과 성냥개비 퀴즈 문제를 접목한 사고력 문제입니다. 시간 계산을 먼저 한 후, 성냥개비를 어떻게 옮겨야 그 시각이 나올지 생각하며 풀면 답을 구할 수 있어요.

12-13쪽

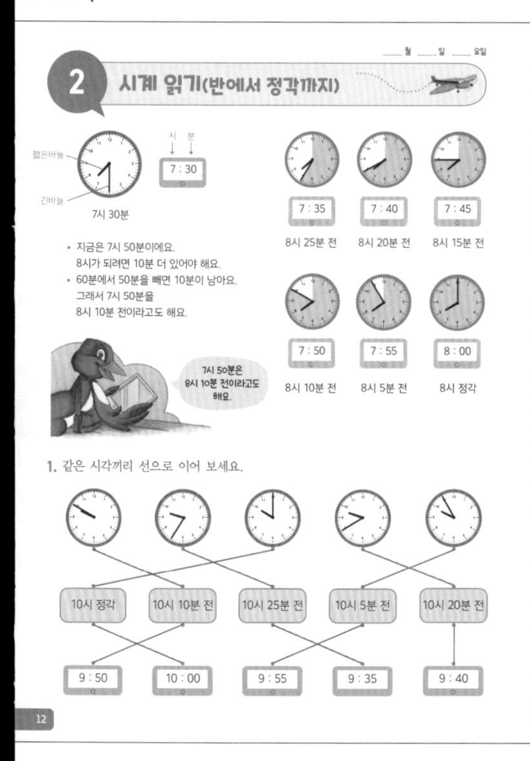

___월 ___일 ___요일

2 시계 읽기(반에서 정각까지)

짧은바늘 / 긴바늘 — 7시 30분 — 시 분 7 : 30

7 : 35 — 8시 25분 전 / 7 : 40 — 8시 20분 전 / 7 : 45 — 8시 15분 전

7 : 50 — 8시 10분 전 / 7 : 55 — 8시 5분 전 / 8 : 00 — 8시 정각

- 지금은 7시 50분이에요. 8시가 되려면 10분 더 있어야 해요.
- 60분에서 50분을 빼면 10분이 남아요. 그래서 7시 50분을 8시 10분 전이라고도 해요.

7시 50분은 8시 10분 전이라고도 해요.

1. 같은 시각끼리 선으로 이어 보세요.

10시 정각 / 10시 10분 전 / 10시 25분 전 / 10시 5분 전 / 10시 20분 전

9 : 50 / 10 : 00 / 9 : 55 / 9 : 35 / 9 : 40

12

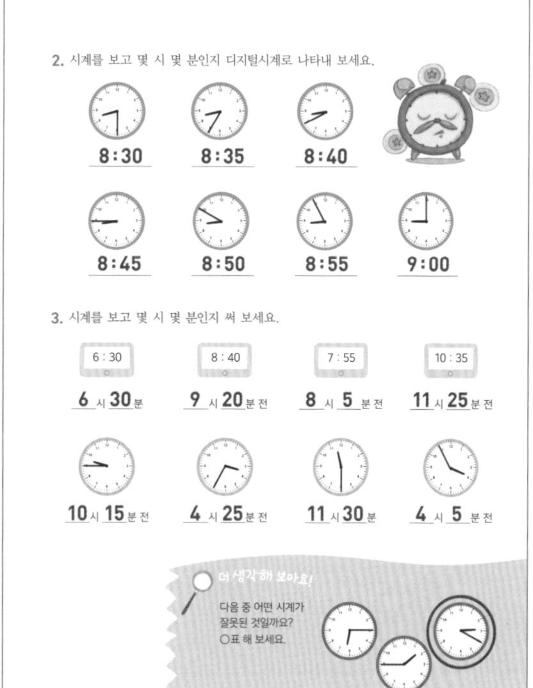

2. 시계를 보고 몇 시 몇 분인지 디지털시계로 나타내 보세요.

8:30 / 8:35 / 8:40

8:45 / 8:50 / 8:55 / 9:00

3. 시계를 보고 몇 시 몇 분인지 써 보세요.

6 : 30 — 6 시 30 분 / 8 : 40 — 9 시 20 분 전 / 7 : 55 — 8 시 5 분 전 / 10 : 35 — 11 시 25 분 전

10 시 15 분 전 / 4 시 25 분 전 / 11 시 30 분 / 4 시 5 분 전

더 생각해 보아요!

다음 중 어떤 시계가 잘못된 것일까요? ○표 해 보세요.

14-15쪽

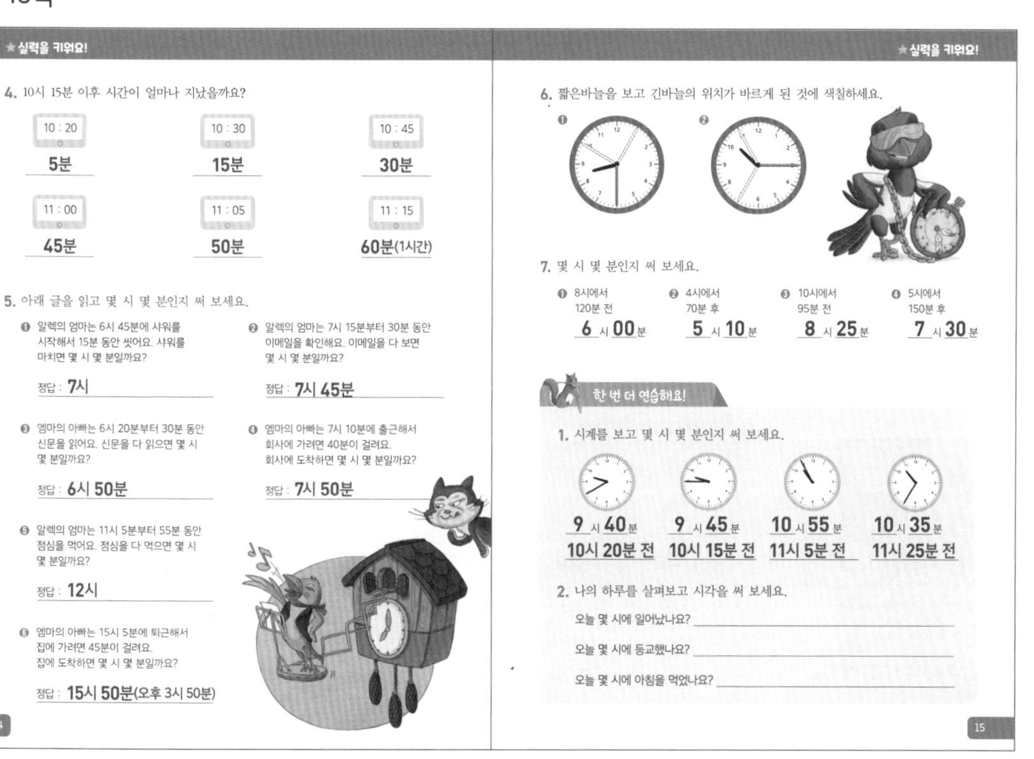

★실력을 키워요!

4. 10시 15분 이후 시간이 얼마나 지났을까요?

10 : 20 — 5분 / 10 : 30 — 15분 / 10 : 45 — 30분

11 : 00 — 45분 / 11 : 05 — 50분 / 11 : 15 — 60분(1시간)

5. 아래 글을 읽고 몇 시 몇 분인지 써 보세요.

❶ 알렉의 엄마는 6시 45분에 샤워를 시작해서 15분 동안 씻어요. 샤워를 마치면 몇 시 몇 분일까요?
정답 : 7시

❷ 알렉의 엄마는 7시 15분부터 30분 동안 이메일을 확인해요. 이메일을 다 보면 몇 시 몇 분일까요?
정답 : 7시 45분

❸ 엠마의 아빠는 6시 20분부터 30분 동안 신문을 읽어요. 신문을 다 읽으면 몇 시 몇 분일까요?
정답 : 6시 50분

❹ 엠마의 아빠는 7시 10분에 출근해서 회사에 가려면 40분이 걸려요. 회사에 도착하면 몇 시 몇 분일까요?
정답 : 7시 50분

❺ 알렉의 엄마는 11시 5분부터 55분 동안 점심을 먹어요. 점심을 다 먹으면 몇 시 몇 분일까요?
정답 : 12시

❻ 엠마의 아빠는 15시 5분에 퇴근해서 집에 가려면 45분이 걸려요. 집에 도착하면 몇 시 몇 분일까요?
정답 : 15시 50분(오후 3시 50분)

14

★실력을 키워요!

6. 짧은바늘을 보고 긴바늘의 위치가 바르게 된 것에 색칠하세요.

❶ ❷

7. 몇 시 몇 분인지 써 보세요.

❶ 8시에서 120분 전 — 6 시 00 분
❷ 4시에서 70분 후 — 5 시 10 분
❸ 10시에서 95분 전 — 8 시 25 분
❹ 5시에서 150분 후 — 7 시 30 분

한 번 더 연습해요!

1. 시계를 보고 몇 시 몇 분인지 써 보세요.

9 시 40 분 — 10시 20분 전 / 9 시 45 분 — 10시 15분 전 / 10 시 55 분 — 11시 5분 전 / 10 시 35 분 — 11시 25분 전

2. 나의 하루를 살펴보고 시각을 써 보세요.

오늘 몇 시에 일어났나요? ____________

오늘 몇 시에 등교했나요? ____________

오늘 몇 시에 아침을 먹었나요? ____________

15

부모님 가이드 | 12쪽

아이들이 '~분 전'이라고 시각을 읽는 것을 어려워하는 경우가 많아요. 이렇게 시계를 읽을 때는 받아 내림이 있는 뺄셈에 비유해서 1시간=60분이므로 60에서 받아내림을 해서 빼 주면 된다는 점을 확실하게 이해시켜 주세요.

15쪽 6번

❶ 짧은바늘이 8과 9 중간에 있으므로 60분의 절반인 30분 즉, 6을 가리켜요.

❷ 짧은바늘이 10에서 작은 눈금 2칸 정도 움직였으므로 15분인 3을 가리켜요.

15쪽 7번

1시간=60분이라는 것을 활용하여 문제를 해결해야 해요. 지금까지 배웠던 십진법과 다르게 시계는 12시간이라는 12진법과 1일=24시간의 24진법, 1시간=60분, 1분=60초라는 60진법을 활용하기 때문에 아이들이 어려워하는 게 당연합니다. 1시간=60분이라는 60진법의 단위를 기본으로 문제를 해결하면서 진법에 대해 이야기를 나누는 것도 좋습니다.

❶ 120분은 2시간이므로 8시에서 2시간 전은 6시

❷ 70분은 1시간 10분이므로 4시에서 1시간 10분 후는 5시 10분

❸ 95분은 1시간 35분이므로 10시에서 1시간 35분 전은 8시 25분

❹ 150분 후는 2시간 30분이므로 5시에서 2시간 30분 후는 7시 30분

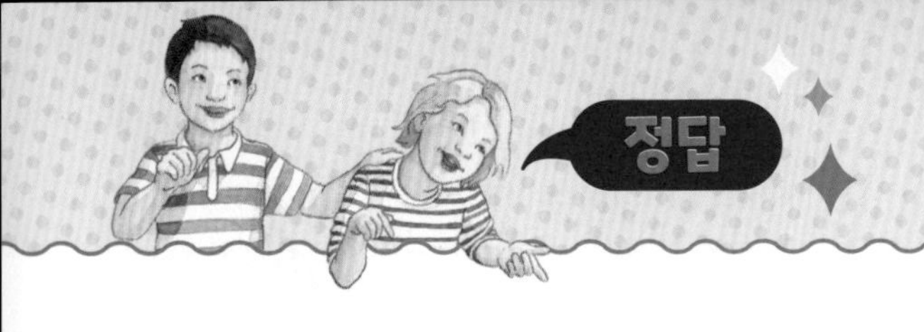

16-17쪽

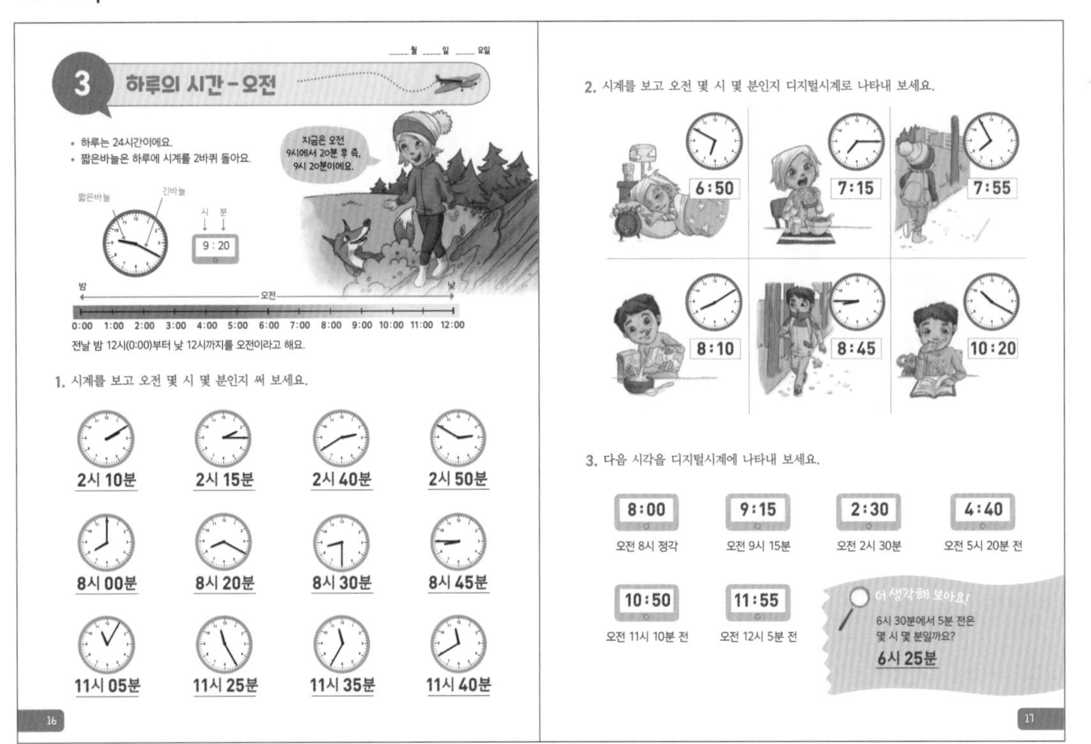

___월 ___일 ___요일

3 하루의 시간 - 오전

- 하루는 24시간이에요.
- 짧은바늘은 하루에 시계를 2바퀴 돌아요.

지금은 오전 9시에서 20분 후 즉, 9시 20분이에요.

짧은바늘 긴바늘 시 분 9 : 20

밤 오전 낮

0:00 1:00 2:00 3:00 4:00 5:00 6:00 7:00 8:00 9:00 10:00 11:00 12:00

전날 밤 12시(0:00)부터 낮 12시까지를 오전이라고 해요.

1. 시계를 보고 오전 몇 시 몇 분인지 써 보세요.

2시 10분 / 2시 15분 / 2시 40분 / 2시 50분

8시 00분 / 8시 20분 / 8시 30분 / 8시 45분

11시 05분 / 11시 25분 / 11시 35분 / 11시 40분

16

2. 시계를 보고 오전 몇 시 몇 분인지 디지털시계로 나타내 보세요.

6:50 / 7:15 / 7:55

8:10 / 8:45 / 10:20

3. 다음 시각을 디지털시계에 나타내 보세요.

8:00 오전 8시 정각 / 9:15 오전 9시 15분 / 2:30 오전 2시 30분 / 4:40 오전 5시 20분 전

10:50 오전 11시 10분 전 / 11:55 오전 12시 5분 전

더 생각해 보아요!
6시 30분에서 5분 전은 몇 시 몇 분일까요?
6시 25분

17

부모님 가이드 | 16쪽

그림을 보며 아이에게 질문해 보세요.

1. 하루는 몇 시간일까? **24시간**
2. 하루에 짧은바늘은 몇 바퀴를 돌까? **2바퀴**
3. 짧은바늘이 시계를 한 바퀴 돌려면 몇 시간이 걸릴까? **12시간**
4. 밤 12시(0:00)를 뭐라고 부를까? **자정**
5. 7:00은 하루 중 어떤 시간에 해당할까? **이른 아침**
6. 낮 12:00는 뭐라고 부를까? **정오**

18-19쪽

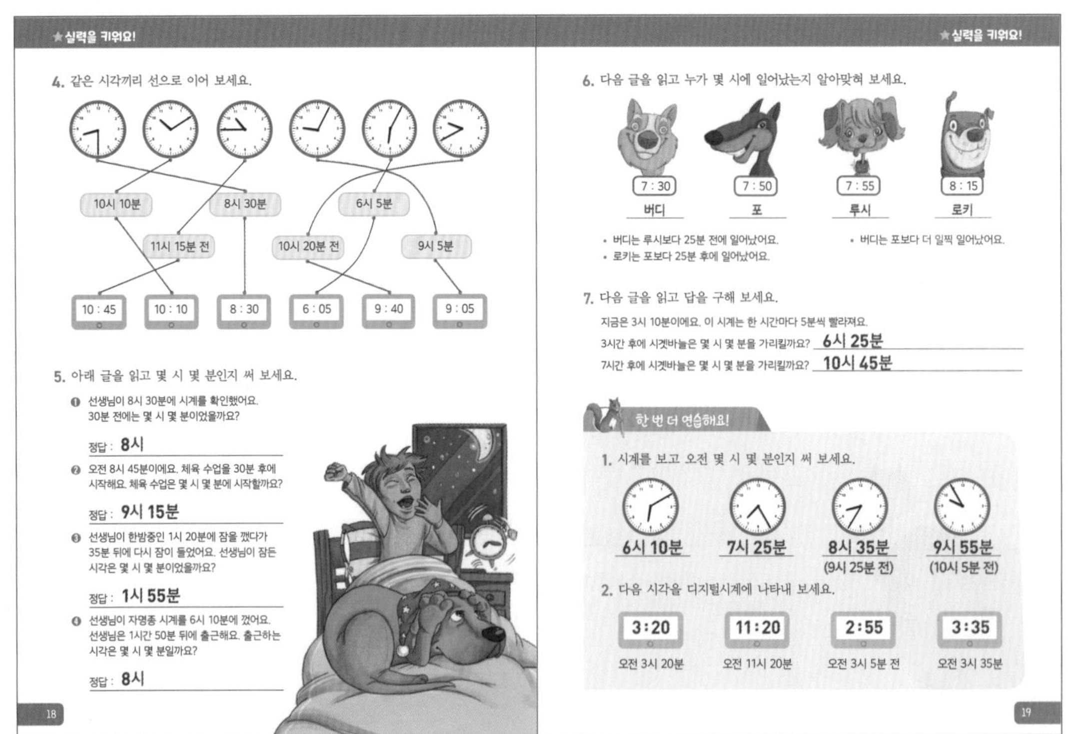

★실력을 키워요!

4. 같은 시각끼리 선으로 이어 보세요.

10시 10분 / 8시 30분 / 6시 5분 / 11시 15분 전 / 10시 20분 전 / 9시 5분

10 : 45 / 10 : 10 / 8 : 30 / 6 : 05 / 9 : 40 / 9 : 05

5. 아래 글을 읽고 몇 시 몇 분인지 써 보세요.

❶ 선생님이 8시 30분에 시계를 확인했어요. 30분 전에는 몇 시 몇 분이었을까요?
정답: 8시

❷ 오전 8시 45분이에요. 체육 수업을 30분 후에 시작해요. 체육 수업은 몇 시 몇 분에 시작할까요?
정답: 9시 15분

❸ 선생님이 한밤중인 1시 20분에 잠을 깼다가 35분 뒤에 다시 잠이 들었어요. 선생님이 잠든 시각은 몇 시 몇 분이었을까요?
정답: 1시 55분

❹ 선생님이 자명종 시계를 6시 10분에 껐어요. 선생님은 1시간 50분 뒤에 출근해요. 출근하는 시각은 몇 시 몇 분일까요?
정답: 8시

18

★실력을 키워요!

6. 다음 글을 읽고 누가 몇 시에 일어났는지 알아맞혀 보세요.

7 : 30 버디 / 7 : 50 포 / 7 : 55 루시 / 8 : 15 로키

- 버디는 루시보다 25분 전에 일어났어요.
- 로키는 포보다 25분 후에 일어났어요.
- 버디는 포보다 더 일찍 일어났어요.

7. 다음 글을 읽고 답을 구해 보세요.

지금은 3시 10분이에요. 이 시계는 한 시간마다 5분씩 빨라져요.
3시간 후에 시곗바늘은 몇 시 몇 분을 가리킬까요? 6시 25분
7시간 후에 시곗바늘은 몇 시 몇 분을 가리킬까요? 10시 45분

한 번 더 연습해요!

1. 시계를 보고 오전 몇 시 몇 분인지 써 보세요.

6시 10분 / 7시 25분 / 8시 35분 (9시 25분 전) / 9시 55분 (10시 5분 전)

2. 다음 시각을 디지털시계에 나타내 보세요.

3:20 오전 3시 20분 / 11:20 오전 11시 20분 / 2:55 오전 3시 5분 전 / 3:35 오전 3시 35분

19

18쪽 4번과 5번

4번처럼 정확한 시점은 시각이라고 하고, 5번처럼 30분 전이나 30분 후처럼 시작부터 끝까지 마치는 데 걸리는 것은 시간이라고 불러요.

19쪽 6번

25분씩 차이나는 시각끼리 묶어 보면, 7:30과 7:55, 7:50과 8:15
버디는 포보다 더 일찍 일어났으므로, 7:30은 버디, 7:55는 루시이며, 7:50은 포, 8:15는 로키예요.

19쪽 7번

- 1시간에 5분씩 빨라지므로, 3시간 후면 15분이 빨라져요. 3시 10분에서 3시간 후는 3시간 15분을 더해야 하므로, 6시 25분이에요.
- 7시간 후면 35분이 빨라져요. 3시 10분에서 7시간 후는 7시간 35분을 더해야 하므로 10시 45분이에요.

20-21쪽

월 일 요일

4 하루의 시간 - 오후

짧은바늘 긴바늘

시 분

21 : 20

지금은 오후 9시 20분이에요. 오후 9시 20분은 21시 20분이기도 해요.

낮 오후 밤

12:00 13:00 14:00 15:00 16:00 17:00 18:00 19:00 20:00 21:00 22:00 23:00 24:00

낮 12시부터 밤 12시까지를 오후라고 합니다.

1. 시계를 보고 오후 몇 시 몇 분인지 써 보세요.

14시 15분 14시 25분 14시 40분 14시 55분

18시 19시 30분 20시 45분 21시 35분

23시 5분 23시 20분 23시 35분 23시 55분

20

2. 시계를 보고 오후 몇 시 몇 분인지 디지털시계로 나타내 보세요.

14:15 15:35 18:05

18:55 20:15 20:50

3. 다음 시각을 디지털시계에 나타내 보세요.

20:30 오후 8시 30분

20:55 오후 9시 5분 전

21:10 오후 9시 10분

15:15 오후 3시 15분

17:00 오후 5시 정각

23:05 오후 11시 5분

더 생각해 보아요!

1, 2, 5, 7을 이용해서 하루 동안 가능한 시각을 디지털시계로 나타내 보세요.

12:57, 15:27, 17:25, 17:52, 21:57

부모님 가이드 | 20쪽

그림을 보며 아이에게 질문해 보세요.

1. 정오(낮 12시)와 자정(밤 12시) 사이에는 어떤 시간이 있니? **낮, 저녁, 밤**
2. 낮 12:00는 뭐라고 부를까? **정오**
3. 18:00은 하루 중 어떤 시간에 해당할까? **저녁**
4. 24:00 혹은 0:00은 뭐라고 부를까? **자정**
5. 저녁 9시 20분을 24를 이용한 시각으로 나타내 보렴. **21시 20분**

더 생각해 보아요! | 21쪽

하루는 24시간이며 핀란드에서는 24를 이용한 시각을 사용해요. 시각을 쓸 때 24시보다 크지 않고, 60분을 넘지 않음을 주의하며 시각을 배열해 보면, 12 : 57, 15 : 27, 17 : 25, 17 : 52, 21 : 57 5가지가 나와요.

22-23쪽

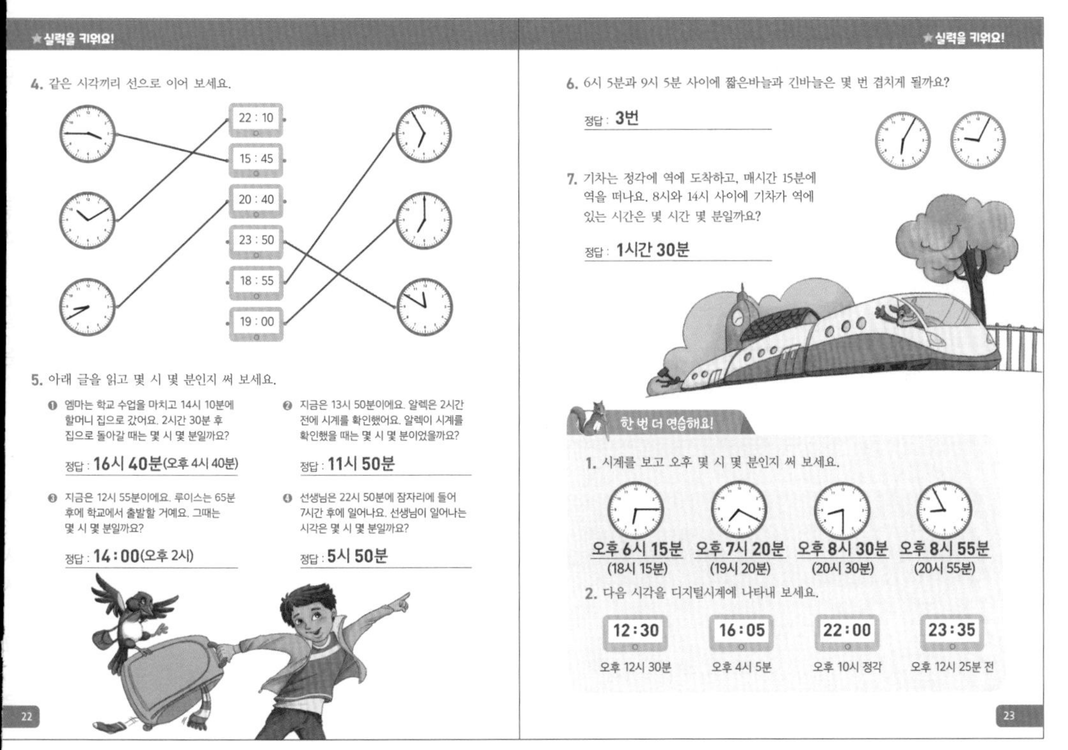

★실력을 키워요!

4. 같은 시각끼리 선으로 이어 보세요.

22 : 10 15 : 45 20 : 40 23 : 50 18 : 55 19 : 00

5. 아래 글을 읽고 몇 시 몇 분인지 써 보세요.

❶ 엠마는 학교 수업을 마치고 14시 10분에 할머니 집으로 갔어요. 2시간 30분 후 집으로 돌아갈 때는 몇 시 몇 분일까요?
정답 : **16시 40분**(오후 4시 40분)

❷ 지금은 13시 50분이에요. 알렉은 2시간 전에 시계를 확인했어요. 알렉이 시계를 확인했을 때는 몇 시 몇 분이었을까요?
정답 : **11시 50분**

❸ 지금은 12시 55분이에요. 루이스는 65분 후에 학교에서 출발할 거예요. 그때는 몇 시 몇 분일까요?
정답 : **14 : 00**(오후 2시)

❹ 선생님은 22시 50분에 잠자리에 들어 7시간 후에 일어나요. 선생님이 일어나는 시각은 몇 시 몇 분일까요?
정답 : **5시 50분**

22

★실력을 키워요!

6. 6시 5분과 9시 5분 사이에 짧은바늘과 긴바늘은 몇 번 겹치게 될까요?
정답 : **3번**

7. 기차는 정각에 역에 도착하고, 매시간 15분에 역을 떠나요. 8시와 14시 사이에 기차가 역에 있는 시간은 몇 시간 몇 분일까요?
정답 : **1시간 30분**

한 번 더 연습해요!

1. 시계를 보고 오후 몇 시 몇 분인지 써 보세요.

오후 6시 15분 (18시 15분) 오후 7시 20분 (19시 20분) 오후 8시 30분 (20시 30분) 오후 8시 55분 (20시 55분)

2. 다음 시각을 디지털시계에 나타내 보세요.

12:30 오후 12시 30분

16:05 오후 4시 5분

22:00 오후 10시 정각

23:35 오후 12시 25분 전

23

23쪽 6번

6시 5분에서 9시 5분이 될 때 시침은 6에서 9까지 3칸 움직이고 분침은 3바퀴 돌게 되므로 3번 겹쳐요.

27쪽 7번

8시~8시 15분, 9시~9시 15분, 10시~10시 15분, 11시~11시 15분, 12시~12시 15분, 1시~1시 15분까지 총 90분 즉, 1시간 30분 동안 역에 머물러요.

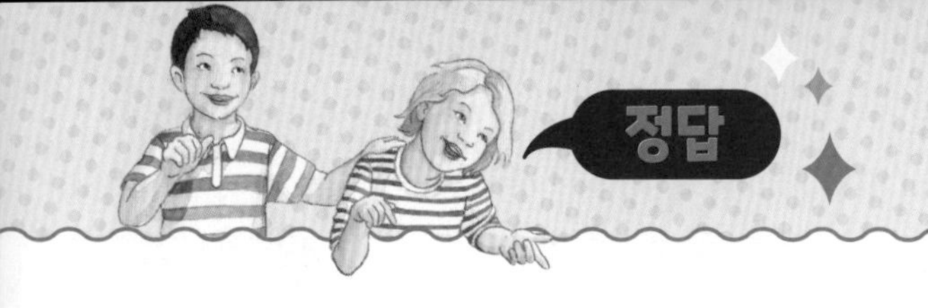

24-25쪽

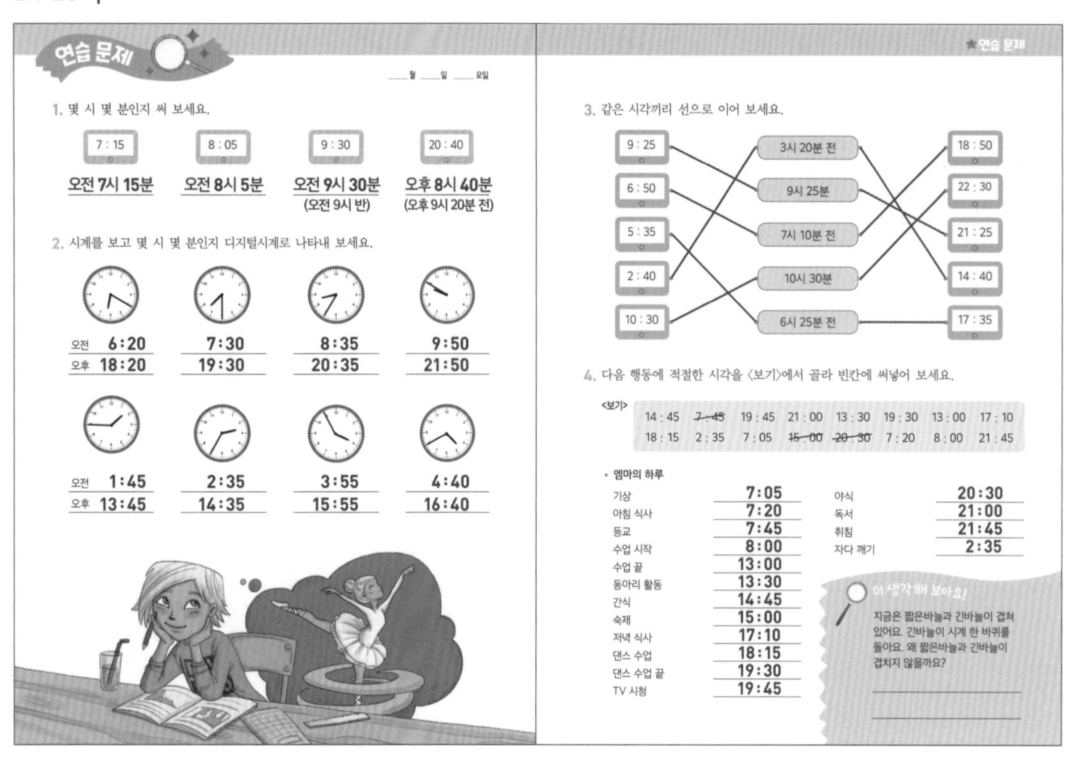

연습 문제

월 일 요일

1. 몇 시 몇 분인지 써 보세요.

7:15	8:05	9:30	20:40
오전 7시 15분	오전 8시 5분	오전 9시 30분 (오전 9시 반)	오후 8시 40분 (오후 9시 20분 전)

2. 시계를 보고 몇 시 몇 분인지 디지털시계로 나타내 보세요.

오전	6:20	7:30	8:35	9:50
오후	18:20	19:30	20:35	21:50
오전	1:45	2:35	3:55	4:40
오후	13:45	14:35	15:55	16:40

연습 문제

3. 같은 시각끼리 선으로 이어 보세요.

9:25	3시 20분 전	18:50
6:50	9시 25분	22:30
5:35	7시 10분 전	21:25
2:40	10시 30분	14:40
10:30	6시 25분 전	17:35

4. 다음 행동에 적절한 시각을 <보기>에서 골라 빈칸에 써넣어 보세요.

<보기> 14:45 7:45 19:45 21:00 13:30 19:30 13:00 17:10 18:15 2:35 7:05 15:00 20:30 7:20 8:00 21:45

• 엄마의 하루

기상	7:05	야식	20:30
아침 식사	7:20	독서	21:00
등교	7:45	취침	21:45
수업 시작	8:00	자다 깨기	2:35
수업 끝	13:00		
동아리 활동	13:30		
간식	14:45		
숙제	15:00		
저녁 식사	17:10		
댄스 수업	18:15		
댄스 수업 끝	19:30		
TV 시청	19:45		

더 생각해 보아요!

지금은 짧은바늘과 긴바늘이 겹쳐 있어요. 긴바늘이 시계 한 바퀴를 돌아요. 왜 짧은바늘과 긴바늘이 겹치지 않을까요?

24쪽 1번

짧은바늘은 하루에 시계를 바퀴 돌기 때문에 오후의 시 을 읽을 때는 12를 더해 주 된답니다. 오후의 시각=오전 시각+12를 기억하세요.

더 생각해 보아요! | 25쪽

한 시간 후에 긴바늘이 한 바 를 돌아 처음 있던 자리로 돌 오면, 짧은바늘은 앞으로 움 이기 때문에 겹치지 않아요.

26-27쪽

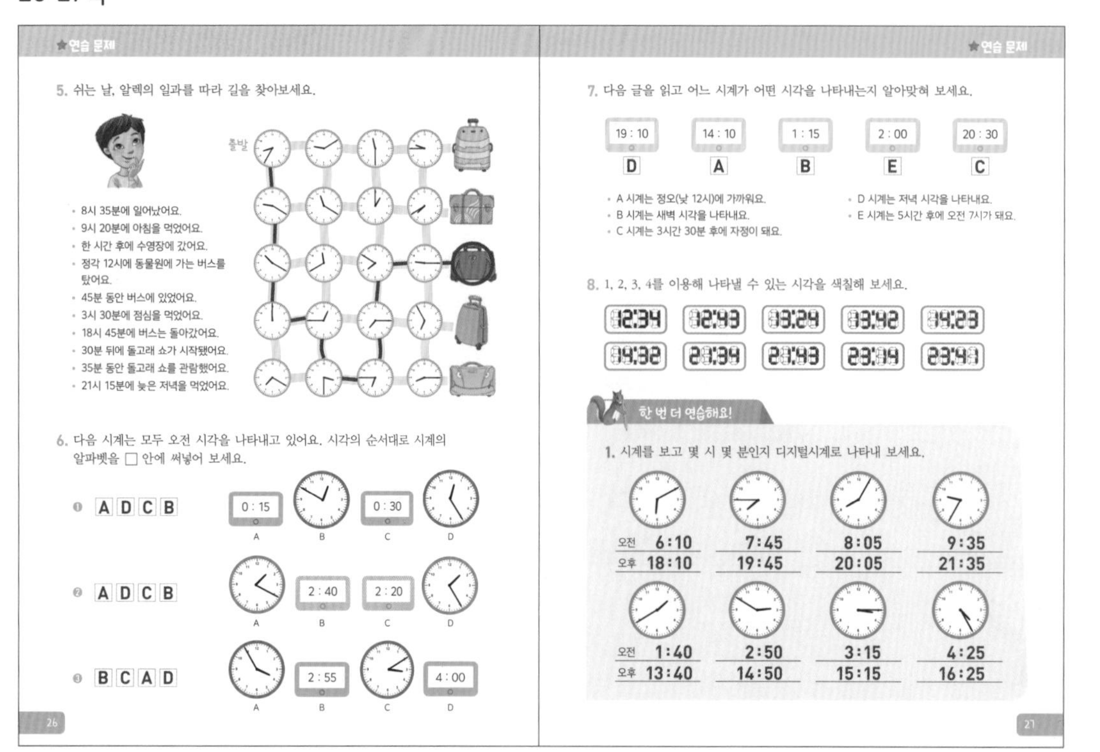

연습 문제

5. 쉬는 날, 알렉의 일과를 따라 길을 찾아보세요.

출발

- 8시 35분에 일어났어요.
- 9시 20분에 아침을 먹었어요.
- 한 시간 후에 수영장에 갔어요.
- 정각 12시에 동물원에 가는 버스를 탔어요.
- 45분 동안 버스에 있었어요.
- 3시 30분에 점심을 먹었어요.
- 18시 45분에 버스는 돌아갔어요.
- 30분 뒤에 돌고래 쇼가 시작됐어요.
- 35분 동안 돌고래 쇼를 관람했어요.
- 21시 15분에 늦은 저녁을 먹었어요.

6. 다음 시계는 모두 오전 시각을 나타내고 있어요. 시각의 순서대로 시계의 알파벳을 □ 안에 써넣어 보세요.

❶ A D C B (A 0:15, C 0:30)

❷ A D C B (B 2:40, C 2:20)

❸ B C A D (B 2:55, D 4:00)

26

연습 문제

7. 다음 글을 읽고 어느 시계가 어떤 시각을 나타내는지 알아맞혀 보세요.

19:10	14:10	1:15	2:00	20:30
D	A	B	E	C

- A 시계는 정오(낮 12시)에 가까워요.
- B 시계는 새벽 시각을 나타내요.
- C 시계는 3시간 30분 후에 자정이 돼요.
- D 시계는 저녁 시각을 나타내요.
- E 시계는 5시간 후에 오전 7시가 돼요.

8. 1, 2, 3, 4를 이용해 나타낼 수 있는 시각을 색칠해 보세요.

12:34 12:43 13:24 13:42 14:23
14:32 21:34 21:43 23:14 23:41

한 번 더 연습해요!

1. 시계를 보고 몇 시 몇 분인지 디지털시계로 나타내 보세요.

오전	6:10	7:45	8:05	9:35
오후	18:10	19:45	20:05	21:35
오전	1:40	2:50	3:15	4:25
오후	13:40	14:50	15:15	16:25

27

26쪽 7번

시각을 살펴보면 19:10(오후 시 10분) / 14:10(오후 2시 1 분) / 1:15(오전 1시 15분) 2:00(오전 2시) / 20:30(오 8시 30분)이에요.

- A 시계는 정오(낮 12시) 가까워요.→낮 12시에 가 운 시각은 14:10(오후 2 10분)
- B 시계는 새벽 시각을 나 내요.→새벽은 자정 이후 트기 전의 시각을 말해요 1:15(오전 1시 15분)
- C 시계는 3시간 30분 에 자정이 돼요.→자정 24:00(0:00)이므로 3시 30분 후 자정이 되는 시 은 20:30(오후 8시 30분)
- D 시계는 저녁 시각을 나 내요.→남은 시각 중 오후 각은 19:10(오후 7시 10분)
- E 시계는 5시간 후에 7시 돼요.→2:00에서 5시간 는 7:00

28-29쪽

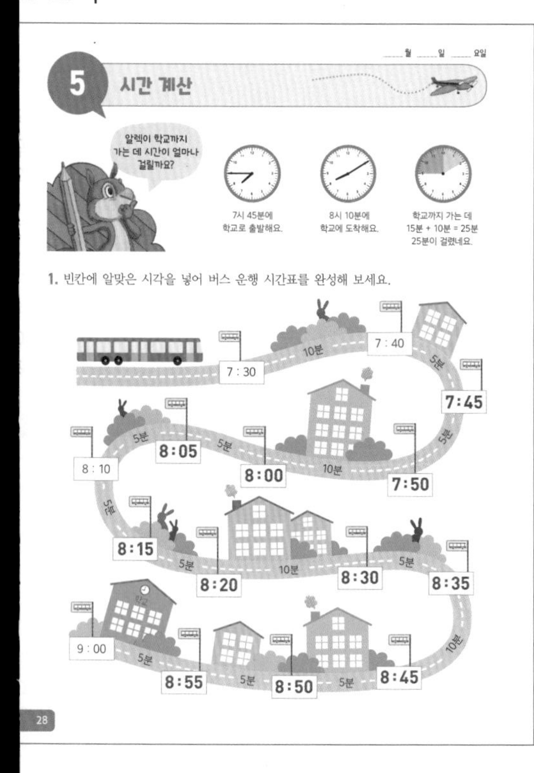
____월 ____일 ____요일

5 시간 계산

알렉이 학교까지 가는 데 시간이 얼마나 걸릴까요?

7시 45분에 학교로 출발해요.

8시 10분에 학교에 도착해요.

학교까지 가는 데 15분 + 10분 = 25분 25분이 걸렸네요.

1. 빈칸에 알맞은 시각을 넣어 버스 운행 시간표를 완성해 보세요.

7:30, 10분, 7:40, 5분, 7:45, 5분, 7:50, 10분, 8:00, 5분, 8:05, 5분, 8:10, 5분, 8:15, 5분, 8:20, 10분, 8:30, 5분, 8:35, 10분, 8:45, 5분, 8:50, 5분, 8:55, 5분, 9:00

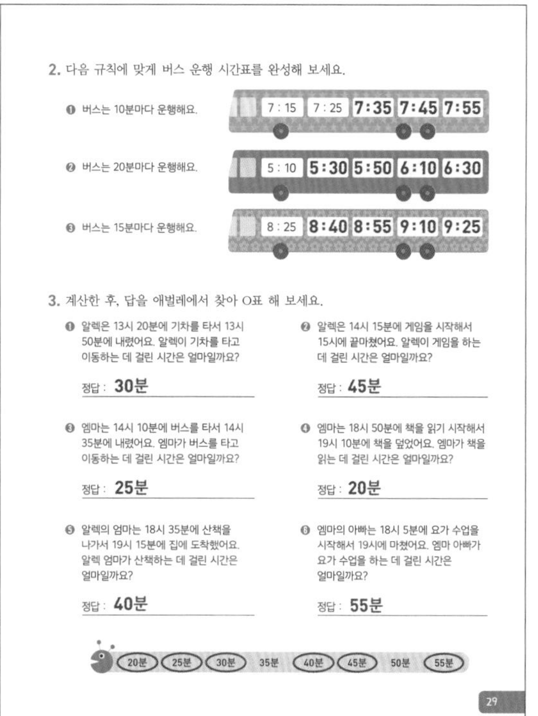
2. 다음 규칙에 맞게 버스 운행 시간표를 완성해 보세요.

❶ 버스는 10분마다 운행해요. 7:15 | 7:25 | **7:35** | **7:45** | **7:55**

❷ 버스는 20분마다 운행해요. 5:10 | **5:30** | **5:50** | **6:10** | **6:30**

❸ 버스는 15분마다 운행해요. 8:25 | **8:40** | **8:55** | **9:10** | **9:25**

3. 계산한 후, 답을 애벌레에서 찾아 ○표 해 보세요.

❶ 알렉은 13시 20분에 기차를 타서 13시 50분에 내렸어요. 알렉이 기차를 타고 이동하는 데 걸린 시간은 얼마일까요?
정답: **30분**

❷ 알렉은 14시 15분에 게임을 시작해서 15시에 끝마쳤어요. 알렉이 게임을 하는 데 걸린 시간은 얼마일까요?
정답: **45분**

❸ 엠마는 14시 10분에 버스를 타서 14시 35분에 내렸어요. 엠마가 버스를 타고 이동하는 데 걸린 시간은 얼마일까요?
정답: **25분**

❹ 엠마는 18시 50분에 책을 읽기 시작해서 19시 10분에 책을 덮었어요. 엠마가 책을 읽는 데 걸린 시간은 얼마일까요?
정답: **20분**

❺ 알렉의 엄마는 18시 35분에 산책을 나가서 19시 15분에 집에 도착했어요. 알렉 엄마가 산책하는 데 걸린 시간은 얼마일까요?
정답: **40분**

❻ 엠마의 아빠는 18시 5분에 요가 수업을 시작해서 19시에 마쳤어요. 엠마 아빠가 요가 수업을 하는 데 걸린 시간은 얼마일까요?
정답: **55분**

20분 25분 30분 35분 40분 45분 50분 55분

부모님 가이드 | 28쪽

그림을 보며 아이에게 질문해 보세요.

1. 왼쪽의 시계는 몇 시인가요? **7시 45분**
2. 가운데 시계는 몇 시인가요? **8시 10분**
3. 오른쪽의 시계는 무엇을 나타내고 있나요? **7시 45분부터 8시까지 15분이 걸렸고, 8시부터 8시 10분까지는 10분이 걸려 총 25분이 걸렸다는 것을 나타내고 있어요.**

30-31쪽

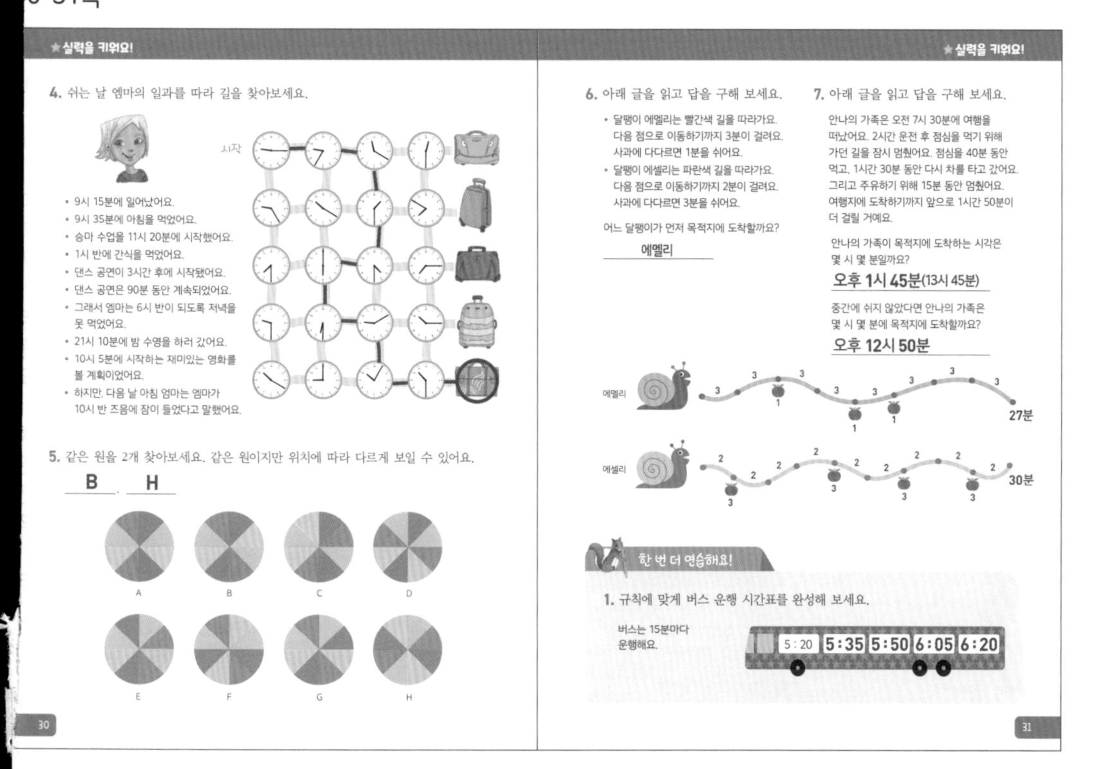
★실력을 키워요!

4. 쉬는 날 엄마의 일과를 따라 길을 찾아보세요.

시작

- 9시 15분에 일어났어요.
- 9시 35분에 아침을 먹었어요.
- 승마 수업을 11시 20분에 시작했어요.
- 1시 반에 간식을 먹었어요.
- 댄스 공연이 3시간 후에 시작됐어요.
- 댄스 공연은 90분 동안 계속되었어요.
- 그래서 엄마는 6시 반이 되도록 저녁을 못 먹었어요.
- 21시 10분에 밤 수영을 하러 갔어요.
- 10시 5분에 시작하는 재미있는 영화를 볼 계획이었어요.
- 하지만, 다음 날 아침 엄마는 엄마가 10시 반 조음에 잠이 들었다고 말했어요.

5. 같은 원을 2개 찾아보세요. 같은 원이지만 위치에 따라 다르게 보일 수 있어요.

B , **H**

A B C D E F G H

6. 아래 글을 읽고 답을 구해 보세요.

- 달팽이 에멜리는 빨간색 길을 따라가요. 다음 점으로 이동하기까지 3분이 걸려요. 사과에 다다르면 1분을 쉬어요.
- 달팽이 에셀리는 파란색 길을 따라가요. 다음 점으로 이동하기까지 2분이 걸려요. 사과에 다다르면 3분을 쉬어요.

어느 달팽이가 먼저 목적지에 도착할까요?
에멜리

에멜리 27분

에셀리 30분

7. 아래 글을 읽고 답을 구해 보세요.

안나의 가족은 오전 7시 30분에 여행을 떠났어요. 2시간 운전 후 점심을 먹기 위해 가던 길을 잠시 멈췄어요. 점심을 40분 동안 먹고, 1시간 30분 동안 다시 차를 타고 갔어요. 그리고 주유하기 위해 15분 동안 멈췄어요. 여행지에 도착하기까지 앞으로 1시간 50분이 더 걸릴 거예요.

안나의 가족이 목적지에 도착하는 시각은 몇 시 몇 분일까요?
오후 1시 45분(13시 45분)

중간에 쉬지 않았다면 안나의 가족은 몇 시 몇 분에 목적지에 도착할까요?
오후 12시 50분

한 번 더 연습해요!

1. 규칙에 맞게 버스 운행 시간표를 완성해 보세요.

버스는 15분마다 운행해요. 5:20 | **5:35** | **5:50** | **6:05** | **6:20**

★실력을 키워요!

30쪽 5번

색팽이를 돌리면 그림의 위치는 바뀌어도 색팽이의 그림 순서는 바뀌지 않아요. 이와 같이 주어진 색의 위치는 바뀌어도 색의 순서는 바뀌지 않는다는 점을 기억하고 문제를 해결하면 답을 쉽게 구할 수 있어요.

31쪽 7번

❶ 안나의 가족이 여행지에 도착하기까지 쓴 시간은 운전 2시간+점심 40분+운전 1시간 30분+주유 15분+남은 거리 1시간 50분=총 6시간 15분이에요. 7시 30분에서 6시간 15분 후의 시각은 13시 45분(오후 1시 45분)

❷ 점심시간과 주유 시간을 합하면 55분이에요. 13시 45분에서 55분을 빼면 12시 50분

32-33쪽

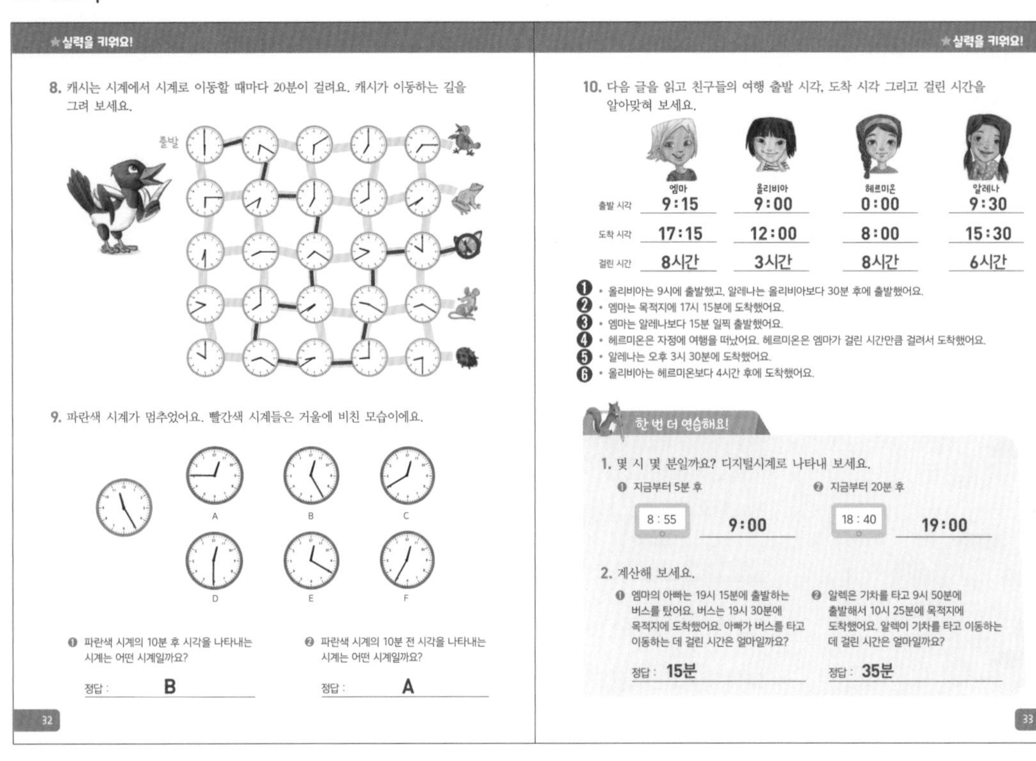

★실력을 키워요!

8. 캐시는 시계에서 시계로 이동할 때마다 20분이 걸려요. 캐시가 이동하는 길을 그려 보세요.

출발

9. 파란색 시계가 멈추었어요. 빨간색 시계들은 거울에 비친 모습이에요.

A B C D E F

❶ 파란색 시계의 10분 후 시각을 나타내는 시계는 어떤 시계일까요?

정답 : B

❷ 파란색 시계의 10분 전 시각을 나타내는 시계는 어떤 시계일까요?

정답 : A

32

★실력을 키워요!

10. 다음 글을 읽고 친구들의 여행 출발 시각, 도착 시각 그리고 걸린 시간을 알아맞혀 보세요.

	엠마	올리비아	헤르미온	알레나
출발 시각	9:15	9:00	0:00	9:30
도착 시각	17:15	12:00	8:00	15:30
걸린 시간	8시간	3시간	8시간	6시간

❶ • 올리비아는 9시에 출발했고, 알레나는 올리비아보다 30분 후에 출발했어요.
❷ • 엠마는 목적지에 17시 15분에 도착했어요.
❸ • 엠마는 알레나보다 15분 일찍 출발했어요.
❹ • 헤르미온은 자정에 여행을 떠났어요. 헤르미온은 엠마가 걸린 시간만큼 걸려서 도착했어요.
❺ • 알레나는 오후 3시 30분에 도착했어요.
❻ • 올리비아는 헤르미온보다 4시간 후에 도착했어요.

한 번 더 연습해요!

1. 몇 시 몇 분일까요? 디지털시계로 나타내 보세요.

❶ 지금부터 5분 후 8 : 55 → 9:00

❷ 지금부터 20분 후 18 : 40 → 19:00

2. 계산해 보세요.

❶ 엠마의 아빠는 19시 15분에 출발하는 버스를 탔어요. 버스는 19시 30분에 목적지에 도착했어요. 아빠가 버스를 타고 이동하는 데 걸린 시간은 얼마일까요?

정답 : 15분

❷ 알렉은 기차를 타고 9시 50분에 출발해서 10시 25분에 목적지에 도착했어요. 알렉이 기차를 타고 이동하는 데 걸린 시간은 얼마일까요?

정답 : 35분

33

34-35쪽

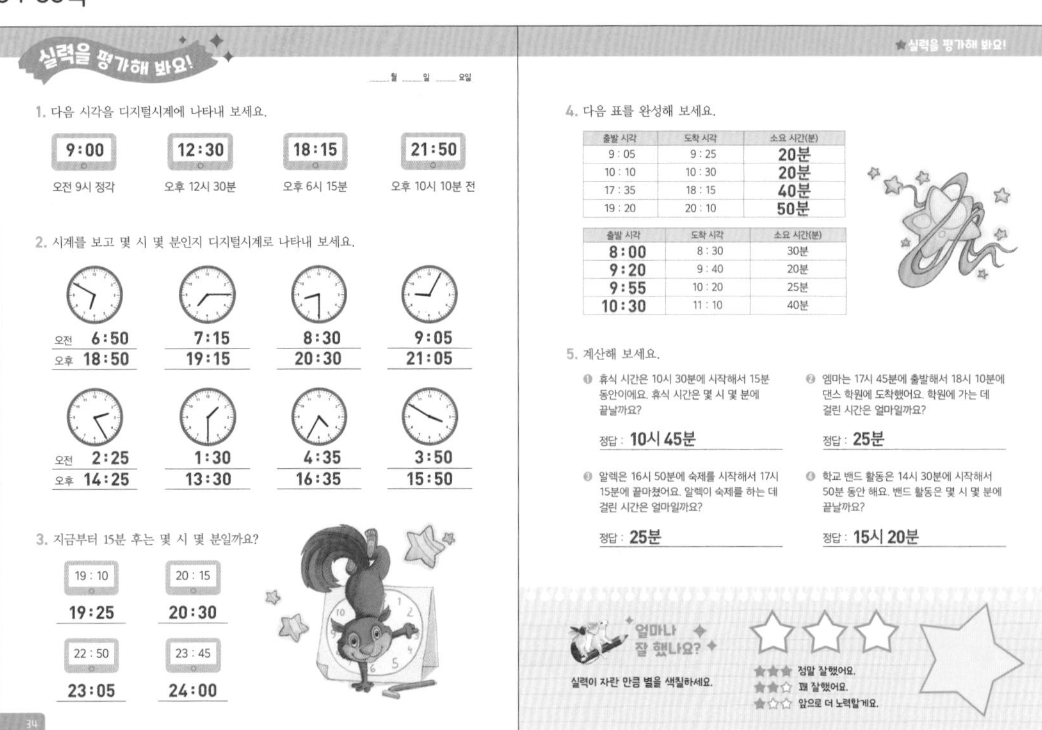

실력을 평가해 봐요!

____월 ____일 ____요일

1. 다음 시각을 디지털시계에 나타내 보세요.

9:00	12:30	18:15	21:50
오전 9시 정각	오후 12시 30분	오후 6시 15분	오후 10시 10분 전

2. 시계를 보고 몇 시 몇 분인지 디지털시계로 나타내 보세요.

오전	6:50	7:15	8:30	9:05
오후	18:50	19:15	20:30	21:05
오전	2:25	1:30	4:35	3:50
오후	14:25	13:30	16:35	15:50

3. 지금부터 15분 후는 몇 시 몇 분일까요?

19 : 10 → 19:25
20 : 15 → 20:30
22 : 50 → 23:05
23 : 45 → 24:00

34

★실력을 평가해 봐요!

4. 다음 표를 완성해 보세요.

출발 시각	도착 시각	소요 시간(분)
9 : 05	9 : 25	20분
10 : 10	10 : 30	20분
17 : 35	18 : 15	40분
19 : 20	20 : 10	50분

출발 시각	도착 시각	소요 시간(분)
8:00	8 : 30	30분
9:20	9 : 40	20분
9:55	10 : 20	25분
10:30	11 : 10	40분

5. 계산해 보세요.

❶ 휴식 시간은 10시 30분에 시작해서 15분 동안이에요. 휴식 시간은 몇 시 몇 분에 끝날까요?

정답 : 10시 45분

❷ 엠마는 17시 45분에 출발해서 18시 10분에 댄스 학원에 도착했어요. 학원에 가는 데 걸린 시간은 얼마일까요?

정답 : 25분

❸ 알렉은 16시 50분에 숙제를 시작해서 17시 15분에 끝마쳤어요. 알렉이 숙제를 하는 데 걸린 시간은 얼마일까요?

정답 : 25분

❹ 학교 밴드 활동은 14시 30분에 시작해서 50분 동안 해요. 밴드 활동은 몇 시 몇 분에 끝날까요?

정답 : 15시 20분

얼마나 잘 했나요?

실력이 자란 만큼 별을 색칠하세요.

★★★ 정말 잘했어요.
★★☆ 꽤 잘했어요.
★☆☆ 앞으로 더 노력할게요.

32쪽 9번

❶ 11시 25분의 10분 후는 1
시 35분이고 거울에 비친
모습은 좌우가 반대되므로
12시 25분인 B가 돼요.

❷ 11시 25분의 10분 전은 1
시 15분이고 거울에 비친
모습은 좌우가 반대되므로
12시 45분인 A가 돼요.

33쪽 10번

❶ 올리비아는 9시에 출발했고
알레나는 올리비아보다 3
분 후에 출발했어요.→9시에
서 30분 후는 9시 30분

❸ 엠마는 알레나보다 15분 일
찍 출발했어요.→알레나가
시 30분에 출발했으므로 1
분 전의 시각은 9시 15분

❷ 엠마는 목적지에 17시 15분
에 도착했어요.→9시 15분에
출발해서 17시 15분에 도착
했으므로 걸린 시간은 8시간

❹ 헤르미온은 자정에 여행을
떠났어요. 헤르미온은 엠마
가 걸린 시간만큼 걸려서 도
착했어요.→자정은 0시, 엠
마가 걸린 시간은 8시간이므
로 도착 시각은 8시이며, 걸
린 시간은 8시간

❺ 알레나는 오후 3시 30분에
도착했어요.→알레나의 출발
시각은 9시 30분, 도착 시각
은 오후 3시 30분(15:30)이
므로 걸린 시간은 6시간

❻ 올리비아는 헤르미온보다
시간 후에 도착했어요.→헤
르미온의 도착 시각은 8시이
므로 4시간 후는 12시, 올리
비아의 출발 시각은 9시이므
로 걸린 시간은 3시간

34쪽 2번

오전과 오후는 12시간의 차이
가 나요. 오후 시각 = 오전 시각
+12, 오전 시각 = 오후 시각-12

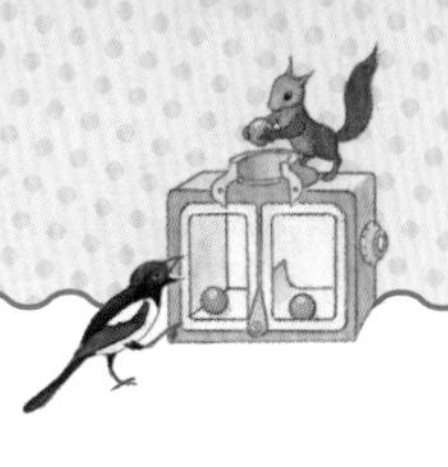

36-37쪽

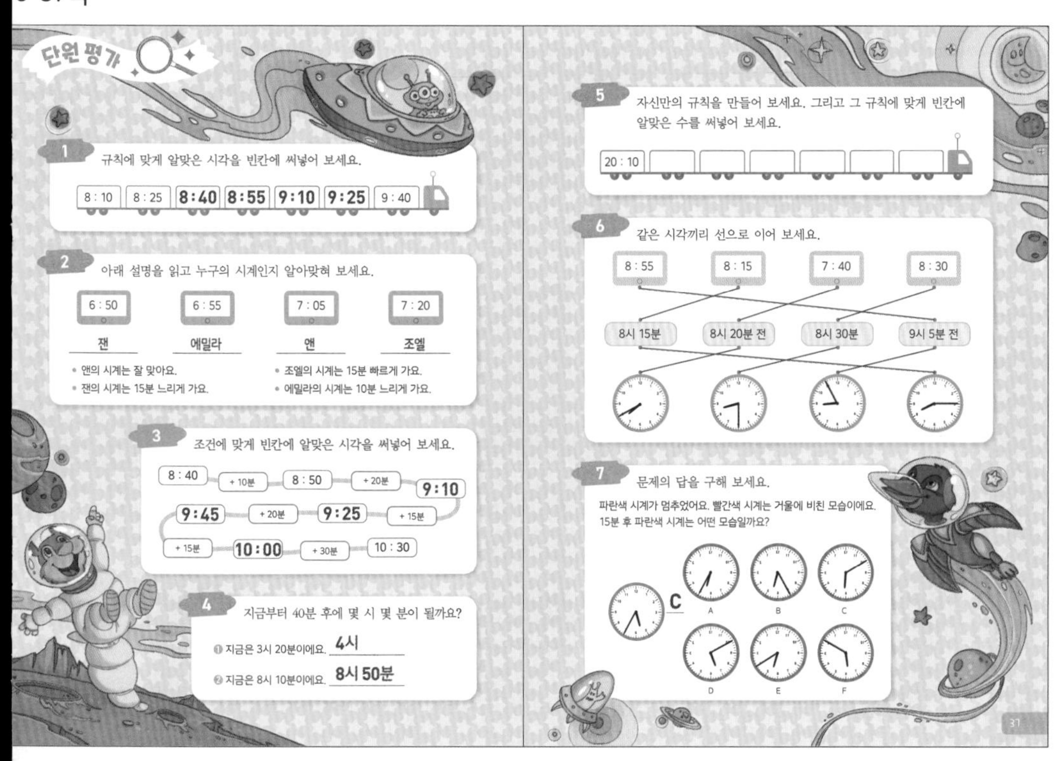

단원 평가

1 규칙에 맞게 알맞은 시각을 빈칸에 써넣어 보세요.

8:10 | 8:25 | 8:40 | 8:55 | 9:10 | 9:25 | 9:40

2 아래 설명을 읽고 누구의 시계인지 알아맞혀 보세요.

6:50	6:55	7:05	7:20
잰	에밀라	앤	조엘

- 앤의 시계는 잘 맞아요.
- 잰의 시계는 15분 느리게 가요.
- 조엘의 시계는 15분 빠르게 가요.
- 에밀라의 시계는 10분 느리게 가요.

3 조건에 맞게 빈칸에 알맞은 시각을 써넣어 보세요.

8:40 → +10분 → 8:50 → +20분 → 9:10 → +15분 → 9:25 → +20분 → 9:45 → +15분 → 10:00 → +30분 → 10:30

4 지금부터 40분 후에 몇 시 몇 분이 될까요?

❶ 지금은 3시 20분이에요. 4시

❷ 지금은 8시 10분이에요. 8시 50분

5 자신만의 규칙을 만들어 보세요. 그리고 그 규칙에 맞게 빈칸에 알맞은 수를 써넣어 보세요.

20:10

6 같은 시각끼리 선으로 이어 보세요.

8:55 | 8:15 | 7:40 | 8:30

8시 15분 | 8시 20분 전 | 8시 30분 | 9시 5분 전

7 문제의 답을 구해 보세요.

파란색 시계가 멈추었어요. 빨간색 시계는 거울에 비친 모습이에요. 15분 후 파란색 시계는 어떤 모습일까요?

C

A B C D E F

37

36쪽 2번

에밀라의 시계는 10분 느리게 가므로, 시계 가운데 10분 차이 나는 시각은 6:55와 7:05예요. 그러므로 에밀라의 시계는 6:55, 앤의 시계는 7:05 앤의 시계를 기준으로 조엘의 시계는 15분 빠르고, 잰의 시계는 15분 느리므로 조엘은 7:20, 잰은 6:50

37쪽 7번

5시 35분의 15분 후는 5시 50분이고 거울에 비친 모습은 좌우가 반대되므로 6시 10분인 C가 돼요.

38-39쪽

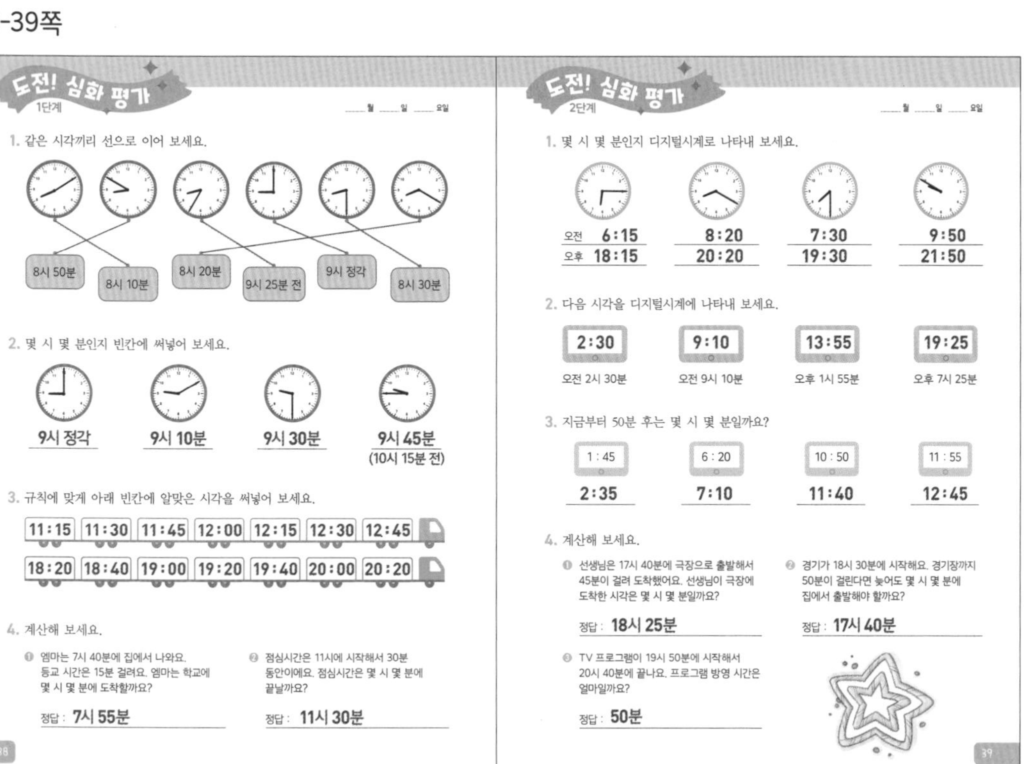

도전! 심화 평가 1단계

___월 ___일 ___요일

1. 같은 시각끼리 선으로 이어 보세요.

8시 50분 | 8시 10분 | 8시 20분 | 9시 25분 전 | 9시 정각 | 8시 30분

2. 몇 시 몇 분인지 빈칸에 써넣어 보세요.

9시 정각 | 9시 10분 | 9시 30분 | 9시 45분 (10시 15분 전)

3. 규칙에 맞게 아래 빈칸에 알맞은 시각을 써넣어 보세요.

11:15 | 11:30 | 11:45 | 12:00 | 12:15 | 12:30 | 12:45

18:20 | 18:40 | 19:00 | 19:20 | 19:40 | 20:00 | 20:20

4. 계산해 보세요.

❶ 엄마는 7시 40분에 집에서 나와요. 등교 시간은 15분 걸려요. 엄마는 학교에 몇 시 몇 분에 도착할까요?

정답 : 7시 55분

❷ 점심시간은 11시에 시작해서 30분 동안이에요. 점심시간은 몇 시 몇 분에 끝날까요?

정답 : 11시 30분

38

도전! 심화 평가 2단계

___월 ___일 ___요일

1. 몇 시 몇 분인지 디지털시계로 나타내 보세요.

오전	6:15	8:20	7:30	9:50
오후	18:15	20:20	19:30	21:50

2. 다음 시각을 디지털시계에 나타내 보세요.

2:30	9:10	13:55	19:25
오전 2시 30분	오전 9시 10분	오후 1시 55분	오후 7시 25분

3. 지금부터 50분 후는 몇 시 몇 분일까요?

1:45	6:20	10:50	11:55
2:35	7:10	11:40	12:45

4. 계산해 보세요.

❶ 선생님은 17시 40분에 극장으로 출발해서 45분이 걸려 도착했어요. 선생님이 극장에 도착한 시각은 몇 시 몇 분일까요?

정답 : 18시 25분

❷ 경기가 18시 30분에 시작해요. 경기장까지 50분이 걸린다면 늦어도 몇 시 몇 분에 집에서 출발해야 할까요?

정답 : 17시 40분

❸ TV 프로그램이 19시 50분에 시작해서 20시 40분에 끝나요. 프로그램 방영 시간은 얼마일까요?

정답 : 50분

39

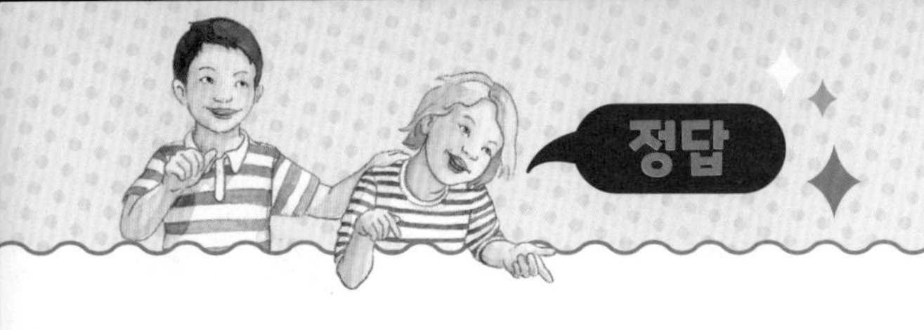

40-41쪽

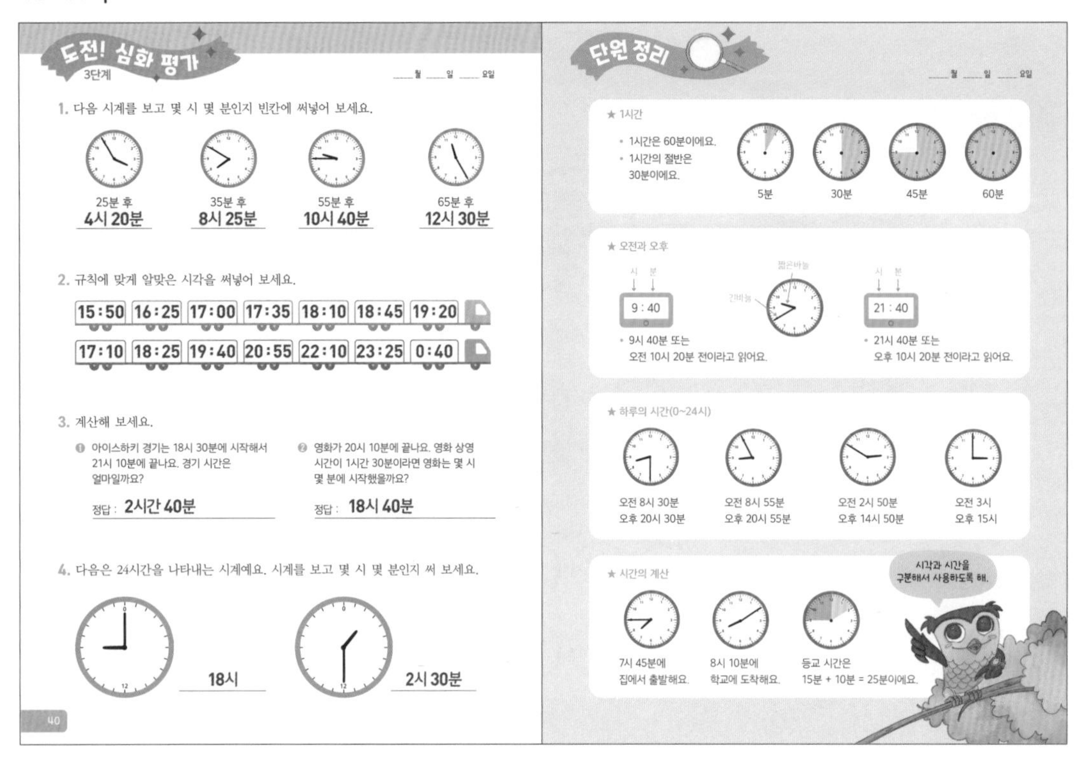

도전! 심화 평가 3단계

___월 ___일 ___요일

1. 다음 시계를 보고 몇 시 몇 분인지 빈칸에 써넣어 보세요.

25분 후 4시 20분 | 35분 후 8시 25분 | 55분 후 10시 40분 | 65분 후 12시 30분

2. 규칙에 맞게 알맞은 시각을 써넣어 보세요.

15:50	16:25	17:00	17:35	18:10	18:45	19:20
17:10	18:25	19:40	20:55	22:10	23:25	0:40

3. 계산해 보세요.

① 아이스하키 경기는 18시 30분에 시작해서 21시 10분에 끝나요. 경기 시간은 얼마일까요?

정답 : 2시간 40분

② 영화가 20시 10분에 끝나요. 영화 상영 시간이 1시간 30분이라면 영화는 몇 시 몇 분에 시작했을까요?

정답 : 18시 40분

4. 다음은 24시간을 나타내는 시계예요. 시계를 보고 몇 시 몇 분인지 써 보세요.

18시 | 2시 30분

40

단원 정리

___월 ___일 ___요일

★ 1시간

- 1시간은 60분이에요.
- 1시간의 절반은 30분이에요.

5분 | 30분 | 45분 | 60분

★ 오전과 오후

시 분 9:40 | 짧은바늘 긴바늘 | 시 분 21:40

- 9시 40분 또는 오전 10시 20분 전이라고 읽어요.
- 21시 40분 또는 오후 10시 20분 전이라고 읽어요.

★ 하루의 시간(0~24시)

오전 8시 30분 오후 20시 30분 | 오전 8시 55분 오후 20시 55분 | 오전 2시 50분 오후 14시 50분 | 오전 3시 오후 15시

★ 시간의 계산

7시 45분에 집에서 출발해요. | 8시 10분에 학교에 도착해요. | 등교 시간은 15분 + 10분 = 25분이에요.

시각과 시간을 구분해서 사용하도록 해.

40쪽 3번

시간의 계산은 나중 시각-처음 시각을 이용해서 해결해 보세요. 또한 얼마나 걸렸는지 기간을 물으면 시간이고, 어떤 시점을 물으면 시각으로 답해야 해요.

42-43쪽

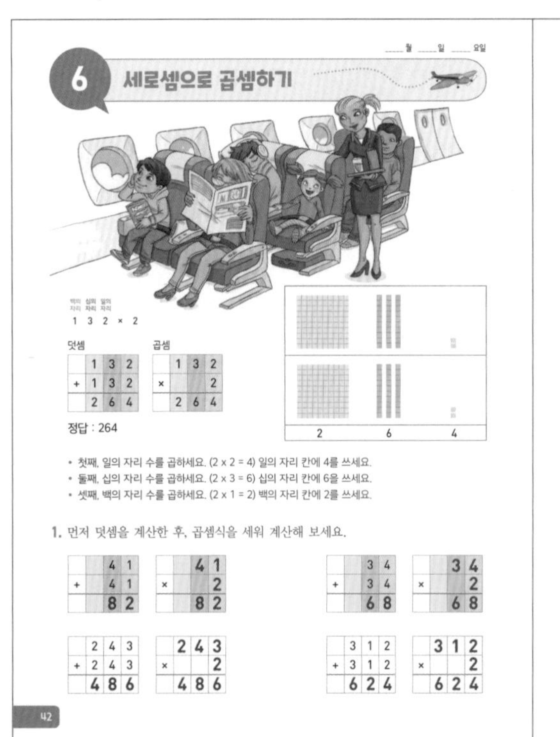

___월 ___일 ___요일

6 세로셈으로 곱셈하기

백의 자리 십의 자리 일의 자리

1 3 2 × 2

덧셈

	1	3	2
+	1	3	2
	2	6	4

곱셈

	1	3	2
×			2
	2	6	4

정답 : 264

2 6 4

- 첫째, 일의 자리 수를 곱하세요. (2 × 2 = 4) 일의 자리 칸에 4를 쓰세요.
- 둘째, 십의 자리 수를 곱하세요. (2 × 3 = 6) 십의 자리 칸에 6을 쓰세요.
- 셋째, 백의 자리 수를 곱하세요. (2 × 1 = 2) 백의 자리 칸에 2를 쓰세요.

1. 먼저 덧셈을 계산한 후, 곱셈식을 세워 계산해 보세요.

41 + 41 = 82, 41 × 2 = 82

34 + 34 = 68, 34 × 2 = 68

243 + 243 = 486, 243 × 2 = 486

312 + 312 = 624, 312 × 2 = 624

42

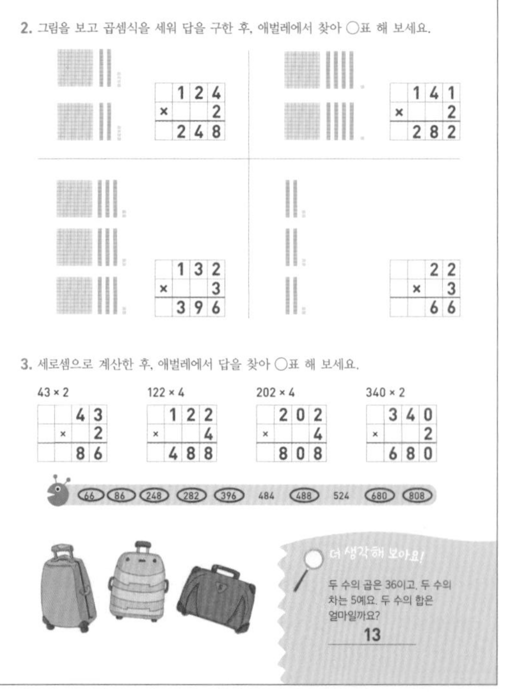

2. 그림을 보고 곱셈식을 세워 답을 구한 후, 애벌레에서 찾아 ○표 해 보세요.

124 × 2 = 248

141 × 2 = 282

132 × 3 = 396

22 × 3 = 66

3. 세로셈으로 계산한 후, 애벌레에서 답을 찾아 ○표 해 보세요.

43 × 2 = 86

122 × 4 = 488

202 × 4 = 808

340 × 2 = 680

66 86 248 282 396 484 488 524 680 808

더 생각해 보아요!

두 수의 곱은 36이고, 두 수의 차는 5예요. 두 수의 합은 얼마일까요?

13

부모님 가이드 | 42쪽

어떤 수를 2번 더한 식을 곱셈식으로 나타내면 어떤 수×2로 나타낼 수 있어요. 자릿값에 맞추어 세로셈으로 계산하면 정확하게 구할 수 있어요.

더 생각해 보아요! | 43쪽

두 수의 곱은 36이고, 두 수의 차는 5인 수는 9와 4예요.

44-45쪽

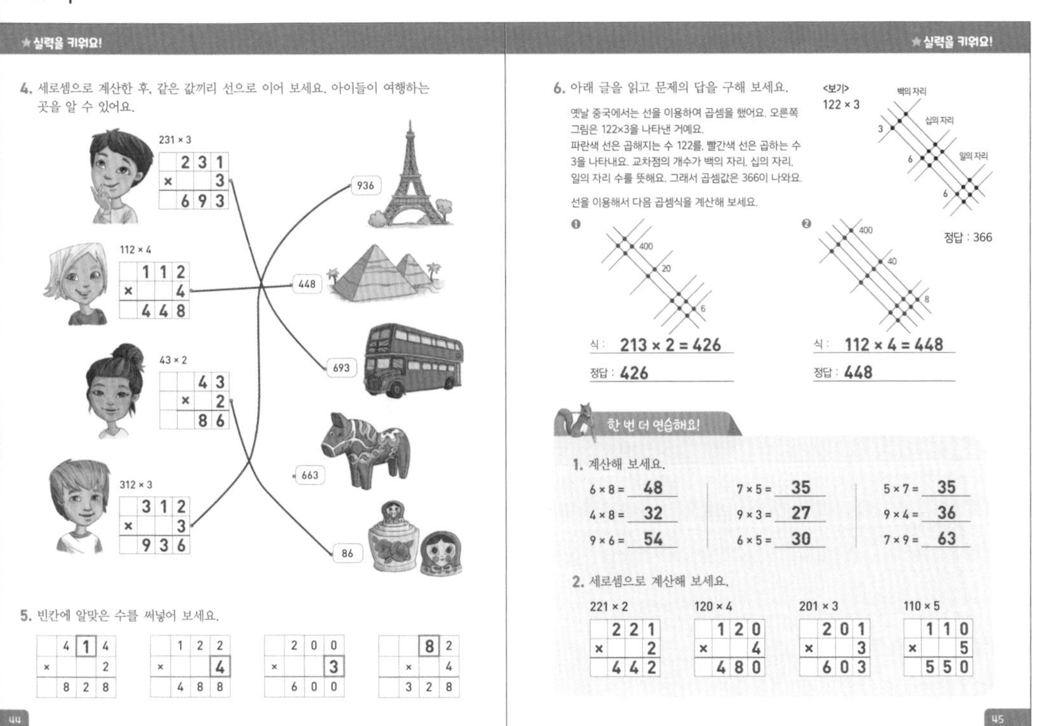
★실력을 키워요!

4. 세로셈으로 계산한 후, 같은 값끼리 선으로 이어 보세요. 아이들이 여행하는 곳을 알 수 있어요.

231 × 3 = 693
112 × 4 = 448
43 × 2 = 86
312 × 3 = 936

936, 448, 693, 663, 86

5. 빈칸에 알맞은 수를 써넣어 보세요.

414 × 2 = 828
122 × 4 = 488
200 × 3 = 600
82 × 4 = 328

6. 아래 글을 읽고 문제의 답을 구해 보세요.

옛날 중국에서는 선을 이용하여 곱셈을 했어요. 오른쪽 그림은 122×3을 나타낸 거예요.
파란색 선은 곱해지는 수 122를, 빨간색 선은 곱하는 수 3을 나타내요. 교차점의 개수가 백의 자리, 십의 자리, 일의 자리 수를 뜻해요. 그래서 곱셈값은 366이 나와요.

<보기> 122 × 3 (백의 자리, 십의 자리, 일의 자리) 정답 : 366

선을 이용해서 다음 곱셈식을 계산해 보세요.

❶ 식 : 213 × 2 = 426 정답 : 426
❷ 식 : 112 × 4 = 448 정답 : 448

한 번 더 연습해요!

1. 계산해 보세요.

6 × 8 = 48	7 × 5 = 35	5 × 7 = 35
4 × 8 = 32	9 × 3 = 27	9 × 4 = 36
9 × 6 = 54	6 × 5 = 30	7 × 9 = 63

2. 세로셈으로 계산해 보세요.

221 × 2 = 442
120 × 4 = 480
201 × 3 = 603
110 × 5 = 550

44 45

45쪽 6번

이런 식의 곱셈 방법을 선긋기 곱셈이라고 해요. 십의 자리와 일의 자리 수 구분을 위해 색을 다르게 하면 자릿값에 맞춘 값을 더 쉽게 구할 수 있어요. 구구단을 외우지 않아도 그림으로 그린 후, 점의 수만 세면 돼요.

부모님 가이드 | 46쪽

핀란드 수학 교과서에서는 50유로, 20유로, 10유로, 1센트 등 유럽 연합의 통용 화폐인 유로화를 다룹니다. 그러나 한국에서는 원화를 사용하고, 화폐 단위가 십 원부터 있어 백의 자리보다 큰 천의 자리, 더 나아가 만의 자리까지 일상생활에서 아이들이 자주 사용합니다.
3학년 과정 곱셈 단원에서 (몇십몇)×(몇)을 배우지만, 이 책에서는 좀 더 심화 과정으로 네 자리 수×한 자리 수를 다뤘습니다. 단위가 커졌지만 일상생활에서 사용하는 돈 단위이며, 일의 자리 또는 십의 자리에 0을 붙이면 해결할 수 있는 문제라 무리 없이 학습할 수 있을 것입니다.

46-47쪽

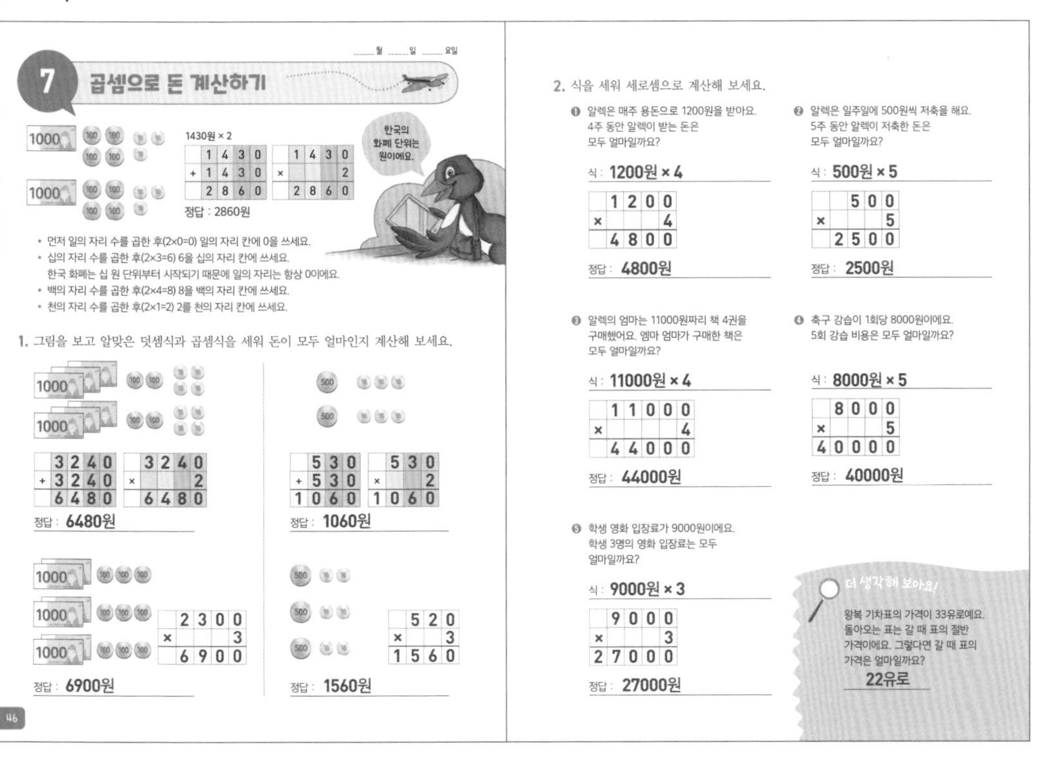
7 곱셈으로 돈 계산하기

1430원 × 2: 1430 + 1430 = 2860, 1430 × 2 = 2860 정답 : 2860원

- 먼저 일의 자리 수를 곱한 후(2×0=0) 일의 자리 칸에 0을 쓰세요.
- 십의 자리 수를 곱한 후(2×3=6) 6을 십의 자리 칸에 쓰세요.
  한국 화폐는 십 원 단위부터 시작되기 때문에 일의 자리는 항상 0이에요.
- 백의 자리 수를 곱한 후(2×4=8) 8을 백의 자리 칸에 쓰세요.
- 천의 자리 수를 곱한 후(2×1=2) 2를 천의 자리 칸에 쓰세요.

1. 그림을 보고 알맞은 덧셈식과 곱셈식을 세워 돈이 모두 얼마인지 계산해 보세요.

3240 + 3240 = 6480, 3240 × 2 = 6480 정답 : 6480원
530 + 530 = 1060, 530 × 2 = 1060 정답 : 1060원
2300 × 3 = 6900 정답 : 6900원
520 × 3 = 1560 정답 : 1560원

2. 식을 세워 세로셈으로 계산해 보세요.

❶ 알렉은 매주 용돈으로 1200원을 받아요. 4주 동안 알렉이 받는 돈은 모두 얼마일까요?
식 : 1200원 × 4 — 1200 × 4 = 4800 정답 : 4800원

❷ 알렉은 일주일에 500원씩 저축을 해요. 5주 동안 알렉이 저축한 돈은 모두 얼마일까요?
식 : 500원 × 5 — 500 × 5 = 2500 정답 : 2500원

❸ 알렉의 엄마는 11000원짜리 책 4권을 구매했어요. 엠마 엄마가 구매한 책은 모두 얼마일까요?
식 : 11000원 × 4 — 11000 × 4 = 44000 정답 : 44000원

❹ 축구 강습이 1회당 8000원이에요. 5회 강습 비용은 모두 얼마일까요?
식 : 8000원 × 5 — 8000 × 5 = 40000 정답 : 40000원

❺ 학생 영화 입장료가 9000원이에요. 학생 3명의 영화 입장료는 모두 얼마일까요?
식 : 9000원 × 3 — 9000 × 3 = 27000 정답 : 27000원

더 생각해 보아요!
왕복 기차표의 가격이 33유로예요. 돌아오는 표는 갈 때 표의 절반 가격이에요. 그렇다면 갈 때 표의 가격은 얼마일까요?
22유로

46

더 생각해 보아요! | 47쪽

갈 때 가격+돌아올 때 가격=33유로
갈 때 가격=2×돌아올 때 가격
33을 3등분하면 쉽게 해결이 돼요.
따라서 갈 때 표는 22유로, 돌아올 때 표는 11유로예요.

48-49쪽

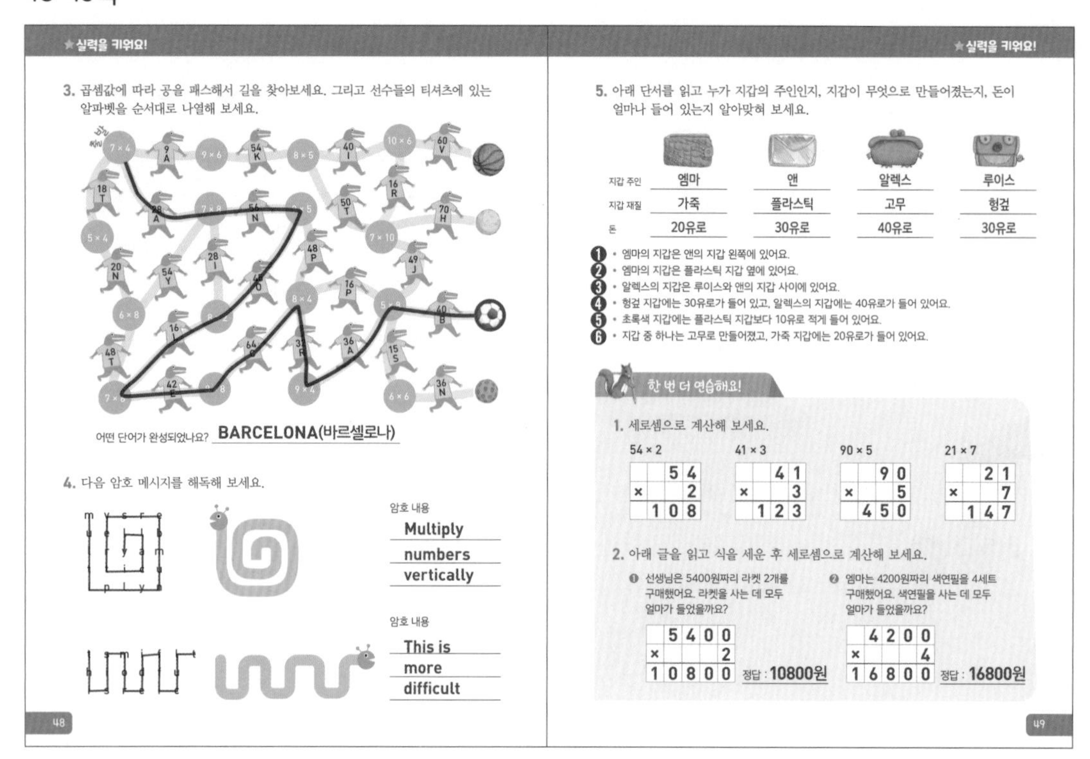

★실력을 키워요!

3. 곱셈값에 따라 공을 패스해서 길을 찾아보세요. 그리고 선수들의 티셔츠에 있는 알파벳을 순서대로 나열해 보세요.

어떤 단어가 완성되었나요? **BARCELONA(바르셀로나)**

4. 다음 암호 메시지를 해독해 보세요.

암호 내용: Multiply numbers vertically

암호 내용: This is more difficult

48

★실력을 키워요!

5. 아래 단서를 읽고 누가 지갑의 주인인지, 지갑이 무엇으로 만들어졌는지, 돈이 얼마나 들어 있는지 알아맞혀 보세요.

지갑 주인	엠마	앤	알렉스	루이스
지갑 재질	가죽	플라스틱	고무	헝겊
돈	20유로	30유로	40유로	30유로

❶ • 엠마의 지갑은 앤의 지갑 왼쪽에 있어요.
❷ • 엠마의 지갑은 플라스틱 지갑 옆에 있어요.
❸ • 알렉스의 지갑은 루이스와 앤의 지갑 사이에 있어요.
❹ • 헝겊 지갑에는 30유로가 들어 있고, 알렉스의 지갑에는 40유로가 들어 있어요.
❺ • 초록색 지갑에는 플라스틱 지갑보다 10유로 적게 들어 있어요.
❻ • 지갑 중 하나는 고무로 만들어졌고, 가죽 지갑에는 20유로가 들어 있어요.

한 번 더 연습해요!

1. 세로셈으로 계산해 보세요.

54 × 2 = 108 41 × 3 = 123 90 × 5 = 450 21 × 7 = 147

2. 아래 글을 읽고 식을 세운 후 세로셈으로 계산해 보세요.

❶ 선생님은 5400원짜리 라켓 2개를 구매했어요. 라켓을 사는 데 모두 얼마가 들었을까요?

5400 × 2 = 10800 정답 : **10800원**

❷ 엠마는 4200원짜리 색연필을 4세트 구매했어요. 색연필을 사는 데 모두 얼마가 들었을까요?

4200 × 4 = 16800 정답 : **16800원**

49

48쪽 4번

Multiply numbers vertically.
(세로셈으로 곱셈을 해요.)

This is more difficult.
(이것은 더 어려워요.)

MEMO

49쪽 5번

❹ 헝겊 지갑에는 30유로가 들어 있고, 알렉스의 지갑에는 40유로가 들어 있어요.

❷ 엠마의 지갑은 플라스틱 지갑 옆에 있어요.

지갑 주인	엠마		알렉스	
지갑 재질		플라스틱		헝겊
돈			40유로	30유로

❶ 엠마의 지갑은 앤의 지갑 왼쪽에 있어요.

❸ 알렉스의 지갑은 루이스와 앤의 지갑 사이에 있어요.

지갑 주인	엠마	앤	알렉스	루이스
지갑 재질		플라스틱		헝겊
돈			40유로	30유로

❻ 지갑 중 하나는 고무로 만들어졌고, 가죽 지갑에는 20유로가 들어 있어요.

❺ 초록색 지갑에는 플라스틱 지갑보다 10유로 적게 들어 있어요.

지갑 주인	엠마	앤	알렉스	루이스
지갑 재질	가죽	플라스틱	고무	헝겊
돈	20유로	30유로	40유로	30유로

0-51쪽

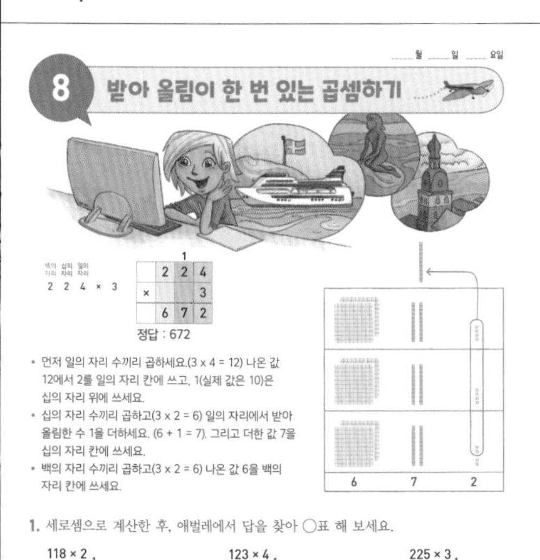

- 먼저 일의 자리 수끼리 곱하세요.(3 x 4 = 12) 나온 값 12에서 2를 일의 자리 칸에 쓰고, 1(실제 값은 10)은 십의 자리 위에 쓰세요.
- 십의 자리 수끼리 곱하고(3 x 2 = 6) 일의 자리에서 받아 올림한 수 1을 더하세요. (6 + 1 = 7). 그리고 더한 값 7을 십의 자리 칸에 쓰세요.
- 백의 자리 수끼리 곱하고(3 x 2 = 6) 나온 값 6을 백의 자리 칸에 쓰세요.

1. 세로셈으로 계산한 후, 애벌레에서 답을 찾아 ○표 해 보세요.

118 × 2 = 236   123 × 4 = 492   225 × 3 = 675

121 × 5 = 605   242 × 4 = 968   116 × 6 = 696

(236) (492) 524 (605) (675) (696) 728 (968)

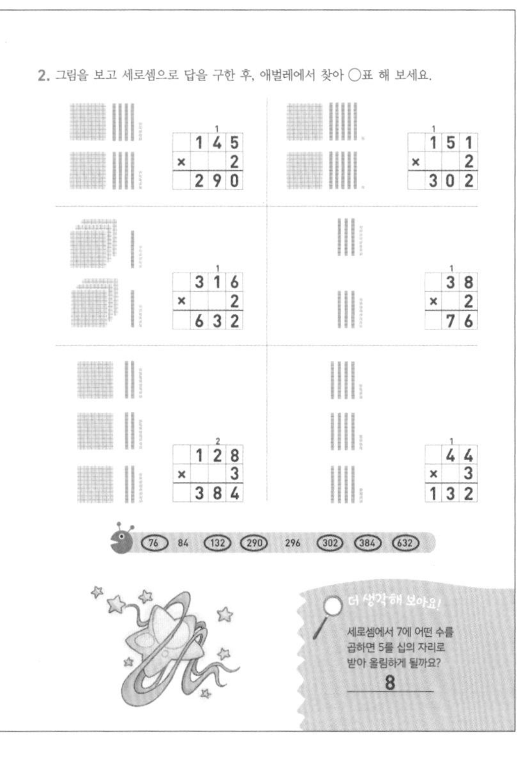

2. 그림을 보고 세로셈으로 답을 구한 후, 애벌레에서 찾아 ○표 해 보세요.
145 × 2 = 290
151 × 2 = 302
316 × 2 = 632
38 × 2 = 76
128 × 3 = 384
44 × 3 = 132
(76) 84 (132) (290) 296 (302) (384) (632)
더 생각해 보아요!
세로셈에서 7에 어떤 수를 곱하면 5를 십의 자리로 받아 올림하게 될까요?
8

부모님 가이드 | 50쪽

덧셈과 마찬가지로 곱셈에서도 곱셈값이 10 또는 10보다 크면 바로 윗자리로 받아 올림을 해요. 받아 올림하는 과정을 쓰면서 곱셈을 하면 실수를 줄이고 정확한 계산을 할 수 있어요.

더 생각해 보아요! | 51쪽

7단 가운데 십의 자리가 5인 수는 7×8=56이에요.

2-53쪽

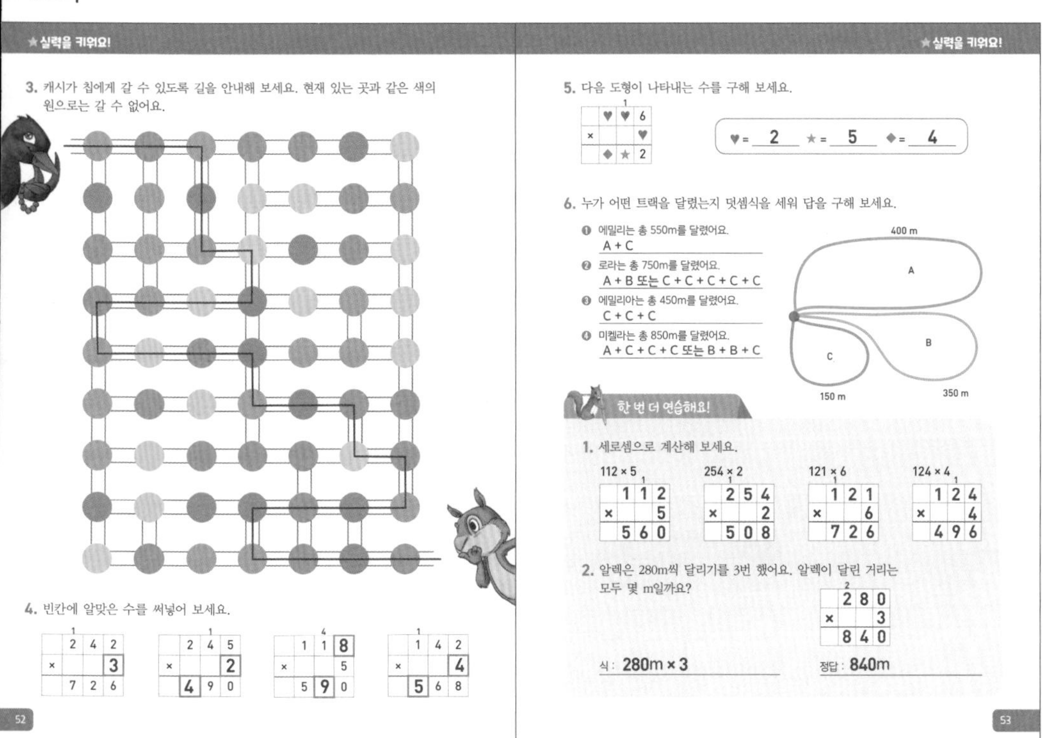

실력을 키워요!
3. 캐시가 침에게 갈 수 있도록 길을 안내해 보세요. 현재 있는 곳과 같은 색의 원으로는 갈 수 없어요.
4. 빈칸에 알맞은 수를 써넣어 보세요.
242 × 3 = 726
245 × 2 = 490
118 × 5 = 590
142 × 4 = 568
52
실력을 키워요!
5. 다음 도형이 나타내는 수를 구해 보세요.
♥ = 2 ★ = 5 ◆ = 4
6. 누가 어떤 트랙을 달렸는지 덧셈식을 세워 답을 구해 보세요.
❶ 에밀리는 총 550m를 달렸어요. A + C
❷ 로라는 총 750m를 달렸어요. A + B 또는 C + C + C + C + C
❸ 에밀리아는 총 450m를 달렸어요. C + C + C
❹ 미켈라는 총 850m를 달렸어요. A + C + C + C 또는 B + B + C
400 m
A
B
C
150 m
350 m
한 번 더 연습해요!
1. 세로셈으로 계산해 보세요.
112 × 5 = 560
254 × 2 = 508
121 × 6 = 726
124 × 4 = 496
2. 알렉은 280m씩 달리기를 3번 했어요. 알렉이 달린 거리는 모두 몇 m일까요?
280 × 3 = 840
식 : 280m × 3
정답 : 840m
53

52쪽 4번

일의 자리 결과값을 보고 나오게 되는 경우의 수를 구해야 해요. 예상한 수와 답이 맞는지 직접 계산하며 구해 보세요. 받아 올림도 제대로 했는지 확인하면 정답을 정확하게 구할 수 있어요.

53쪽 5번

6에 어떤 수를 곱해 일의 자리 수가 2가 나오는 것은 12이므로 ♥=2

★은 ♥를 2번 곱한 수에 일의 자리에서 받아 올림한 1을 더해야 하므로, 2×2+1=5, ★=5

◆는 ♥×♥이므로 ◆=4

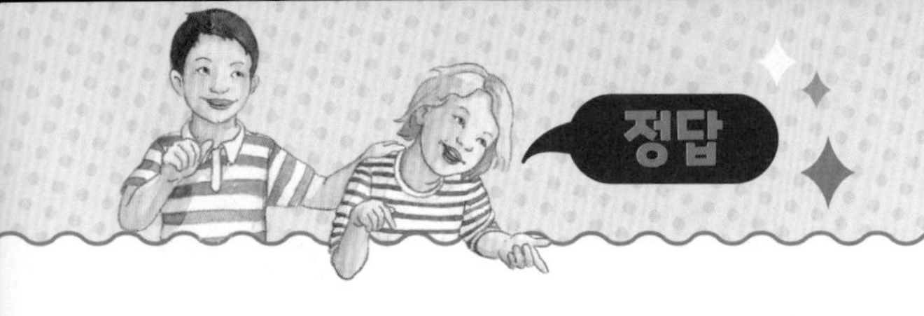

54-55쪽

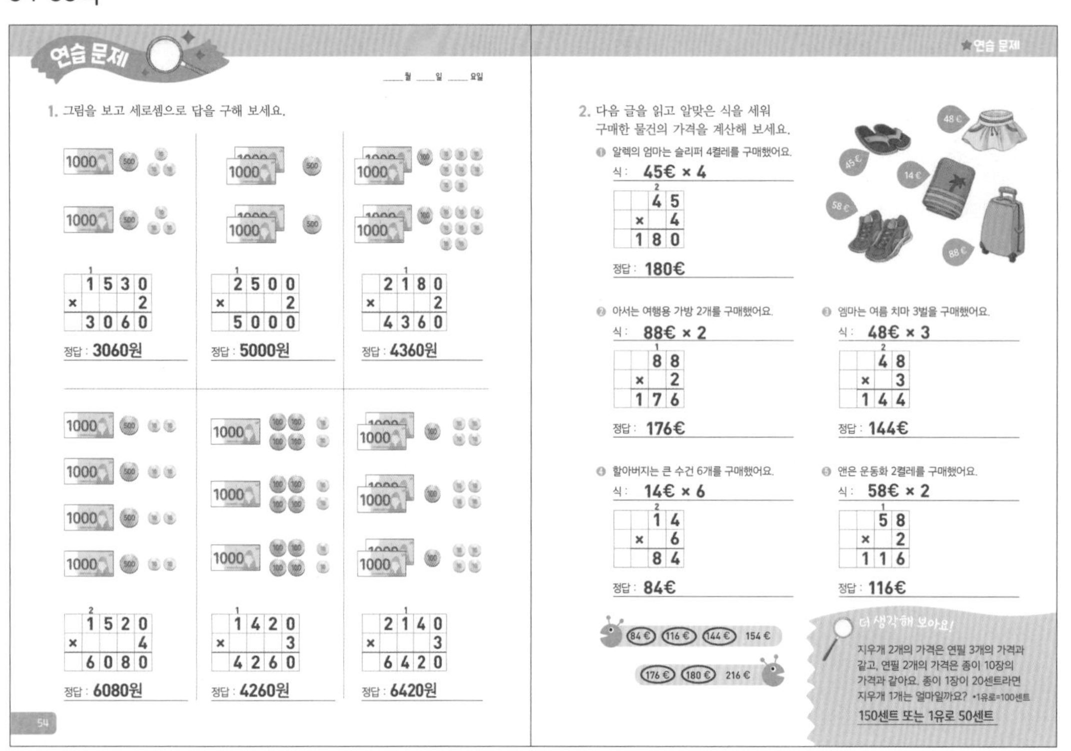

연습 문제

___월 ___일 ___요일

1. 그림을 보고 세로셈으로 답을 구해 보세요.

1530 × 2 = 3060 정답 : 3060원

2500 × 2 = 5000 정답 : 5000원

2180 × 2 = 4360 정답 : 4360원

1520 × 4 = 6080 정답 : 6080원

1420 × 3 = 4260 정답 : 4260원

2140 × 3 = 6420 정답 : 6420원

54

★연습 문제

2. 다음 글을 읽고 알맞은 식을 세워 구매한 물건의 가격을 계산해 보세요.

① 알렉의 엄마는 슬리퍼 4켤레를 구매했어요.
식 : 45€ × 4
정답 : 180€

② 아서는 여행용 가방 2개를 구매했어요.
식 : 88€ × 2
정답 : 176€

③ 엄마는 여름 치마 3벌을 구매했어요.
식 : 48€ × 3
정답 : 144€

④ 할아버지는 큰 수건 6개를 구매했어요.
식 : 14€ × 6
정답 : 84€

⑤ 앤은 운동화 2켤레를 구매했어요.
식 : 58€ × 2
정답 : 116€

더 생각해 보아요!

지우개 2개의 가격은 연필 3개의 가격과 같고, 연필 2개의 가격은 종이 10장의 가격과 같아요. 종이 1장이 20센트라면 지우개 1개는 얼마일까요? •1유로=100센트

150센트 또는 1유로 50센트

더 생각해 보아요! | 55쪽

종이 1장의 가격이 20센트이
므로 종이 10장의 가격은 2
센트×10=200센트

연필 2개=200센트이므로 연
필 1개=100센트

지우개 2개=300센트이므로
지우개 1개=150센트

1유로=100센트이므로 지우개
1개는 1유로 50센트

56-57쪽

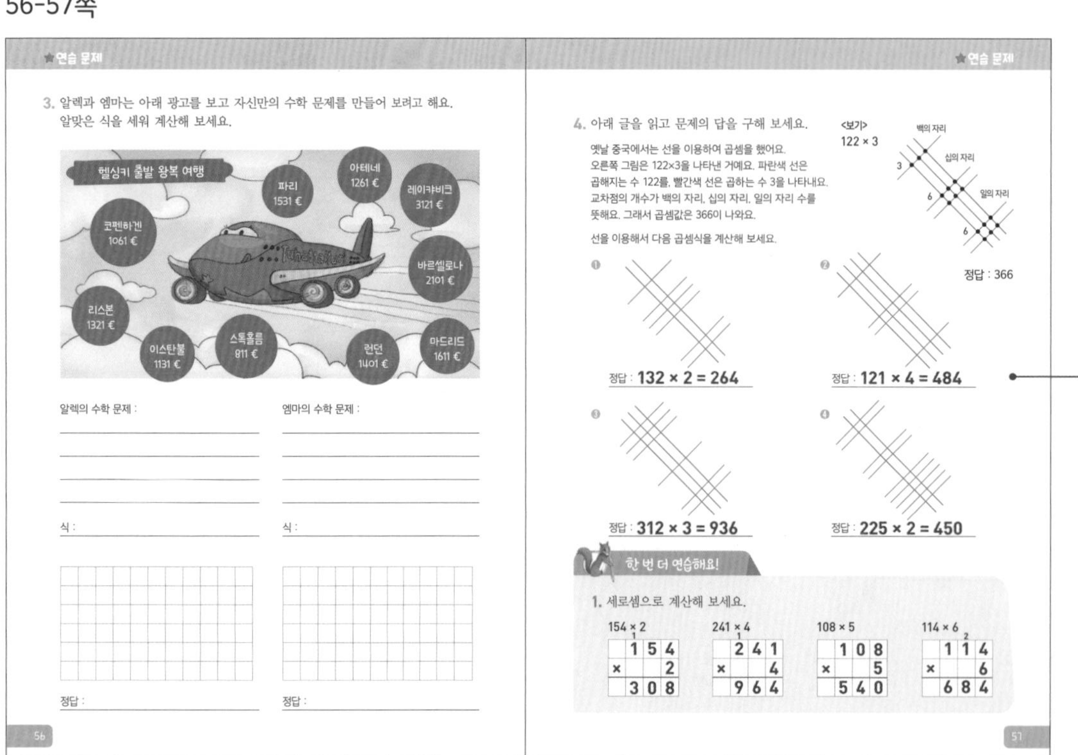

★연습 문제

3. 알렉과 엄마는 아래 광고를 보고 자신만의 수학 문제를 만들어 보려고 해요. 알맞은 식을 세워 계산해 보세요.

헬싱키 출발 왕복 여행
파리 1531 €
아테네 1261 €
레이캬비크 3121 €
코펜하겐 1061 €
바르셀로나 2101 €
리스본 1321 €
이스탄불 1131 €
스톡홀름 811 €
런던 1401 €
마드리드 1611 €

알렉의 수학 문제 :

엄마의 수학 문제 :

식 :

식 :

정답 :

정답 :

56

★연습 문제

4. 아래 글을 읽고 문제의 답을 구해 보세요.

옛날 중국에서는 선을 이용하여 곱셈을 했어요. 오른쪽 그림은 122×3을 나타낸 거예요. 파란색 선은 곱해지는 수 122를, 빨간색 선은 곱하는 수 3을 나타내요. 교차점의 개수가 백의 자리, 십의 자리, 일의 자리 수를 뜻해요. 그래서 곱셈값은 366이 나와요.

<보기> 122 × 3

정답 : 366

선을 이용해서 다음 곱셈식을 계산해 보세요.

① 정답 : 132 × 2 = 264

② 정답 : 121 × 4 = 484

③ 정답 : 312 × 3 = 936

④ 정답 : 225 × 2 = 450

한 번 더 연습해요!

1. 세로셈으로 계산해 보세요.

154 × 2 = 308

241 × 4 = 964

108 × 5 = 540

114 × 6 = 684

57

56쪽 3번

각자 여행 일정을 짜서 문제를
만들어 보세요.

58-59쪽

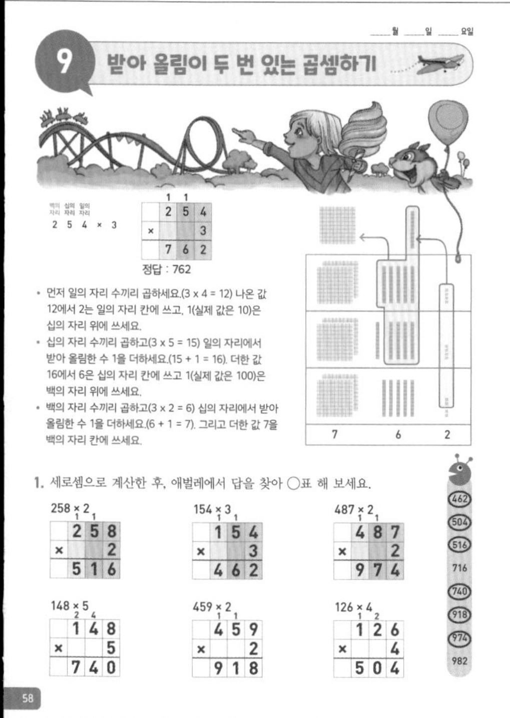
___월 ___일 ___요일

9 받아 올림이 두 번 있는 곱셈하기

백의 자리 십의 자리 일의 자리
2 5 4 × 3

	2	5	4
×			3
	7	6	2

정답 : 762

- 먼저 일의 자리 수끼리 곱하세요.(3 x 4 = 12) 나온 값 12에서 2는 일의 자리 칸에 쓰고, 1(실제 값은 10)은 십의 자리 위에 쓰세요.
- 십의 자리 수끼리 곱하고(3 x 5 = 15) 일의 자리에서 받아 올림한 수 1을 더하세요.(15 + 1 = 16). 더한 값 16에서 6은 십의 자리 칸에 쓰고 1(실제 값은 100)은 백의 자리 위에 쓰세요.
- 백의 자리 수끼리 곱하고(3 x 2 = 6) 십의 자리에서 받아 올림한 수 1을 더하세요.(6 + 1 = 7). 그리고 더한 값 7을 백의 자리 칸에 쓰세요.

7 6 2

1. 세로셈으로 계산한 후, 애벌레에서 답을 찾아 ○표 해 보세요.

258 × 2 = 516, 154 × 3 = 462, 487 × 2 = 974

148 × 5 = 740, 459 × 2 = 918, 126 × 4 = 504

462 504 516 716 740 918 974 982

58

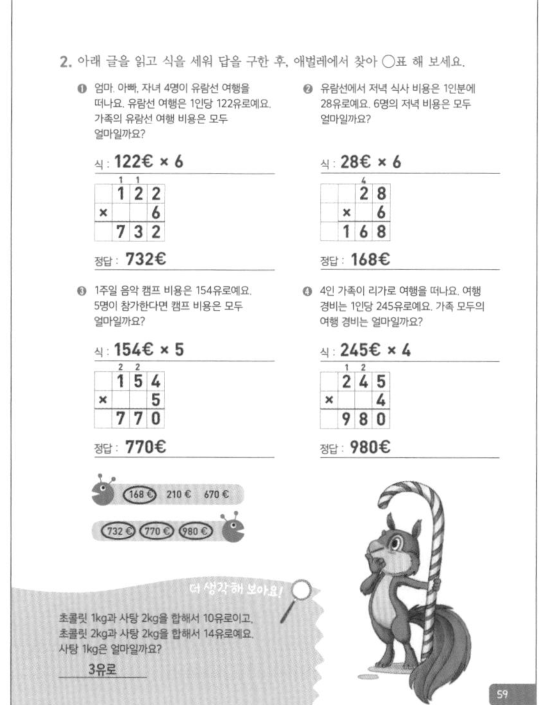
2. 아래 글을 읽고 식을 세워 답을 구한 후, 애벌레에서 찾아 ○표 해 보세요.

❶ 엄마, 아빠, 자녀 4명이 유람선 여행을 떠나요. 유람선 여행은 1인당 122유로예요. 가족의 유람선 여행 비용은 모두 얼마일까요?

식 : 122€ × 6

정답 : 732€

❷ 유람선에서 저녁 식사 비용은 1인분에 28유로예요. 6명의 저녁 비용은 모두 얼마일까요?

식 : 28€ × 6

정답 : 168€

❸ 1주일 음악 캠프 비용은 154유로예요. 5명이 참가한다면 캠프 비용은 모두 얼마일까요?

식 : 154€ × 5

정답 : 770€

❹ 4인 가족이 리가로 여행을 떠나요. 여행 경비는 1인당 245유로예요. 가족 모두의 여행 경비는 얼마일까요?

식 : 245€ × 4

정답 : 980€

168€ 210€ 670€
732€ 770€ 980€

더 생각해 보아요!

초콜릿 1kg과 사탕 2kg을 합해서 10유로이고, 초콜릿 2kg과 사탕 2kg을 합해서 14유로예요. 사탕 1kg은 얼마일까요?

3유로

59

더 생각해 보아요! | 59쪽

❶ 초콜릿 1kg+사탕 2kg=10유로
❷ 초콜릿 2kg+사탕 2kg=14유로
❷-❶을 하면 초콜릿 1kg은 4유로예요.
❶번 식에 초콜릿 4유로를 대입하면 4유로+사탕2kg=10유로, 사탕2kg=6유로, 사탕 1kg=3유로예요.

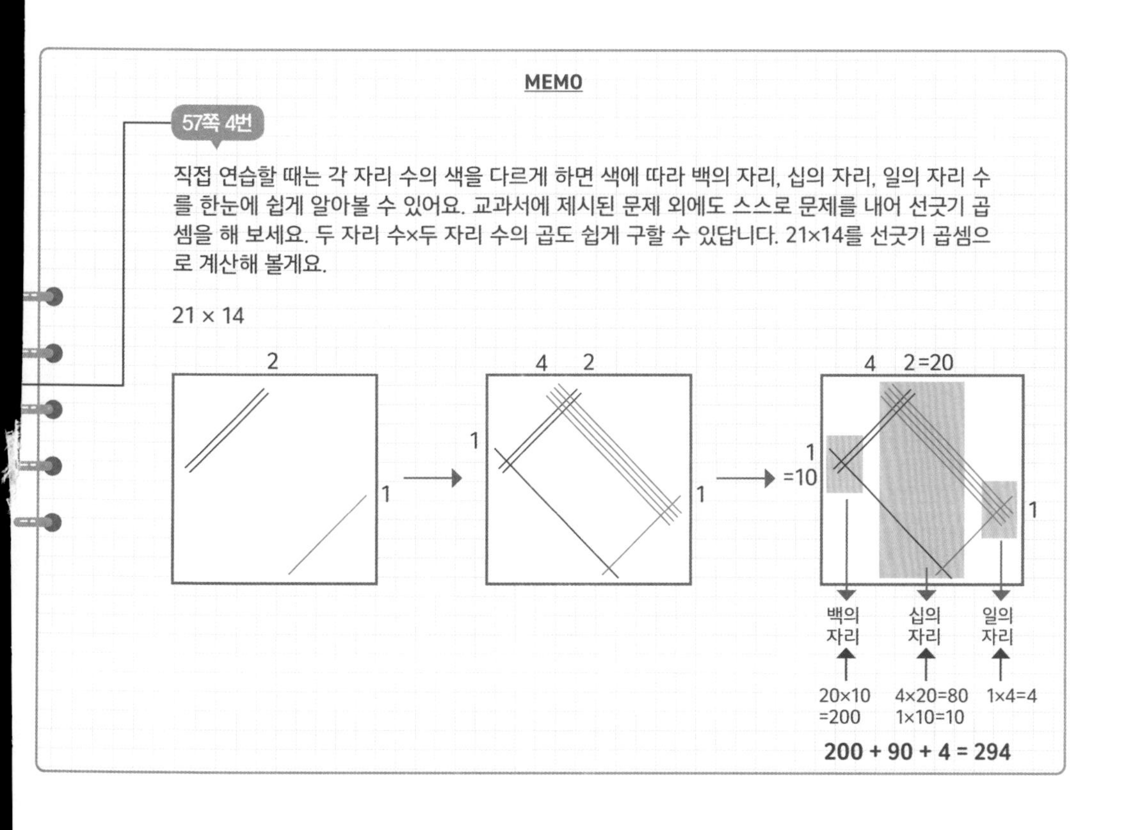
MEMO

57쪽 4번

직접 연습할 때는 각 자리 수의 색을 다르게 하면 색에 따라 백의 자리, 십의 자리, 일의 자리 수를 한눈에 쉽게 알아볼 수 있어요. 교과서에 제시된 문제 외에도 스스로 문제를 내어 선긋기 곱셈을 해 보세요. 두 자리 수×두 자리 수의 곱도 쉽게 구할 수 있답니다. 21×14를 선긋기 곱셈으로 계산해 볼게요.

21 × 14

200 + 90 + 4 = 294

60-61쪽

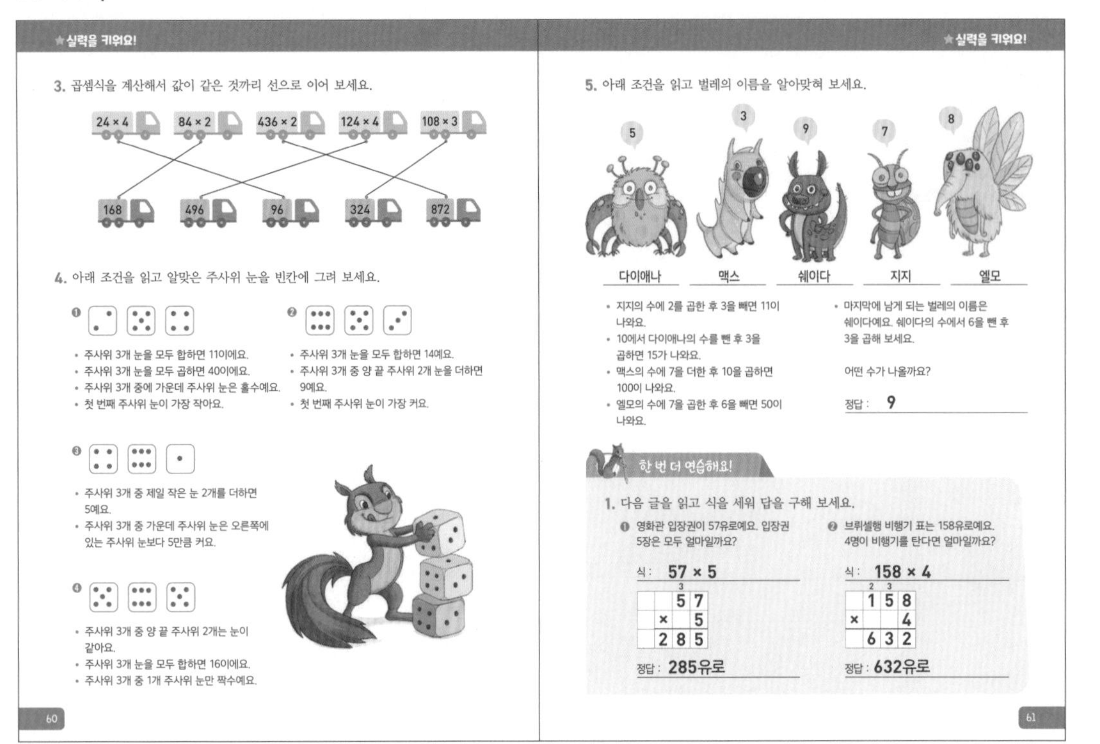

★실력을 키워요!

3. 곱셈식을 계산해서 값이 같은 것끼리 선으로 이어 보세요.

4. 아래 조건을 읽고 알맞은 주사위 눈을 빈칸에 그려 보세요.

❶
- 주사위 3개 눈을 모두 합하면 11이에요.
- 주사위 3개 눈을 모두 곱하면 40이에요.
- 주사위 3개 중에 가운데 주사위 눈은 홀수예요.
- 첫 번째 주사위 눈이 가장 작아요.

❷
- 주사위 3개 눈을 모두 합하면 14예요.
- 주사위 3개 중 양 끝 주사위 2개 눈을 더하면 9예요.
- 첫 번째 주사위 눈이 가장 커요.

❸
- 주사위 3개 중 제일 작은 눈 2개를 더하면 5예요.
- 주사위 3개 중 가운데 주사위 눈은 오른쪽에 있는 주사위 눈보다 5만큼 커요.

❹
- 주사위 3개 중 양 끝 주사위 2개는 눈이 같아요.
- 주사위 3개 눈을 모두 합하면 16이에요.
- 주사위 3개 중 1개 주사위 눈만 짝수예요.

60

★실력을 키워요!

5. 아래 조건을 읽고 벌레의 이름을 알아맞혀 보세요.

다이애나 맥스 쉐이다 지지 엘모

- 지지의 수에 2를 곱한 후 3을 빼면 11이 나와요.
- 10에서 다이애나의 수를 뺀 후 3을 곱하면 15가 나와요.
- 맥스의 수에 7을 더한 후 10을 곱하면 100이 나와요.
- 엘모의 수에 7을 곱한 후 6을 빼면 50이 나와요.
- 마지막에 남게 되는 벌레의 이름은 쉐이다예요. 쉐이다의 수에서 6을 뺀 후 3을 곱해 보세요.

어떤 수가 나올까요?

정답 : 9

한 번 더 연습해요!

1. 다음 글을 읽고 식을 세워 답을 구해 보세요.

❶ 영화관 입장권이 57유로예요. 입장권 5장은 모두 얼마일까요?

식 : 57 × 5

		5	7
	×		5
	2	8	5

정답 : 285유로

❷ 브뤼셀행 비행기 표는 158유로예요. 4명이 비행기를 탄다면 얼마일까요?

식 : 158 × 4

	1	5	8
×			4
	6	3	2

정답 : 632유로

61

60쪽 3번

두 수의 곱의 결과값을 연결할
때, 일의 자리값만 계산해도 답
을 구하는 범위를 좁힐 수 있어
요. 이렇게 간단한 단서를 통하
답을 어림해서 유추할 수도 있
답니다.

61쪽 5번

- 지지의 수에 2를 곱한 후 3을 빼면 11이 나와요.→ □×2-3=11, □×2=14, □=7
- 10에서 다이애나의 수를 뺀 후 3을 곱하면 15가 나와요.→10-□×3=15, 3을 곱해서 15가 나오려면 10에서 를 빼야 해요. □=5
- 맥스의 수에 7을 더한 후 10을 곱하면 100이 나와요.→ □+7×10=100, 7에 어떤 수를 더해 10이 되는 수는 3 □=3
- 엘모의 수에 7을 곱한 후 을 빼면 50이 나와요.→□ 7-6=50, 어떤 수에 6을 빼서 50이 되는 수는 56이에요. 을 곱해 56이 되는 수는 8
- 마지막에 남게 되는 벌레의 이름은 쉐이다예요. 쉐이다의 수에서 6을 뺀 후 3을 곱하면 어떤 수가 나올까요 마지막에 남은 수는 9, 9-6 3=9

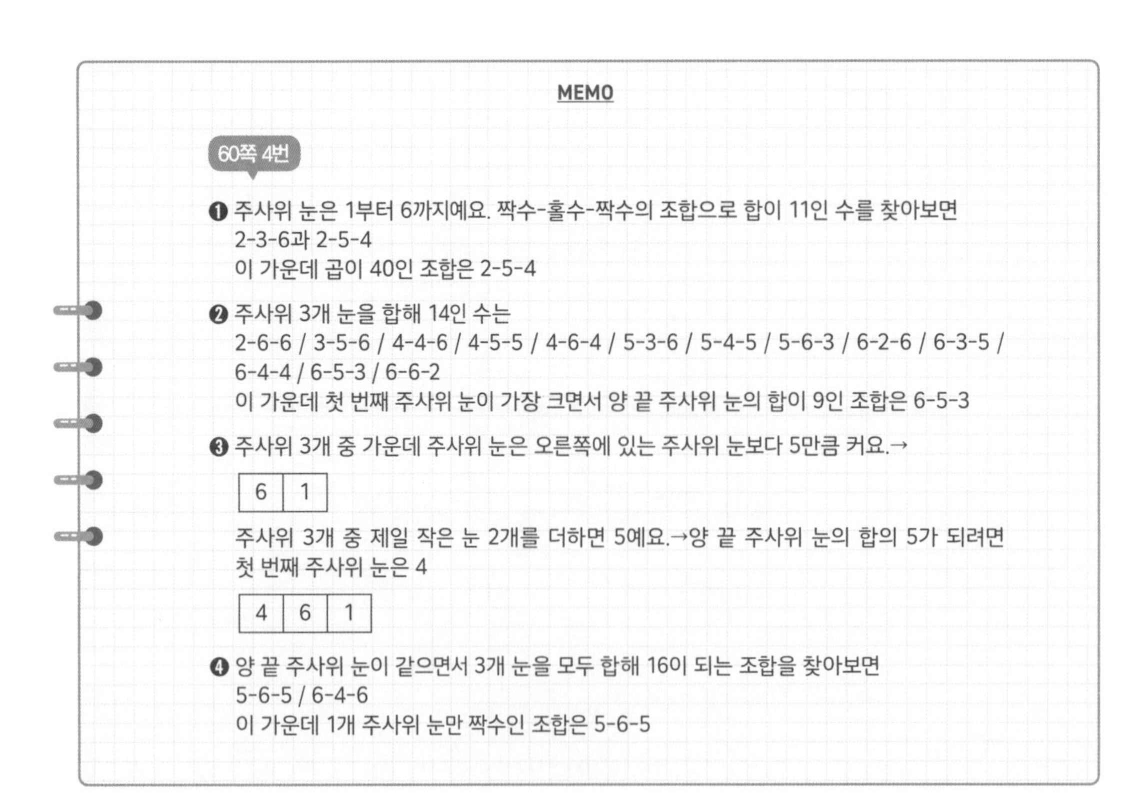

MEMO

60쪽 4번

❶ 주사위 눈은 1부터 6까지예요. 짝수-홀수-짝수의 조합으로 합이 11인 수를 찾아보면
2-3-6과 2-5-4
이 가운데 곱이 40인 조합은 2-5-4

❷ 주사위 3개 눈을 합해 14인 수는
2-6-6 / 3-5-6 / 4-4-6 / 4-5-5 / 4-6-4 / 5-3-6 / 5-4-5 / 5-6-3 / 6-2-6 / 6-3-5 / 6-4-4 / 6-5-3 / 6-6-2
이 가운데 첫 번째 주사위 눈이 가장 크면서 양 끝 주사위 눈의 합이 9인 조합은 6-5-3

❸ 주사위 3개 중 가운데 주사위 눈은 오른쪽에 있는 주사위 눈보다 5만큼 커요.→

6	1

주사위 3개 중 제일 작은 눈 2개를 더하면 5예요.→양 끝 주사위 눈의 합의 5가 되려면 첫 번째 주사위 눈은 4

4	6	1

❹ 양 끝 주사위 눈이 같으면서 3개 눈을 모두 합해 16이 되는 조합을 찾아보면
5-6-5 / 6-4-6
이 가운데 1개 주사위 눈만 짝수인 조합은 5-6-5

2-63쪽

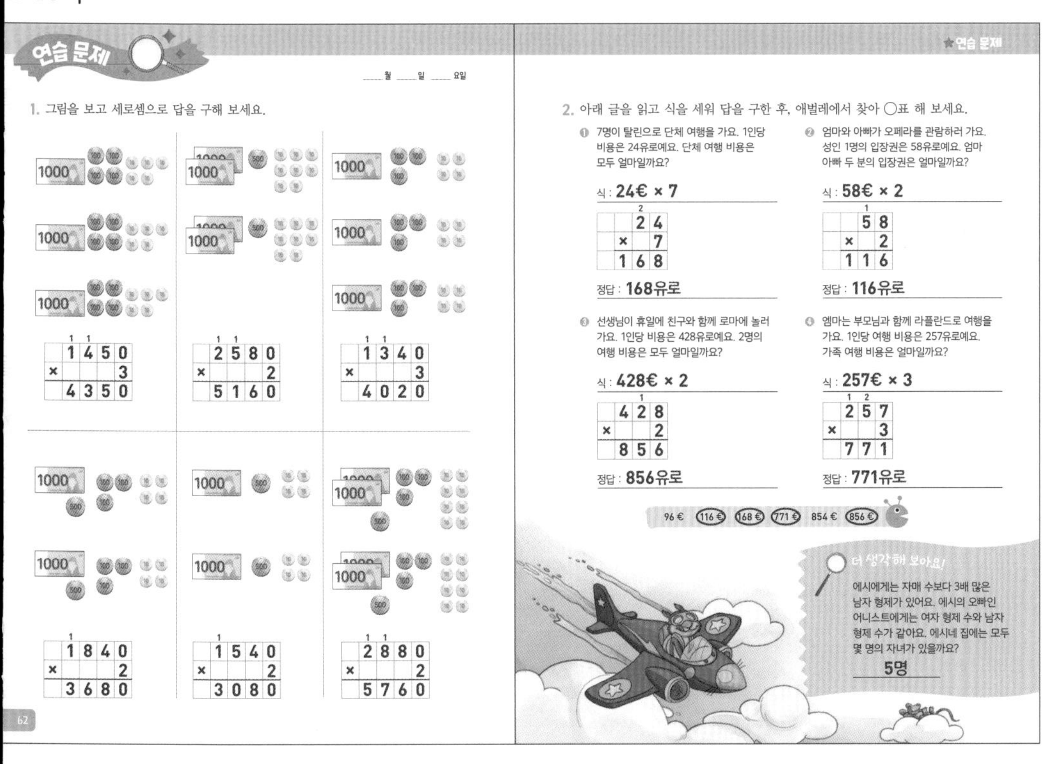
연습 문제

___월 ___일 ___요일

1. 그림을 보고 세로셈으로 답을 구해 보세요.

1450 × 3 = 4350

2580 × 2 = 5160

1340 × 3 = 4020

1840 × 2 = 3680

1540 × 2 = 3080

2880 × 2 = 5760

2. 아래 글을 읽고 식을 세워 답을 구한 후, 애벌레에서 찾아 ○표 해 보세요.

① 7명이 탈린으로 단체 여행을 가요. 1인당 비용은 24유로예요. 단체 여행 비용은 모두 얼마일까요?

식 : 24€ × 7

24 × 7 = 168

정답 : 168유로

② 엄마와 아빠가 오페라를 관람하러 가요. 성인 1명의 입장권은 58유로예요. 엄마 아빠 두 분의 입장권은 얼마일까요?

식 : 58€ × 2

58 × 2 = 116

정답 : 116유로

③ 선생님이 휴일에 친구와 함께 로마에 놀러 가요. 1인당 비용은 428유로예요. 2명의 여행 비용은 모두 얼마일까요?

식 : 428€ × 2

428 × 2 = 856

정답 : 856유로

④ 엠마는 부모님과 함께 라플란드로 여행을 가요. 1인당 여행 비용은 257유로예요. 가족 여행 비용은 얼마일까요?

식 : 257€ × 3

257 × 3 = 771

정답 : 771유로

96€ 116€ 168€ 771€ 854€ 856€

더 생각해 보아요!

에시에게는 자매 수보다 3배 많은 남자 형제가 있어요. 에시의 오빠인 어니스트에게는 여자 형제 수와 남자 형제 수가 같아요. 에시네 집에는 모두 몇 명의 자녀가 있을까요?

5명

62

더 생각해 보아요! | 63쪽

에시를 제외한 자매 수를 □라 하면 남자 형제 수는 3×□
에시 오빠 어니스트를 제외한 남자 형제 수=2×□=여자 형제 수=2
따라서 여자 2명, 남자 3명으로 총 5명

4-65쪽

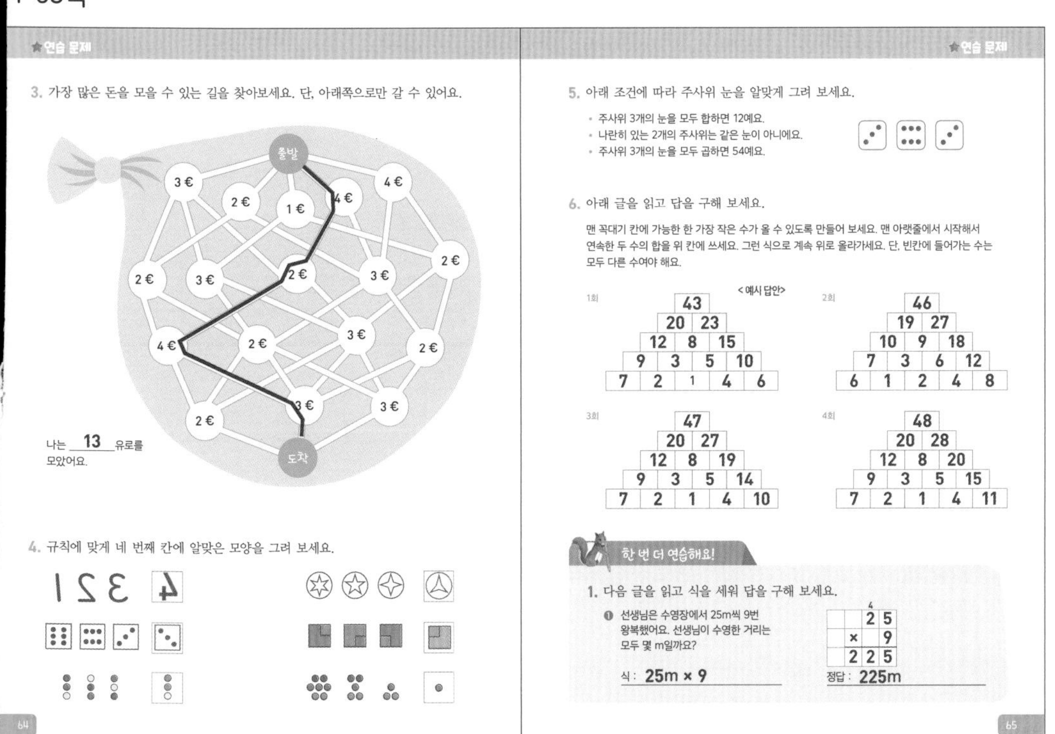
연습 문제

3. 가장 많은 돈을 모을 수 있는 길을 찾아보세요. 단, 아래쪽으로만 갈 수 있어요.

나는 13 유로를 모았어요.

4. 규칙에 맞게 네 번째 칸에 알맞은 모양을 그려 보세요.

5. 아래 조건에 따라 주사위 눈을 알맞게 그려 보세요.

- 주사위 3개의 눈을 모두 합하면 12예요.
- 나란히 있는 2개의 주사위는 같은 눈이 아니에요.
- 주사위 3개의 눈을 모두 곱하면 54예요.

6. 아래 글을 읽고 답을 구해 보세요.

맨 꼭대기 칸에 가능한 한 가장 작은 수가 올 수 있도록 만들어 보세요. 맨 아랫줄에서 시작해서 연속한 두 수의 합을 위 칸에 쓰세요. 그런 식으로 계속 위로 올라가세요. 단, 빈칸에 들어가는 수는 모두 다른 수여야 해요.

1회 <예시 답안>
43
20 23
12 8 15
9 3 5 10
7 2 1 4 6

2회
46
19 27
10 9 18
7 3 6 12
6 1 2 4 8

3회
47
20 27
12 8 19
9 3 5 14
7 2 1 4 10

4회
48
20 28
12 8 20
9 3 5 15
7 2 1 4 11

한 번 더 연습해요!

1. 다음 글을 읽고 식을 세워 답을 구해 보세요.

① 선생님은 수영장에서 25m씩 9번 왕복했어요. 선생님이 수영한 거리는 모두 몇 m일까요?

식 : 25m × 9

25 × 9 = 225

정답 : 225m

64 65

65쪽 5번

주사위 3개의 눈을 합해 12가 되며, 나란히 있는 2개의 주사위가 같은 눈이 아닌 조합을 찾아보면

1-6-5 / 2-4-6 / 2-6-4 / 3-4-5 / 3-5-4 / 3-6-3 / 4-2-6 / 4-3-5 / 4-5-3 / 4-6-2 / 5-1-6 / 5-2-5 / 5-3-4 / 5-4-3 / 5-6-1

이 가운데 주사위 3개의 눈을 곱해 54가 나오는 조합은 3-6-3

69쪽 6번

맨 꼭대기 칸에 가능한 한 가장 작은 수가 오려면 맨 아래 칸을 가장 작은 수부터 시작해야 해요. <예시 답안>의 맨 아래칸에서 마지막 수를 바꾸면서 조건에 맞게 수를 넣게 되면 다음과 같이 나와요.

66-67쪽

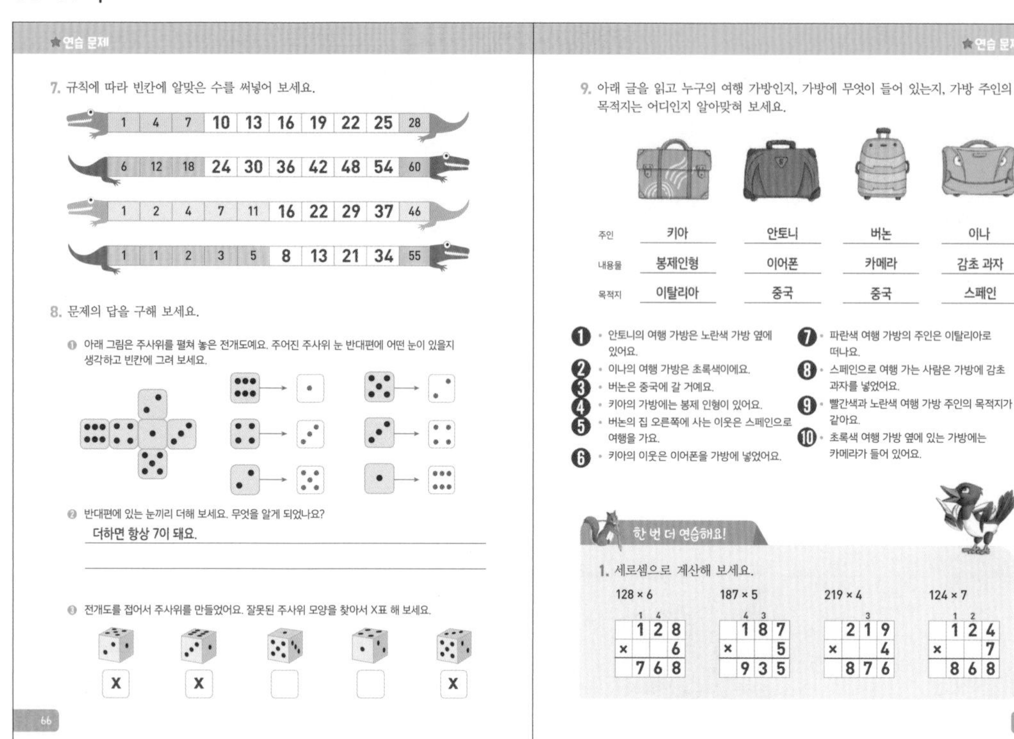

7. 규칙에 따라 빈칸에 알맞은 수를 써넣어 보세요.

1	4	7	10	13	16	19	22	25	28
6	12	18	24	30	36	42	48	54	60
1	2	4	7	11	16	22	29	37	46
1	1	2	3	5	8	13	21	34	55

8. 문제의 답을 구해 보세요.

❶ 아래 그림은 주사위를 펼쳐 놓은 전개도예요. 주어진 주사위 눈 반대편에 어떤 눈이 있을지 생각하고 빈칸에 그려 보세요.

❷ 반대편에 있는 눈끼리 더해 보세요. 무엇을 알게 되었나요?

더하면 항상 7이 돼요.

❸ 전개도를 접어서 주사위를 만들었어요. 잘못된 주사위 모양을 찾아서 X표 해 보세요.

X　X　　　X

9. 아래 글을 읽고 누구의 여행 가방인지, 가방에 무엇이 들어 있는지, 가방 주인의 목적지는 어디인지 알아맞혀 보세요.

주인	키아	안토니	버논	이나
내용물	봉제인형	이어폰	카메라	감초 과자
목적지	이탈리아	중국	중국	스페인

❶ 안토니의 여행 가방은 노란색 가방 옆에 있어요.
❷ 이나의 여행 가방은 초록색이에요.
❸ 버논은 중국에 갈 거예요.
❹ 키아의 가방에는 봉제 인형이 있어요.
❺ 버논의 집 오른쪽에 사는 이웃은 스페인으로 여행을 가요.
❻ 키아의 이웃은 이어폰을 가방에 넣었어요.
❼ 파란색 여행 가방의 주인은 이탈리아로 떠나요.
❽ 스페인으로 여행 가는 사람은 가방에 감초 과자를 넣었어요.
❾ 빨간색과 노란색 여행 가방 주인의 목적지가 같아요.
❿ 초록색 여행 가방 옆에 있는 가방에는 카메라가 들어 있어요.

한 번 더 연습해요!

1. 세로셈으로 계산해 보세요.

128 × 6 = 768　187 × 5 = 935　219 × 4 = 876　124 × 7 = 868

66쪽 8번-❸

주사위를 만들었을 때 마주 는 면의 눈의 합이 7이 되어 하므로

2와 5가 마주 봐야 하므로 는 잘못된 주사위예요.

1과 6이 마주 봐야 하므로 는 잘못된 주사위예요.

2와 5가 마주 봐야 하므로 는 잘못된 주사위예요.

MEMO

67쪽 9번

❷ 이나의 여행 가방은 초록색이에요.

❼ 파란색 여행 가방의 주인은 이탈리아로 떠나요.

❿ 초록색 여행 가방 옆에 있는 가방에는 카메라가 들어 있어요.

❶ 안토니의 여행 가방은 노란색 가방 옆에 있어요.

주인		안토니		이나
내용물			카메라	
목적지	이탈리아			

❸ 버논은 중국에 갈 거예요.→첫 번째 가방의 목적지가 이탈리아이므로 노란색 가방이 버논의 것이에요. 남은 사람은 키아이므로 파란색 가방이 키아의 것이에요.

❹ 키아의 가방에는 봉제 인형이 있어요.

주인	키아	안토니	버논	이나
내용물	봉제 인형		카메라	
목적지	이탈리아		중국	

❺ 버논의 집 오른쪽에 사는 이웃은 스페인으로 여행을 가요.

❽ 스페인으로 여행 가는 사람은 가방에 감초 과자를 넣었어요.

❾ 빨간색과 노란색 여행 가방 주인의 목적지가 같아요.

❻ 키아의 이웃은 이어폰을 가방에 넣었어요.

주인	키아	안토니	버논	이나
내용물	봉제 인형	이어폰	카메라	감초 과자
목적지	이탈리아	중국	중국	스페인

68-69쪽

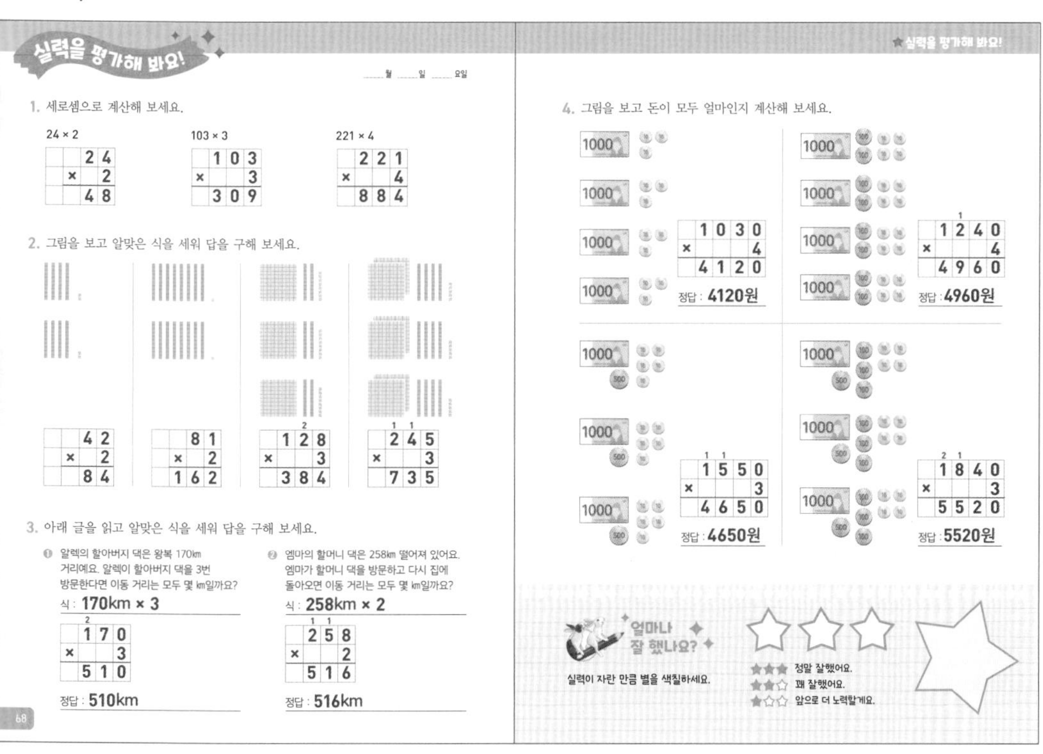

70-71쪽

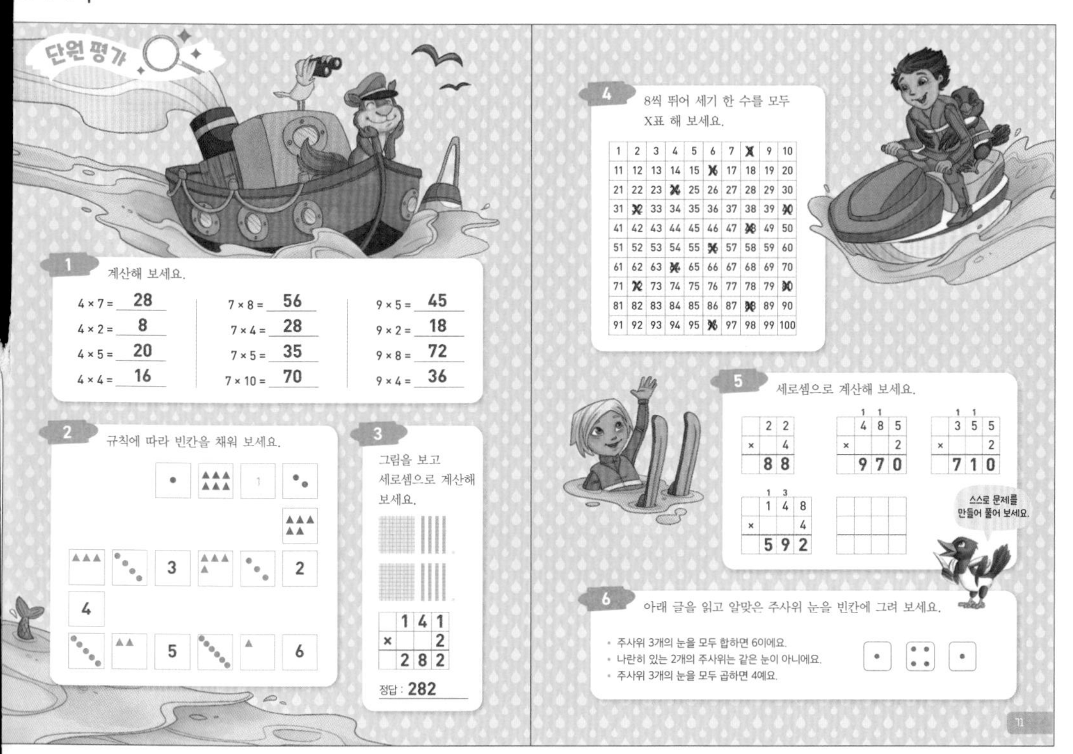

71쪽 6번

주사위 3개의 눈을 합해 6이 되는 조합을 찾아보면
1-1-4 / 1-2-3 / 1-3-2 / 1-4-1 / 2-1-3 / 2-2-2 / 2-3-1 / 3-1-2 / 3-2-1
이 가운데 나란히 있는 2개의 주사위가 같은 눈이 나오는 경우를 빼고, 주사위 3개의 눈의 곱이 4가 나오는 조합은 1-4-1

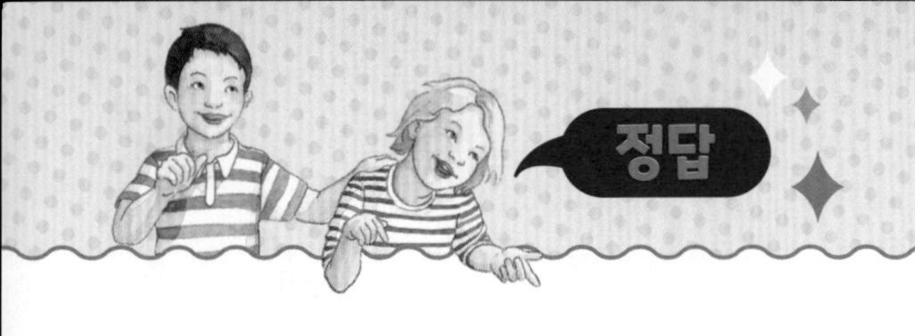

72-73쪽

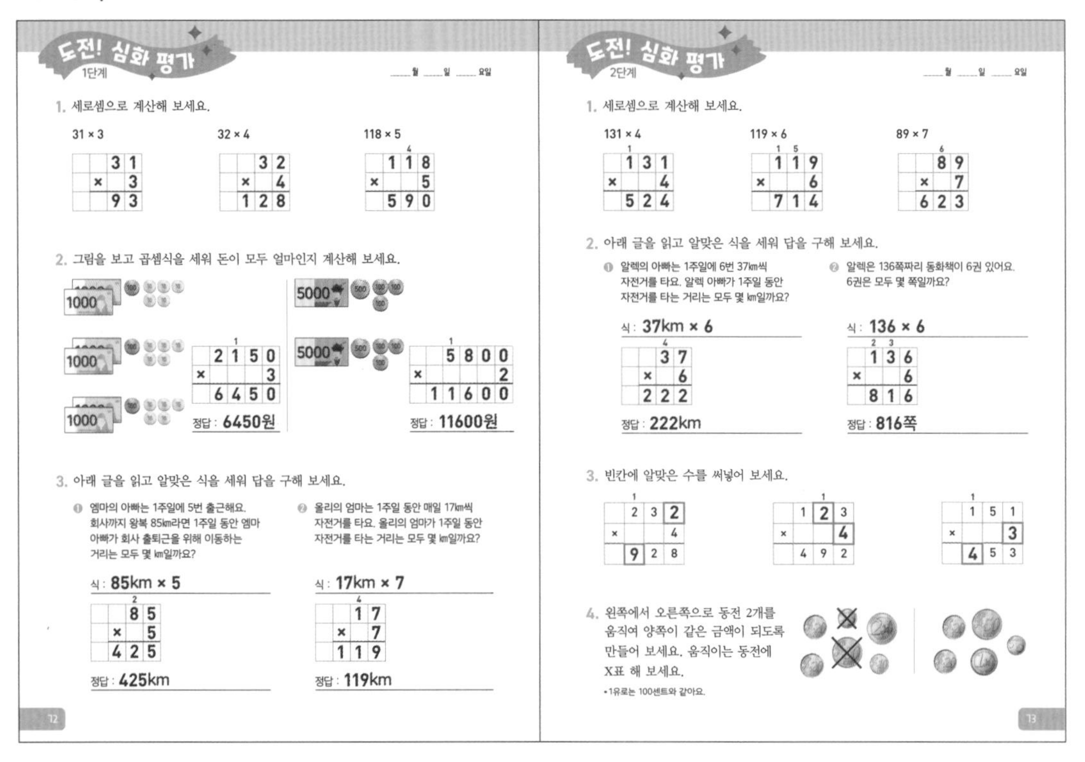

도전! 심화 평가 1단계

____월 ____일 ____요일

1. 세로셈으로 계산해 보세요.

31 × 3 = 93 / 32 × 4 = 128 / 118 × 5 = 590

2. 그림을 보고 곱셈식을 세워 돈이 모두 얼마인지 계산해 보세요.

2150 × 3 = 6450 정답 : 6450원

5800 × 2 = 11600 정답 : 11600원

3. 아래 글을 읽고 알맞은 식을 세워 답을 구해 보세요.

① 엠마의 아빠는 1주일에 5번 출근해요. 회사까지 왕복 85㎞라면 1주일 동안 엠마 아빠가 회사 출퇴근을 위해 이동하는 거리는 모두 몇 ㎞일까요?

식 : 85km × 5

85 × 5 = 425

정답 : 425km

② 올리의 엄마는 1주일 동안 매일 17㎞씩 자전거를 타요. 올리의 엄마가 1주일 동안 자전거를 타는 거리는 모두 몇 ㎞일까요?

식 : 17km × 7

17 × 7 = 119

정답 : 119km

도전! 심화 평가 2단계

____월 ____일 ____요일

1. 세로셈으로 계산해 보세요.

131 × 4 = 524 / 119 × 6 = 714 / 89 × 7 = 623

2. 아래 글을 읽고 알맞은 식을 세워 답을 구해 보세요.

① 알렉의 아빠는 1주일에 6번 37㎞씩 자전거를 타요. 알렉 아빠가 1주일 동안 자전거를 타는 거리는 모두 몇 ㎞일까요?

식 : 37km × 6

37 × 6 = 222

정답 : 222km

② 알렉은 136쪽짜리 동화책이 6권 있어요. 6권은 모두 몇 쪽일까요?

식 : 136 × 6

136 × 6 = 816

정답 : 816쪽

3. 빈칸에 알맞은 수를 써넣어 보세요.

232 × 4 = 928 / 123 × 4 = 492 / 151 × 3 = 453

4. 왼쪽에서 오른쪽으로 동전 2개를 움직여 양쪽이 같은 금액이 되도록 만들어 보세요. 움직이는 동전에 X표 해 보세요.

• 1유로는 100센트와 같아요.

72 73

73쪽 4번

1유로는 100센트와 같으므로 유로를 센트로 바꿔서 돈 계산을 해요.

왼쪽 동전을 세어 보면 2유로 105센트=305센트

오른쪽 동전을 세어 보면 1유로 95센트=195센트

305센트-195센트=110센트

110센트를 절반으로 가르기 하면 55센트

74-75쪽

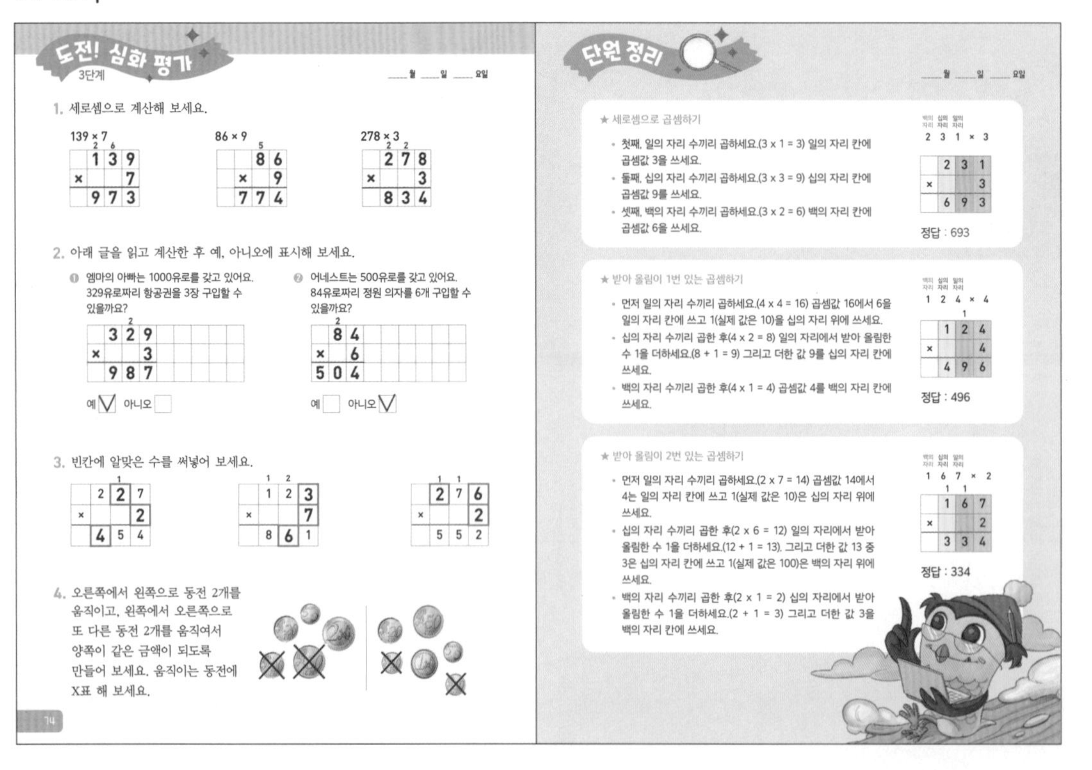

도전! 심화 평가 3단계

____월 ____일 ____요일

1. 세로셈으로 계산해 보세요.

139 × 7 = 973 / 86 × 9 = 774 / 278 × 3 = 834

2. 아래 글을 읽고 계산한 후 예, 아니오에 표시해 보세요.

① 엠마의 아빠는 1000유로를 갖고 있어요. 329유로짜리 항공권을 3장 구입할 수 있을까요?

329 × 3 = 987

예 ✓ 아니오

② 어네스트는 500유로를 갖고 있어요. 84유로짜리 정원 의자를 6개 구입할 수 있을까요?

84 × 6 = 504

예 아니오 ✓

3. 빈칸에 알맞은 수를 써넣어 보세요.

227 × 2 = 454 / 123 × 7 = 861 / 276 × 2 = 552

4. 오른쪽에서 왼쪽으로 동전 2개를 움직이고, 왼쪽에서 오른쪽으로 또 다른 동전 2개를 움직여서 양쪽이 같은 금액이 되도록 만들어 보세요. 움직이는 동전에 X표 해 보세요.

74

단원 정리

____월 ____일 ____요일

★ 세로셈으로 곱셈하기

- 첫째, 일의 자리 수끼리 곱하세요.(3 x 1 = 3) 일의 자리 칸에 곱셈값 3을 쓰세요.
- 둘째, 십의 자리 수끼리 곱하세요.(3 x 3 = 9) 십의 자리 칸에 곱셈값 9를 쓰세요.
- 셋째, 백의 자리 수끼리 곱하세요.(3 x 2 = 6) 백의 자리 칸에 곱셈값 6을 쓰세요.

231 × 3 = 693 정답 : 693

★ 받아 올림이 1번 있는 곱셈하기

- 먼저 일의 자리 수끼리 곱하세요.(4 x 4 = 16) 곱셈값 16에서 6을 일의 자리 칸에 쓰고 1(실제 값은 10)을 십의 자리 위에 쓰세요.
- 십의 자리 수끼리 곱한 후(4 x 2 = 8) 일의 자리에서 받아 올림한 수 1을 더하세요.(8 + 1 = 9) 그리고 더한 값 9를 십의 자리 칸에 쓰세요.
- 백의 자리 수끼리 곱한 후(4 x 1 = 4) 곱셈값 4를 백의 자리 칸에 쓰세요.

124 × 4 = 496 정답 : 496

★ 받아 올림이 2번 있는 곱셈하기

- 먼저 일의 자리 수끼리 곱하세요.(2 x 7 = 14) 곱셈값 14에서 4는 일의 자리 칸에 쓰고 1(실제 값은 10)은 십의 자리 위에 쓰세요.
- 십의 자리 수끼리 곱한 후(2 x 6 = 12) 일의 자리에서 받아 올림한 수 1을 더하세요.(12 + 1 = 13) 그리고 더한 값 13 중 3은 십의 자리 칸에 쓰고 1(실제 값은 100)은 백의 자리 위에 쓰세요.
- 백의 자리 수끼리 곱한 후(2 x 1 = 2) 십의 자리에서 받아 올림한 수 1을 더하세요.(2 + 1 = 3) 그리고 더한 값 3을 백의 자리 칸에 쓰세요.

167 × 2 = 334 정답 : 334

74쪽 4번

1유로는 100센트와 같으므로 유로를 센트로 바꿔서 돈 계산을 해요.

왼쪽 동전을 세어 보면 2유로 95센트=295센트

오른쪽 동전을 세어 보면 1유로 95센트=195센트

295센트-195센트=100센트

100센트를 절반으로 가르기 하면 50센트예요.

왼쪽 동전에서는 50센트를 빼야 하고, 오른쪽 동전에서는 50센트를 더해야 하므로,

왼쪽에서 70센트(50센트, 20센트)를 오른쪽으로 주고, 오른쪽에서 20센트(10센트, 10센트)를 왼쪽으로 돌려주면 돼요.

6-77쪽

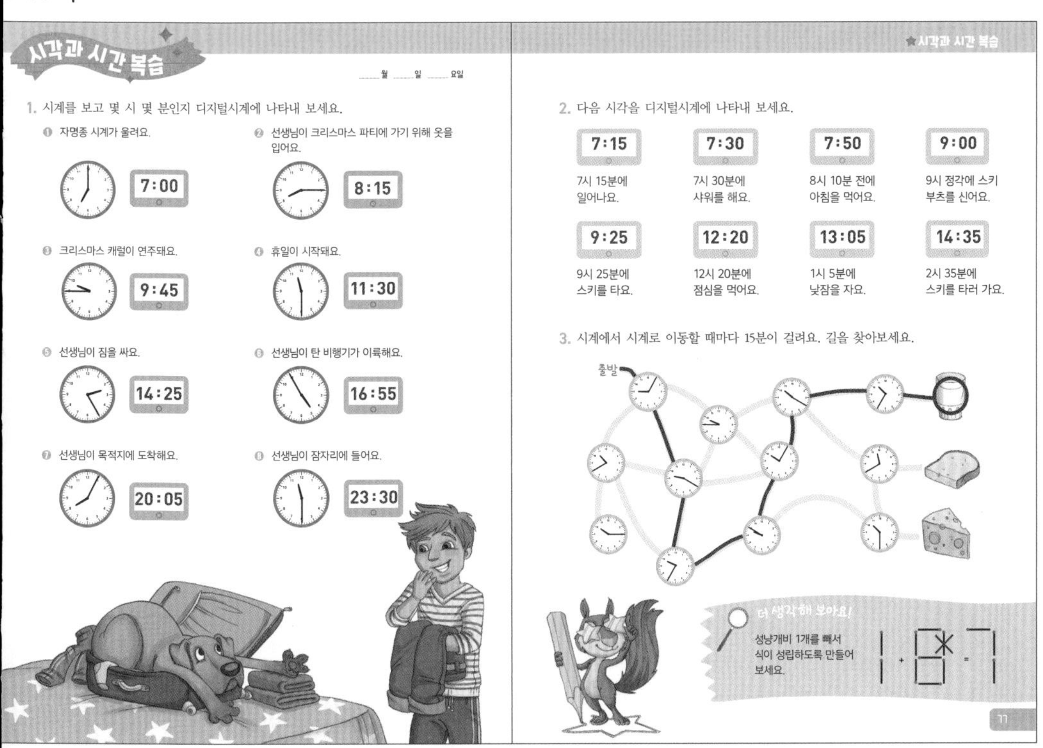

8-79쪽

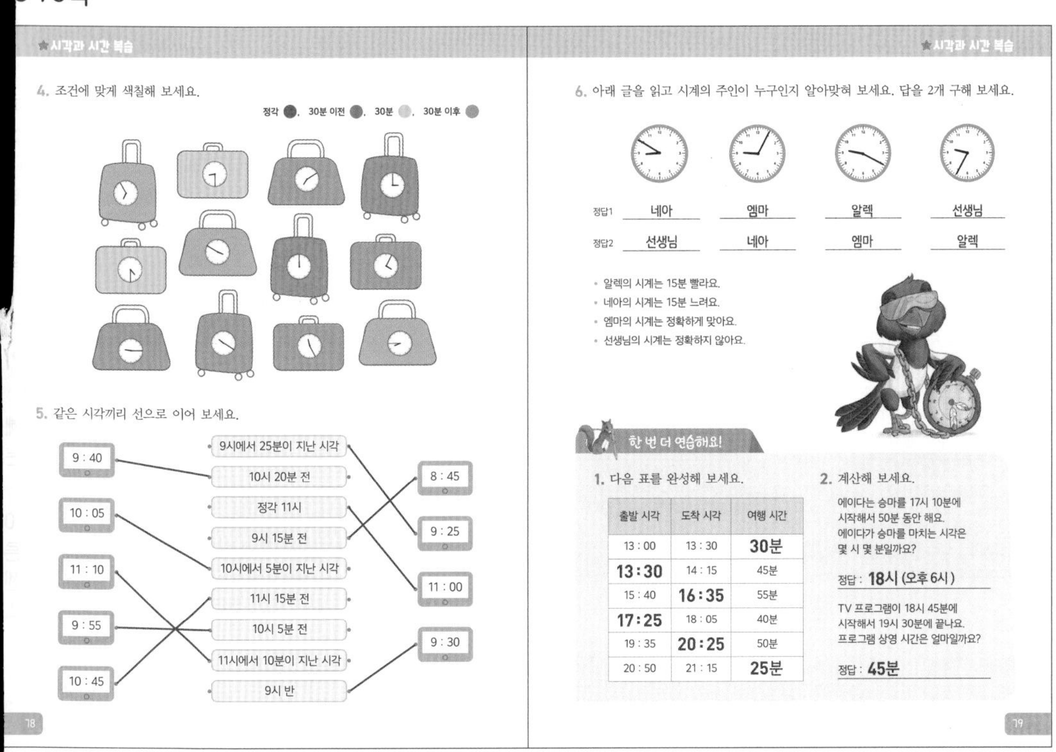

79쪽 6번

먼저 시계를 살펴보고, 15분씩 차이 나는 시각을 찾아요.

8:50과 9:05, 9:20과 9:35

기준이 되는 시각을 9:05으로 하면 15분 느린 시각은 8:50, 15분 빠른 시각은 9:20이 돼요.

기준이 되는 시각을 9:20으로 하면 15분 느린 시각은 9:05, 15분 빠른 시각은 9:35이 돼요.

80-81쪽

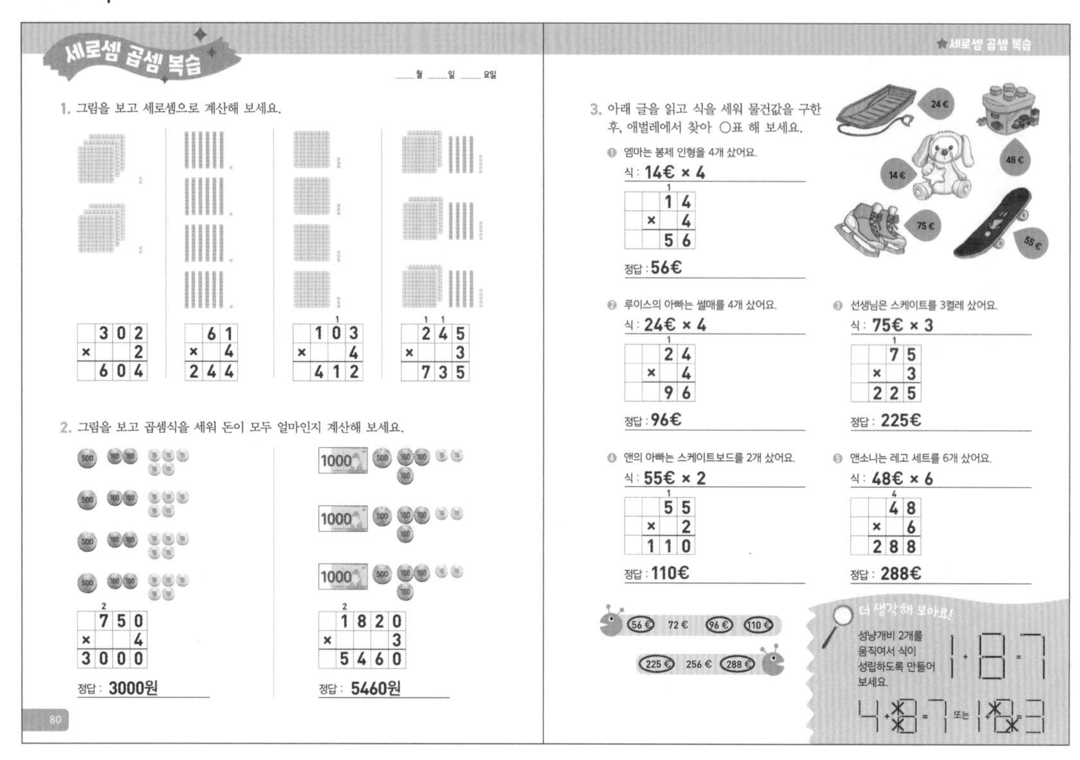

세로셈 곱셈 복습

___월 ___일 ___요일

1. 그림을 보고 세로셈으로 계산해 보세요.

302 × 2 = 604
61 × 4 = 244
103 × 4 = 412
245 × 3 = 735

2. 그림을 보고 곱셈식을 세워 돈이 모두 얼마인지 계산해 보세요.

750 × 4 = 3000
정답 : 3000원

1820 × 3 = 5460
정답 : 5460원

80

★세로셈 곱셈 복습

3. 아래 글을 읽고 식을 세워 물건값을 구한 후, 애벌레에서 찾아 ○표 해 보세요.

❶ 엠마는 봉제 인형을 4개 샀어요.
식 : 14€ × 4
14 × 4 = 56
정답 : 56€

❷ 루이스의 아빠는 썰매를 4개 샀어요.
식 : 24€ × 4
24 × 4 = 96
정답 : 96€

❸ 선생님은 스케이트를 3켤레 샀어요.
식 : 75€ × 3
75 × 3 = 225
정답 : 225€

❹ 앤의 아빠는 스케이트보드를 2개 샀어요.
식 : 55€ × 2
55 × 2 = 110
정답 : 110€

❺ 앤소니는 레고 세트를 6개 샀어요.
식 : 48€ × 6
48 × 6 = 288
정답 : 288€

더 생각해 보아요!
성냥개비 2개를 움직여서 식이 성립하도록 만들어 보세요.

1+8=7

4+3=7 또는 1+6=7

82-83쪽

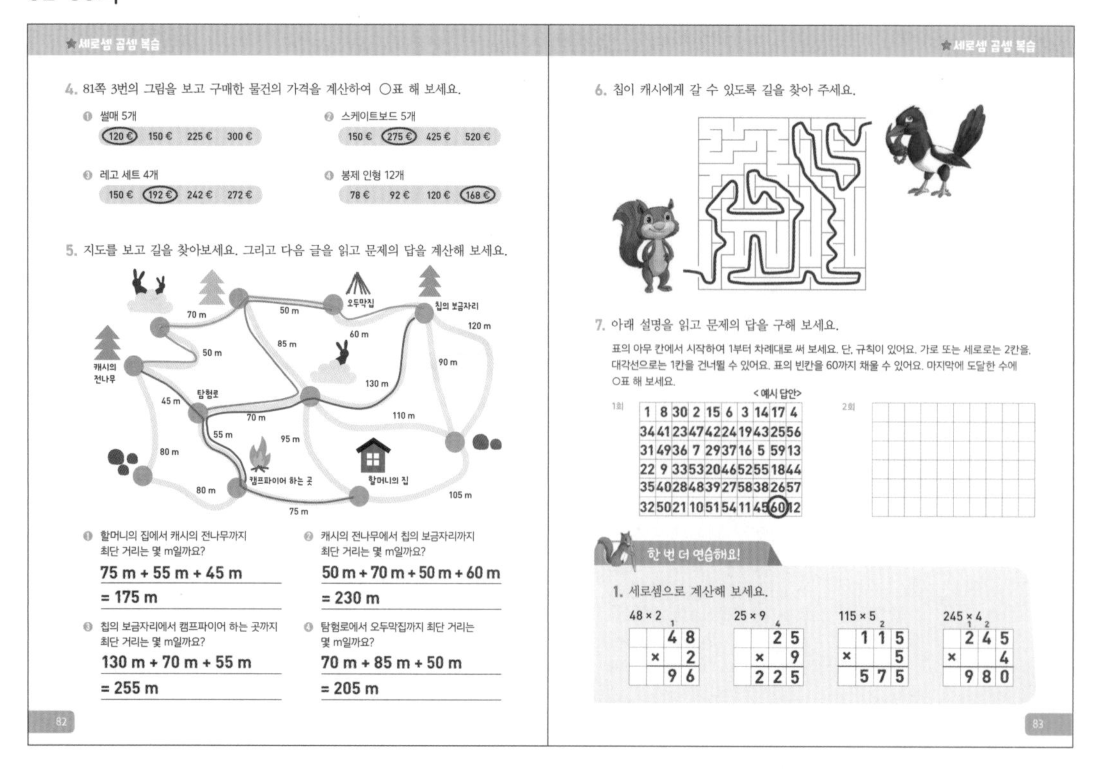

★세로셈 곱셈 복습

4. 81쪽 3번의 그림을 보고 구매한 물건의 가격을 계산하여 ○표 해 보세요.

❶ 썰매 5개
(120 €) 150 € 225 € 300 €

❷ 스케이트보드 5개
150 € (275 €) 425 € 520 €

❸ 레고 세트 4개
150 € (192 €) 242 € 272 €

❹ 봉제 인형 12개
78 € 92 € 120 € (168 €)

5. 지도를 보고 길을 찾아보세요. 그리고 다음 글을 읽고 문제의 답을 계산해 보세요.

❶ 할머니의 집에서 캐시의 전나무까지 최단 거리는 몇 m일까요?
75 m + 55 m + 45 m
= 175 m

❷ 캐시의 전나무에서 칩의 보금자리까지 최단 거리는 몇 m일까요?
50 m + 70 m + 50 m + 60 m
= 230 m

❸ 칩의 보금자리에서 캠프파이어 하는 곳까지 최단 거리는 몇 m일까요?
130 m + 70 m + 55 m
= 255 m

❹ 탐험로에서 오두막집까지 최단 거리는 몇 m일까요?
70 m + 85 m + 50 m
= 205 m

82

★세로셈 곱셈 복습

6. 칩이 캐시에게 갈 수 있도록 길을 찾아 주세요.

7. 아래 설명을 읽고 문제의 답을 구해 보세요.

표의 아무 칸에서 시작하여 1부터 차례대로 써 보세요. 단, 규칙이 있어요. 가로 또는 세로로는 2칸을, 대각선으로는 1칸을 건너뛸 수 있어요. 표의 빈칸을 60까지 채울 수 있어요. 마지막에 도달한 수에 ○표 해 보세요.

<예시 답안>

1회

1	8	30	2	15	6	3	14	17	4
34	41	23	47	42	24	19	43	25	56
31	49	36	7	29	37	16	5	59	13
22	9	33	53	20	46	52	55	18	44
35	40	28	48	39	27	58	38	26	57
32	50	21	10	51	54	11	45	(60)	12

2회

한 번 더 연습해요!

1. 세로셈으로 계산해 보세요.

48 × 2 = 96
25 × 9 = 225
115 × 5 = 575
245 × 4 = 980

83

82쪽 4번

❶ 썰매 5개
=24€×5=120€

❷ 스케이트보드 5개
=55€×5=275€

❸ 레고 세트 4개
=48€×4=192€

❹ 봉제 인형 12개
=14€×12=168€

0쪽

탐구 과제

____ 월 ____ 일 ____ 요일

로봇 프로그래밍

<지도 위의 기호>

⊗ 통행 금지

↑ 일방 통행

<통행 규칙>

1 = 1칸 전진

2 = 제자리에서 우회전

3 = 제자리에서 좌회전

1. 통행 방법을 살펴보고 지도에서 길을 찾아 그려 보세요.

❶ 주황색 로봇은 정비소를 떠나 볼트 거리를 따라 움직여요. 코드가 111211210이면 로봇은 어느 곳에서 멈출까요?

용접공장

❷ 주황색 로봇은 정비소를 떠나 볼트 거리를 따라 움직여요. 코드가 11121111310이면 로봇은 어느 곳에서 멈출까요?

충전소

❸ 파란색 로봇이 메모리 하우스에서 정비소로 가는 길을 그려 보세요. 통행 규칙을 찬찬히 살펴본 후 파란색 로봇이 가야 할 길의 코드를 설정해 보세요.

12112113113111121121

❹ 빨간색 로봇이 기계 부품 상점에서 용접공장으로 가는 길의 코드는 111211112112112111110이에요. 그런데 코드에 오류가 있어요. 코드의 오류를 찾아내 수정해 보세요.

1112111121121131131

90

MEMO

MEMO

MEMO